中敬三
真のオーディオ・コニサー
著作集

CONTENTS

●デザイン:塚本健弼
●写真:亀井良雄／古山久美／後藤敦子

Cover Photo:山中敬三氏が一時期愛用されていた、エレクトロボイス Patrician 600スピーカーシステム

※本誌記事の多くは、弊社発行誌のバックナンバーの記事を抜粋・改訂し、再構成したものです。
したがって、一部に不鮮明な箇所がありますが、ご容赦いただければ幸いです。

私のカートリッジ遍歴

山中敬三

　今から十七、八年前にもなろうか、私はホットジャズに凝っていた。その頃、国内ではまだレコードも少なく新譜といっても戦前の原盤からの焼きなおしが月にせいぜい二、三枚（もちろんSPである）という有様であったから、新しい演奏となるとどうしてもWVTRの放送か、進駐軍流れのVディスクを夢中になってあさらざるを得なかったのである。

　ところがこのレコードは、ご存じの方も多いと思うがビニール系の柔らかい材料でできていてピッチも細かく、私が聴いていた蓄音器（兄のクレデンザ）ではあまり結果が芳しくない。これはやはり針圧の軽量化を考えねば…となって、当時の先端を切っていたクリスタル型ピックアップとモーターを神田で求め、さらに先刻の放送をよりよく聴くためにスーパーラジオをということでいじり始めたのがきっかけで、ずるずるとオーディオ道楽に引き込まれる羽目になってしまった。

フェアチャイルド
XP3

　爾来、アンプからターンテーブル、カートリッジ、アームに至るまでいろいろと自作を繰り返した。LPの初期には、オーディオ部品で性能的に満足できるものは海外製に限られていたし、それらは当時学生だった私には高嶺の花でしかなかったので、いきおい自作に頼らざるを得なかったのと、この世に唯一つのものを自分で創り出すという魅力が私を捉えたためだ。

まずはカートリッジの自作から

　中でも私が興味をもったのがピックアップである。もともとメカニックな面に関心が深かったのと、手先の細工には自信もあったので、自分で作ったピックアップでレコードを聴いてみたい気持ちが強く働いたのかもしれない。

　カートリッジは、ピカリング型をモデルにアーマチュアからコイル、ポールピースまでこつこつと作り、少しずつ改良しては作り直してアーマチュアの質量も本物の1／2以下に減らしたりするところまでこぎつけた。このような自作の過程を通じて、アーマチュアの質量を小さくしていくと音がどんどん素直になり、その支持方法やダンパーで、今でいうトラッキングアビリティがさまざまに変化することなどを実際に知ったのは、私にとって貴重な経験と想い出になっている。

　私のオーディオとの結びつきは、このようにカートリッジを通じて深まった面が大きいのである。自作に対する情熱は、仕事を持つようになってからはオーディオ部品の蒐集という形に転化して中断したままになっているが、今でも自分のカートリッジを作りたいという願望を強く抱いている点は変らない。

　カートリッジの変遷は、スピーカーやアンプのそれに比べるとはるかに速く、多少の誤差はあるにしても、かなり着実に新型が旧型を凌ぐ例が多い。今、私の手元には、ここ八年くらいの間に買い求めた二十個近いカートリッジがあるが、これらの一つ一つにその移り変りがすでにうかがい知れるように思える。

　カートリッジ遍歴というテーマが、それにあてはまるかどうか……。今日まで私の脳裏に焼き付いている三、四のカートリッジについてふれてみたい。

フェアチャイルド ＸＰ３

　モノーラル・カートリッジのフェアチャイルドＸＰ３を手に入れたのは一九五八年頃だと思うが、その頃としては考えもしなかった豪華なレザーケースの赤いビロードの内ばりにおさまった、漆黒に塗られたそれを見たとき、もう理由もなく何が何でも買わなければという衝動に駆られた記憶は、今でも鮮明である。そしてこれが外国製カートリッジの魅力のとりことなるきっかけともなった。

　フェアチャイルドといえば、今でこそあまりぱっとしないが、当時はオーディオの分野で最もめざましい活動をし、注目すべき製品を輩出していた。カートリッジでも、ＭＣ型の一つのプロトタイプとなった２１５シリーズから始まり、２３０というモノーラル最後の製品まで、２２０、２２５の各タイプがあるが、２２５以降コンプライアンスが大きくなり、軽針圧化をたどった。

英フェランティ Ribbon Pickup

　ＸＰ３は、最後の２３０シリーズの前触れとして少量作られたエクスペリメンタルタイプで、特に4グラム以下の軽針圧用としてキャリブレートされた製品といわれた。実際、２２５と比べてもコイルが小さく、ダンパーも微量が用いられ、大変クリアーでフリーな音がそれまでのシリーズを大きく引き離していた。

　ほとんどのカートリッジが、振動系の高域共振を抑えるためにダンパーを使用しているが、これが過ぎるとその音色を別としても、音が鈍くなり闊達さが失われて死んだ音になってしまう。この辺のバランスをいかにとるか、ということが重要なポイントの一つである。この最も徹底した例が、デッカｆｆｓｓピックアップで、ダンパーといえるものはまったく使用していないし、それなりの強烈な個性をもった音がする。

　いささか横道にそれたが、とにかくＸＰ３は、それまでの私のオーディオ観を一変させるだけのものを持っていたカートリッジであり、現在でもモノーラル用として愛用している。

フェランティ リボン・ピックアップ

　モノーラル・ピックアップとしてもう一つ忘れられないのは、英フェランティのリボン・ピックアップである。有名なウィリアムソンの設計とされているが、構造的にも、外観的にも、これだけユニークなオリジナリティを持ったピックアップは他に見られないと思う。ベリリウムカッパー・リボンに直接取り付けられたスタイラス、大振幅のグルーヴをトレースするほど針圧が増加するように設計された巧妙なインテグラルアーム等のコンビによって得られる、ダイレクトな生々しさにあふれた音が強く印象に残っている。

　しかし、欠点も少なからずあった。針先のヴァーティカルなコンプライアンスの配慮に乏しいことからくるトレース歪み、入力トランスのハム、極低インピーダンスの出力ロスを防ぐための太いリード線によるアームの動きの制限等が、製品としての寿命を著しく短いものにした原因ともなったのだろう。だが、こういう欠点をも超越してなお大きな魅力をもったピックアップであった。

グラドの魅力

ウェストレックスによって開発された45／45方式のステレオレコードの発表は、われわれオーディオマニアに大きなショックを与えた。私自身マルチチャンネルによるモノーラルシステムをまとめていたし、ステレオの出現によってさらにもう一チャンネルを同じシステムで作ることは、とても不可能とさえ思えたのである。

しかし元来、新しいもの好きという私の性格も手伝って、たまたま手に入ったシュアーのM3Dによって、アンバランスな状態ながらステレオ再生に踏み切ったのは一九五九年も暮れの頃であった。これによってステレオ効果の良さもいろいろ認めることはできたが、レコードから再生される音の質そのものは、モノーラルのXP3に遠く及ばなかったのである。私はある意味ではほっともし、ステレオレコードに対してかなり消極的な態度をとっていた。

グラドを初めて聴いたのは、そういう頃である。グラド・マスターを手にして、その透明で繊細なヌケの良い柔らかな音を耳にしたとき、私のステレオレコードに対するそれまでの悪いイメージは消えて、本気で装置のステレオ化に取り組む意欲を掻き立てられた。

米グラド
Laboratory
MK I
Experimental
Model A
（左上より時計回りに）

グラドの魅力はそれだけではなかった。プラスチック製のカンチレバーもユニークだったし、出力電圧もMC型としては非常に大きかった点もさることながら、何といってもそれはウォールナット材で作られたステレオ12型アームとともに、アメリカ製らしからぬクラフツマンシップにあふれた見事な仕上げであった。

これ以来、私の装置は急速にステレオ化が進み、ホーンの3ウェイシステムは二組のワーフェデールSFB3となり、これがまたグラドと奇妙によくあったのである。まったく弦の再生にかけてはこのくらい魅惑的な音色をもつカートリッジはなかった。しかし、このカートリッジの弱点は断線事故で、これには閉口した。修理に要した一ヵ月もの間、やるせない気持ちで待たされたのも一度ならずであった。

このマスターは、何度目かの針交換の際、後述するラボラトリー・シリーズのスタイラスユニットに交換されてしまったため手放したが、今でもオリジナルのマスターと、モノーラル・カートリッジ（現物は一度も見ずじまいであったがグラド最初の製品）は、手に入るものなら是非欲しいものの一つである。

その後グラドは、ラボラトリー・シリーズというさらに洗練されたカートリッジとアームを発表したが、これはわが国にもかなり輸入されたのでご存じの方も多いと思う。ただ、音色はオーバーダンプ気味で、マスターに比べると面白味に欠けた音となっていたし、振動系が小型化されたのはよいが、カンチレバーが極端に短くなって、ヴァーティカル・トラッキング・アングルが60度くらいのものもあったのは、どうしても理解できない点であった。

しかし、このシリーズの最高級品のエクスペリメンタルは、相性のよいレコードではややエキセントリックながら、きわめてデリケートな音を再生して、

私のカートリッジ遍歴

山中敬三

好事家好みとでもいうか、一種独特の魅力ある雰囲気を持っていた。また、振動系がプラスチックのせいか、気温、湿度に敏感で、人間にとって快適なコンディションの場合にのみ最高の音がしたのもにくい製品であった。

　現在愛用しているA型は、軽合金製のパイプカンチレバーとなり、音色的にもずっとバランスがとれ、しかもグラド特有の柔らかな持ち味も受け継がれて、性能的にはより完成度の高い製品になっている。しかし、ここまでグラド製品を遍歴してきた私自身の感情からいうと、グラドならではという個性が薄められて、何とはなしに淋しさを感じてしまうのである。

シュアーの新型カートリッジ

　これまで私が魅力を感じたカートリッジは、すべてダイナミック型のそれに限られていたといってよい。たとえばステレオ用MM型のオリジネーターであるシュアーの製品は、正直にいってアメリカ的実利主義に徹しすぎた感じで、私の好みではなかった。もっとも、最高級品であるV15については、きわめて効果的にコントロールされた音色とレコードに対する広範囲な適応性には兜をぬいで、私の常用カートリッジの一つになっていたのだが、MM型とMC型の間の超えがたい一線というものを忘れることはできなかったのである。

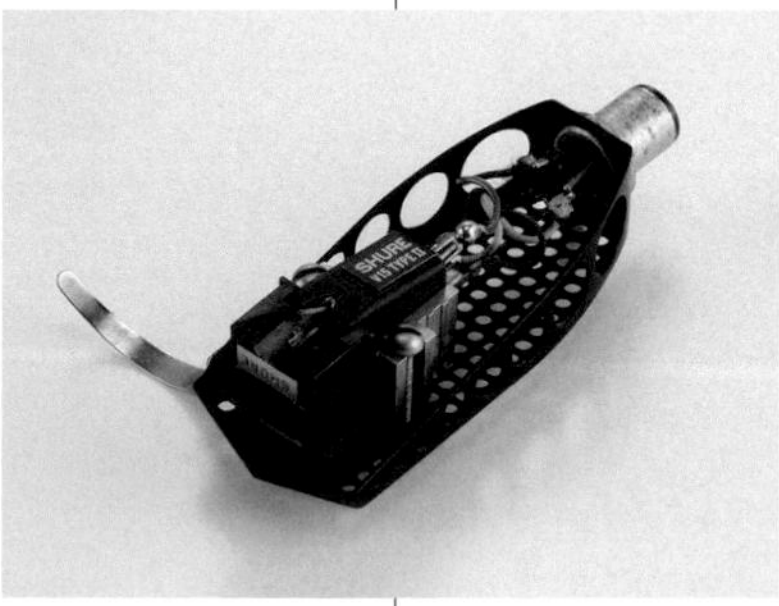

米シュアー
V15 Type Ⅱ

米シュアー
M3D

　ところが、このシュアーV15の新型であるタイプⅡ型は、そのような考えを覆すほどの新鮮な感激を久しぶりに味わわせてくれた。タイプⅡ型によってなされたレコード音溝への追従性の向上が、いかに再生される音色に、MC型、MM型の差とは違う次元の大きな違いをもたらすかということを、まざまざと感じさせられた思いである。

　すべてに控えめで豊かで、しかもあくまできめの細かい音色は、ピアニッシモでもフォルティッシモでも変化せず、良質のテープ再生のそれのようであるし、レコードを選ばない良さは、癖のない素直な中音域の良さとともに、古い録音も全く見事に蘇らせる。

　フルトヴェングラー、リパッティ、さらにブッシュ、カペーに至るまで、このくらい豊かに聴けるステレオカートリッジは、ほかにないと信じる。時期を同じくして発表されたオルトフォンの新型S15が、期待に反して、失望以外の何物でもなかったのに引き換え、このシュアーの新型から得られたものは大きい。

　昨年の暮れ以来、私の演奏主体にしたレコードコレクションにとって、今や欠かすことのできないカートリッジとなっている。

オーディオ装置拝見　山中敬三氏

オーディオ装置拝見　山中敬三氏

アルテック、マッキントッシュでまとめた装置と新しいリスニングルーム

山中敬三

つい先日、ハンガロトンというレーベルの数枚のLPを手にした。ハンガリィのクォリトン録音で、バルトークの全作品を数年間にわたって出版する膨大な計画の第一回エディションなのである。このレコードの音に私は最近になく心をひかれるなにかを感じた。決して人を驚かすようなすごい録音というのではないのだが、いかにもはったりのない素朴で自然な音が、人工的な臭みをやたらに感じさせるいわゆる優秀録音と称したレコードの多い中で、ただ無性に好ましく思えたのである。

再生装置も同じこと、やたら欲ばって小細工をろうすればするほど、音は音として勝手に鳴りだし、音楽から遠く離れていってしまうように思えて、ハイ・フィデリティだ原音再生だと真正面から気負いこんでかまえている装置をみると、妙におぞましさを感じてしまうのは私だけだろうか。

★

いま、再生装置をおいているのは今年の春これまでの離れを建て替えた部屋である。音楽を聴くには広いほどよく、音が変に萎縮しない。私の場合6坪ほどだから決してじゅうぶんな広さではないが贅沢はいえない……。主屋からまったく独立しているので、夜中でも周囲にそれほど気兼ねなく聴けるのが取得だろう。

部屋の内部は白木を基調に明るく仕上げるように心がけた。いわゆるリスニングルーム的な印象をなるべく与えずに、リビングスペースとして音楽を楽しみたかったからである。

したがって床を頑丈に造った以外は、特に音響的な処理は意識的に考えていない。どうも新建材や、いかにもそれらしい吸音材などは好きになれず、そういうものに囲まれて暮すのは願い下げにしたかった。裸のままの部屋の状態ではかなりライブな感じであったが、ひととおり小道具をおさめてみると、ちょうどよい状態になったと思っている。

スピーカーシステムの前面は天井からサランのカーテンで仕切ってあるが、スピーカーと対峙して聴くのと、そうでないのとでは心理的にもかなりちがうもので音楽に集中できるのがよいことと、ひとつにはスピーカーシステムにインテリア的な配慮をせずにすむように心がけたのである。

★

再生装置の音色の決め手となるのは、なんといってもスピーカーシステムにある。私はすべてアルテック・ランシングでまとめてあるが、以前の部屋で約五年間アルテックのドライバーを使ってすっかり惚れこんでの上である。

現在のシステムはシアターサプライ

のユニットで構成している。すなわち低域が有名なA7システムに用いられている825エンクロージュアに515Bウーファーをおさめたもの。エンクロージュアはオリジナルを輸入してもらったが、外観は灰色一色に塗られてきわめてラフな仕上げである。なにしろスクリーンの裏側に仕掛けるのであるからしかたがない。しかしこの箱と国産のそれとの音色の差は大きく、スケール感とひびきのよさでオリジナルがまさる。こういうある程度箱のひびきを考慮にいれたシステムを、国産の材料で造ってもなかなか思いどおりにゆかないことが多い。

高域は288Dという強力なドライバーユニットを311―90セクトラルホーンに装着してある。ドライバーはもっぱらシアター向けに考えられたユニットの最新型、Fレンジが高域にひろがりインピーダンスも標準の16オームになったところに目をつけたわけである。

511Bホーンをふたまわりも大きくしたこの大きなホーンはアルテック独特のセクトラルタイプで、横方向の指向特性が大変よい。厚い鋳物製でデッドニングも完璧に近い。

これらのユニットを500ヘルツのクロスオーバーでわけた2ウェイシステムとしている。用途から考えても能率のよさと耐入力性の優れていることはいうまでもないが、外観から想像される音は強烈な迫力といささか荒っぽいシアターサプライと思いたくなる。事実これをセットして最初に音を出したときは、そうした感じがある程度あってちょっとがっかりさせられた。ところがである、このシステムから再生される音は決してそのようなものではなかったのである。信じがたいほどなのだが、それから二、三ヶ月の間に、きわめてナイーブで、密度が高くしかも饒舌な感じのない音に変貌したのにはまったく驚いてしまった。ホーンドライバーのエージングということがよくいわれるが、まるで山谷がうずまって平らになってゆくように、これほどはっきり体験させられたのも珍らしい。

ハイエンドも下降ぎみながらよくのびてデリケートである。3000Hトウイーターを加えて3ウェイのテストも繰り返しやってみたが指向性もふくめて聴きわけることが困難であり、3ウェイの必然性もまったくなくなってしまった。

とにかくひかえめな、あたたかみのある音という私の望んでいる線にもっとも近い音をこのスピーカーシステムは出してくれる。

マッキントッシュのアンプにも同じことがいえる。本誌のテストで種々の

アンプを聴くことができたが、マッキントッシュのような豊潤な音は他からは遂に得られなかった。しかもこのアンプがアルテックともっともよくマッチするのであるからなにもいうことがない。

いまのところ、こういうよい管球アンプがもつ音色は石のアンプからはむづかしいし、私個人の好みからいっても球のもつ雰囲気が捨てがたいと思う。

常時使用するカートリッジでも限られてくる。私の装置では結局のところオーソドックスで過不足を感じさせないのが、オルトホンのSPU—Aであり、その延長上にあるのがEMTのTSD15ということになる。この二種類のカートリッジをFRのインプットトランスで使用するのが私の場合一番性に合うようだ。

これまでの私の再生装置の変遷をふりかえってみると、モノ時代のマルチアンプ、3ウェイホーンの頃から始まってずいぶん迂余曲折したが、レコードのコレクションがふえてくるにしたがって音に対する考えかたもアプローチも、少しずつ変わってきた。そのあらわれといえるかどうかわからないが、パーツを高度化するにつれて、反対に装置の構成がよりシンプルに整理されて、音楽の心を逃がさなくなったように思えるのである。

●オーディオ評論家●そのサウンドとサウンドロジィ●

山中敬三氏

数多くの名器を友として、いたずらに新奇さを追うことのない
したたかな日常感覚の裡で、音楽美の世界に遊ぶ真のエピキュリアン

ALTEC
ALTEC
AMPZILLA

■山中氏の再生装置

●スピーカー

エレクトロボイス	パトリシアン600×2

●アンプ

No.1	プリアンプ	マランツ Model 7
	パワーアンプ	マランツ Model 2×2
No.2	プリアンプ	ハドレー Model 621
	パワーアンプ	マランツ Model 2×2
No.3	プリアンプ	GAS テァドラ
	パワーアンプ	GAS アンプジラ

●プレーヤー

No.1	フォノモーター	フェアチャイルド 412-4
	トーンアーム	グレイ 206S
	カートリッジ	オルトフォン SPU-G
	昇圧トランス	フィデリティ・リサーチ FRT-4
No.2	EMT	930st
	カートリッジ	EMT TSD15
No.3	フォノモーター	トーレンス TD124
	トーンアーム・カートリッジ	フェランティ リボン・ピックアップ
No.4	マランツ	SLT12U
	カートリッジ	フィデリティ・リサーチ FR-1MK3

●その他

プリアンプ	クッドエイト LM6200R
	JBL SG520E
	マランツ Model 1
	マッキントッシュ C22
	マッキントッシュ C28
パワーアンプ	マランツ Model 2
	マランツ Model 5
	マランツ Model 9
	マランツ Model 510M
	マッキントッシュ MC2105
	マッキントッシュ MC3500
チューナー	セクエラ Model 1
	マランツ Model 10B
	マッキントッシュ MR78
テープデッキ	アンペックス Model 300
	ルボックス G36

など

●オーディオ評論家●そのサウンドとサウンドロジィ●

山中敬三氏

「機械は最良の状態で動いていないと意味がない」と語る山中氏

オーディオ評論家の方がたは、あたかもハレムの住人のように見えてしかたがない、と語ったのは、ほかならぬ黒田さんである。このことば、『ステレオサウンド』に書かれた文中にあったから、ご存じの方も多いだろうが、念のために若干の解説をしておくと、黒田さんの意とされるところは、どのひとつをとっても手に入れたくなるようなオーディオの名器にかこまれて暮しているさまを、かのトルコ王宮の後宮ハレムにたとえたわけだ。ただ、このハレムということば、とかく軽薄に使われがちで、なかには場末の安キャバレーなんぞを連想される向きだっているやもしれず、そうなると、このことばにこめた黒田さんの純粋な羨望と讃嘆の念が、どこかにふっとんでしまうことになる。そのへん誤解なきよう、お願いしておこう。

さて、数あるハレムのなかでは、この山中敬三さんのリスニング・ルームこそ、一、二を争うすばらしいハレムだ、という定評がある。そして当の黒田さんは、そのハレムを初めて訪問するということで、ひときわ目を輝かしたのである（ちなみにいえば、黒田さんは八人の方々のリスニング・ルームのいずれも、今回初めて訪れられたのだった）。

山中さんのお宅は、西武・新宿線の井荻駅に近い静かな住宅地、地名でいうと杉並区井草、にある。母屋と別に、山中さんの住宅が建てられてあるが、リスニング・ルームは母屋のはずれに建増しされている。もっとも、専用の入口が設けてあり、完全に独立した部屋になっているようだ。14畳ほどの広さの洋間で、短方向にエレクトロボイスのパトリシアン６００が据えられ、その右手の長方向の壁に、さまざまなアンプ、プレーヤーそしてテープレコーダーが置かれている。スピーカーの対抗壁面は、レコード棚が二列に配置され、その上にもアンプやプレーヤーがのっている。

そのひとつひとつが、写真でもおわかりのように、指折りの名器で、しばし黒田さんはほれぼれと眺めまわす。そして、歓声とも嘆息ともつかぬ声で、これぞハレムだなあ、とひとりごちした。ひとわたりしたところで、ようやく黒田さんをうながし、音を聴かせていただく。セル／ウィーン・フィルの〈エグモント序曲〉を皮切りに、シベリウスの〈クレルボ〉交響曲、ヴィヴァルディのヴァイオリン協奏曲、モーツァルトの交響曲第4番……と、クラシックを中心とするレコードをかけていただき、さて、インタビュー開始。

——聴いているうちに、コンサートホールの最高の席で聴いているような感じを、ひじょうに強く受けました。最近の傾向として、音をあからさまに出してくるスピーカーが好まれているように思うのですが、そういったあからさまな音ではなく、そしてあたたかい。そこで、こういう音を好まれる理由あたりから、お話をうかがわせてください。

「とくにそうした音を意識して出している、ということではなく、長年にわたってコンサートやレコードを聴いているうちに、だんだんそうなったのだろうと思います」

——音量の大きさを含めて、音楽が演奏されている場に首をつっこんで聴いているような、というレコードの聴きかたが一方にある。それはそれとして楽しいものですが、山中さんの場合はいかにもいいホールの、しかもいい席で聴いているといった心地よさにみちみちている。

エレクトロボイス　パトリシアン600の中・高音部

「こういった鳴らしかたが、このスピーカーには最も合っているし、とくにクラシックを聴く場合には、ぼくの好みとしてこういう音になるわけです。ですからある種のジャズでは、もっと違った鳴らしかたになりますね」

——いまお使いのスピーカーは、長くお聴きになっているものですか。

「まだ二年位ですね。ぼくの好みのひとつの面をだしているスピーカーだと思う。スピーカーというのは難物でして、ひとつのスピーカーでオールラウンドに使えるのはいまだかつて聴いたことがないのです。将来もたぶん出来ないだろうという気がします。その意味でも、ぼくの好みのひとつの面をひじょうにうまく出してくれるスピーカーとして、このところ気に入っているのです」

——スペースの問題をぬきにしていえば、さらに別のスピーカーを置かれるお気持ちはありますか。

「全く傾向の違うものを、最低二つぐらい置く気持ちはありますね。ただ、基本的には一つでいいと考えます」

——アンプの名器がずらりと並んでいますが、レコードによっては取りかえ引きかえされて聴かれるのですか。

「いいえ、アンプの場合も、そういうことはあまりしませんね。その日に最初からラインアップを決めておいて、それで聴く。いわゆる切り換え試聴みたいな聴き方はしません。ほんとうは、装置はひとつあればいいんですよ」

——このパトリシアン600をお求めになった理由あるいは動機はなんだったんでしょう。長年あこがれられていたとか……

「正直にいえば、あまりあこがれはなかったんです（笑い）。このスピーカーは日本にはほとんど入っていなかったこともあって、ぼくには比較的なじみが薄かったんですけれど、たまたま手に入る機会があって、いわゆるみずてんで買ってしまったわけです。もちろんシステムの内容はよく知っていましたけれど、現物の音を聴かずにとにかく買ってしまった。そして自分の部屋に入れて鳴らしてみたら、ぼくのねらっている線にかなり近いことが分って、そこでそれまで使っていたスピーカーを全部追い出したのです。それからほぼ二年間、一生懸命調教してるんですけれど、まだ完全にはなじんでくれないんですよ」

——長島さんが、スピーカーにチャレンジするという意味のことをいわれたけれど……

「ええ、そういう気持ちは常にあります。最初に系列とか特性データとか形状をいろいろ調べて、これはかなりのものだなとなったら、あとはそのスピーカーを鳴らせるか鳴らせないかは自分自身の問題になるわけです。そしてそういったチャレンジする姿勢が、むしろオーディオとしての喜びでしょう。ことにこのパトリシアンのように古い製品は、入手するといってもまず十年以上はたった中古ですから、たいていはまともな状態ではない。それを新しいときと同じような状態にまでりファインして、どんな性能どんな内容をもっていたのか確かめてみたくなるわけです。経験的にいうと、これだと思って目をつけたものは、やればやるほど中身がありますね」

——聴かせていただいたレコードもそうでしたが、拝見したところヨーロッパ系のレーベルのレコードが多いように思いますけれど、そういったレコードの好みと、音との印象が一致していますね。

「あるいはスピーカーに合わせて、ともいえるんですよ。以前、ワーフェデールのSFB3を使っていた時期があったんですが、これはオーケストラのレコードは全くだめだけれど、弦楽四重奏が抜群にいいスピーカーだったのです。だから、夢中になってクワルテットばかり聴いていたことがあります。いいかえると、自分ではそうでないと思っていても、結果としてそうなってくるということがあるように思いますね。ですから、いまはロマン派とその周辺に夢中になっています（笑い）」

——どうもオーディオ装置というのは、こちらは使っているつもりでいても、聴いているうちに装置の音に左右されてくる。じつは聴いているのではなくて、聴かされているのではないか、そんなふうに思っているわけです。

「ええ、ですから装置との力くらべといった面があるような気がします」

——このスピーカーの、現時点での満足度はどのくらいでしょう。

「満点だと思うときもあるし、落第だと思うとき

山中氏の再生装置について

——井上卓也

山中氏は、スピーカーシステムについてはつねに大型フロアーシステムを愛用される。現在は、エレクトロボイスのパトリシアン600だが、知られている限りにおいても、アルテックA—5、ヴァイタヴォックス191コーナーエンクロージュア、JBLハーツフィールドがあり、アルテックとJBLは現在でも所有されている。

パトリシアンは、エレクトロボイスのトップモデルとして、1940年代に発表されて以来、数次にわたる改良を加えられ、1962年発表の800を最後に生産は中止されたが、600は、パトリシアンシリーズがそのもっとも高い完成度を示した記念すべきモデルと思われる。エンクロージュアは、フロント・ホールデッドホーン方式としてクリプッシュのパテントによる、いわゆるクリプッシュKホーンで、その外形寸法は、96・5×148・6×76・2cm（W・H・D）、重量は、推定であるが140kgを軽くこすだろう。外形寸法を最終モデルとなった800と比較すると、幅12・7cm、高さ19・1cm、奥行9・0cm大きい。

ユニット構成は、オールホーン型4ウェイ・5スピーカーシステムである。ウーファーはホーンロード用の46cm口径18WK、ミドル・バスが828HFドライバーとA8419という折返し型ホーン×2の組み合せ、ミドル・ハイがT250ドライバーユニットと6HDホーンのコンビ、トゥイーターはT350である。クロスオーバー周波数は200Hz、600Hz、3500Hzと発表されている。エレクトロボイスのドライバーユニットは、ダイアフラム材質が硬質のフェノールであることが特徴で、音色は、ウェスターン系の軽金属ダイアフラムとはかなり異なった、マイルドで弾力性がある。

アンプ系は、取材時には3種類のシステムが使われた。第一はマランツ#7と#2×2、第二はハドレー#621とマランツ#2×2、第三が米国の新進メーカーGASのテァドラとアンプジラである。

山中氏のリスニングルームには、米国系を中心としたセパレートアンプ群が整然と置かれているが、そのいずれもが最新の製品のように美しくレイアウトされ、しかもスイッチ操作ですべてが動作をする。つまり、これらのアンプ群はすべて現用機であり、生きていることに深い感銘を受けた。まさに驚威的とも思われる保守の美事さであり、想像を絶する努力の結果であることにほかならない。

これはプレーヤーシステムでも同様で、完全に復元され動作をするフィッシャーの両面を演奏可能なオートチエンジャーに代表されるように、かつて名声をほしいままにしたフェアチャイルドやトーレンスのプレーヤーシステムを現用機として使用中だ。テープデッキはこれまた機種が多い。アンペックス300は、現在のAG440を電気機関車にたとえれば、まさしくSLといった存在で、そのダイナミックな音はすさまじいエネルギーを秘めている。棚にのっているルボックスG36、サムソナイトのケースに入って目立たなく置かれたアンペックス600など、それぞれが一時期を画した名器だ。

この部屋で聴く音楽は、スケールが大変に大きく、細やかであり、力強い。そのうえ、ステレオフォニックな音場は幅広く拡がり、奥行きは、部屋の壁をこえて彼方の空間につながっているように感じられる。

もあって、なんともいえないんですよ（笑い）」

——ほかのスピーカーでのご経験からいって、かなり手こずられたスピーカーですか、それともなつきやすい……

「やはりある面ではひじょうに手こずりますし、ある面ではたいへんなつきやすい、という気がしますね。余談ですが、JBLもほんとうに自分の好みの音で鳴らそうとすると、かなりなつかないスピーカーなのです。このパトリシアンの前にハーツフィールドというJBLの古いスピーカーを使っていたのですが、これも大変手こずりました。最終的にはかなり納得のいく音になって、いまだに気に入ってはいるんですけれど、なにしろここには二つ置けませんし、またどうしても置きたいというほどではないので、しまいこんであるんです。できればもう一部屋あるといいんですがね」

——岩崎さんによれば、最低五部屋、できたら八部屋、リスニング・ルームが欲しいということだそうで……（笑い）

「そうでしょうね。ぼくだって多ければ多いにこしたことはないんだけど……（笑い）」

——オーディオ機器にチャレンジなさる姿勢、というかお気持ちをもたれた、きっかけをうかがわせてください。

名器フェアチャイルドのフォノモーターを中心にしたプレーヤーシステム

珍しいフェランティのリボン・ピックとトーレンスTD124

「とくにどうということではないと思うんです。結局、ぼくぐらいの年令までオーディオに夢中になっていると、否応なしにその方向に向うのではないでしょうか。出来上っているものをただそのまま持ってきて、ただ鳴らして、いいとか悪いとかいってるだけではつまらないでしょう。その機器がもっている力を百パーセント、ときにはそれ以上出させようと考えるのは、オーディオ好きなら当然ではないかと思いますね。自分の手で、思いもよらぬ性能を引き出してみせるんだという欲望、それがオーディオに対する情熱の最大のものだとぼくは思います」

——そういう情熱を、少年時代からお持ちだった……

「そうですね、こどもの頃からオーディオに限らず機械類が好きだったのです。それと、これはぼくの昔からの持論ですが、機械というものは、最良の状態で動いていない限り、機械としての意味をもちません。したがって、つねに最高のメインテナンスと、よく使いこんでおかないと、自分の思い通りには動いてくれないのです」

——ただ並べて置いておく、というものではないということ。

「そうです。ですからいまここに置いてある機器は、どれもいつ使っても、最良の状態で鳴るようにしてあるつもりです。機械というものはそういうものだと、ぼくはこどもの頃から考えていました。それはひとつの信念といってもいいかもしれません。だから博物館などへ行くと、何年製とか何時代といった説明書をつけた機械が展示されているけれど、ぼくはその光景を見るたびに、人間の死体を眺めているような、ひじょうにイヤな気持ちになる。正常な状態で動いていてこそ〈機械〉であって、動きもしないものをまるでミイラみたいに並べておく趣味は、ぼくにはありません」

　山中さんのリスニング・ルームの片隅に、フィッシャーのオートチェンジャー・プレーヤーが置いてある。エア・コンプレッサーを使ってレコードを持ち上げ、右側に反転しながら移動し、そこにカートリッジが接触してくる……といったような、まことにユニークで奇抜な、しかも複雑なメカニズムを持ったプレーヤーで、その風変りなメカニズムがひところ話題になったので、年輩のファンならご存知の方も多いかもしれない。

　このプレーヤーも、もちろん生きている。しかし、じつは何年か前に山中さんが手に入れたときは、サビだらけで部品も欠けた、残骸とでもいったらいいような有様だったのである。それを山中さんが、いったん分解したうえで、欠けた部品を探し集め、どうしてもないものは自作し、再び組み立てて、メカニズムを調整して、みごとに生きかえらせたのだった。

　キカイいじりが好きだから、と山中さんはさり気なくおっしゃるが、このエピソードは、最良の状想で動かない機械は、じつは機械たりえていないのだ、という山中さんのことばのたしかな証しだろう。その口調はおだやかではあるけれど、そのことばは、自らの手で行なっている人間だけがもつ、したたかな重みをもっている。

——機械をつねに生かした状態に保っておくということは、ことばでは簡単だけど、じっさいはひじょうに手間のかかることですね。

「自分でいうのもへんだけど、大変な努力が必要ですね。たんに努力といったようなことばでは、いいあらわせられないような感じもします」

——オーディオ機器をはじめ機械というものは、使う人間が使いこみ追いこんでいかないと、その機械の最良の状態にならないということがあるわけでしょう。

「全くそうだと思います。もちろんなかには、使えば使うほどダメになる機械もありますけれど、そんなものは少なくともぼくは身近に置く気持ちにはなれない。こちらが使いこんでいったとき、機械がそれに応えてくれる、そういうものがぼくには貴重に思えるのです」

——オーディオ機器に関して、いまおっしゃったことが外国製品と国内製品の問題にどこかかかわるということはありませんか。

「たまたまぼくが持っている装置は、ほとんどが外国製品ですけれど、それは、結果として残ったということですね」

——ひとつの考え方として、新しい製品ほど新しいテクノロジィが投入されているから優秀である、といった直線的な思考がありますね。拝見したところでは、山中さんが現用として使われている装置はほとんど、ある時間を経ているもののような気がするのです。そこで、これまでのご経験のうえから、ある時間を経ているものには先ほどの使いこんだよさといったような長所が、そこにもにじみ出てきているとお考えなのでしょうか。

「それはひじょうに難しい問題だと思います。ぼくの場合は、結果として残ったものが、たまたま十年前二十年前の製品になっただけのことで、古いという意識はもっていません。古いからいいとか新しいからいいとかいうことではなく、いいものはいいということなんですね。ただ、基本的には新しい製品のほうが優れているはずなんです。

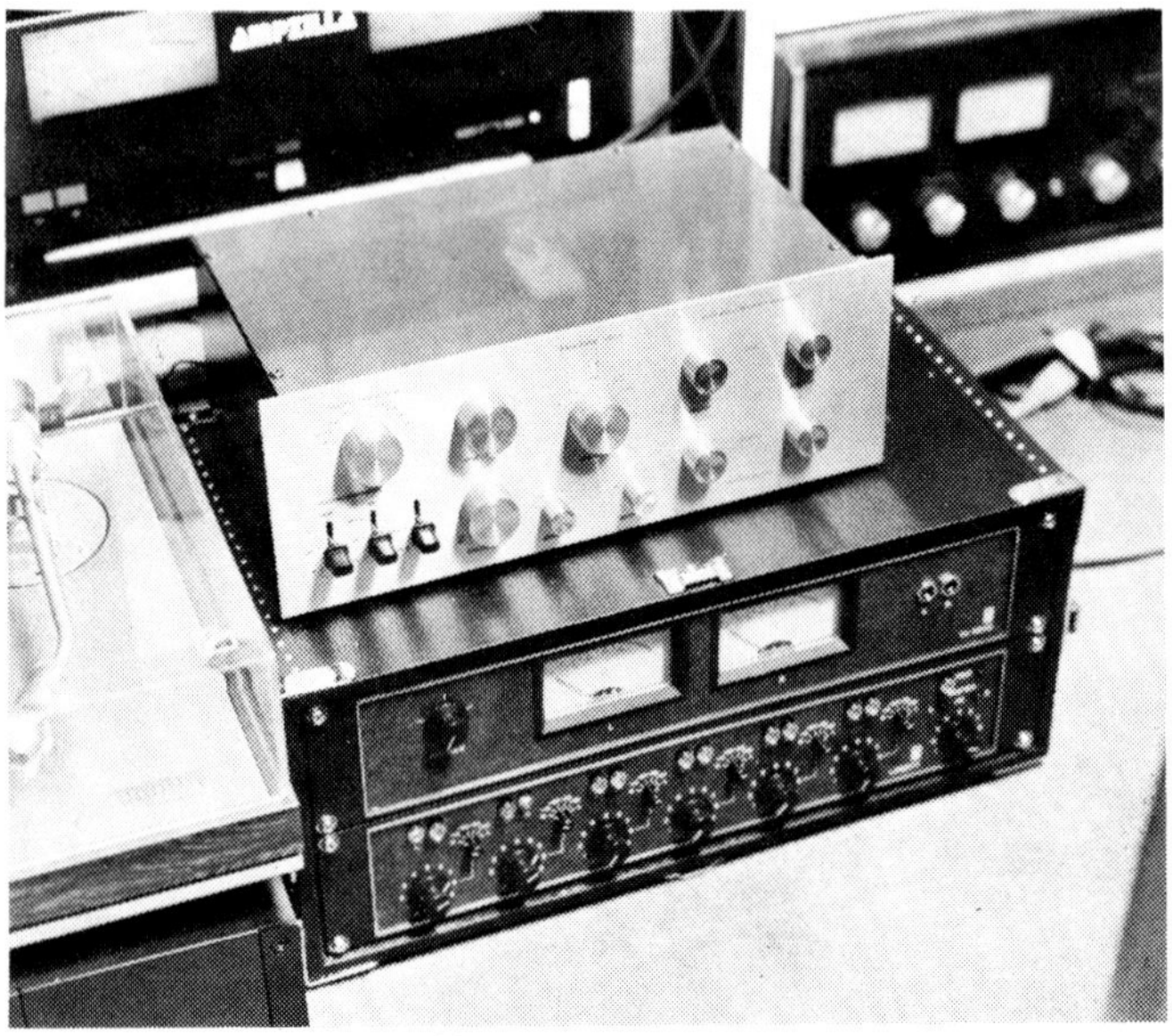

ハドレー Model 621とクヮドエイト　LM6200R

そういう一つの基本線はあるけれど、残念ながら現実にはいろいろあって、テクノロジィの面ではひじょうに優秀なものでもクォリティの面では落ちるとか、新しいからといって常に優れているとは受け取れないところがあるわけです。だから、新しい製品でテクノロジィと内容とが一致した、そういうものは大好きだし、興味があるし、大いに使いたいと思います。

それからもうひとつ、かつてぼくがオーディオにひじょうに関心を抱きはじめた頃に、欲しくてたまらないけれどどうしても手に入れることが出来なかった、夢のような製品があるわけですけれど、それをいま、手元に置いておきたいという気持ちが強いのです」

——こどものころの夢を、いま実現するといったような……

「ええ、そんな気持ちですね（笑い）。で、そのなかには現用としてはちょっと水準の落ちるものもありますけれど、これはどうしても忘れられないというものは、やはり完全な形で保存しておきたいと思うわけですね」

——先ほど、パトリシアンについてある面での満足という意味のことをおっしゃいましたが、ということは、ある面でのご不満があるわけですね。

「ええ、あります」

——具体的にいうと、どういう点でしょう。

「このスピーカーはどちらかというと、こする音が得意で、ひっぱたく音は不得意なんです。ぼくだってひっぱたく音が聴きたくなるときがありますから、そんなときには大いに不満ですね。

それと、これはこちら側の事情ですけれど、コーナー型だから置く位置が固定されるわけで、したがって理想をいえばこのスピーカーを頭に置いて部屋を考えなくてはならないわけです。具体的にいうと、このスピーカーの場合は現在の倍のスペースが欲しいということです」

——こする音の代表は弦楽器であり、ひっぱたく音はピアノに代表されますが、そうするとピアノのレコードは比較的お聴きになられないのですか。

「やはり少ないですね。ただ同じピアノでも、クラシックとジャズでは、ピアノの音の受け取り方がそうとう違うんですよ。これは音楽の違いからきてるのでしょうね」

——クラシックのピアニストがまず最初に要求されるのはレガートですが、ジャズのほうでは必ずしもレガートを要求されない。いいかえると、ジャズ・ピアノのほうがリズム楽器的な性格を強く出しているわけでしょう。

「ですからオールラウンドに満足できるスピーカーが、いつの日にか実現することを期待しているのですけれど、夢に終わるかもしれませんね」

——最近の傾向としては、ひっぱたく音を優先させているのではありませんか。

「そういうソースを要求するファンが圧倒的に多いわけですから、ひっぱたく音が出なくては、現代のスピーカーとしては落第なんでしょう」

音に対する好みというのは、結局は、自分がこれまでにもっとも熱中して聴きこんだ時代の、最良の録音と最良の装置の音で、ある程度、形成されるのではないか、と山中さんはいう。山中さんにとってのその時代は、ＬＰがステレオになった時期で、そのときに感動した音を、いまいちばん理想的な状態で再現したい、そんな気持ちが山中さんの心の底には流れているようだ。

だからつねに新しいものに関心をもち前進をつづけているひとを羨しく思う、と山中さんはいい、ぼくはかつて自分が愛着をもったものを捨てられない性格なのです、とことばをつがれた。しかし、山中さんご自身のお気持ちはともかくとして、こ

マランツやマッキントッシュのアンプがすべて生きた状態で置かれている

こで聴く音は、安住の地を求めて海上をさすらう〈さまよえるオランダ人〉さながらに、新しい装置や新しい音ばかりを追い求め、思いまよっている人間からは、ついに聴くことのできぬ安定感とたしかさがある。それはいわば、日常感覚を失わないおとなの音、とでもいったらいいだろう。レコードを選び、アームを持ち上げ、アンプにふれ、スピーカーの音に耳を傾ける山中さんの表情には、いつも、音楽を聴く悦びがみちあふれている。

「最近の新しいオーディオ機器は、先ほども話題になったけれど、たしかにテクノロジィの面は進歩しました。ただ問題はそのテクノロジィが、どこに使われているかということで、ぼくの感じだとどうも余力というかプラスアルファの部分を削り落すために使われているような気がしてならないのです。つまりこれまでの最高の性能と同じだけのものを、いかに安価にいかに簡単に出すかといったことに、テクノロジィが使われている。その性能を凌駕しようという方向には、まず使われていませんね。

しかしオーディオのような趣味の世界の機器は、余力とかプラスアルファの部分というのは、絶対に必要なんですよ。それがあるために使う側には使いこんでいく楽しみが生まれるのだし、第一、その部分を削り落すことによって、ひじょうに不安定な、頼りのないものになることも多いのです。べつないいかたをすると、現在のきわめてよくできた機器は、こちらが一生懸命なにかを投入してやっても、なんにも出てきません。そのことはある意味では、その機器がもてる性能を百パーセント発揮しているともいえますけれど、こちら側からいえば手がけるところがなにもない、まったく興味がもてないものだということにもなります。

たとえばいま全盛のターンテーブルのDD方式でいいますと、基本的なメカニズムをエレクトロニクスの技術でカバーしているわけです。しっかりしたメカニックの基礎のうえに、新しいエレクトロニクス技術をサポートする形で追加するのならいいんだけれど、そうではなくエレクトロニクスで置き換えているんです。それはなぜかといえば、さっきもいったように、そのほうが安くできるわけですね。つまり性能を向上させようという考えよりも、原価計算が最優先されているんですよ。

そのへんのことが、最近の新しい機器にひじょうに多くみられるわけですが、それがぼくにはがまんできないんですね」

——ところで、ひとことでいって、山中さんにとってオーディオとはなんですか。

「そうあらたまって質問されて答えられるほどには、オーディオというものをとらえていないというべきかもしれません。ですからあえていえば、長いあいだつきあってきた、しかもいまもってあきがきていない道楽、ということです。それ以上のなにものでもないし、心の糧とかなんとか、とくに意義づける気もありません」

——それでは、山中さんにとって音とはなんでしょう。

「それによって、自分の音楽に対する好みといったものが、すべて決定されるもの」

——それでは、山中さんにとって音楽とはなんでしょう。

「ぼくにとって音楽は、生活の救いです」

（いずれも間髪を入れずに、お答えくださった）

——最後に、オーディオ・ファンになにかいいたいことがありましたら、それをうかがわせてください。

「はっきりいって遊びの世界ですから、ご自分が楽しいと思うようになさればいい、ということだけですね」

——ありがとうございました。

購入当時は錆ついていたというフィッシャーのオートチェンジャー

アンダンティーノ・グラチオーソ

山中敬三様

ともかく山中さんのお宅にうかがったら、生きた状態にあるすごい名器の音をきかせていただけるから——と、編集部の人にいわれていたので、期待に胸はずませて、うかがいました。聴覚的にも、視覚的にも、期待をはるかにうわまわるもので、音の美味を、心ゆくまで堪能させていただきました。ありがとうございました。美食家であるがゆえに超一流の料理の腕をもつ方の手になるごちそうでもてなしていただいたような気持になりました。

弦楽器の、特に低い方の、つややかな、そして腰のすわった音に、まず、びっくりしました。本当にいい音ですね。とげとげしたところが全然なく、なめらかで、しかも響きには、それ本来ののびやかさがあるように感じられました。

そういう音をきかせていただいた後だったので、山中さんの、かつてのベルリン・フィルはよかったけれど……とおっしゃる言葉をきいて、なるほどと思いました。オーケストラを、少しはなれた、つまりコンサートホールで申せば特等席できいているような気持になりました。響きが津波のごとくききてめがけておしよせてくるということはなく、オーケストラの音が、多少の距離をおいたところで美しく響いているという印象を、ぼくはもちました。それは、言葉をかえて申しますと、あからさまに、そしてむきだしになることを用心深くさけた、節制の美とでもいうべき美しさをもった音ということになるかもしれません。

かけて下さったレコードも、山中さんの、そういうきかせてくださった音から感じとれる美意識を、裏切らないものだったと、ぼくには思えました。それらはすべて、ごちそうになったブランデーのように、充分に時間をかけて醸成されたもののみがもつこのましさをそなえていたともいえるでしょう。

そのよさは、いかにあたらしものずきのぼくにも、わかりました。つまりそこには、ほんものの強さがあったということでしょう。ただ、かつてのベルリン・フィルはよかったけれど、今のベルリン・フィルも、また別の意味ですごいと思っているぼくが、山中さんのきかせてくださった音に心ひかれたとすれば、それはぼくにとってはなはだ危険なことということにもなります。ぼくはどうも、あいかわらず、今の音楽を、今の音で追い求めたがっているようです。誤解のないように申しそえておきますが、この場合今の音楽と申しても、現代音楽だけを意味しません。現代の演奏家による、たとえばベートーヴェンをも含めてのことです。

その時つかっている装置によってきくレコードがかなり左右されると山中さんはおっしゃいましたが、そのお考えに、ぼくもまったく同感です。オーディオ機器のこわさは、こっちがつかっていると思っていたものに、結果としてつかわれてしまっていることがあるところにあると思います。ですからぼくは、正確には、今日きかせていただいた音を、山中さんの音というのではなく、今の山中さんの音というべきなのかもしれません。

今日は、耳をたのしませていただいただけでなく、きかせていただいた音や、うかがわせていただいたおはなしから、いろいろ勉強させていただきました。これまでのぼくのオーディオについての考えの一部をあらため、さらにおしすすめることができたような気がいたします。その意味でも、お礼を申しあげなければなりません。

お部屋で拝見した機器は、どれもこれも、文字通りの超一流品ばかりで、中には、はじめて目にしたものもすくなからずありました。一流品には、当然のことに、一流品ならではのよさがありますが、一流品ばかりがそろっている場所には、とかく、これみよがしな、ひどく嫌味な気配がついてまわるものですが、そうしたものがまったく感じられなかったのは、多分、山中さんが一流品だからということで集められたのではなく、それぞれの機器に充分ほれこんでお部屋にもちこまれ、しかもそれらを生きた状態でおいておかれるからだろうと、ぼくなりに了解いたしました。

ただ、アンプにしろ、プレーヤーにしろ、機械というものを生きた状態でおいておかれるのは、さぞ大変な努力が必要でしょうね。アンプのパネル面など、すぐにタバコのやにでうすよごれてしまうのに、山中さんのところのアンプはどれもこれも、とてもきれいだったことが印象に残っております。今もなお、山中さんという音の美食家がきかせて下さった音のおいしさを思いだし、舌なめずりをしております。ありがとうございました。

一九七六年二月二日

黒田恭一

●私の考える世界の一流品

製品に備わった格調と資質の高さが真の一流品の条件といえるだろう

山中敬三

およそ物の価値判断ぐらい人によって基準が様々なものもないだろう。オーディオというごく限られた範囲ですら、いったいなにをもって一流品と見るかについて論じようとした場合、そこに具体的にあげられる製品は随分と幅をもったものとなると思う。

一流品というものの判断の基準は、その人によって例えば、得られる結果としてのパフォーマンスを重点的によりどころとしたり、その製品のバックグラウンドとかそのもののキャラクターなどにウェイトをかけたり、あるいは更に製品の性能・工作・デザインなどを含めた仕上りにポイントをおくなど、それこそ色々な見方があるわけで、したがって得られる答も種々様々ということになるが、しかし多くの人によるこうした選択の累積は結局一流品のイメージをかなりはっきりした形に浮び上がらせてくれるだろう。

かつて31号で魅力あるオーディオ機器という同じような特集があったことはご記憶と思う。この魅力ある製品という言葉はかなり主観的な意味あいが強く、その人のよりパーソナルな価値判断が選択の大きなウェイトになる感じであるが、これに対して、今回の一流品という場合、はるかに客観的な選択の基準が要求されよう。つまり一流という場合それは少なくともある範囲の人々に同じように認められる必要があり、これは価値判断の基準に最少限の共通項があるということになる。

ならばそれはいったいどういう点であろうか、私はその製品に備わった格調と資質の高さにかかわると考えたい。いくら性能と出来栄えのよさで満足できる一級品であろうとも、それのみで、決して一流品と呼ぶことはできない。この格調とか資質について具体的に触れることはうまくできそうにもないが、その製品を通じてメーカーの伝統や、そこにかかわる人々のパーソナリティの製品への反映などといったことが、私達になんらかのインパクトとして感応させ得るかという問題なのである。現実の製品で適切な例にあげられるのが英国ＱＵＡＤであろう、ご承知のとおりこの会社の製品は何れも最高級品では決してない。しかしフィディリティと実用性と価格とのもっとも合理的な接点をスマートにまとめてある製品には、同社の総師であるピーター・ウォーカー氏とそのクルーのすべてといえるものが具現されているようで、いい難い風格が滲みでている。これこそ一流中の一流品といえよう。

美術工芸品のようなハンドクラフトであれば、その作品に製作者のパーソナリティが反映するのは当然として、オーディオ製品のような工業製品の場合にそれを持続させることは容易な技ではないはずなのだ。

ＱＵＡＤのマニュファクチュアラー的な例に対して、特定の個人のキャラクターを反映させるにはあまりにも規模の大きい集団として一流品の資質を備えている例にあげたいのがアメリカのアンペックスである。

テープレコーダーの草分けである同社の長い歴史を通じて、我々はそこに一貫した製品ポリシー、それもひときわ優れた資質のポリシーを、見出すことができる。同社がこれまでに発表してきた数多くの製品は、もちろん同一人の手になるものではなく、時代毎のエンジニアグループによって開発されたもののはずだが、その製品に一貫した流れがはっきり感じとれる。この個人を超えた強い個性の存在は、ちょうど人間の個体が常に細胞を更新しながら以前と同じ個体を維持してゆくように、企業の原体質の内部に植えつけられた形になっているのに相違ない。巨大な航空機会社のボーイングやコンピューターのＩＢＭなど世界の超一流のメーカーによく似た資質をこのアンペックスはもっているのだ。

結局のところオーディオ機器で一流品たる条件は、その生みの親たるメーカーの質にかかっているわけで、一流品は一日にしてはならない、のである。

製品の質では世界的なレベルにあるわが国のオーディオ機器はこうした諸点で道なお遠しの感がしないでもないが、真の一流と呼べる製品がこれから少しでも多くなる時を私は待っていたい。

山中敬三の語る メカニズムとコンストラクションの急所

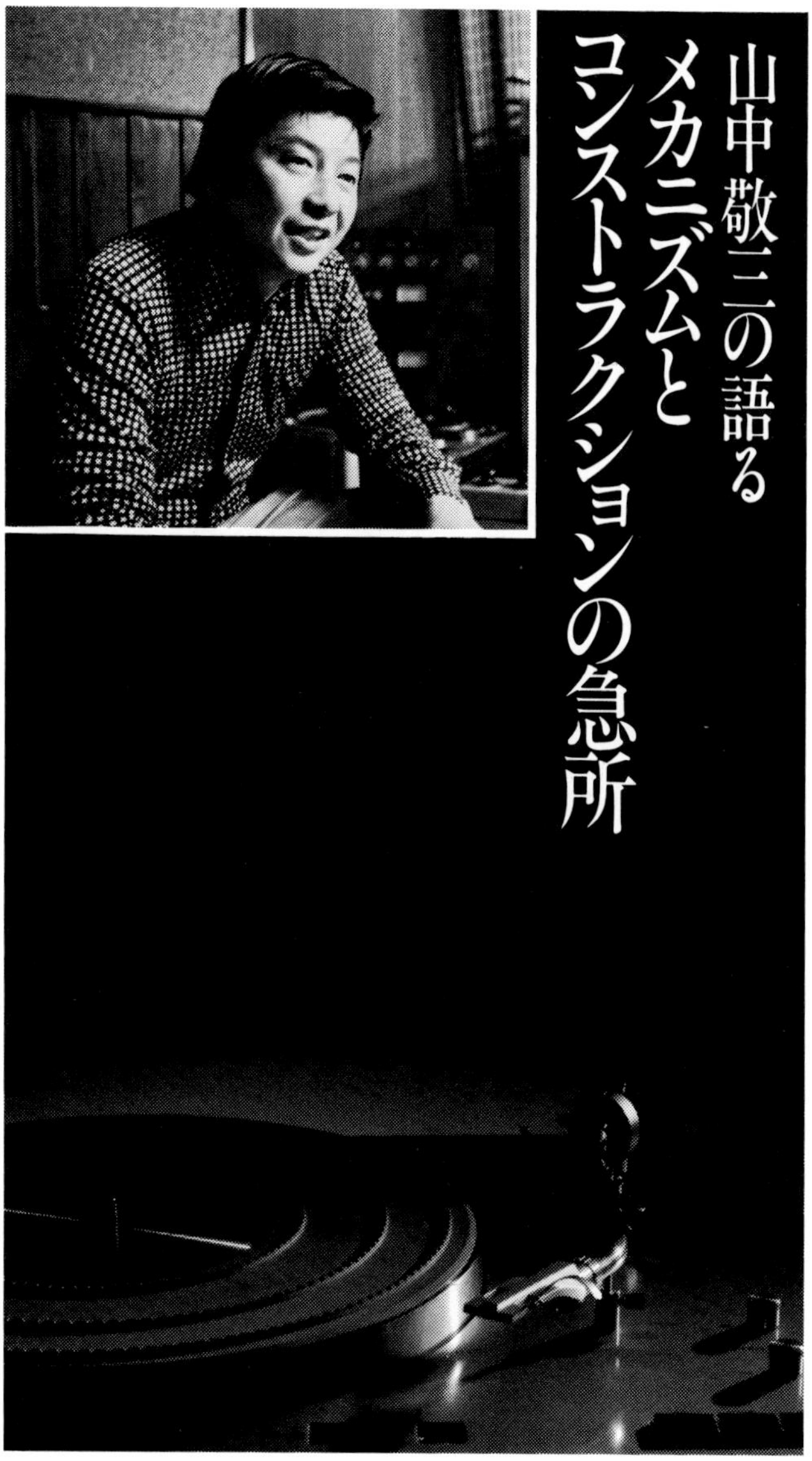

良いプレーヤーシステムとは

レコードを再生するのに必要な条件を充分に満足させるものでなければならない

——良いプレーヤーシステムというのは、どういったシステムを指しているのでしょうか。

良いプレーヤーシステムということについて考える前に、まずプレーヤーシステムの役割を考えてみましょう。プレーヤーシステムは、ディスクレコードに記録されているソースを電気信号としてとり出すための道具といえます。ディスクレコードシステムは、機械的変化を電気的変化に直すための機械変換系といえるわけです。基本的には、ピックアップ、つまりカートリッジでレコードの音溝をトレースし、それを電気信号に変換するための役割りをもっています。

具体的には、レコードを正確に、静かに回転させ、カートリッジがうまくそのレコードの音溝をトレースして、そこではじめてプレーヤーシステムの役割りを充分にはたすことになるのです。これが良いプレーヤーシステムの第一前提となります。こうした基本的な性能が備わっていることが良いプレーヤーシステムの最低条件ともいえるわけです。そこでディスクレコードを正確に、しかも静粛に回転させるターンテーブルが必要となり、どんなカートリッジを使っても安定したトレースができるトーンアームが必要になるのです。そしてこれらを有機的に結合させるキャビネットによって、はじめて良いプレーヤーシステムができあがるのです。

ですから、プレーヤーシステムの役割から考えていくと、ターンテーブルの機能、トーンアームの機能、そしてそれらが、うまく動作するようなキャビネットにおさめているものが、良いプレーヤーシステムとなるわけです。ターンテーブルとトーンアームを上手にまとめることによって操作性の良し悪し、機能性といった問題も出てきますが、基本的には正確で静かな回転をするターンテーブル、レコード音溝を完全にトレースするピックアップによってプレーヤーシステムの良し悪しが決定してしまうと言ってもよいでしょう。

良いプレーヤーシステムの条件として前に挙げたいくつかのポイントは、機械的な要素が大きなウェイトを占めています。ですから、良いプレーヤーの条件として、メカニズムがしっかりと作られていなければならないということがいえます。つまりターンテーブルの回転部分が機械的にしっかりと作られているかどうか、トーンアームがカートリッジをしっかりホールドしてレコードの音溝を正確かつスムーズにトレースするかどうか、といった点です。

メカニズムに魅力があるかどうかは大切なポイント

メカニズムを見る場合に大切なことは、機械の定石が守られているかどうかが問題になる

――プレーヤーシステムの見どころとして、まずどういう点に注意したら良いのでしょうか。

プレーヤーシステムの、もっとも大切なのは、基本的なメカニズムがしっかりと設計されているかどうかということです。つまり基本的な役割りであるべき〝正確でなおかつ静粛な回転〟の得られるターンテーブルと、レコードの音溝を正しくかつスムーズにトレースさせるためのトーンアームが充分に本領を発揮してこそ、良いプレーヤーと言えるわけですから、プレーヤーシステムのメカニズムがまず第一に問題になるのです。

メカニズム、つまり機械というものを見る場合の大切なポイントとして『機械の定石』というものがあります。回転メカニズムの場合、それは実際にはそれほど多くの個所があるわけではありません。まずターンテーブルを回すメカニズムについて話をすすめましょう。

先ほどから何度も言っているように、ターンテーブルは、ディスクレコードの再生用として回転するメカニズムですから、回転が正確で安定していること、振動がなく静粛に回ること、これらが一番大切な要素でそのためにターンテーブルの設計は、今までいろいろな方法や構造が考えられてきたわけです。しかも、ただターンテーブルを回しただけで〝正確でなおかつ静粛な回転〟が得られるだけではなく、実際にはピックアップがのせられ、レコードをトレースさせた状態で前にあげた条件を満足させなければならず、負荷がかかることを考えに入れたターンテーブルの設計がなされなければ意味がないともいえるわけです。

こうした負荷に対しての対策を含めて〝正確でなおかつ静粛な回転〟を得るために、過去からいろいろな方法がとられてきたわけです。一番古くは、SP時代のゼンマイを駆動源としていた時代からスタートし、モーターを使うようになってからは、モーターの回転をいかにターンテーブルに伝達して定速を得るかという方法が考えられてきたのです。モーターを使う時代になって、最初はモーターの回転をギアによって減速しターンテーブルに伝えるギア・ドライブ方式で始まり、次にアイドラードライブやベルトドライブによる製品が開発されてきたわけです。そして最近になり日本で開発されたダイレクトドライブ方式などが加わりました。

こうしたいくつかの方式があるわけですが、最終的な目的としては、どのタイプのターンテーブルも〝正確でなおかつ静粛な回転〟を目指していることは同じなのです。ですから、こうした方式の違いは別に問題だとは思いません。目的に一番近い結果が得られれば、その方式に関係なく良いターンテーブルといえるわけです。

プレーヤーシステムのメカニズムについて考えてみると、ターンテーブルの回転部分の他にトーンアームの正確なトレース能力についても考えなければならないわけです。こうしたメカニズムは、まずプレーヤーシステム全体を見た場合、メカニズムとしての魅力が感じられるものでなければ、プレーヤーとしても魅力がないと思うのです。つまり、プレーヤーシステムの魅力は、メカニズムに魅力があるものでなければならないのではないかと思います。こうした魅力というのは、芸術的なものでもなければエレクトロニクスででき上っているものでもないわけですから、やはり機械としての基本的な魅力が感じられないプレーヤーシステムは、何か欠陥があるに違いないと思うのです。ですから、メカニズムとしての魅力ということは、非常に大切な要素だと思うのです。機械の魅力というのは機械に興味のない人にとってはなかなかすぐにはわからないかも知れませんが、幾つか実際の機械を見ているうちにある程度は、わかってくるようになるのではないでしょうか。たとえば、自動車にしてもカメラにしても、好きになって実物を幾つか見ているうちに、本当に良いものかどうかということは見分けられるようになります。それと同じことがプレーヤーシステムについても言えると思うのです。やはり基本的にしっかりしているものとそうでないプレーヤーシステムの区別は、機械としての魅力をもっているかどうかによってほとんどが判断できると思うのです。機械として

の魅力、メカニズムとしての魅力というのは、たとえば蒸気汽関車を美しいと思う、あの感覚に似たものといえるでしょうね。そうしたメカニズムに対しての感覚というのが大切な見分け方のコツともいえるのですが、最近はまったく表面的な見せかけだけを重視したプレーヤーシステムもありますから、そうした表面上の仕上げだけにまどわされずにメカニズムの本質的性能を見抜く注意が必要です。

最近は中身の基本的性能がお粗末でもいかにもメカニックな仕上げで、一見精密感があって、良さそうに見える機械が氾濫しています。プラスチックの型押しや何かの方法によって、きれいにいかにもダイキャスト製のように見せたりすることができるようになりましたからね。ただ、そういった見せかけだけのメカニズムというのは、必ずどこかでボロを出してしまうのです。誠実に一歩一歩メカニズムの定石をふまえて作られた機械というのは、物を見る目ができてくると、すぐにわかるようになります。この辺がアンプなどとは大きく違う、プレーヤーシステムにおける見分け方のコツともいえます。

たとえば具体的にプレーヤーシステムを見る場合のポイントとして、ターンテーブルの構造や仕上り、シャフトの部分、シャフトの軸受けなどを見れば、大体の見当はつけられるわけです。そうした部分的なところを見ることによって、プレーヤーシステム全体が誠実な設計がなされているかどうか知ることができます。

プレーヤーシステムの全体のバランスも見よう

レコードのサイズとバランスする大きさと、機械的強度と重量のバランス

——プレーヤーシステムを見る場合、メカニズム以外に、何か重要なポイントがありませんでしょうか。

ディスクレコードというのは、通常のハイファイ再生のソースとして非常にうまくできあがったものだと思うのです。ディスクは色々な意味で妥協の産物ということができると思いますが、にもかかわらずそのクォリティの高さを考えると、結果としてバランスがうまくとれているといつも思うのです。こうした良さをもったハイファイ再生のソースをあつかうプレーヤーシステムのサイズは、やはりもっとも適当な大きさをもっていなければならないと思います。現在のディスクレコードが30cmLPを基準としている以上、ディスクの大きさに対して大きくもなく、小さくもない適当なサイズというのがあると思うのです。その点からは現在の日本のプレーヤーシステムは少し大きすぎるのではないかと思わせるものが多いような気がします。

プレーヤーシステムの大きさについて考えてみると、ただ単に30cmLPのディスクレコードとのかね合いだけでなく、その他にもいろいろな理由が考えられます。

たとえばキャビネットの強度を考えた場合、ローコストの製品でありながら高級機のような印象を与える大型のキャビネットにまとめているものは好ましいとは思えません。むしろ、かちっと小さめにまとめて、なるべく強度が高くとれるようにしたものの方が、結果として音の良いプレーヤーシステムとなります。

プレーヤーシステムの音を最終的に決定するポイントは、全体のマス（質量）の問題になると思うのです。つまり、ターンテーブルの機能が充分に満足され、なおかつトーンアームも問題がない場合、もちろんある程度良い音は得られますが、プレーヤーキャビネット全体の強度が充分に得られていなければ本当の良い結果は得られないと思います。ですからキャビネットは、なるべく小さくぎっしりとメカニズムをつみ込んだ形の方が好ましい姿と思います。つまりプレーヤーシステムの大きさと重量の比率が音を変える要素となっている、ともいえるでしょう。安価なプレーヤーシステムは、必ず単位面積当りの重量が軽いはずで、今まで、それなりの評価を得ているプレーヤーシステムは、かなりの重量をもったシステムであることも事実です。

プレーヤーシステムの重量と関係している、強度の問題については、日本のプレーヤーシステムよりも海外製品に多く良いものが見受けられます。とくにこれは古くからプレーヤーを作り続けているメーカーが経験的に身につけている技術ではないかと思われます。

〝正確で静粛な回転〟のためのチェックポイントは

ターンテーブルのシャフトと、軸受けの強度によって基本的な回転性能は決まる

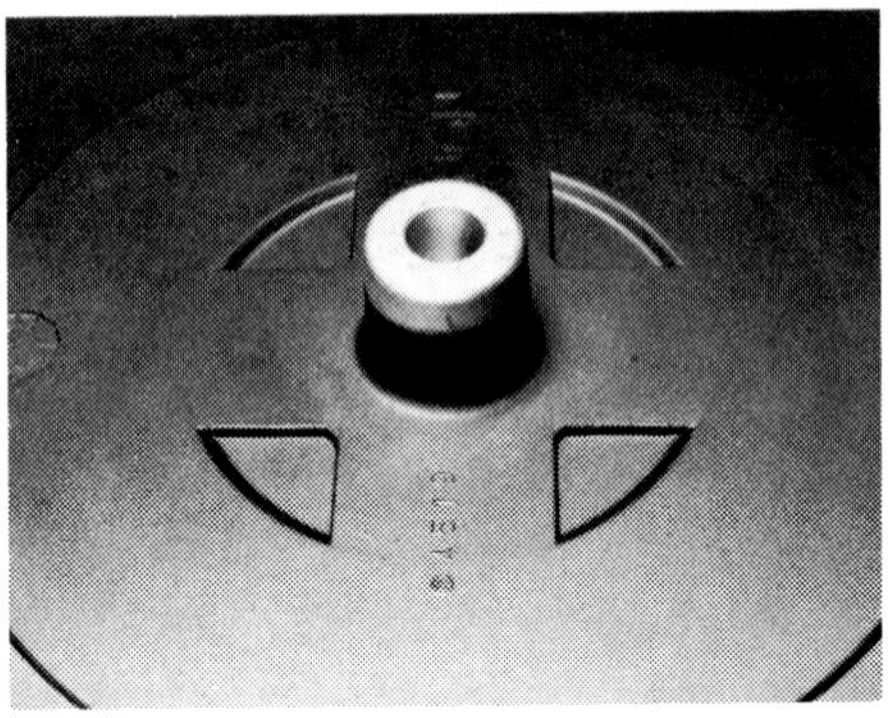

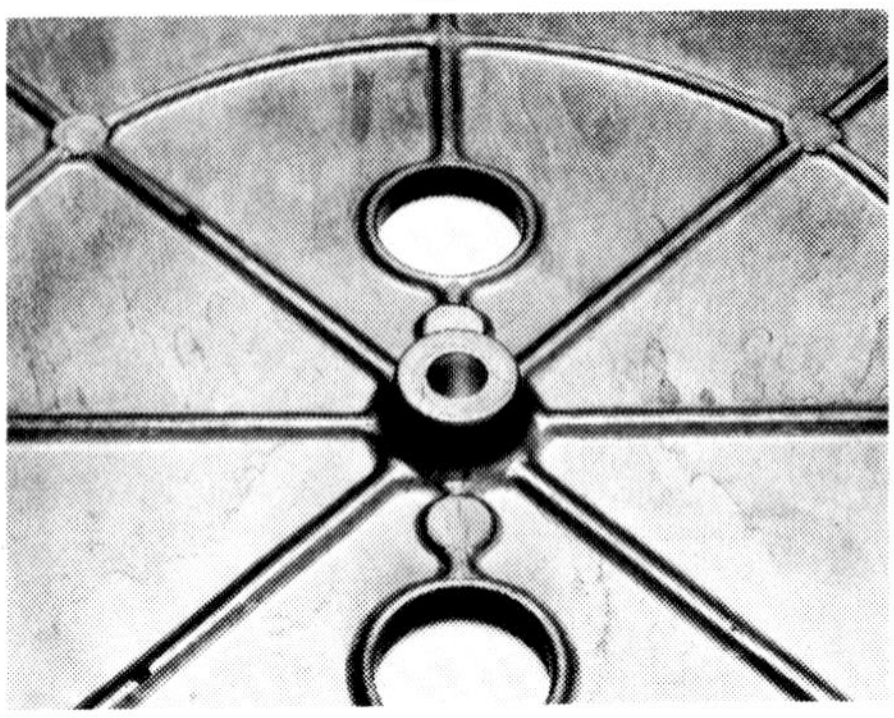

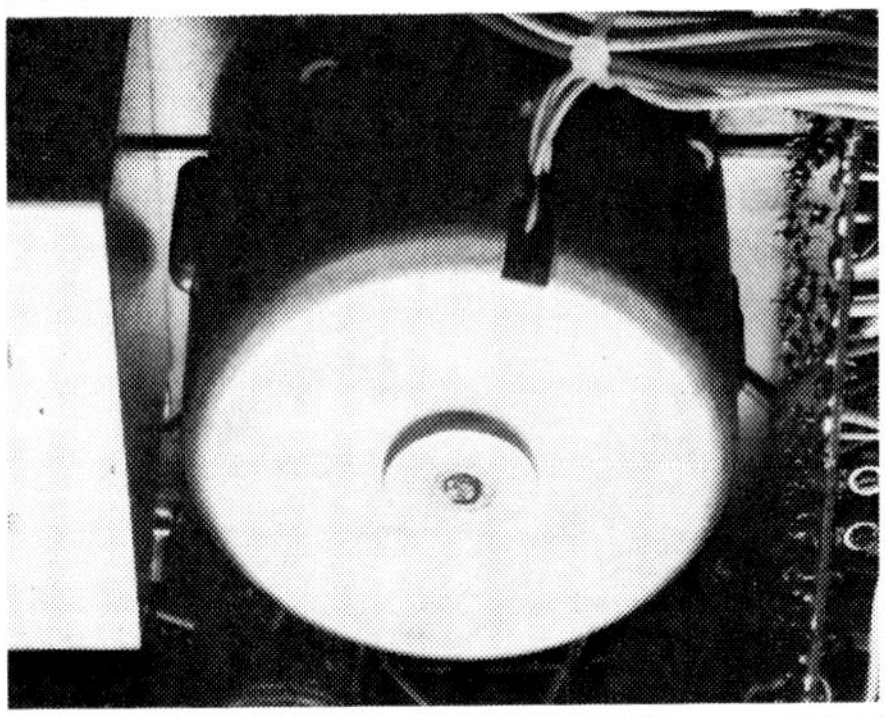

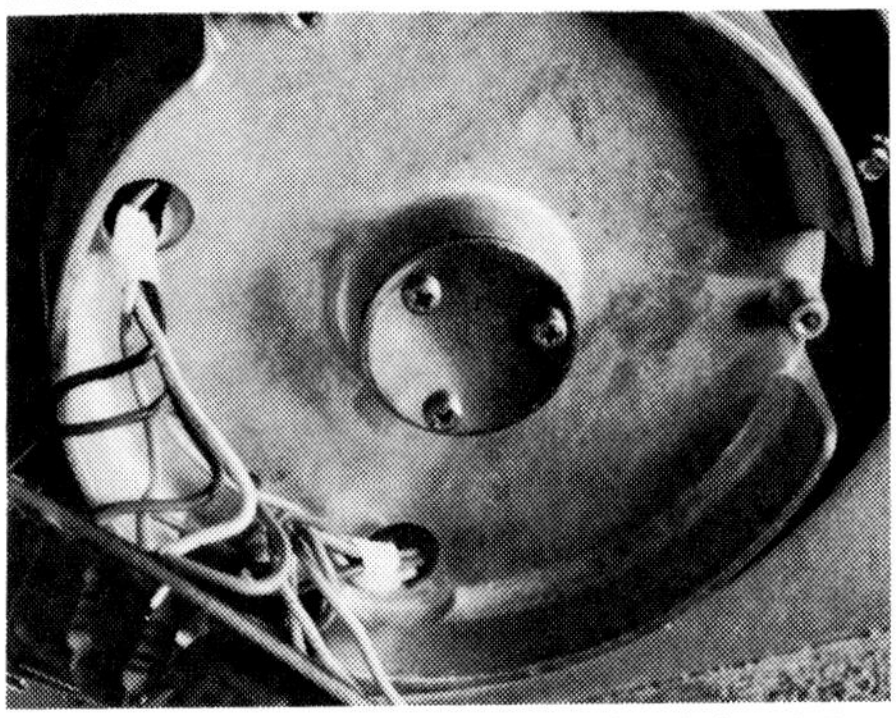

機械的強度が比較的高くとられている例：シャフトが太く（写真上）、かん合部分の表面積が大きく、充分な強度をもたせたシャフト軸受け（写真下）

ダイレクトドライブ用モーターの機械的強度が充分でない例：シャフトは細く（写真上）、かん合部分が狭い（写真中）、貧弱な軸受け部分（写真下）

——回転部分の機械精度や、強度を見分けるポイントについて、お話して下さい。

プレーヤーシステムの大きな役割りといえる〝正確で静粛な回転〟を得るためには、ターンテーブルのシャフトと軸受けが大きなポイントになります。この両者が基本的に良くなければどんな理想的なターンテーブルを使っても〝正確で静粛な回転〟は得られません。

ターンテーブルの軸受けは、重量の重いものを支える部分で、しかも回転数が毎分33回転などという低速ですから、軸受けの強度と精度が高くなければ〝正確で静粛〟な回転は得られなくなります。この軸受けは、シャフトの部分を実際に直接みることによって、その構造や機械精度が大体わかります。

ターンテーブルのシャフトは、まず充分な強度をもっていることが大切です。普通強度をもたせるために充分太さのあるシャフトを使いますが、最近のダイレクトドライブ方式の中には、レコードのセンタースピンドルと、ほとんど変らない太さのシャフトが使われているものもあり、こうしたシャフトは強度的には、好ましくないといえます。上の写真は、ダイレクトドライブ方式のプレーヤーシステムに使われているシャフトの太さを較べたものですが、片方は充分に太いシャフトが使われているのがわかります。

ターンテーブルのシャフトの強度を簡単に知る方法は、ターンテーブルの縁（外側）を指で押してみると大体の見当がつきます。指で押してターンテーブルがフラフラと動くのは、シャフトや軸受けの強度が足りなかったり、ターンテーブル自体の強度不足に原因があるわけで基本的に好ましくないものです。

シャフトは、右の二つの機種よりもやや細くなり、軸受けはシンプルなかたちで簡単にプレーヤーボードに取付けてある

シャフトは太く、しかもターンテーブルとの結合度が高い。軸受けはダイキャストではなく硬度の高い金属が使われる

ターンテーブルシャフトは非常に太く、先端にボールベアリングをもつ。軸受けは一体ダイキャスト製のリジッドなもの

ターンテーブルの重量とシャフトと軸受けは、バランスしていなければいけないということも重要です。ターンテーブルが非常に軽くきゃしゃなものを使っている場合にはシャフトも細くてすむわけです。つまりシャフトの機械強度ということを気にしなくても良いわけです。シャフトが細くなることによってSN比は良くなるということは言えますが、しかし逆に軽くて、機械強度が弱いターンテーブルの場合には、必ず、共振なり、特有な鳴きということが起きてしまいますから、あまり好ましいことではありません。

ダイレクトドライブ方式のターンテーブルに使われている軸受けは、モーター内部にあるために普通では見ることができませんが、その機械強度は、先ほど述べた方法である程度知ることができます。また、シャフトは、ターンテーブルをはずして見ることによって太さがどのくらいか大体わかるはずです。ターンテーブルとシャフトのかん合部分は、ターンテーブル全体の強度を強くするためやスリップを防ぐためにかん合面積を広くとっている方が有利といえます。

ベルトドライブ方式やアイドラードライブ方式のプレーヤーシステムは、最近では国内製品にほとんど見られず、もっぱら海外製品によって占められていますが、シャフトや軸受け部分は充分な強度がとられているものが多いようです。こうしたベルトドライブ方式やアイドラードライブ方式をとったプレーヤーシステムはある程度ターンテーブル自体の重量を重くして、その慣性を利用して正確な回転を得ようと考えられたものですから、シャフトや軸受けの強度を充分にとることが考えられているのは当然かも知れません。

ターンテーブルの出来栄えも重要なポイント

量産性を考えた普及品か、充分手をつくして作られたものかを見分けるのがポイント

アイドラーによってドライブされるこのターンテーブルは、アルミダイキャストで作られており、その肉厚は驚異的でさえある。外周の枠は、慣性質量を大きくとれる利点があるが、逆にダイナミックバランスをとっていない場合には、慣性質量の大きさが原因で正確な回転が得られなくなる場合もある

ベルトによってドライブされるターンテーブルの一例。このターンテーブルも重量が充分にあるもので、もちろんダイナミックバランスがとられている。これはダブルターンテーブルのうち、そのメイン部分を撮影したもので、外側にサブターンテーブルをつけて30cmの直径となるものだ

ヨーロッパ製ターンテーブルの典型的な形状をもった、ベルトドライブ方式のダブルターンテーブル。内側のサブターンテーブルにベルトをかけて回転を伝達する。シャフト先端の形状はメーカーによって多少異なるが、こうした高級機ではダイナミックバランスがとられているのが普通だ

右のヨーロッパ製ターンテーブルに非常によく似たダブルターンテーブル方式をとったもののサブターンテーブル。このサブターンテーブルの上に約30cm直径のメインターンテーブルをのせて使う

――ターンテーブルの良し悪しを判断するには、どこにポイントをおいて見ればよいのでしょうか。

　ターンテーブルは、単にレコードをのせて正確に回すというだけではなく、カートリッジをのせてトレースした状態で正確に動作しなくてはいけないのです。たとえばカートリッジをレコードにのせたときに何かの原因でターンテーブルが共振したり、トレースするときに悪影響があってはターンテーブルとして失格といえるわけです。そうしたことを考えるとターンテーブルは、ある程度の厚みをもって、手でたたいても妙な共振音が出ないものが良いといえます。もちろんターンテーブルは金属で作られていますから、少しぐらい厚みを増しても、たたけば必ず鳴るわけですが、そのためターンテーブルの上にはゴムシートをのせたりしてその共振を防いでいるのです。機械的に厚みが均一なターンテーブルほど大きな音を出しますが、ゴムシートでダンプして使えば問題はないわけです。

　多くのターンテーブルに使われているアルミダイキャストは、なるべく肉厚を薄く作ったほうが不良品が出る率が少なく、薄いほどダイキャストとしては上等だといわれています。ですからメーカーが量産する場合には、なるべく肉を落として薄く作れば仕上りもきれいになる、ということで最近のターンテーブルは薄手のものが多くなっています。このダイキャストターンテーブルが一番多くの問題を含んでいると思います。つまりターンテーブルの肉を厚くして均一にし、強度も充分にもたせる、ということとは相反する条件になってくるわけです。

　このターンテーブルに対する考え方が、結局量産性

ダイレクトドライブモーターの、ローター部分をターンテーブルと一体化した最新のターンテーブル

ダイレクトドライブ方式に使われる、一般的なターンテーブル。比較的肉を薄くし補強用のリブをもたせる

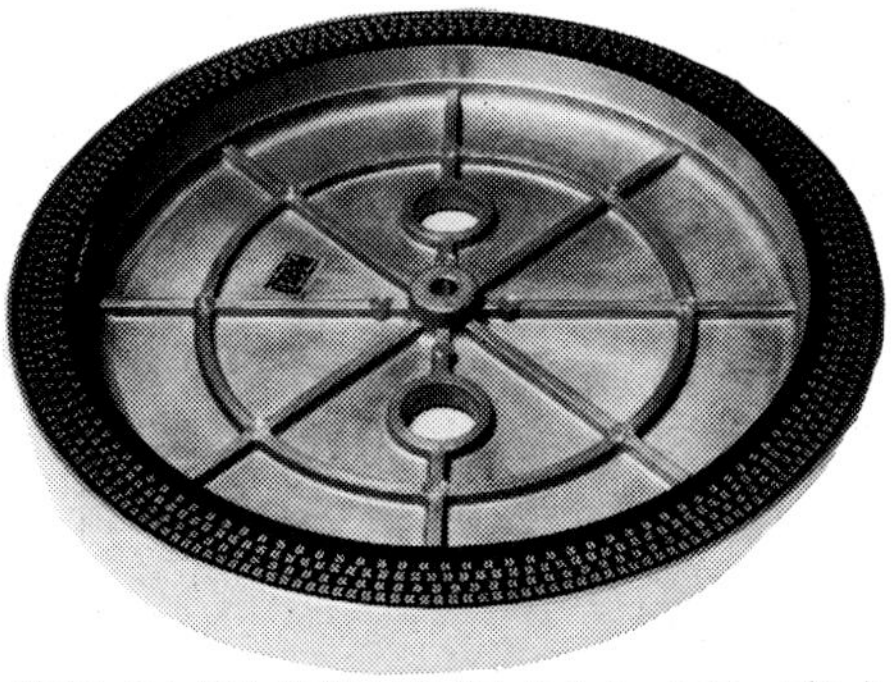

ダイレクトドライブ方式に使われるターンテーブルとしては重量が大きく、ダイナミックバランスがとられている

ターンテーブル周辺部に速度検出のための磁気信号を加えたターンテーブル

ターンテーブルのレコード面にコルクを張りつけて鳴きどめをしたターンテーブル

ダイレクトドライブとしては大きな重量をもつターンテーブル。外周にストロボをきざんでいる

を考えた普及品か、高級品かの大きな見分け方のポイントになると思います。高級品の場合には、肉厚の充分にあるものを使って、ダイナミックバランスをとったものが使われています。現実に、ターンテーブルの裏側を見れば誰でもわかることです。

ダイキャストという素材は、補強のためのリブを入れたり細かな構造をつけても同じものが均一にできるという大きなメリットがありますから、うまく使われている例が多いようです。やはり多年の経験と機械に対する基本的な考え方によるものかも知れません。

さきほどターンテーブルのエッジを押してフラフラ動くのは良くないと言いましたが、シャフト側が仮にしっかりしていたとして、それでも押してターンテーブルだけがしなうようでしたら、これはもう論外でしょうね。つまりターンテーブル自体の強度が不足してしなうものがあるわけです。

問題になるターンテーブルとしては、他にプレスで作られたものがありますが、これはハイファイ用としては普通は避けた方が無難です。

ターンテーブルを見分けるのに、外観を見る以外に実際にたたいてみるという見分け方もあります。たとえば手でこぶしをつくってたたいたときに、キーンという音よりも、コーンというわりあい鈍い音のするものの方が、内部損失が大きく、ターンテーブルとしては共振も少なく、強度的にも充分にとれていると思います。

とにかく一般論として重要なことは、全体に軽くしたターンテーブルよりも重量のあるターンテーブルの方が良いといえます。

ダイレクトドライブ方式についての考察

ターンテーブルの質量とシャフトの強度とのバランスが重要なポイント

——ダイレクトドライブターンテーブルの大切なポイントについて、おうかがいしたいと思います。

最近非常に種類の多くなったダイレクトドライブ方式のターンテーブルは、いずれも回転系に検出機構を設けてサーボコントロールさせるわけですから、サーボを効果的に働かすためにはターンテーブルを含めた回転系の質量は、なるべく少なくしよう、という考え方があると思うのです。つまりサーボのレスポンスを速くするために、ターンテーブルのイナーシャ（慣性質量）を小さくしようとするわけです。この考え方を極端な方向にもってゆくとターンテーブルの質量はゼロに近づけるべきだということになってきますし、現実にそうした考え方に向かおうとしているターンテーブルもいくつかあります。ターンテーブルを非常に軽くしてサーボの効きをよくして正確な回転を得ようとしているのです。

一方「ターンテーブルは重く充分な質量を備えるべきだ」という考え方によって、重いターンテーブルを使っているプレーヤーシステムもあるわけです。ところが、普通のダイレクトドライブ用に使われているモーターを始め、サーボエレクトロニクスは、比較的小パワーでコントロールされていますから、ターンテーブルの慣性質量を大きくすると、サーボ機構がうまく働かないという問題が生じてくるのです。もうひとつの問題は、ターンテーブルを重くすることはできてもモーターと一体になっているシャフトに無理がくるということなのですね。ですから、ただやたらに重いターンテーブルを考えても意味がないわけです。つまりシャフトの強度、サーボ機構の動作範囲といったようなふたつの要素と、ターンテーブルの重さがバランスしていなければならないのです。ターンテーブルを軽くする方向が一方に現実的な製品として存在し、また一方では重くする方向があってそのどちらもが非常に難しい問題をもっているといえます。こうした問題をクリアーした製品が、ダイレクトドライブ方式のプレーヤーシステムとして良いものだと思います。

現実の状況として、実際にダイレクトドライブ用のモーター自体を製作するメーカーがそれほど多くないわけですから、大部分のメーカーは供給された他社のモーターを使ってアッセンブルすることになるわけです。そうしたメーカーでは、ターンテーブルの設計の自由度に大きな制約を受けることになりますが、それでもやはり高級機種には充分バランスを考えたユニークな製品がいくつか出ていると思いました。

価格的な分け方をすると、十万円前後くらいの価格帯からそれ以上の製品については、ダイレクトドライブモーターを作っている会社や、そうではないメーカーの中でも、ユニークな製品が多くなっていると思います。たとえばビクターのＴＴ—８１システムやテクニクスのＳＰ１０ターンテーブル、ソニーのＰＳ—８７５０プレーヤーシステムなどは、いずれも水晶発振による基準信号を使っていますが、そうした新しいデバイスよりもむしろモーターの機械的な工作精度の良さ、強度の高さ、などが充分考えられていると思うのです。そうしたメカニズムの良さによって優れた製品が多くなってきたといえるでしょう。

高価格帯のプレーヤーシステムになると、それぞれのメーカーのメカニズムに対してのポリシーを感じさせる製品もいくつか見受けられます。たとえば、ラックスＰＤ１２１などのように、キャビネットを含めたプレーヤーボードを、一体ダイキャストでつくって、構造的に強度を充分に高くして、しかも外観的にもシンプルに上手にまとめています。

これとは対照的に、マイクロのＤＤＸ—１０００のようにプレーヤーキャビネットということを頭から考えずに、機能本位な形にまとめ、しかもターンテーブルとトーンアームの結合ということに重点をおいて、外観的にも、性能的にもメカニカルな機能第一のプレーヤーシステムとして非常にユニークだと思います。

このマイクロの製品に似たスタイルのものが、新しい海外製品の中にもありますが、基本的な要所を押えているという意味では、このＤＤＸ１０００は大変良くできていると思います。

トーンアームの役割

レコードの音溝を追従するカートリッジを もっともスムーズに働らかせることが大切

——トーンアームの基本的な役割りと、メカニズムから見た場合の良いアームについてお話して下さい。

トーンアームの役割りは、レコードの音溝をカートリッジがトレースする働きを充分にカバーすることにあります。つまりカートリッジ本体をしっかりとホールドして、しかもレコードの音溝を正確に追従していかなければ正確なトレースをしているとはいえません。

トーンアーム本体はレコードの音溝に追従性をもたせ、カートリッジの針先に対してはまったく動かないのが、理想的なトーンアームということができます。

現在のトーンアームは、そのほとんどがユニバーサルアームとして一定の規格をもたせた、パイプアームになっています。同時にアームの実効質量に対する考え方が一時とは変ってきていることも事実です。

一時非常に軽量化にかた寄った思想が、最近ではある程度質量をもたせるという考え方に変わりつつあるといえます。これは、カートリッジとのバランスの問題ということが大きなポイントになっています。

カートリッジ自体が一時軽針圧化の道を進んで、当然そうした動きに伴なってトーンアームも軽針圧化していかなければならず、トーンアームが次第に先行して軽量化されていった感じです。ところがカートリッジは確かに1グラム以下でトレースしても、実際に1グラム以下で完璧なトレースをさせるためのトーンアームは、アーム本体の質量が不足していることに気がついたわけです。これは、実際にプレイバックしてみて低音再生が問題になり、試行錯誤をくり返しての結果として出てきた問題だと思うのです。

こうしたカートリッジとのバランスという問題が常にトーンアームにはつきまとうわけですから、トーンアームの良し悪しは、簡単には言えないと思います。

現在のトーンアームは、ユニバーサルタイプがほとんどですから、どんなカートリッジでも一応は使える構造になっています。ところが、実際のユニバーサル・アームは、カートリッジがどれだけのアーム質量が必要かを充分に考えて、その範囲で調整ができるトーンアームでなければ、真のユニバーサル・アームとはいえないわけです。そこに必然的に組合せの良いカートリッジとトーンアームがあったり、いわゆる相性の良くない組合せができてくるのです。

トーンアーム単体を考えた場合に、一番大切なポイントは、ある程度の剛性がなければいけないといえます。カートリッジの部分から軸受け部分にかけての強度が充分得られないトーンアームは、やはり再生音に悪影響を及ぼします。そのほか、ヘッドシェルとパイプアームを結合させるコネクター部分の精度によって、トーンアーム全体の強度を損なって実際の音に悪影響を与えてしまうこともあります。もちろん、シェル自体の構造が再生音全体に影響を及ぼすことは間違いありません。結局ターンテーブルを薄くしたことによって起る共振による音の汚れと同じだと思います。

トーンアームのバランスのとりやすさは、アームの設計にかかってくるわけで、重心が低くとられている場合は、ゼロバランスがとりやすく、重心を高く設計したアームはゼロバランスがとりにくくなります。もちろん重心をやたらに下げると鈍感なアームになってしまうという問題があります。ですからバランスがとりにくいかどうかは、アームの基本的な構造で決まってしまう問題だといえます。

トーンアームの軸受けの支持方法には、具体的にはいくつかの方法があります。たとえば、ナイフエッジを使った支持方法は、一見ガタがあっても実際に使用する状態ではもちろんガタは出ないわけです。最近ふえてきたワンポイント支持のオイルダンプアームの場合には、垂直方向だけでなく、水平方向に対してもラテラルバランスをとらなければアームとして完全に働かないことになります。

以上のようにトーンアームには、いろいろな調整を完璧にしておいて初めて本来の性能を発揮するタイプと、そうした調整個所がほとんどなく正常に働くタイプの二つに分けられます。初心者にとっては、シンプルな調整によって正常な動作をするトーンアームをもったプレーヤーシステムが適していると思います。

トーンアームのかんどころ

トーンアームは基本的性能が大切だが、使用するカートリッジとのマッチングも大切

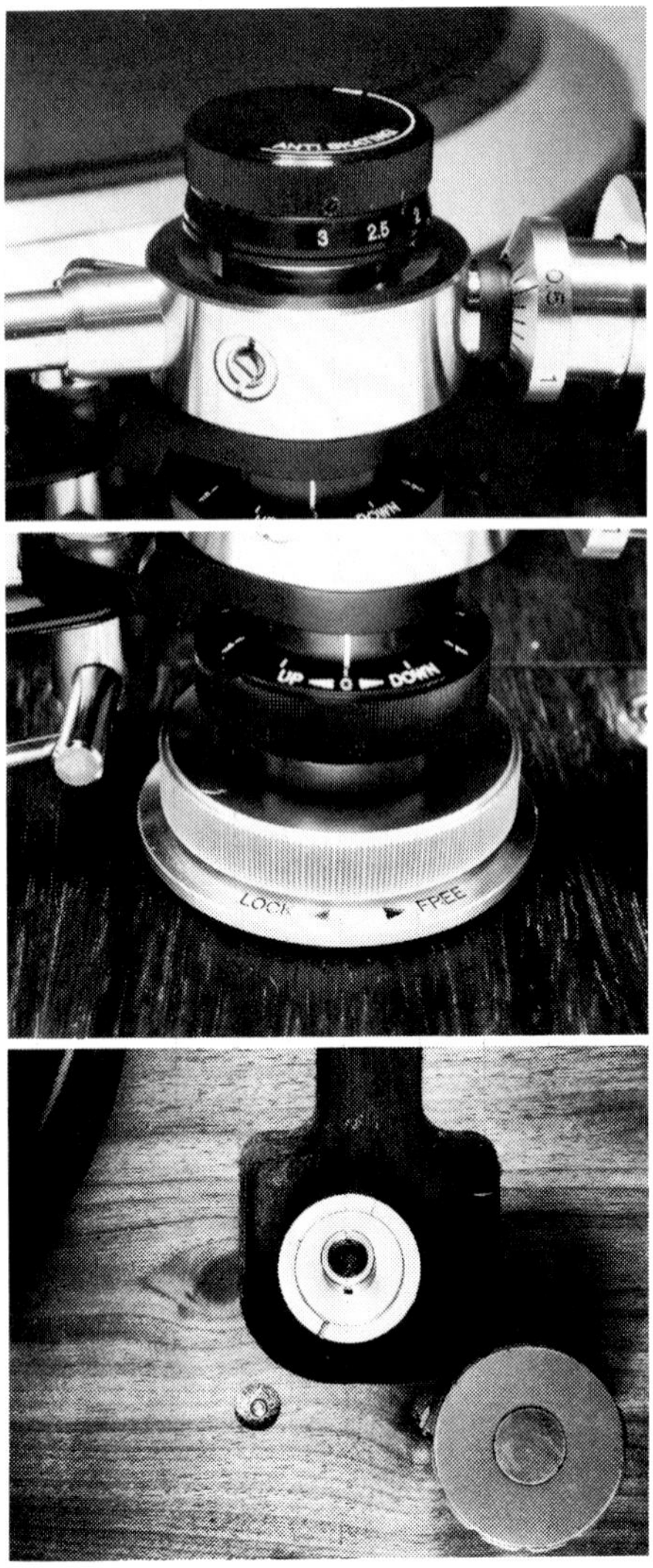

トーンアームは、シンプルな機構で正確な動作が得られるものを選ぶことが大切

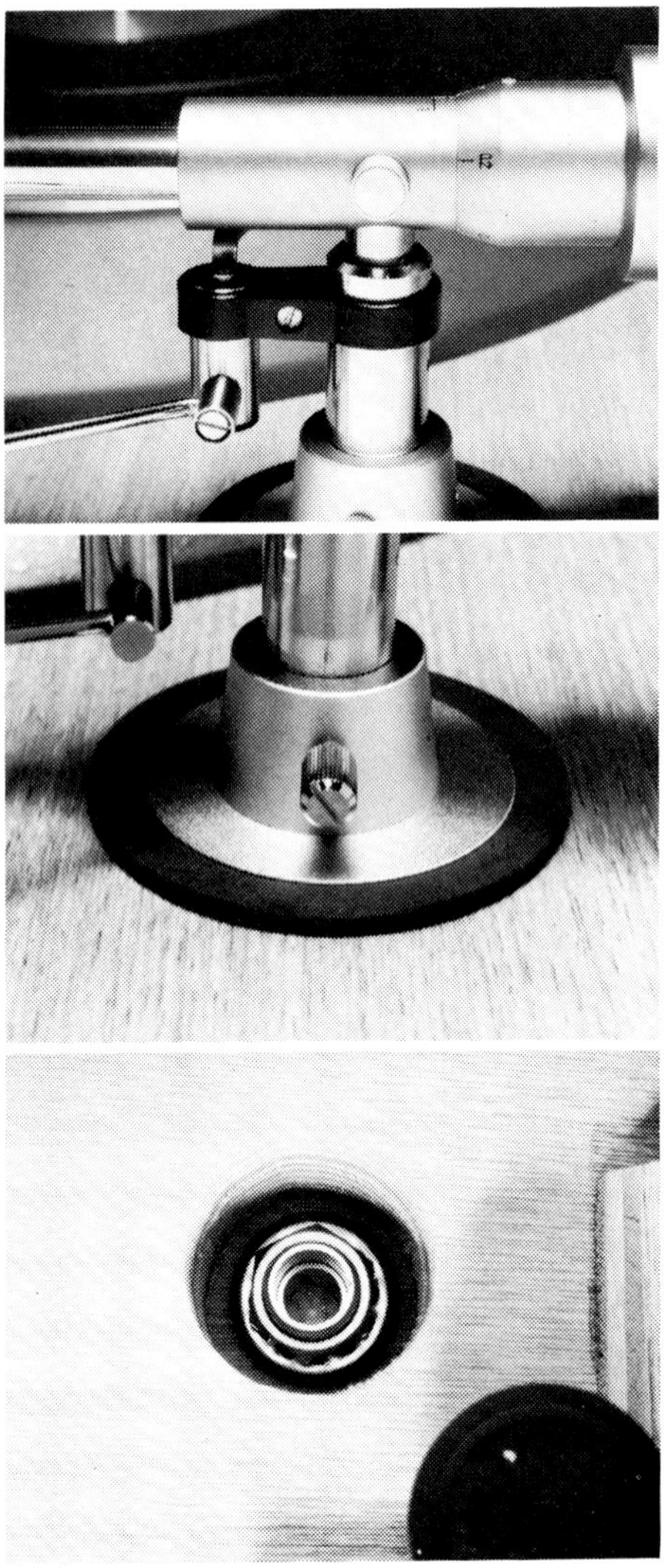

トーンアームは、アーム軸受け、アームベース、キャビネットとの結合を完璧なものとしたい

——トーンアームの重要なポイントと、上手な使い方についてお話をおうかがいしたいと思います。

トーンアームのポイントは、アームの軸受けにあるといえます。軸受けの構造は、ボールベアリング、ナイフエッジ、ピボットなどを使って支持しています。

アームの軸受けは、充分な強度をもっていること、感度が高いことなどが要求されますが、実際のアームを手にとって軸受けの強度を調べることは簡単にできません。手軽な方法でトーンアームの共振や、有害になる振動があるかどうかを調べるには、アームのゼロバランスをとり、指ではじいてみるとわかります。

トーンアームがプレーヤーシステムにアッセンブリーされている場合の見方としては、キャビネットにしっかりと固定されていることが大切なポイントといえます。つまり、トーンアームの支持方式の違いや、バランスのとり方の違いなどよりも、プレーヤーキャビネットにしっかりホールドされていることが大切だということなのです。

実際に音を良くする方法として、アームの質量が大切なポイントになるわけですが、それと同時に針先から見たアームの動きが不安定にならずにレコードの音溝をトレースしていくことによって、ピックアップ本来の役割りを果たすことになります。

一般的な使い方として、トーンアームの軸受けに近いところにメインウェイトがなるべくくるようバランスさせて使うことによって、実際の音も良くなります。つまりアームの動的な質量（イナーシャモーメントといいますが）を減らすことによってトレーシング能力を向上させるわけです。

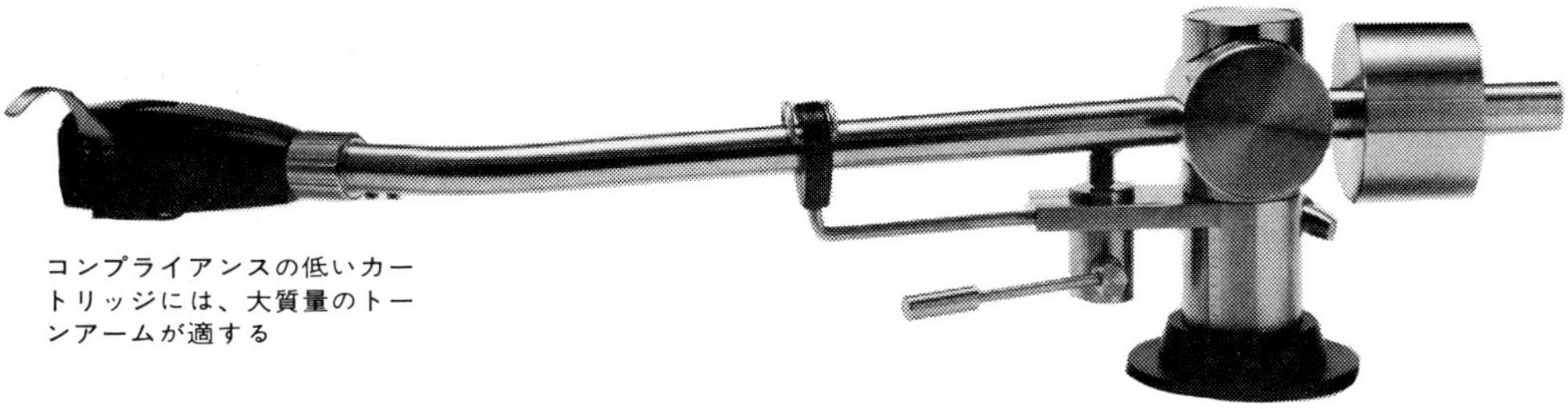

コンプライアンスの低いカートリッジには、大質量のトーンアームが適する

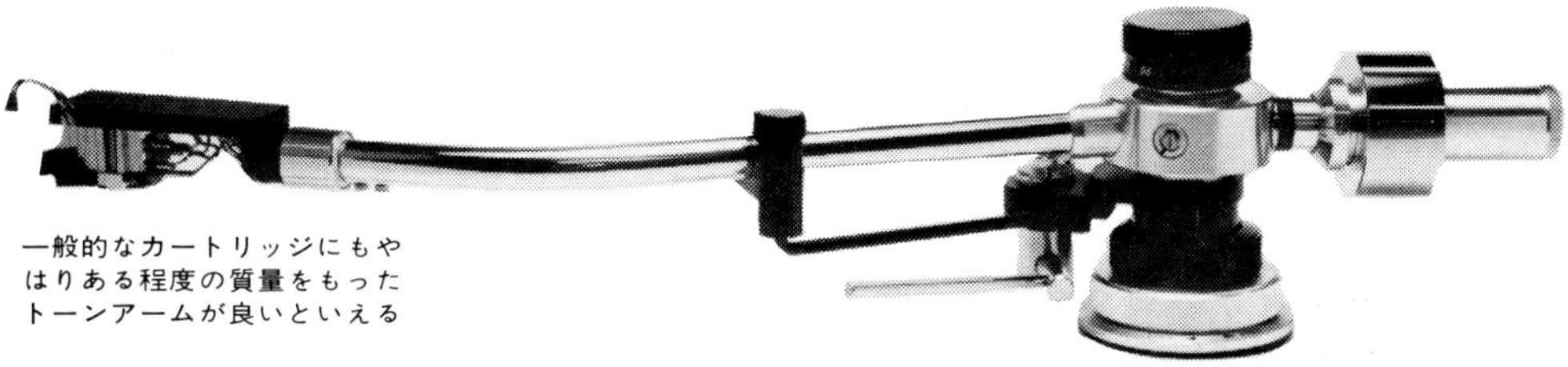

一般的なカートリッジにもやはりある程度の質量をもったトーンアームが良いといえる

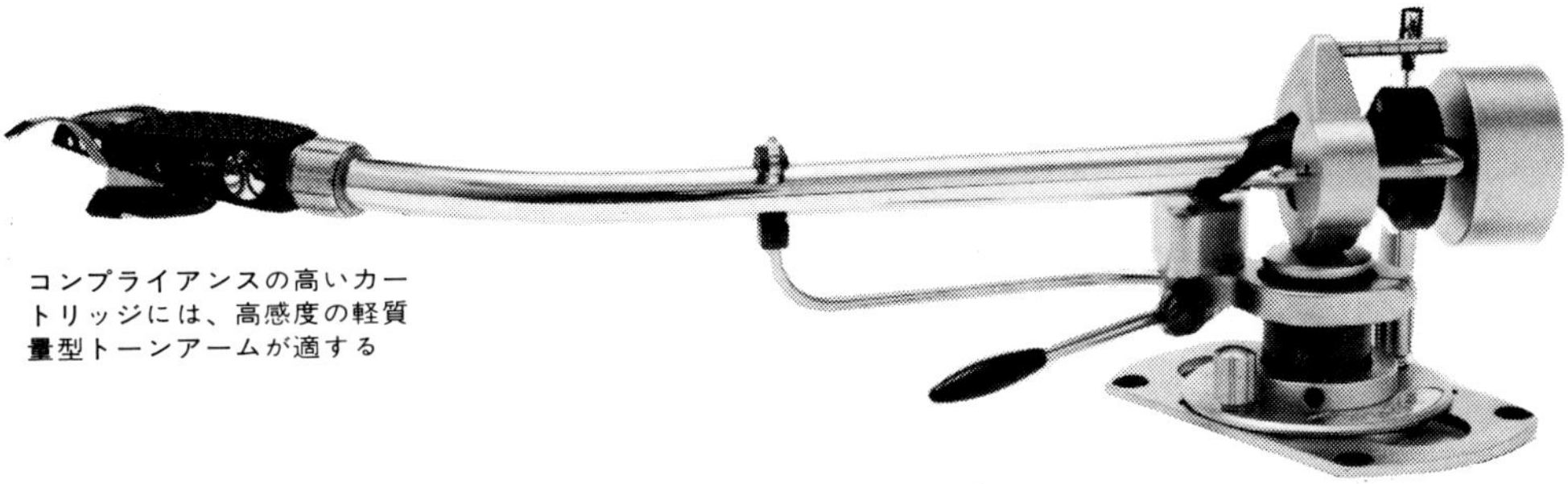

コンプライアンスの高いカートリッジには、高感度の軽質量型トーンアームが適する

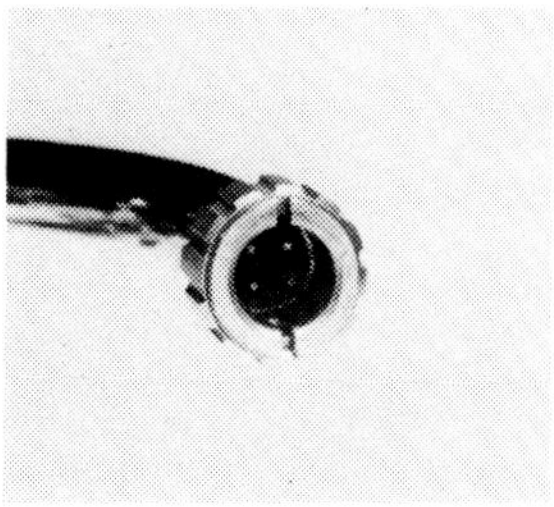

従来からのヘッドコネクター。右の写真のものと違い、強度は数段低くなってしまう。この部分にいわゆるガタがあると低音再生に悪影響を及ぼすだけでなく、全体に音を汚す結果ともなりかねない

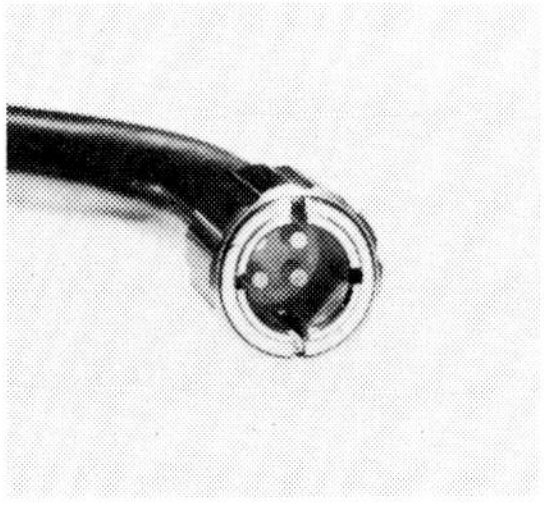

各パーツの結合部分やコネクター部分は何よりも確実に動作し、強度の充分にとれるものが望ましい。
　最近のヘッドコネクターの中にはチャッキングロック式のものが使われ、強度が上ってきている

トーンアームとカートリッジのコンビネーションということも大切なポイントです。つまりコンプライアンスの高いカートリッジ、(たとえばソナスなど)は見るからに質量のありそうなトーンアームを使うことは、有害だといえます。逆にオルトフォンのSPUなどのようにコンプライアンスの低いカートリッジの場合には、充分に重量のある大質量のトーンアームによって、その真価を発揮するといえます。たとえば最近話題になっているFR―64Sというトーンアームのように非常にベアリングの感度が良く、しかも質量がかなり大きなアームの場合、コンプライアンスの高いカートリッジは使いにくいといえます。

　トーンアームに付属しているディバイスとして、インサイドフォース・キャンセラー、ラテラルバランサー、オーバーハング調整、などが挙げられますが、こうしたディバイスを完璧に調整しないと、正しいトレースができないかというと、必ずしもそうではないと思うのです。実際の経験では針圧をほんの一割ぐらい増すことによって解決する場合が多いのです。ディスクレコードの再生限界をねらうとなると、各種のディバイスを使って完璧なバランスをとることが要求されるわけですが、一般的には、むしろ正規の針圧よりも少し多目の針圧をかけることによってほとんど解決する場合が多いのです。レコード自体の性質を考えてみても、極限の再生をねらうというよりも、手軽に誰にでも使える音楽ソースとして発展してきたわけですから、再生する側にとっても余り極端に軽わざ的なプレイバックをねらうアームよりも、簡単な構造で安定したトレースをするトーンアームが好ましいと思います。

大切なターンテーブルとトーンアームの結合

ターンテーブルとトーンアームが機械的に結合することは、良い音を得る秘訣といえる

プレーヤーシステムのトーンアームに重量をもたせ、ターンテーブルとトーンアームの結合度を高くとったもの

ターンテーブルを支えるダイレクトドライブ用モーターと、トーンアームベースをダイキャストを使って強度を高めている

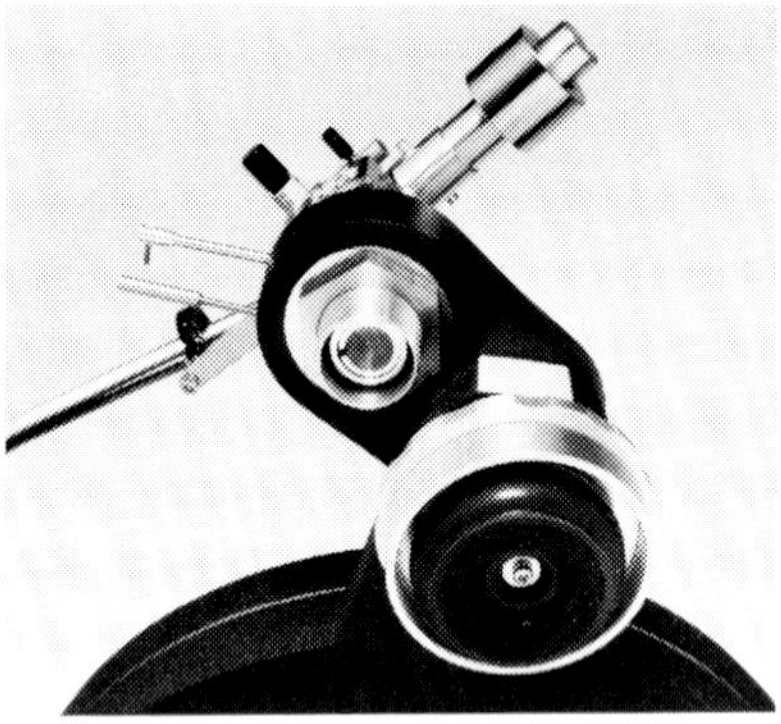

ダイキャストでしっかりと支えられたモーターと一体化した三本の脚にトーンアームを取りつけたもの。ターンテーブルとトーンアームの結合度は充分に高くとられている

——ターンテーブルとトーンアームをまとめる上で注意しなければならないポイントは何でしょうか。

　プレーヤーキャビネットに、ターンテーブルとトーンアームを組込めばそれだけで良いプレーヤーシステムができるかというと、決してそうではないのです。どんなに性能の良いターンテーブルとトーンアームを組合せても、それだけでは良いプレーヤーシステムにはなりません。ターンテーブルとトーンアームがガッチリと結合されてこそ、それぞれの単体の性能が充分に発揮されるといえます。具体的には、ターンテーブルの軸受けとトーンアームが、プレーヤーベースにしっかり固定されていることが必要なのです。ターンテーブルとトーンアームがしっかり結合されていないと、両者がごくわずかだと思いますが、バラバラに振動してしまうのです。この振動は両者それぞれ勝手に動くので、想像以上に音に悪影響を与えているのではないかと思います。たとえば非常に性能の良いターンテーブルをきゃしゃなキャビネットにおさめ、そこにトーンアームをつけても、結局はプレーヤーベースが充分な強度をもったものでなければ、使用したパーツの本来の性能は発揮されないといえます。プレーヤーキャビネットに質量のあるものを使う理由も、そうしたターンテーブルとトーンアームの結合という問題に関連しているわけです。

　現在数多く発表されているダイレクトドライブ方式の場合には、実際にはモーター自体のケースがプレーヤーボードにしっかりと結合されていることが、まず大切なポイントといえます。つまりターンテーブルとトーンアームを機械的にアースする、という考え方が

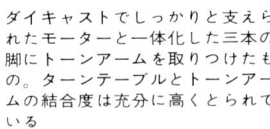

ダイキャストフレームを使ったターンテーブル軸受けとトーンアームのベースは一体化され、モーターボードとはスプリングでアイソレートされている

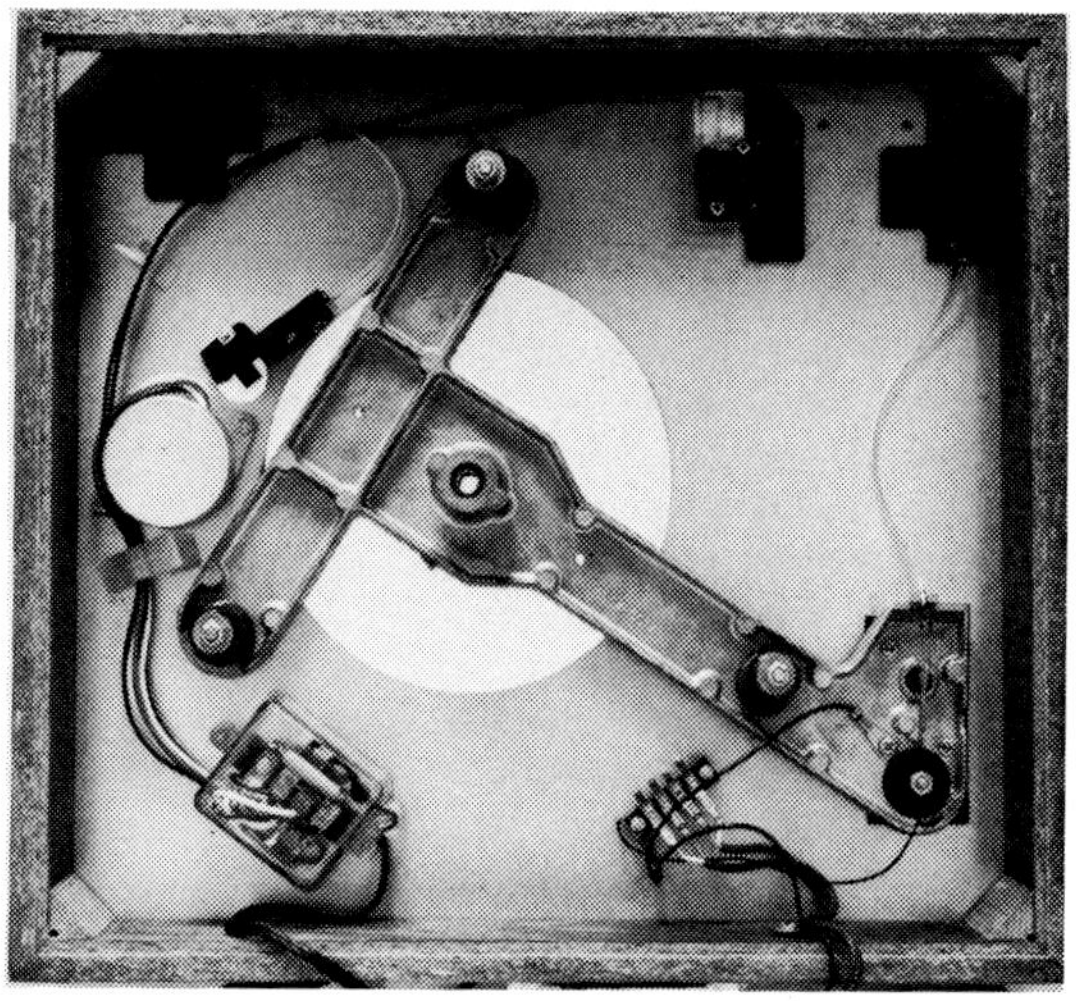

ターンテーブルのシャフト軸受けとトーンアームベースを一体化したダイキャストフレームによってまとめる方式。このフレームはキャビネットから浮かされている

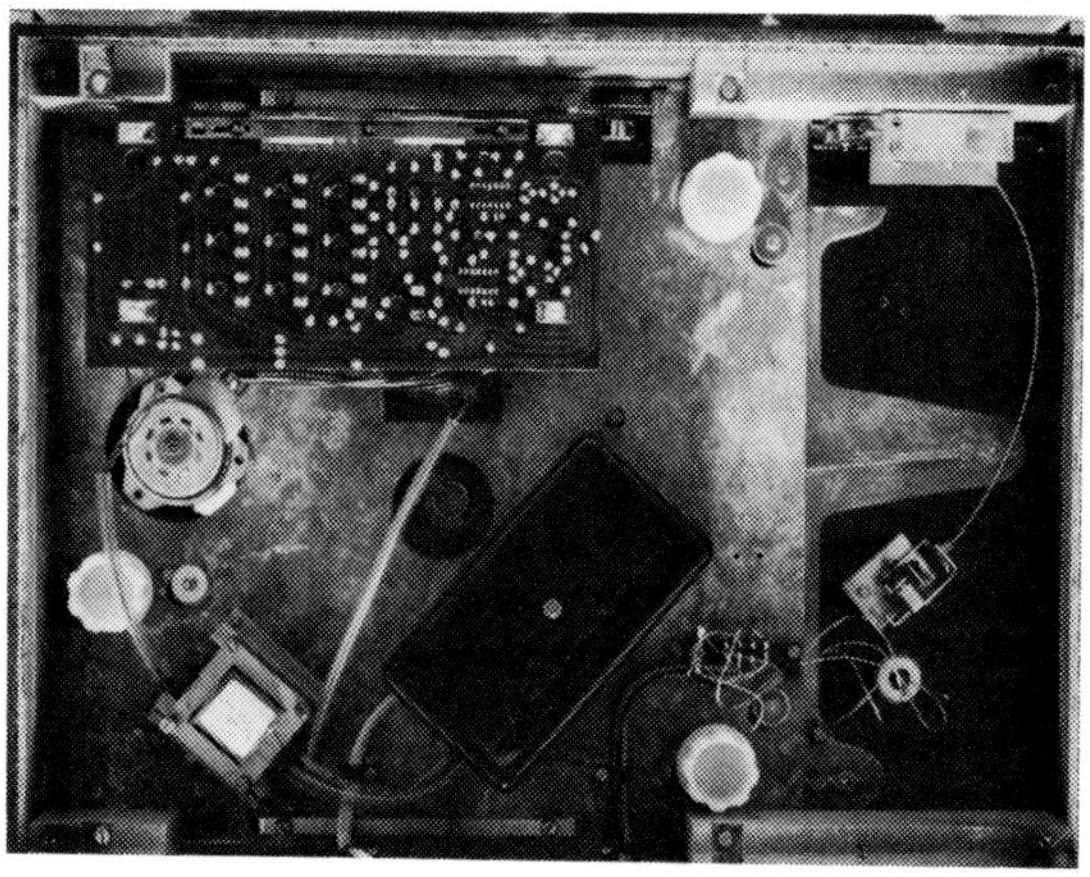

ダイキャストフレームを使ったモーターボードに、ターンテーブルシャフト軸受けをとりつけ、これもアームボードと一体化している。操作部分は別なフレームを使っている

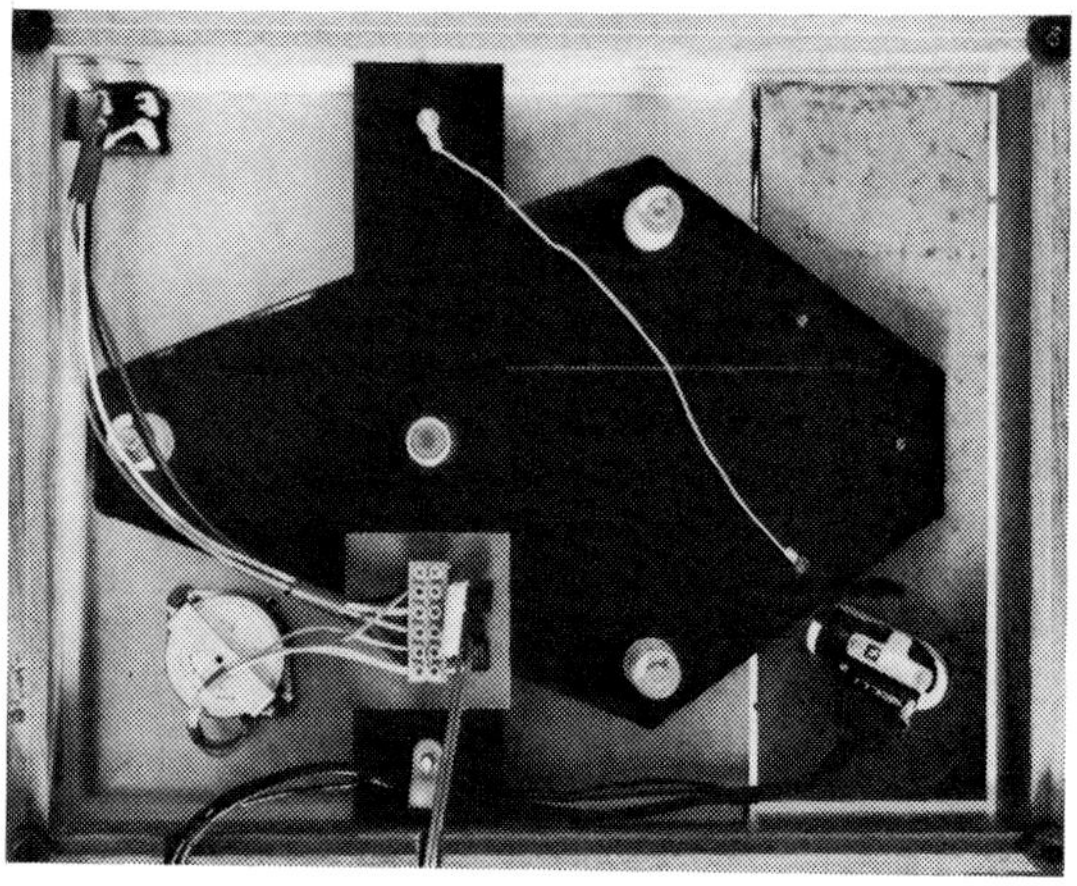

鋼板に取りつけられたターンテーブルシャフト軸受けは、アームボードに結合されている。モーターは別なフレームにつけられているので振動が伝わりにくい利点がある

できると思うのです。ターンテーブルとトーンアームとをしっかりつなぐわけですね。こうした考え方を基本として、ターンテーブルを含めたモーターユニットの重量を増し、またトーンアームのベースに重量をもたせたシステムも、プレーヤーボードの強度が充分に得られれば、良い結果が得られると思います。

海外の製品の中には、ターンテーブルの軸受けとトーンアームベースを強固なダイキャストなどで結合しているシステムが多くみられます。日本の製品の場合には、プレーヤーボードを積層合板にしたり、複雑な材料を使ったりしてターンテーブルをとりつけたりしているわけです。ところが、トーンアームの取付けは、最近になってやっとアームベースの大きなものを使いはじめ、強度をとるようになったのが現状といえます。

プレーヤーシステム全体として見る場合と、ターンテーブルやトーンアームなどを単体として見る場合の大きな違いは、こうした各パーツが一体化したポイントを重要視してみるところにあるといえるわけです。

単体パーツを集めて個人がプレーヤーシステムを組む場合には、ターンテーブルの軸受け周辺とトーンアームを機械的に頑丈に結合することをポイントにおいて作れば、音は格段に良くなると思います。たとえば、ダイレクトドライブ方式のモーターを使う場合、モーターのケースをしっかりとプレーヤーボードに結合させ、トーンアームとモーターを一体化するような工夫をすれば、音はずい分変ってくるはずです。こうしたところにアマチュアの本領を発揮する余地が残されているのではないかと思います。

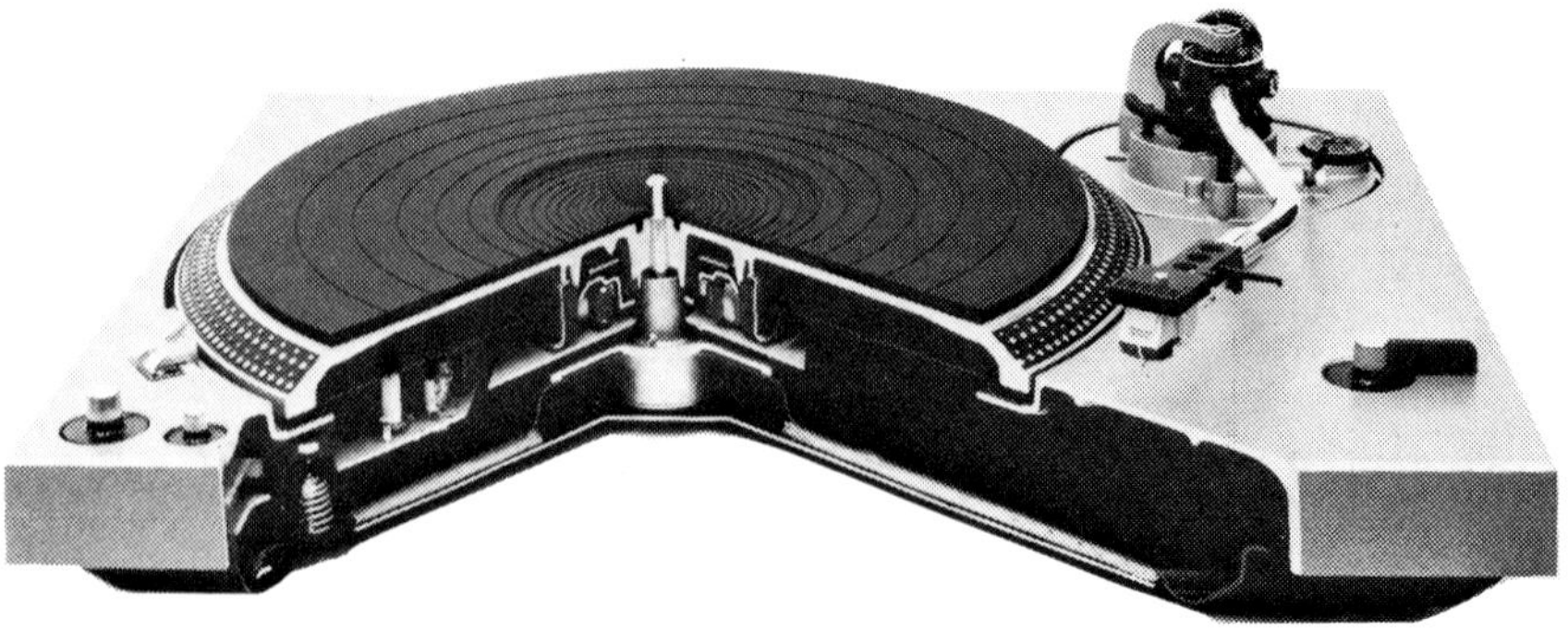

二重にアイソレーションを施したダブルフローティングシステム

インシュレーターのいろいろ

アコースティックフィードバック対策もチェックしよう

プレーヤーシステムの完成度は、アコースティックサスペンション対策で決まる

――ハウリングに強いプレーヤーシステムを見つけるための、ポイントについてお話して下さい。

ハウリング、つまりアコースティックフィードバックの問題を無視したプレーヤーシステムは、最終的に完成されたシステムとはいえないと思います。普通プレーヤーシステムは、リスニングルームに設置するものですから、アコースティックフィードバック対策が巧妙に設計されているかどうかが、性能上の大きな違いになるということができます。放送局のスタジオのようにプレイバックする部屋とスピーカーを置いて実際に聴く部屋とが、まったく違っている場合には、このアコースティックフィードバックということは気にしなくても良いと言えるかもしれませんが、実際には、そうしたケースはあまり考えられないわけです。

一般には同じ部屋の中にプレーヤーとスピーカーを置いて聴くというのが普通でしかもその部屋の中で人が歩いたりするわけですから、やはりアコースティックフィードバック対策が充分であるかどうかは、プレーヤーシステムを見る大きなポイントの一つといえるでしょうね。

ターンテーブルがいくら静かに回転して高いSN比をとっていても結局は外部からの、振動をアコースティックに遮断できなければ、良いSN比は得られないことになります。

具体的にアコースティックフィードバックの良し悪しを見分けるのは、非常に難しいといえますが、実際にターンテーブル上にレコードをのせ音を出して確かめる方法が一番手軽だと思います。必ずしもプレーヤーボードが浮いているから良いとは限らないので、や

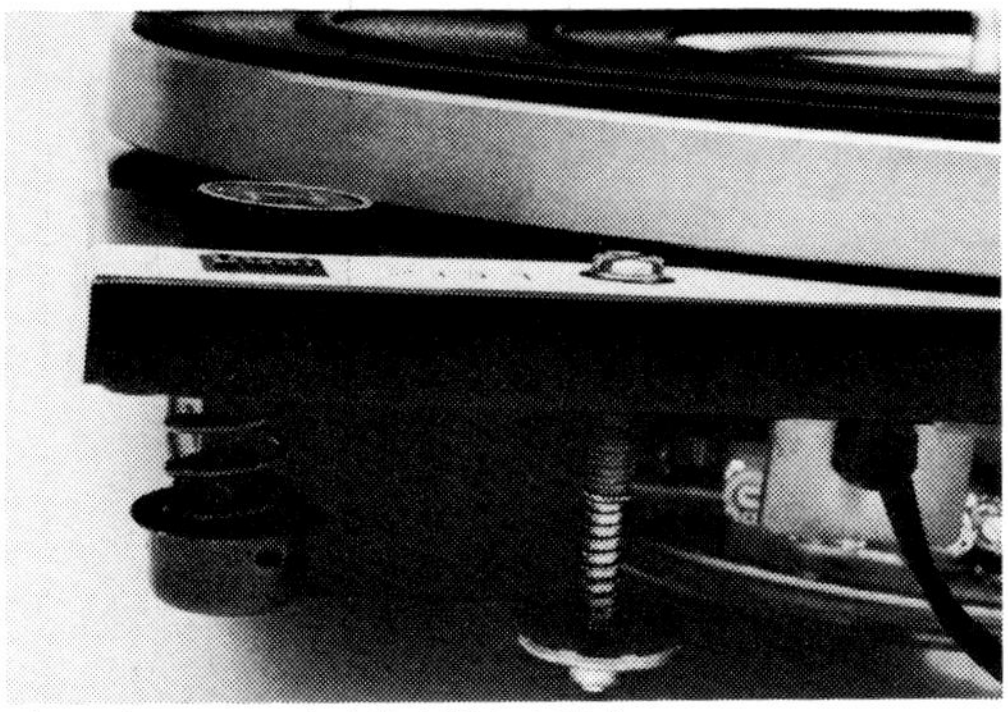

プレーヤーユニット全体を浮かす方式

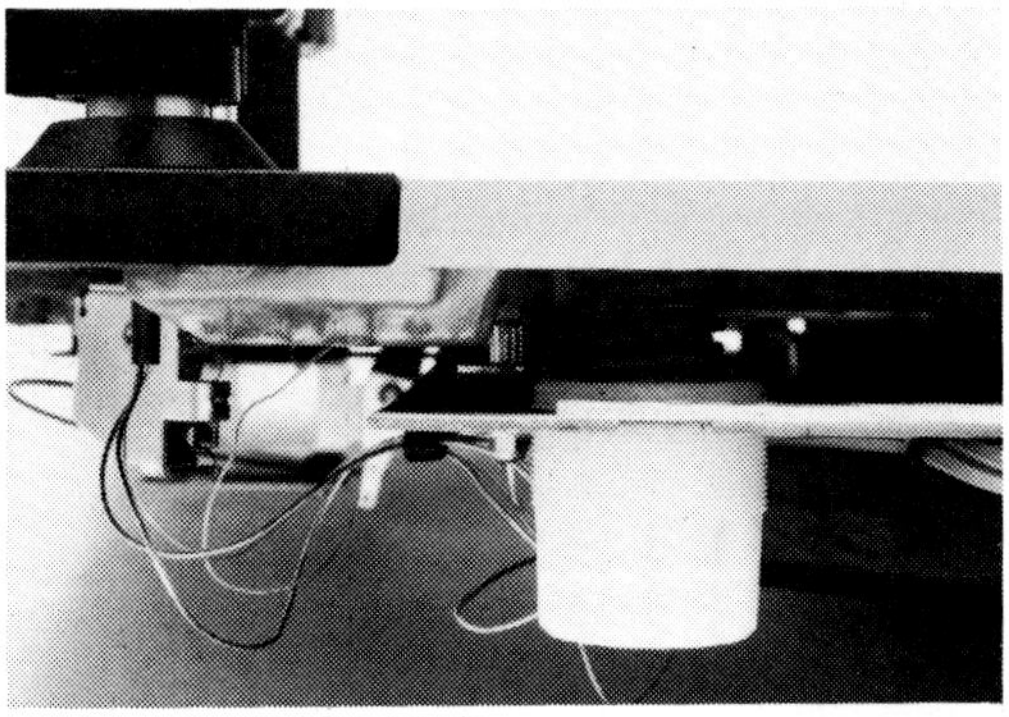

モーターボードを浮かす方式

ターンテーブルとトーンアームを浮かす方式

はり注意しなければいけません。現在の日本のプレーヤーシステムは、インシュレーターを使ったものが多いのですが、それだけで良いかというとそうではないと思います。プレーヤーシステムの全体の重量とインシュレーターの硬さとが、うまくバランスして初めて音響的にアイソレートできるわけです。このアコースティックフィードバック対策がうまくできているかどうかが、完成プレーヤーシステムとアマチュアが単体パーツを組合せてつくったプレーヤーシステムとの決定的な違いになるといっても過言ではありません。完成プレーヤーシステムとしてのメリットとしては、重要なポイントといえます。

　こうしたアコースティックフィードバック対策を早くから考慮しているのが、海外のオートマチックプレーヤーですね。アコースティックフィードバックに対する処理は、海外製品では使用状況からみても不可欠といえるわけで、非常に深く研究されています。

　日本の製品にはあまり見掛けられないのですが、海外製品の中にはターンテーブルとトーンアームを一つのフレームでつないで、キャビネットから浮かすという方法をとっているものがあります。この場合、ターンテーブルのシャフトとトーンアームのベースが直接結合される形となりますから、非常に良い方法といえますね。具体的にはエンパイアや、トーレンスなどが採用している方法です。またこの方法は、操作部分が完全に独立できるということが大きな特徴といえます。操作部分が音響的に絶縁されているわけですから、プレイバックしている状態では仮になんらかの操作を行なったとしても実際の音に影響を与えないのですね。

メカニズムの良否を判断できる目をもとう

メカニズムに興味をもち、数多くの機械を見ることによって、何が大切かを知ろう

——メカニズムの良し悪しの判断ができるようになるためには、どうすればよいのでしょうか。

今回の話の中には、メカニズムの見方といったことも含めているわけですが、大切なポイントとなるのはメカニズムの定石という点だと思います。具体的にはターンテーブルのシャフトの軸受けやシャフトの強度、ターンテーブル自体の構造や強度などのいくつかのポイントを挙げましたが、これらの部分がどういった処理方法をとって仕上げられているか、という点に注意することが大切だと思うのです。

こうしたいわゆるみどころも大切なのですが、良く出来た機械、完成度の高い機械というのは、一目見ただけで、何となく良さそうだと感じさせるものをもっていると思うのです。プレーヤーシステムの場合などは、とくにメカニズムの出来具合によって、基本的な性能はほとんど決定してしまうわけですから、メカニズムさえしっかりと見分けられるようになれば、まず第一関門を突破したといえます。

メカニズムを見る目を養うためには、まずメカニズムが好きでなければいけません。つまりメカニズムに興味をもつということが大切なのです。そしてたくさんのメカニズムを見ることです。数多くのメカニズムを見ることによって、いろいろな手法を知ることができますし、その中には良いメカニズムも、そうでないものもあるはずです。そうしたことによって、メカニズムを見る目が養われるといえるわけです。この場合に注意しなければならないのは、メカニズム本来のもつべき役割りであり、得られるパフォーマンスであるということなのです。そこに新しいデバイス（装置）やフィーチュア（機能）が入ってきても、それが本来の性能を確実に上げるものであるかどうかを見抜かなければならないと思います。

ここ数年前から日本のプレーヤーシステムの大きな動きとして、ダイレクトドライブ方式の一般化という現象がみられ、ごく最近では、このダイレクトドライブ方式が、普及機にまでとり入れられるようになっています。このダイレクトドライブ方式についての考え方は、前にもとり上げられていますが、最後にダイレクトドライブ方式のもつサーボ機構について少しふれておきましょう。

サーボシステムの大きな原則として、サーボループの中に慣性をもたせるべきではない、ということがあります。つまり慣性が大きい場合、サーボのきき方が正確にかからなくなります。とくに絶対定速を得ることを考えたときには、大きなウィークポイントになります。このサーボシステムをターンテーブルに導入していくことは、そうした面から非常に難しい問題が生じます。たとえば、最新の旅客機に採用されているオートパイロットシステムのように、ある高度を大体等速で安定して快適に飛行できればよいものの場合であれば、サーボが少し遅れて利いて働いても別に問題はないわけです。ところが、ターンテーブルの場合は事情がまったく違ってきます。第一の条件として絶対定速が要求されるだけに、サーボのレスポンスに時間のずれを生じることは致命的であり、しかも悪いことにサーボシステムは現実に回転に変化が生じなければ働こうとしてくれません。まあ、実際の製品はこの辺をターンテーブルのイナーシャを逆に利用してうまく逃げているのですが、とにかくプレーヤーシステムに限っていえば、機械系を含めてサーボシステムを構成することは、相当難しい問題が残されているといってよいでしょう。

したがってダイレクトドライブ方式の場合も、サーボは電気系だけにとどめ、外部からの負荷変動に対しては、やはりイナーシャを大きくして逃げるという考え方が私は正しいと思うのです。こうした問題はとくに海外のプレーヤーシステムの状況を考えた場合、非常に大きくクローズアップされると思います。海外のメーカーの多くが、未だにダイレクトドライブ以外の方式を固守してきていることは、ただ単にダイレクトドライブ用のモーターがないというだけの理由ではなく、別な考え方によるプレーヤーシステムの在り方を示しているのではないかと思うのです。

新連載＝オーディオの名器にみる

クラフツマンシップの粋①

マランツ Model 7, Model 9, Model 10B

対談＝山中敬三／長島達夫

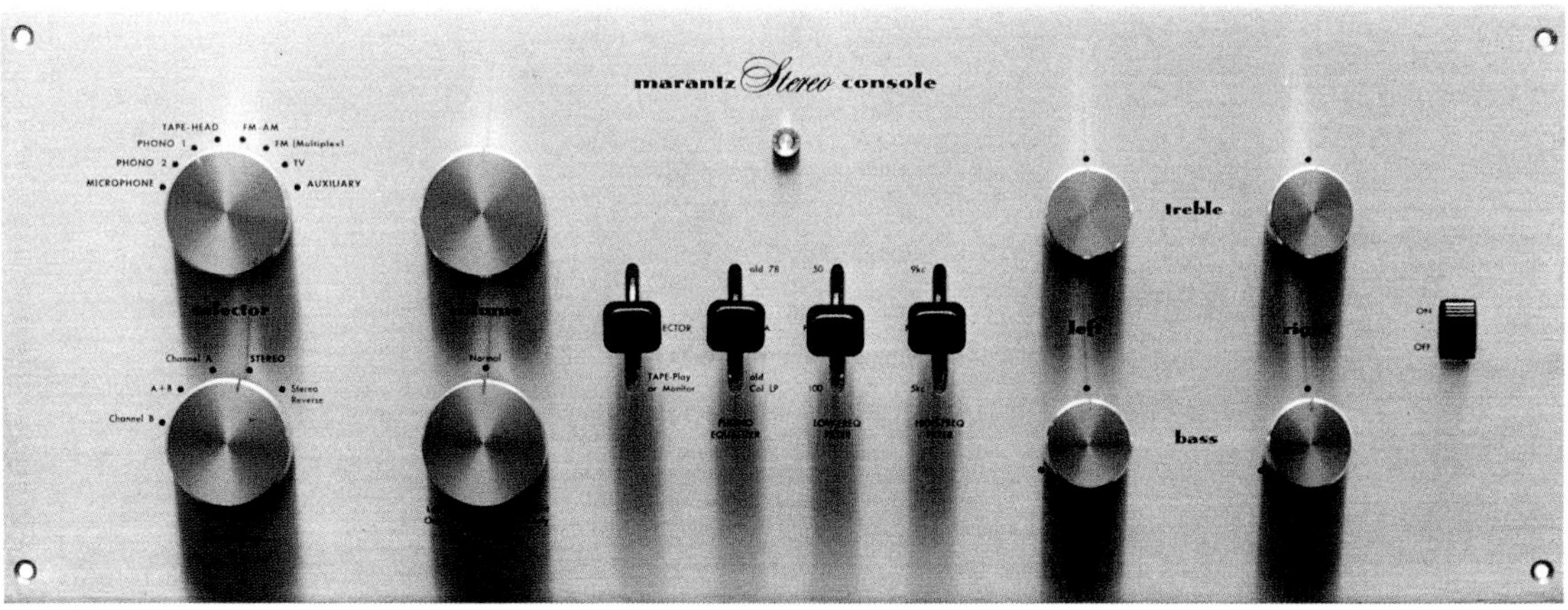

創刊10周年にちなんで、今号から名器シリーズを連載する。その初回は往年のあのマランツの登場である。

このシリーズに登場させるオーディオ機器は、現在すでに製造中止になっているものを中心としているが、モノーラル時代の後期からステレオ時代にかけて、オーディオファン垂涎の的となった名器たちである。

当シリーズのテーマはこれら名器がなぜ名器たり得たのか。そこに息づいているクラフツマンシップの粋を見とどけよう…つまり真にすぐれたオーディオ機器の精髄をとらえよう、というところにある。

使う者の精神さえも変えてしまう、本物のみがもっている機器の深い味わいとは、いったい何なのか。機器とそれを使う人間のかかわりあいについて考えていくとともに、それら名器たちが、進歩した現在のオーディオ製品に、いかに影響を及ぼしているかも、同時に探ってゆきたい。

編集部

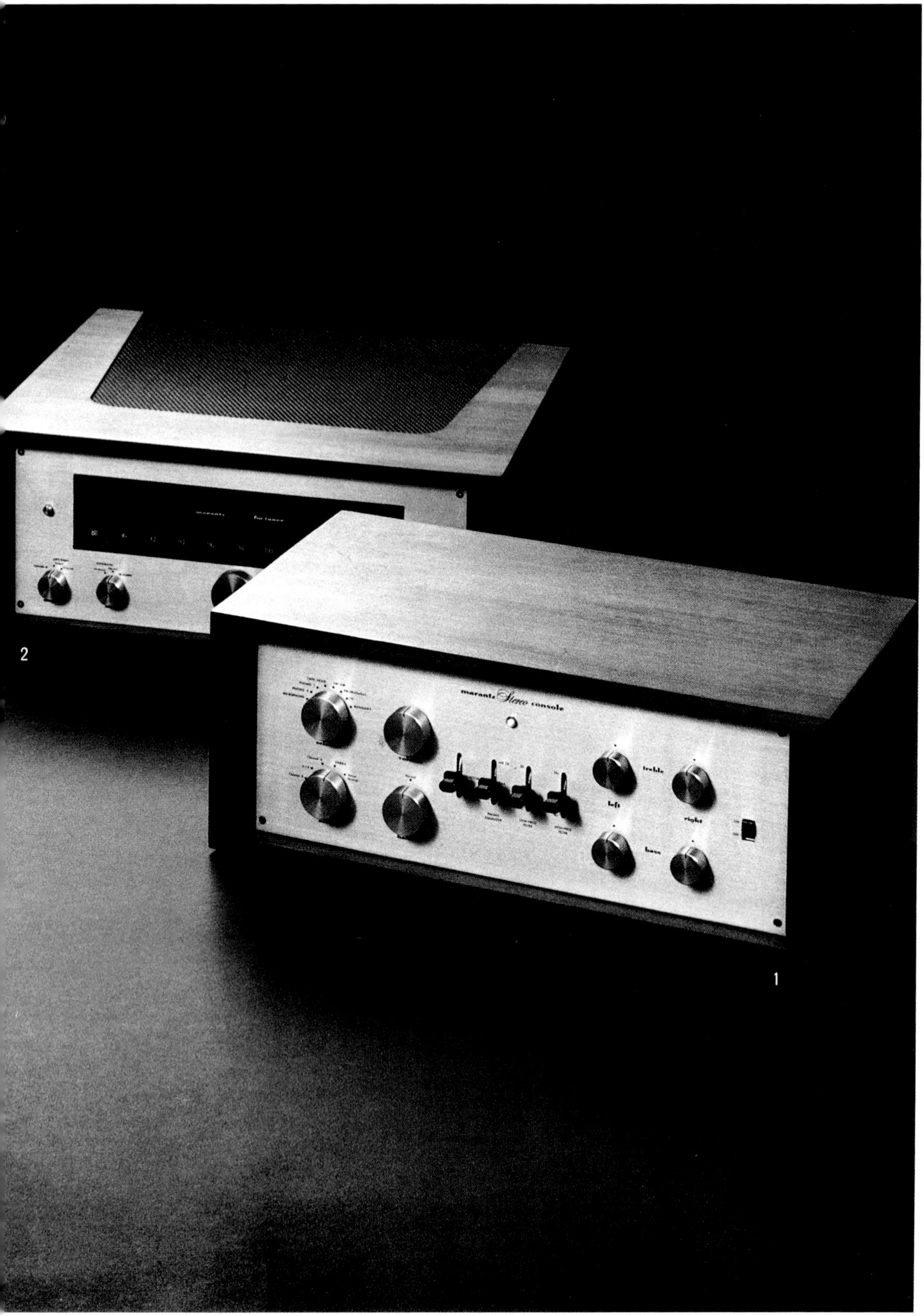

❶＝Model 7　Stereo Console　❷＝Model 10B　FM Stereo Tuner

❸ = Model 9　Monaural Power Amplifier

❺ = Audio Consolette
Control Preamplifier-equalizer

❶＝Model 1
Audio Consolette

❷＝Model 6
Stereo Adapter

❸＝Model 3
Electronic Crossover

❹＝Type 4
Power Supply

❶=Model 5　Monaural Power Amplifier　❷=Model 8B　Stereo Power Amplifier

❸ = Model 2　Monaural Power Amplifier

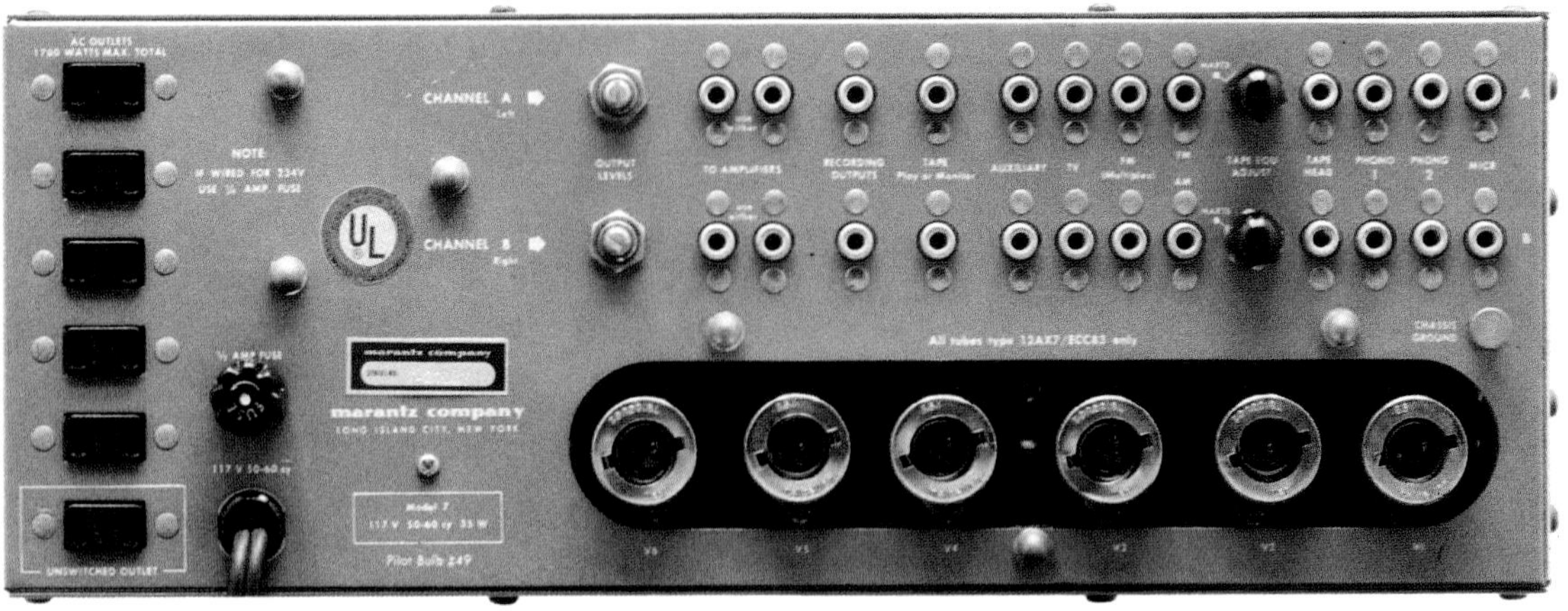

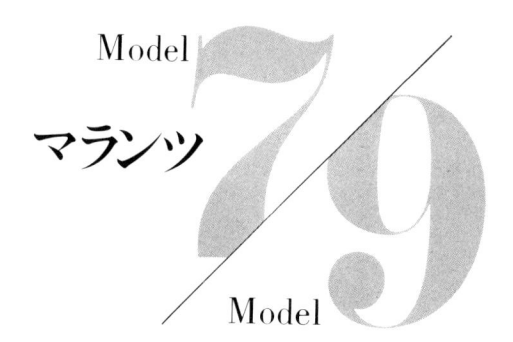

マランツ Model 7 / Model 9

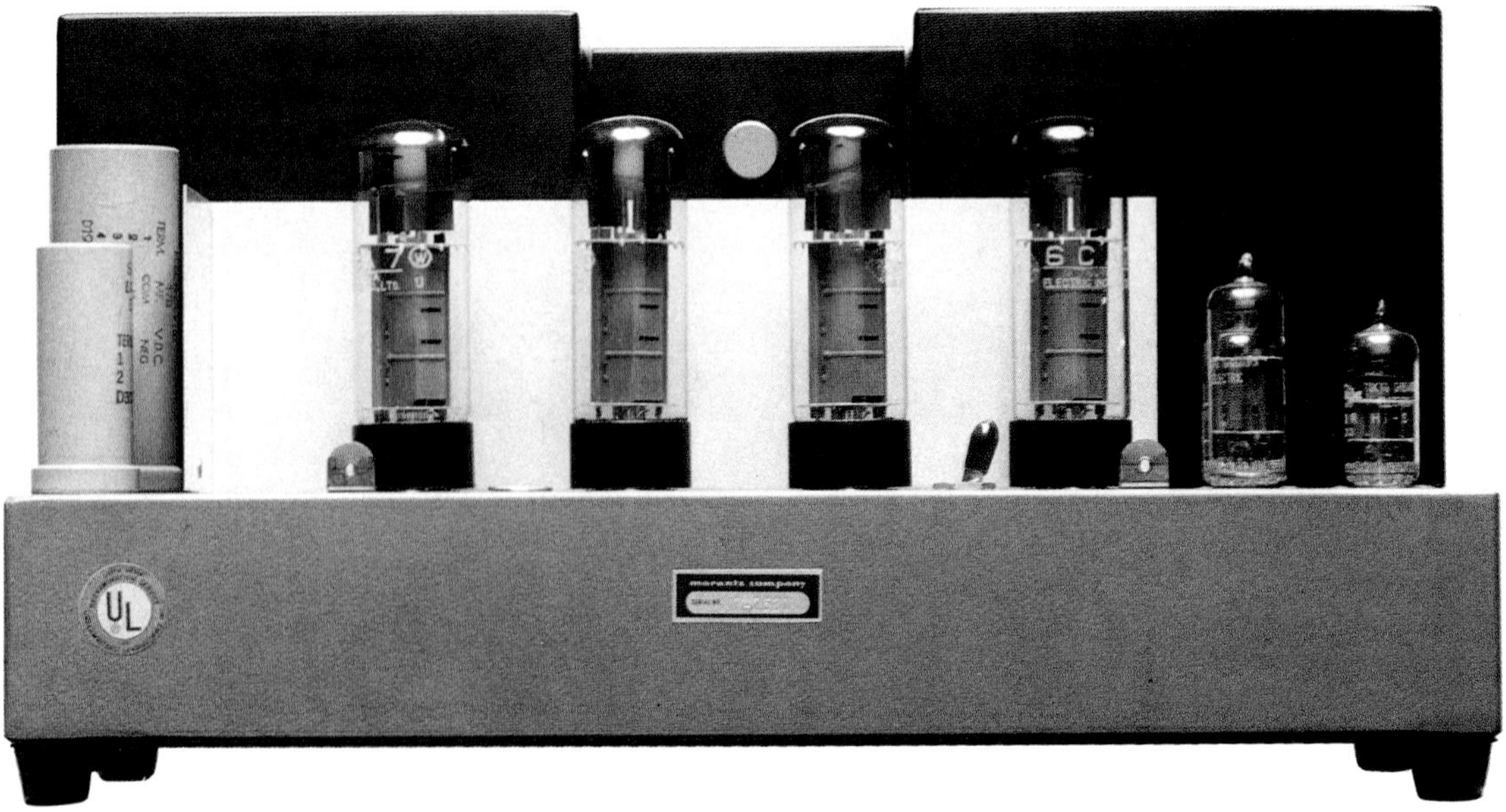

オーディオの名器にみる
クラフツマンシップの枠
マランツ MODEL7／8B／9／10B
対談＝山中敬三／長島達夫

はじめに

山中　オーディオがこれだけ盛んになって、国産、外国製を問わずたいへんな勢で製品の数が増え、高級品から普及品にいたるまでオーディオ製品がこれほど豊富にある時代はかつてなかったでしょうし、基本的な性能も昔に比べて格段に向上しています。そういったオーディオ界全体のレベルアップはたいへん喜ばしいことですけれど、これだけマーケットが大きくなったということは、オーディオが産業としても膨大なものになっているわけで、逆にいうと、ある程度マスプロダクトを考えなくては商品は絶対に作れないという状態になってきていることも事実だと思うのです。

このシリーズで取り上げていこうとしている製品の出現した一九五〇年の終りから六〇年初めというのは、技術的な開発が一段と進み、オーディオがあるひとつの頂点に達した時代だと思うのですが、その頃はまだオーディオ界の規模そのものが小さくて、お金に糸目をつけずにいくらでも良いものが作れた時代だったのです。その頃作られたものと、現在の最高級品といわれるものを比べると、ここに明らかな相違があって、今の製品はあくまでもひとつの企業として成り立ちうる枠を超えない範囲での最高級品でしかないのではないかという気がしてしょうがないのです。その点、昔の製品はその枠を超えて、なおかつ企業的にも十分ペイする値段をつけて製品化することができた。そういう背景があって、当時のものは今の製品に望めない、たいへんなぜいたくがしてあったように思います。こういう製品がごく最近まで現実に存在したわけですが、しかし、いまオーディオを楽しんでいる人たちの大多数が、こういう製品のほとんどを知らないのじゃないでしょうか。その意味から考えてもこれらのことを知っておくのは非常に大切だし、ぜひ知っておいていただきたいと思います。そこでこのシリーズが企画されたわけなのですが、懐古趣味でなく、今はなき名器たちを紹介することで、真のオーディオ機器のあり方というのでしょうか、趣味的に捉えてほんとうに良いオーディオ製品はどんなものなのだろうかを示唆していけたらと思っています。

マランツの創世期

山中　第一回はマランツを取り上げてみようと思います。話の中心はステレオの時代になってからの製品なのですが、その前にまずモノーラル時代のマランツの製品をふり返ってみようと思います。

ところでこの会社の生い立ちですが、この会社は、ソウル・B・マランツという工業デザイナーとしてすでに実績をもった、たいへんに音楽の好きなしかも大のレコード愛好家でもあった人が、個人的に最も優れたアンプを作りたいという気持から、まったくの自家用として作ったプリアンプが、彼の友人たちの間で評判になり、ある程度の数を製作して、その人たちに頒けたのがきっかけとなったようです。

マランツの基礎ができた時代というのは、一九四八年にLPレコードが開発されて以来急速にオーディオ機器が全般にわたってきわめて性能の向上した、第一次ハイファイブームといった時期だったのです。当時のアメリカのオーディオ界というのは、たとえばマッキントッシュとかフィッシャー、スコット等いまでもよく知られているメーカーが、それぞれ高級品を競って発表していたわけです。マランツはそういう環境の中で、ハイファイブームがかなり熟した時期に現われた。マッキントッシュ等と比べると少し後発といえます。おそらくマランツ氏は、当時の最高級機といわれていたものを自分で使ってみて、いろいろと不満が生じ、そこで自分自身納得のゆくものを作ろうということで始めたのだと思います。これがだいたい一九五二〜三年のことです。

マランツ製品の第一号機として、最初のプリアンプ

――もちろんモノーラルですが――が発表されたのが一九五二年、今から二十三年前のことです。それからしばらくの間プリアンプだけを作っていたのですが、これがたいへん評判をよびまして、マランツの個人経営だったのがマランツ・カンパニーという会社組織になり、東部――このころのマランツはニューヨークにあったのですが――からアメリカ中に名声がひろがっていった。

長島　その頃、他のメーカー、たとえばマッキントッシュなどはどんな製品を作っていたのでしょうか。

山中　マッキントッシュ社は、同社の現社長であるマッキントッシュ氏が有名なマッキントッシュ回路《サーキット》を発明して、この回路を採用したパワーアンプを製品化したのがはじまりなのです。これはかなり昔のことで、レコードがLPになる以前のことではないかと思います。一九四〇年代には、おそらく第一号の製品が出ていたはずです。このマッキントッシュの例でもわかるように、当時は高性能アンプの数々や新回路が次々と開発された時期ですね。このあたりのことは、長島さん、よく知っていらっしゃるでしょう。

長島　ええそうでしたね。今こんなことを言っても信じてもらえないかもしれませんが、マランツの創世期のころは、日本の国内では信頼するに足る再生装置というものが、既製品ではまったくなかった時代です。

山中　その点アメリカはかなり進んでいたわけです。マッキントッシュがあり、スコットやフィッシャー等が非常に優秀なアンプを出していましたから。

長島　日本ではそういった優秀なアンプの回路図をアマチュアが苦労の末に入手して、部品を集めたり、部品から自分で作ったりして、回路をそっくりそのままコピーし一所懸命自作する、そういう時代でしたね。

モノーラル時代のマランツ

山中　そんな時期にアメリカでは、マランツ最初の製品として〝オーディオ・コンソーレット Audio Consolette〟とよばれるプリアンプが発売されたのです。このオーディオ・コンソーレットで、最も重視されているのはイコライザー部で、ターンオーバーとロールオフが別々に切替えられるようになっていて、あらゆるレーベルのレコードが再生できるように配慮されていますね。外観上特に、パネル面の感じはこの後に出る＃1と同じなのですけれど、ツマミなどがまったく異なり、イメージとしては別物といえるかもしれませんね。当時はこういう外観のアンプが多かったですから、これはマランツのオリジナルとはいいきれないでしょうが、それをいちばん洗練された形で完成したといえるでしょうね。

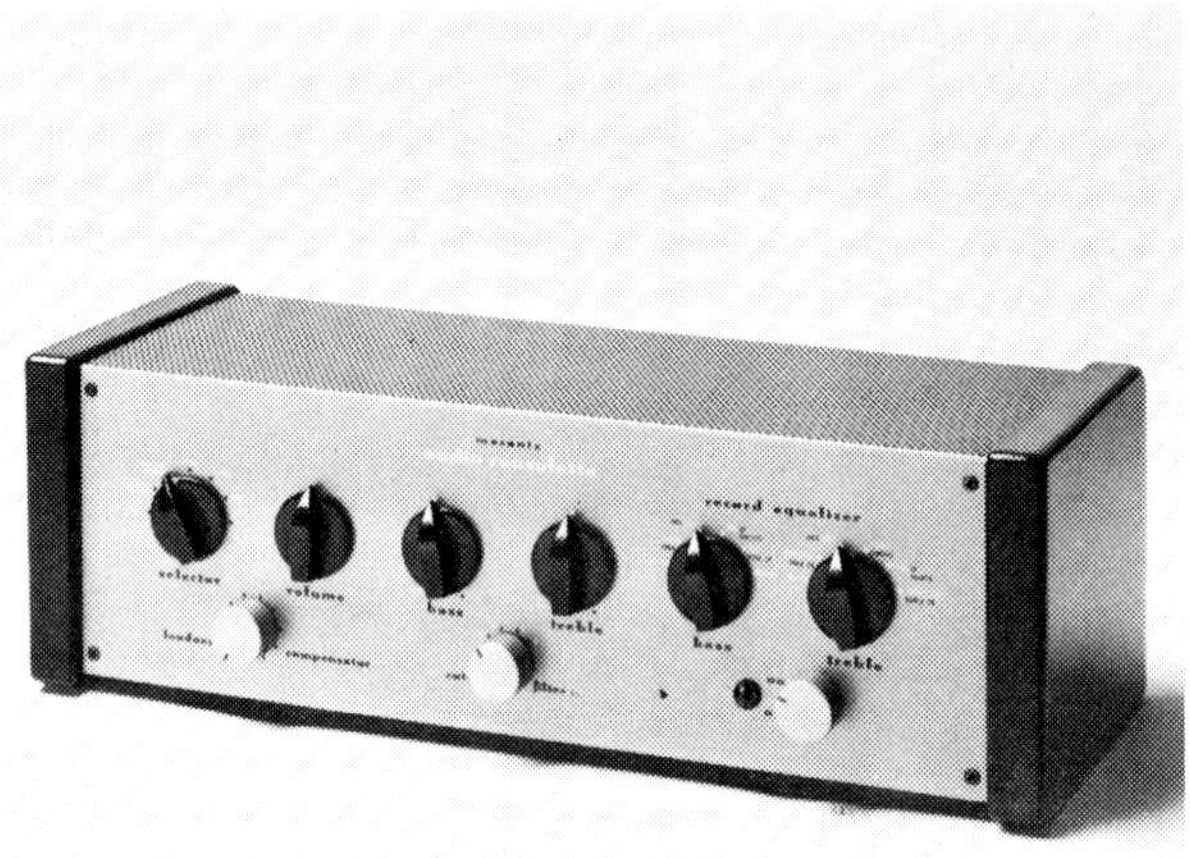

Audio Consolette Control Preamplifier-eqalizer

一九五四年になって、現在も使われているRIAAのイコライザーカーブが制定されて一応レコードの統一がはかられたわけですが、これを機会に外観を中心に細部を改良して発売されたのが＃1というプリアンプです。この時初めてテープモニター回路が採用されましたが、それまではテープモニターはほとんどなかった時代ですから、画期的なファンクションだったでしょうね。これがあったおかげで、ステレオ時代に入ってからも＃1を使うことができたという、重要な機能です。

長島　＃1で注目していいのは、よく調べてみると、回路アッセンブリーの考え方だとか、使ってあるCR類、配線の方法など、後の＃7に採用されているものとほとんど同じなのですね。それが最も初期の製品にすでに見られるわけです。

山中　次に製品化されたのが＃2。これはウルトラリニア回路を採用し、出力管に6CA7を使った。出力が40Wのモノーラルパワーアンプです。写真を見るとよくわかるでしょうが、トランス類を全部ひとつのカバーの中に納めてしまい、そのカバーの外側に真空管のついたサブシャーシーが取り付けられているという、たいへんユニークな形状をしていますね。他にはちょっと例のない、独特なスタイルでしょう。

長島　6CA7のプッシュプルで出力が40Wというのはたいへんなことで、＃2の場合、この球《タマ》の限界ギリギリいっぱいまで使っているといっていいでしょう。
それにしても、マランツのパワーアンプは不思議と、真空管の全盛期が終わる最後の最後まで６ＣＡ７を使いつづけますね。おそらくマランツ氏はこの６ＣＡ７のウルトラリニア接続に、聴感上なにかのメリットを見出していたのじゃないでしょうか。

山中　そうですね。マランツ最後の管球式パワーアンプの#9にいたるまで、使っているディバイスは基本的に変わりませんね。

長島　全体の回路構成そのものも、大幅には変化していませんね。

山中　サーキットデザインそのものは、当時としてもそれほど目新しいものではありませんが、マランツの秘密——といったらおかしいかな、たいしたものだと思うのは、この頃はわれわれが全く気がつかなかったようなしかも重要なことにすでに気づいていて、非常に細かいところまで気を配っていることですね。たとえば、プッシュプルの終段をドライブするにも、部品の配置と配線がシンメトリーになるように気を遣っています。というのは、電気が配線の中を流れればインダクタンスやキャパシタンスを持つので、二本の球が交互に働いて出力を作り出すプッシュプルの場合、アンシンメトリーがクォリティを乱すもとになるからです。
とにかく#2は、その後のマランツのパワーアンプの礎といえるもので、管球式の最後の製品まで、基本的な構成に変更はないまま……

長島　いやそうでもないでしょう。細かいところはよりいっそう追求して完成度を上げようとしていると思いますよ。

Model 2　Monaural Power Amplifier

山中　それはしていますけれど、パワーアンプの基本デザイン——これはサーキットデザインまで含めてのことですか——は、最初の製品にしてすでに出来上っていたという感じですね。
次に発表されたのが、#3というエレクトロニック・クロスオーバー、いわゆるマルチチャンネルアンプ用のデバイダーアンプですね。デバイダーを単体で商品化したのは、マランツが最初だと思いますが、これが一九五七年で、時期的にもきわめて早いわけです。これはモノーラル用なのですが、アッパーチャンネルとロワーチャンネルに対してそれぞれ別々に12ポイントの周波数が選択できるようなっていて、多様性に富んだものですね。
この頃、マランツ等を中心としたモノーラルの高級再生装置（アンプ）がひとつの頂点に達したのだと思います。その時にマルチチャンネルアンプシステムがかなり話題になってきて、それをいち早く製品化したのがマランツなのです。結局このあと、他の大手メーカーでは、エレクトロニック・クロスオーバーはあまり製品化されませんでしたね。こういった面でもマランツは、技術的な先取りというか、先進的な気持は強かったのですね。

長島　ちなみに当時の価格はどのくらいですか。

山中　#1が１６８ドル、#2が１９８ドル、#３は90ドルです。

長島　といっても実感がわかないかもしれないから、同時期の他のアンプの値段も教えていただけますか。

山中　マッキントッシュを例にとると、プリアンプのＣ８が１０８ドル、パワーアンプのＭＣ３０が１４３ドルですから、マランツは値段の点でも最高だったわけですよ。

次に発表された（一九五八年）のがパワーアンプの＃5です。これは＃3を発売したことでマルチチャンネル用としての需要を満たすためには、＃2ではかなり値段が高いわけですね。そのために、基本的な回路は＃2と同じで、多少簡略化してローコストにしたのがこの製品ですね。

長島　たとえば＃2にあった、バリアブルダンピングファクターコントロール等が省略されていたり、出力管は同じ6CA7でもパワーを30Wに下げています。

山中　出力が30Wになったことで、パワートランスやアウトプットトランスが小型化されたため、寸法も＃2に比べると大分小さくなっています。外観も縦長になって、マルチチャンネルアンプとして二台使った時、非常にいい形になっています。

長島　このアンプの値段はいくらくらいですか。

山中　当時147ドルで、＃2より50ドル安いわけです。

長島　4が抜けちゃいましたけれど……。

山中　4はプリアンプとエレクトロニック・クロスオーバー用のパワーサプライなのです。当時はプリアンプのSN比を良くするために、電源ユニットを別アッセンブリーにするのが一般的でした。マランツの場合も、＃1と＃3ではパワーサプライが別に付属していたのですが、これが後になってモデルナンバーがつけられて、正式にはTYPE4と呼ばれています。

TYPE4は単売されることはなくて、プリアンプなりクロスオーバーに付属していました。

ところで、一九五八年になると、ステレオLPが実用化されて、いよいよ市販され始めましたね。そのため各オーディオメーカーは、今までのモノーラルのシステムをステレオ化するために懸命の努力をはらっていたわけです。パワーアンプはまったく同じものをもう一台追加すればいいでしょうが、問題はプリアンプですね。マランツの場合も、モノーラルのプリアンプを使っているユーザーがそのままステレオに移行できるようにと、ステレオアダプターの＃6という製品を発表しました。

この＃6は、モノーラルのプリアンプ＃1をもう一台追加して二台使い、ステレオのコントロールセンターとして活用できるようにするために開発された製品で、ファンクションの選択とマスターボリュウムを備え、二台の＃1の音量を同時に調整できる機能をもつものです。

長島　入力の切替えとボリュウムの調整という、基本的なコントロールは、このステレオアダプターを操作するだけで出来るようになったわけですね。それというのも、＃1が出現したとき、当時としてはいち早く、テープモニター回路を取り入れたおかげですね。

山中　それから＃6のパネルサイズなんですけれど、これには縦型と横型の二種類があって、縦型の場合は＃1を二台縦に積んだのとパネルの高さが同じになっていて、ひとつのキャビネットに＃1が二台と＃6がぴったり納まるようになっています。これと関連したことなのですが、＃3の大きさは、＃1のちょうど半分になっています。つまり、＃3を横に二つ並べると＃1用のキャビネットにぴったり納まる……。

長島　この辺はデザイナーのマランツの面目躍如といったところですかね（笑）。

山中　ここまでが、モノーラル時代からステレオ初

Monaural Power Amplifier

Model 3　Electronic Crossover

期にかけてのマランツ製品の概要なのですが、ここでこれらの製品の裏に流れるものについて、少し触れておきたいのですが……。

マランツ・スピリットとは

長島　そうですね、マランツ氏の作るものには、そこに明らかにひとつの強烈な〝マランツ・スピリット〟とでもいったものが感じられると思うのですけれど…。

山中　それはまったく同感ですね。マランツの製品を見てすごいと思うのは、最初に出来た＃1から＃7や＃9、＃10Bにいたるまで、その基本ポリシーがまったく同じで不変なんですね。これは逆に言うと、＃1を発表した時に、基本的なデザイン――これは回路構成なども含めての意味ですが――が完成されていたということにもなるわけですね。

長島　まったくその通りでしょう。回路とか全体の構成からみても、まさにそう言えますね。ひとつのはっきりしたポリシーがあって、それを発展させたのがマランツの一連の製品の特徴だと思うのです。

　何か最良のものを求めて模索しているというか、試行錯誤をくり返しているという雰囲気が何となく感じられるような製品が往々にして存在しますが、マランツの場合、試行錯誤が彼あるいは会社の内部ではあったのかもしれないけれど、われわれが外部から製品として発表されたものを見ている限りは、そんなことは微塵も感じられない……。

山中　そうですね。少なくともユーザーの手に渡った製品には、試行錯誤の跡など感じられませんね。これは特に当時の製品としては異例なことでしょう。

Model 1　Audio Consolette ／ Model 6　Stereo Adapter

Model 5

長島　それからマランツ氏のオーディオアンプに対する考え方そのものが、ぼくはたいへん理詰めじゃないかと思うんです。どこまでも理詰めにつめていって構築していったのがマランツだと思うのです。しかもそこで単に理屈に走らなかったのがマランツの偉大さなんでしょうね。

山中　それはマランツ氏の音楽的素養が常に製品に反映していたからなのでしょう。しかも製品を開発する態度そのものは、当時としては最高の技術を駆使し、考えられる最高のものを作ろうという意気込みを常に持っていたのでしょうね。これなんかマランツ・スピリットの最たるものでしょう。

　アメリカの他の有名なメーカーにしても、ある部分では非常に進歩的な考え方を持ち実践していても、他のある部分ではものすごく間が抜けているというか楽天的に考えてしまっているような製品が結構ありましたからね。その点マランツの場合はひとつの製品として完成度が高く見事にバランスがとれている。しかも製品の種類がたいへん少なくて、ダブったモデルがまったくないでしょう。プリとパワーは最低限必要なものだから＃1と＃2を出す。マルチアンプのためには＃3があり、高音用に使うのだったら＃5もある。ステレオになったところで＃1は性能的に支障ないからそのまま使いつづけられるようにと＃6を開発するというように、常に必要だから製品化するという態度で、それぞれのモデルは継続して製造していく。ワイドバリエイション、価格ランクごとに製品を作るなんてことは絶対にしませんね。

長島　とにかくマランツに感じられる大きな特徴というのは、レコードで音楽を聴くという最終的な目的を見失うことなく、この目的に向って正当な手段が行使されて、理詰めにそれが積み重ねられていったということでしょうね。

山中　当時の一般的な風潮として、新回路の開発などといった技術的な革新があると、その点だけに傾倒してしまって、特性本位に走ったり、f特をフラットにすることだけ考えてみたり、パワーを上げることだけ努力するというように、一点だけに走りがちだったんですね。こんなことを言っていると、いつの時代の話をしているのだかわからなくなってきますけれどもね（笑）。

とにかくマランツは、そのバックボーンに〝音楽を聴くための再生装置〟という主張をたえずフィードバックするものがあって、製品として発表されるものは最新・最先端の技術を導入しつつも見事に消化し、完成度の非常に高いものとして人々に提供したということ、これはマランツ製品のすべてにいえることでしょう。その上に、卓抜な、としか言いようのないデザイン感覚、外観上の仕上げの素晴らしさなどが加わって、傑作の数々が生まれたのだと思いますよ。

MODEL 7
現代プリアンプのみなもと

山中　こうしたマランツ・スピリットが最も色濃く出たといおうか、十分に発揮されたのが、マランツ初のステレオプリアンプ＃7でしょうね。

長島　ちょうどステレオレコードが本格的に出始めた頃に発表されましたね。

山中　ええ、一九五八年の十二月に製品のアウトラインが発表されています。

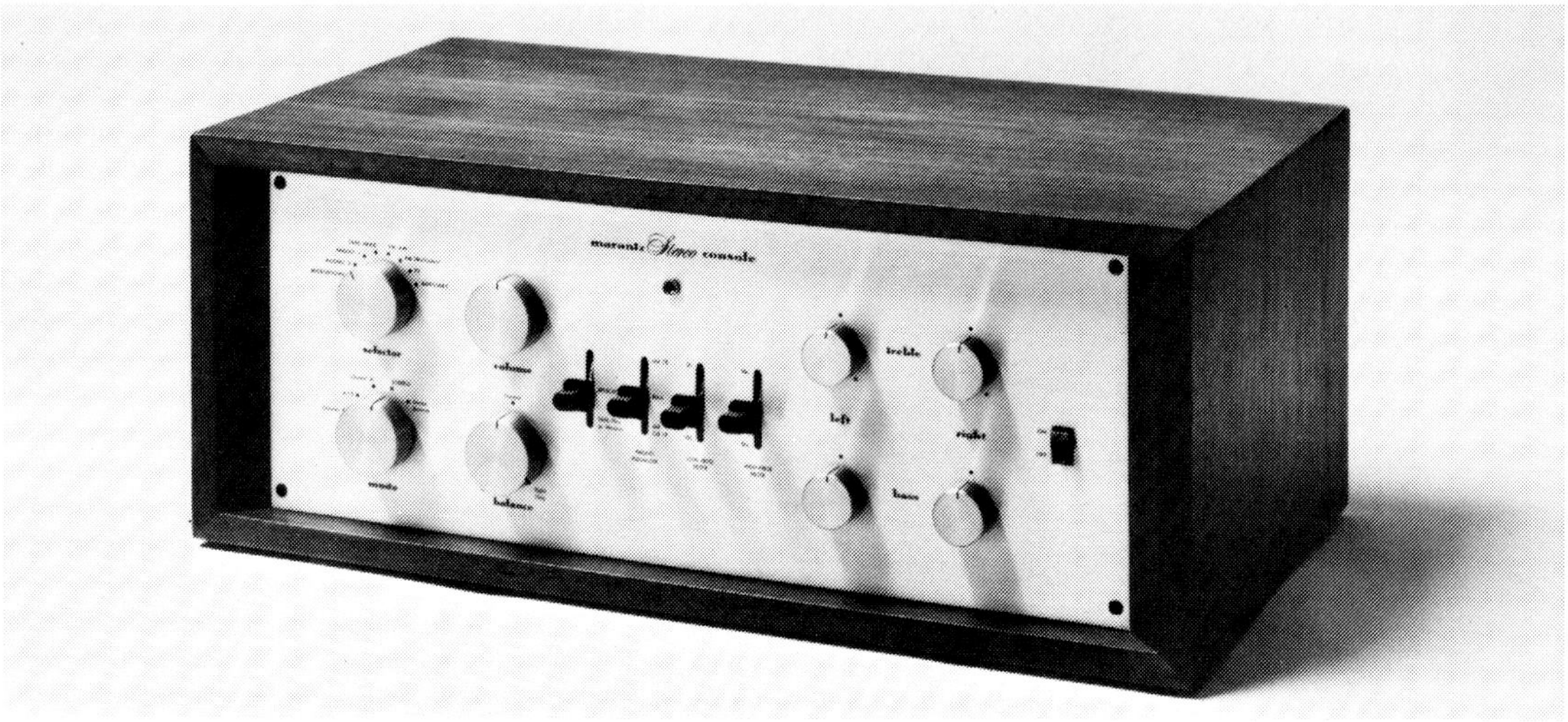

Model 7　Stereo Console

その後――おそらく数年後だと思いますが――細部が改良されて＃7Cになります。いまわれわれが＃7といっているのは、この＃7Cのことですが、最初の＃7と＃7Cの違いというのは、外観上では、旧型がモードとバランスのツマミがトーンコントロールのツマミと同じ大きさのものだったり、ファンクションの考え方が少し違ったりしていました。製品として見た場合は、C型の方がより完成度の高いものになったと言えるでしょうね。それにしても＃7は、発表されたときから基本的にはすべて完成の域に達していたといってもいい、たいへんな傑作プリアンプですね。

モノーラルの＃1をベースに、ステレオアンプとしての機能を完全に整理して、基本ポリシーは同じでもまったく次元の異なるものをつくり上げた。

長島　たしかに、ステレオ初期のプリアンプは各社混沌とした状態でしたね。いろいろなファンクションの考え方でも、各社がそれぞれ勝手に処理しているといった感じで。それに、具体的にはあとで話しますが、ステレオのプリアンプなんてモノを二台合わせればいいんだと思い込んでいる向きが多かったけれど、実はそうじゃないということに気づかせてくれたのがマランツだった。

山中　この頃のマッキントッシュは、ちょっとステレオ化が遅れていて、マランツの翌年になってC20という非常にデラックスなステレオプリアンプを発表しています。しかしこのC20はパネル面を見るとわかるのですけれど、なんとなくモノーラルのアンプを二台合わせたというイメージが強かったですね。

ことパネルレイアウトに関しては、＃7が発表された時点で究極までいってしまったという感じで、以後どうやってみても、♯7ほど簡潔にして要を得た、しかも美しい形は現われていないのじゃないでしょうか。

長島　♯7のパネルは信号の流れる順にレイアウトされているのですね。向って左側からインプットセレクターがあり、その下がモードになる。そしてボリュウムとバランスコントロールを通ってトーンコントロールに行くというように……とにかくこういうパネルレイアウトを採用したのはマランツが最初でしょう。

♯7の特徴はいろいろありますけれど、まず注目してほしいのは、カートリッジからの入力に対する考え方を確立したことでしょうね。

具体的には、マランツ型として有名な三段NF型のイコライザー回路を採用して、イコライザーの許容入力、中でも高域のそれを上げることが留意されています。それからRIAAカーブに対するイコライザー偏差が当時としては驚異的に少なかったですね。他のアンプが±3dBぐらいだった頃に、マランツは±0.5～0.7dBぐらいの線を出していた。

また、♯7は内部配線に極力シールド線を使わないようにしていますね。最近のアンプはシールド線を使わない方が高域がのびるようになるというので、使わない傾向にありますけど、その原型はマランツなのですね。

それから、トーンコントロールも♯7になって完全なNF型になり、ステップ切換えになっていましたね。

山中　一般用のプリアンプとしてスイッチ式のトーンコントロールを採用したのは、マランツが最初じゃないですか。

長島　ええ、その上、変化量とか変化のしかたが絶妙ですね。

山中　つまり、♯7になって♯1にあったラウドネスコンペンセーターがなくなったのですけれど、トーンコントロールの変化カーブのとり方がうまくできていて、バスとトレブルを上手に組み合わせると、ラウドネス補正カーブにちょうど合うようになっているということですね。

長島　それと関連したことなんですが、フィルターが完備されていますね。

山中　そうですね。ハイカット、ローカットそれぞれのカットオフ周波数の選択のうまさには舌を巻いたな。ちょっと前までの日本のアンプの、ただついてますといったようなフィルターから比べたら、想像もつかないような具合のいいフィルターだったですね。

長島　実際にスクラッチの多いレコードをかけてハイフィルターを入れてみると、音全体の印象はほとんど変わらないで、ノイズだけがスッと消えましたからね。フィルターというのは本来こうじゃなくちゃいけない。

山中　それからマスターボリュウムに非常にチャンネル偏差の少ないものを使ったのもマランツが最初でしょう。最近のアンプでも音量を変えると左右のバランスが狂ってしまうものが多いですね。それが♯7の場合だと、ボリュウムのどの位置でも左右の連動誤差が2dB以内なのでバランスのくずれが少ないのですね。

長島　それから、♯7は真空管にテレフンケンのECC83（12AX7）を6本使っているのです。これはQUADなんかと比べると多いように感じられるかもしれないけれど、よく検討してみると無駄なところは一ヵ所もないんですね。シグナルパスは最少になっている。ですから全体の構成は非常にシンプルですね。最近は、必要とあらばイコライザーの出力がボリュウムを通って直接パワーアンプに入るようになる切換えスイッチをもったアンプが現われていますが、シグナルパスを最少にするという考え方はマランツに学んだものでしょうね。

また忘れてならないのは、♯7のイコライザーは1kHzの利得が40dBとハイゲインになっています。現在のプリアンプもだいたいこの位のゲインになっていますが、これも♯7が初めてだったと思います。

まあそれほど素晴らしいアンプだったから、高くて買えないアマチュアは、回路図をもとに競ってマランツをコピーしたアンプを自作したんですね。ところがまったく同じ回路で組んでも、絶対に♯7と同じ音は出なかった。これはいま考えればあたりまえのことなのですけれど、マランツは配線の方法、使っている線の太さ、処理の方法、使っている部分を十分吟味していた。カップリングコンデンサーなどは使う場所によってメーカーを変えているのですね。最近ようやく、コンデンサーの種類や構造による音の違いということが言われるようになりましたけれど、マランツは十年以上前の製品ですでに同じことを実践していた。だからアマチュアがいくら回路図通りにコピーしたところで同じ音にならなかったというのはあたりまえですね。

山中　♯7の話をしているとほめることばかりですけれど、ウィークポイントというのは何かないですか。

長島　それはなかなか難しいけれど、あまりに神経をはりつめすぎたピンポイントバランスの上に成り立っている製品のためか、それが最後の最後で問題になるというようなことがありますね。たとえば、全部の部品が完全でなければ当初のクォリティが得られないのです。ほんの少しでも構成部品が劣化するとすぐにクォリティに影響して、＃7本来の音質が得られなくなってしまうのです。つまり、使う方にそれだけの神経を要求するわけですね。もう少しおおらかでもよかったのじゃないかなと思うこともある。まあこれはうらみですけどね。

山中　そんなことぐらいしか出てきませんね。価格の方は当時で２４９ドル、最終的には２８０ドルぐらいまでなりました。

MODEL 8B
マランツ初のステレオパワーアンプ

山中　それからつづいて＃8という製品が一九五九年に発表されます。これは管球時代のマランツ唯一のステレオパワーアンプですが、いわば＃5を二台一緒にしてステレオ化したアンプといっていいでしょうね。外観は、マランツ最初のパワーアンプである＃2とちょっと似た、割と横長のプロポーションで、後方のトランス部分は全部カバーされ前の方に真空管を並べた形ですね。

回路的には＃5とまったく同じなのですが、パワートランスを一つにして、左右チャンネルの電源部がひとつになった。それから電源部に初めてシリコン整流器を使ってます。ここで初めてソリッドステートのディバイスを採用したのですね。出力は30W＋30Wで、＃5と同じです。

＃8はその後、六一年に改良されて、モデルナンバーが＃8Bになります。そしてパワーが35W＋35Wに増えた。これは回路はほぼ同じですが、NFのかけ方を変え、おそらく電源も少し変えた結果でしょうね。

長島　電源電圧を少し上げたのでしょうね。

山中　＃8Bは当時２４９ドルしました。もっともその頃からインフレで製品の値段がどんどん上がりはじめて、最後は２８５ドル位になっています。

Model 8B　Stereo Power Amplifier

長島　この＃8というアンプは、少しマランツの妥協が感じられるのですよ。というのは当時パワーアンプはステレオ用として左右チャンネルを一台にまとめるのがあたりまえになってきたでしょう。そこで、当時の趨勢に従ってまとめ上げようというような……。

山中　そうでしょうね。マランツもこの頃になると、企業的にはかなり大きくなっていたし、ブランドとしてはアメリカでも有数だったわけだから、他社がステレオパワーアンプを出しているからには、マランツ氏としてもどうしても出さざるを得なかったのでしょう。

長島　だからマランツ氏の本意と少し違うようなところも見られますね。

山中　結果的にこの後に出現する＃9になって、またモノーラル型式に戻っているわけですよ。

長島　マランツ氏はそれから後は、電源トランス1個で左右チャンネルが同居しているパワーアンプは作らなくなってしまうんですね。

おそらく＃8を作ってみた結果から、最高のクォリティを得ようと追求したとき、電源部が左右チャンネル共通のアンプのデメリット——最近いわれるようになったダイナミッククロストークですけれど——を感じたのじゃないでしょうか。

山中　ただ、当時の水準としてはもちろん、現在でも十分使えるアンプであることは間違いありませんね。

MODEL 9
マランツパワーアンプの独立宣言

長島　＃8をつくった頃になると、マッキントッシュへの対抗意識が感じられるようになりますね。パワーアンプとしては、マッキントッシュはすでにその時ひとつの確立したものを持っていたから……。

山中　だいぶ商売の要素が入ってきていることも事実ですけれど……。マッキントッシュ回路《サーキット》というのが大出力を容易に取り出せる回路だったため、出力に関しては常にカタログデータを上回った実測値が得られたでしょう。マランツはこと出力に関しては、マッキントッシュの後塵を拝していたわけですね。そこで作ったのが＃9だと思うのですよ。＃9にはまた、マランツとしても、それまでの最高級機＃2をすべての面で凌駕しようという意気込みが感じられますね。

これは発表されたのが一九六〇年。おそらく＃8Bとほぼ同時に＃9の開発を手がけていて、＃8Bよりもすこし前に製品化されています。マランツとしてはそれまで手がけたことのなかった大出力アンプとして注目されましたね。6CA7をパラレルプッシュプルで使った出力70Wのモノーラルアンプです。

いままでマランツのパワーアンプはプリアンプと全く違ったスタイルをしていたわけですけれど、＃9になって初めてフロントパネルが付けられましたね。パワーアンプにフロントパネルをつけるのは今でこそ常識のようになっていますが、当時としては非常に革新的なアイデアでしたね。そしてパネルサイズは＃7のパネルと横幅がまったく同じになっている……。

長島　おそらくマランツはここで、パワーアンプが完成の域に達した、という考えがあったのでしょうね。それだからこそ＃7と揃えたパネルを付けたのじゃないかと思いますよ。

それから＃9は前面からスピーカーの結線をするよ

Model 9　Monaural Power Amplifier

うになっていましたね。

山中　ええ、大体マランツは＃2の頃から前面で操作するようになっていましたけれど、それをはっきりと、サブパネルを付けて、入出力のコネクションやパワーチューブの調整をすべて前面で操作できるようにした。これはその後、MODEL500で再び採用されましたが、最近のように重量の重いパワーアンプの場合たいへんメリットのある方式なので、ぜひ復活させてほしいですね。

長島　マランツがパワーチューブとして6CA7を脇目もふらずに＃9にいたるまで使いつづけたのは、前でも話したように、この球の持っている音色にひかれてのことなのでしょうね。しかし＃9では4本も出力管を使うので、そのバランスに非常に神経を使っています。そのために、パネル面に取り付けられているメーターで、出力管一本ずつに流れている電流と全体のバランスやACバランスなど全部チェックできるようになっていますね。この辺はいかにもマランツらしい、異常と思われるほどの神経の配りようですね。

それからドライバーのシンメトリー、回路的なシンメトリーということにもたいへん気をつかってます。一列に並んだ真空管にシンメトリーに配線するというのは、アンプを作ってみればわかりますが、とてもむずかしいのですね。

山中　その他、レベルコントロールがつきましたね。これはマランツのパワーアンプでは初めてで、プロ的な使用も考えてのことでしょう。

長島　とにかく＃9を見ていちばん感心するのは、〝手馴れた作り方〟がされていませんね。むしろ非常に地道に積み重ねていって作っている。部品の一つ一つにまでそれが滲み出ていますね。

山中　そうですね。＃2を出した頃から見れば、メーカーとしては何十倍という規模になっている、その時点で発表された＃9に、あらゆる点でずるさみたいなものがないでしょう。当時のマランツほどの会社になったら、生産技術上のノウハウで、たいてい何かうまい妥協点を見出して要領よく作るということが出てくるのですが、マランツにはそれがない。

＃9のパネルなんか調べてみると、作るのがたいへんだろうし、お金もかかっている……。

長島　コンストラクションにいたっては、悪い言葉でいえば不器用、意固地なくらいですね。分解してみればわかりますけど、非常につくりにくい。生産性が悪いのですね。最高のものを作るためには、それを最後まで変えようとしないのだから……。

山中　常に何か新しいものに取り組む時は、ものすごいファイトを燃やす会社だったのでしょうね。これがマランツの名声を保った大きな理由だろうし、真の高級品をつくろうというときの、あるべき姿じゃないでしょうかね。

この＃9が当時324ドルでしたね。いまだと、感覚としては三倍といったところかな。だいたい1000ドルくらい。ステレオを聴くためには二台必要なわけですから……やっぱりたいへんなものなのですよ(笑)。

MODEL 10B
管球式チューナーとして空前絶後

山中　＃9が出たころになると、アメリカではマルチプレックス方式のFMステレオ放送が実用化されて、

Model 10B　FM Stereo Tuner

チューナーがステレオシステムの中で重要なポイントを占めるようになるのですね。マランツは、他社に比べるとだいぶ遅れをとりますが、FMチューナーを手掛け始めるのです。

これが＃10で、一九六二年に発表されているのです。

長島　たしかこのチューナーは、何回か発売予定の広告が雑誌に載ったのですけれど、実際には製品がなかなか売り出されませんでしたね。

山中　予告をしてから実際に製品を発売するまで二年ぐらいかかったのじゃなかったでしょうか。というのは、FMチューナーとして狙ったものが非常に高度なものだったため、商品として安定したものにするまでにたいへんな苦労をしたためらしいですね。そして実際に商品として売られた時は、すでにモデルナンバーが＃10Bとなっていました。

長島　＃10Bを初めて見た時驚いたのは、小型ブラウン管を内蔵して、シグナルストレングスとチューニングのゼロ点を監視できたほか、マルチパスの状態もわかるし、外部からの入力をディスプレイして見せることもできた点ですね。

そして実際に使ってみると、マランツ氏がほんとうのミュージックリスナーなんだとわかりました。どういうことかというと、ステレオからモノへの自動切換え、ミューティングのオン・オフ、こういうところに絶対にノイズを発生しないようなエレメントが使われていた。だからマランツのチューナーはチューニングをオフにしてもポップノイズのようなものは全然出さず、フッと音が消える。いま考えればごくあたりまえのことなのですが、ノイズレスのチューナーが出現す

るのは、実はごく最近のことなのですね。

しかもこれだけの性能の製品を、真空管を使ってオーディオ用チューナーとして完成させたのだからたいしたものですね。

山中　ええ、チューナーの場合はドリフトのことなどを考えると……。管球式のチューナーでは♯１０Ｂをしのぐ製品はついに現われなかったし、これだけこったものは他に出なかった。

長島　それに♯１０Ｂというチューナーは、♯7同様、現在のＦＭチューナーの原型になっているのです。

まず第一にフロントエンド、ここに多段のバリコン——しかもハマーランドという通信機メーカーの最高級品——を使った。それから、スーパーへテロダイン方式で最も重要な中間周波に変換するところに、バランスモジュレーターを使っている。ここら辺は最高級のＦＭチューナーが、最近になってやっと取り上げてきたところです。もうひとつ、多段のＬＣ型フィルターを使って群遅延特性に留意している。トリプルチューニングの集中型ＬＣフィルターを6段使っているのです。これらのことは、チューナーの基本特性である選択度と妨害排除能力を高め、しかも音質を非常に重要視したことの現われなのです。

山中　最近さわがれているフェイズリニアなどということは、すべて♯１０Ｂに集約されているといっていいでしょうね。

長島　それから、本誌32号のＦＭチューナーの特集で、多局間のビート妨害について測定しましたが、その時♯１０Ｂは、最新のチューナーにまじって、まったく見事としかいいようのない特性を示しました。(ステレオサウンド32号１３０頁参照)

山中　たしかに偉大なＦＭチューナーですけれど、この♯１０Ｂの設計者というのは、ソウル・マランツ氏ではないのです。高周波方面の技術ですから、他の人を起用した。それがリチャード・セクエラで、彼はいま自分の会社をつくるとともに、♯１０Ｂの思想をソリッドステートの時代で具体化したといえるセクエラＭＯＤＥＬ１というチューナーをつくりましたね。

これは余談になるかもしれませんが……。

マランツサウンドは存在するか

山中　製品についてはいま話してきたのでだいたい出ていると思うのですが、それでは実際にマランツの音はどんな音なのかということなのですが……。

全般的な傾向としては、一言でいってしまえば特にキャラクターを持たないニュートラルな音だと思うのですよ。色づけが少ないというか……。特に泣かせどころがあるとか、そういう音じゃないですね。

よく、マッキントッシュサウンドとか、ＪＢＬサウンド、アルテックサウンドという言い方をしますね。そしてこの言葉を聞くだけでそれぞれの音がイメージできるほどはっきりした性格をもっていますね。しかしそういう意味でのマランツサウンドというのはあり得ないと思うのです。事実、マランツサウンドっていう言葉はないでしょう。

長島　俗に、管球式の音は柔らかいとか、暖か味があるとかいいますが、マランツはそういう〝臭さ〟を感じさせませんね。

マランツの一群のアンプはぼくも使っているのですけれど、球《タマ》の暖かさなんていうのは、はっきりいえば、少しも感じない(笑)。

山中　ともかく媚るということがないですね。

長島　まったくその通りですね。

山中　マランツの音について話しているとどうも取り留めなくなってしまうのだけれど、音のキャラクター云々ということが出てこないでしょう。

長島　それでも厳としてあることはある。

山中　あるんですよね、マランツのサウンドというのは……。

長島　あるのだけれど非常に言いにくい……。

山中　それが実はマランツの秘密で、結局ソウル・マランツ氏の目差した音じゃないですかね。

長島　要するに、あまりにも真っ当すぎるので言うのに困ってしまう(笑)。あえてマランツサウンドってなんだと聞かれたら、筋を通して理詰めに追いあげていったものがマランツサウンドだと言うよりないですね。決して神経を休めるという傾向の音ではありません。レコードに入っている音が、細大洩らさず、あるがままの形で出てくるのですよ。

山中　だからこそ、この時代におけるひとつのプレイバックスタンダードであり得たのでしょうね。

長島　その辺が現在でも通用する秘密でしょう。たとえば最近本誌でよく言われている、古い音とか新しい音とかいうことだけでは言い切れないところがありますね。

山中　そういった意味での古さはあまり感じられませんね。オーディオが基本的に目差すものは今になっても何も変わっていないのだから当然でしょうけれどね。

ぼくは自分でもマランツはよく使いますけれど、全然痛痒感じませんね。むしろある面では現在の他の装置にはないよさを持っていますよ。反論はあるかもしれませんがぼくの基本的な考え方として、パワーアンプにはスピーカーシステムとのマッチングの問題があると思いますけれど、プリアンプに関しては、使っているスピーカーや聴くレコードが昔のものだからアンプも昔のものの方が合うなどということはないと思いますね。

長島　昔の機械を使っていると、必ずどこかで物足りない点が出てくるのですけれど、マランツにはそれがないですね。

山中　たとえばSN比の点で、最新のソリッドステートのかなり高性能なアンプと比べても、聴感上はマランツの方がいいというようなことがよくあるでしょう。

長島　面白いことに、SN比の絶対値としては現在のアンプの方がいいのですが、聴き比べてみるとマランツで十分じゃないかということになってしまう。

山中　要するに実用上無視できるノイズですからね。これは残留ノイズのキャラクターがいいからなのでしょう。

長島　ええ、それからマランツの一連のアンプは、プログラムソースのわずかな変化にも、敏感に反応してくれるセンシティビティの高さを持っていることも言っておきたいですね。

山中　いろいろ良い面ばかり話してきましたが、♯7の場合最後に作られたものでも十年以上の年月が経っているという古い製品ですから、たとえば入出力ターミナルのサビとか、スイッチ回路やボリュウムの酸化とか、使ってある部品の関係で、初期特性が失われている場合が多いのです。これははっきり言っておいたほうがいいことでしょう。

長島　たとえば♯7に使われているコンデンサーですが、当時コンシュマーユースとしては最高のものでしたが十数年の間には劣化しますからね。いまイコライザー偏差を測定してみたら相当違ってきているものがあります。

山中　ですから、マランツの♯7と最新の出来たての湯気のたっているようなアンプとを比較しても意味がない。比較するのだったらマランツも工場を出た時と全く同じ状態にしてやらなくてはね。

長島　似たようなことはパワーアンプについても言えますね。マランツのアンプは真空管の能力の限界ギリギリまで使っているために、パワーチューブの寿命が意外と短いのです。球《タマ》というのは非常に重宝なもので、寿命がきてだんだんボケてきても音は出るので、そんな状態で使っている人が意外に多いのじゃないでしょうか。これではマランツ本来の音を聴いているとは言えませんからね。

山中　パワーアンプに関してはそういった弱さがあるね、これはマランツの泣きどころでしょう。

長島　最良の状態で使いつづけるのは非常に難しいわけですよ。気をつけないとただ音が出てくるだけというようになってしまう。そうなったらマランツのクォリティも何もないですね。イタリアのスーパーカーの中古品みたいなところがあるんですよ、たえずメインテナンスをしながら乗らなければならない、そうでないと本来の走り方をしないというような……。

山中　マランツが保証した3年なり5年の間はそういうことはなかったでしょうけれどね。

いまにつづくマランツの影響

山中　最後にマランツが現代のオーディオ界に与えた影響ということでしめくくりたいのですが。

長島　マランツのオーディオ界に与えた影響というのはかりしれないものがあると思いますよ。♯7から♯10Bまでのそれぞれの機種について話してきた特徴の大部分が、最近になってやっと解明され話題にものぼるようになってきた、いわゆるノウハウに関することで、マランツはすでに当時からそれらのことを製品の上で実践していたのですからね。

山中　まったくその通りですね。なかでも♯7と♯10Bに関しては後世への影響力は絶大なものがありますね。現在の日本のプリアンプは皆なんらかの形でマランツの影響の下にあるといっても言いすぎにはならないと思いますし、最近の高級チューナーを見ても似たようなことが言えますね。

また、この時代にマランツ・カンパニーにいた優れた技術者の中の何人かは、現在アメリカのオーディオメーカー各社に散らばってそれぞれ素晴らしい仕事をしつつありますね。こういう人たちを育てたのもマランツ氏の大きな業績のひとつだといっていいでしょう。

たとえばリチャード・セクエラなどはその筆頭といえるでしょうし、アメリカで一時たいへん優秀なアンプとして知られていたバドレーというアンプがあるのですが、これもマランツ出身のエンジニアですし……。

とにかくソウル・B・マランツ氏は、ハイフィデリティの隆盛第一期において、最も偉大な足跡を残した人であることは間違いない事実ですね。

（文責／編集部）

連載＝オーディオの名器にみる

クラフツマンシップの粋②

JBL SG520, SE400S, SA600

対談＝山中敬三／岩崎千明

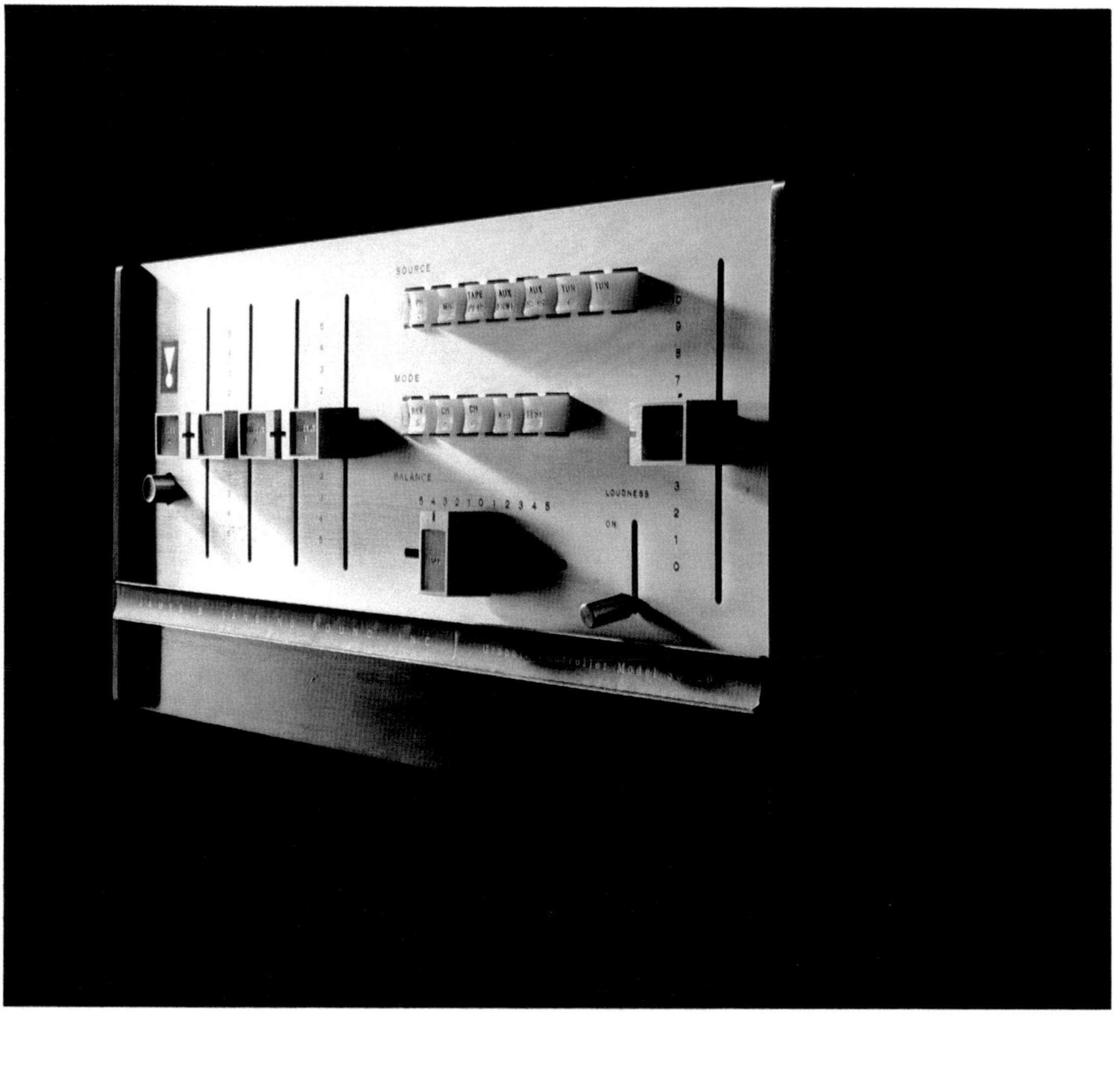

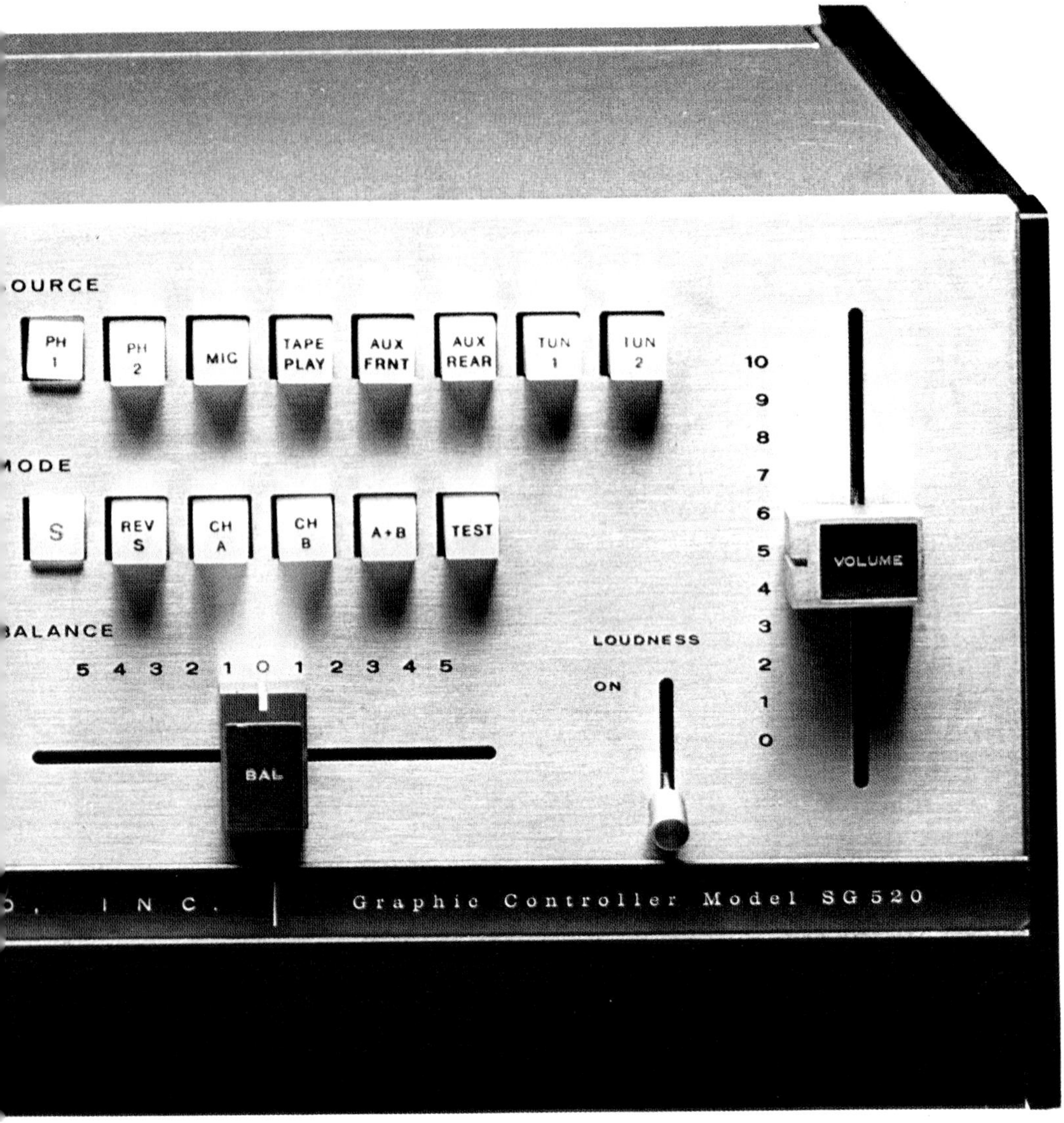

SE400S Energizer

SC520 Graphic Controller

SA600 Integrated Amplifier

(上)SA600 (下)SE400S

オーディオの名器にみる

クラフツマンシップの粋(2)

JBL　SG520／SE400S／SA600

対談＝山中敬三／岩崎千明

JBLアンプの歴史

山中　今回は、前回のマランツに引き続きまして、JBLのアンプを取り上げたいと思います。JBLはスピーカーメーカーとして有名な会社ですが、一時期非常に斬新なアンプをいくつか発表して、日本でもたいへん有名になり、現在でもその名声はおとろえていません、その辺の秘密というか魅力についてお話しできたらと思います。

　最初にJBLのアンプの歴史を簡単に申し上げますとJBLのアンプがデビューしたのは一九六三年の秋のことですね。この年にまずパワーアンプが発売されたのですけれど、その形というのが非常にユニークで、一般的な形のパワーアンプとして出たのではなくて、〝エナジャイザー〟という名前で現われた。あくまでもスピーカーシステムの中に組み込むためにつくられたアンプだったわけです。これがSE401という、JBL最初のアンプです。次に現われたのがプリアンプの名作SG520で、これが一九六四年のことです。そして一九六五年には、JBL・Tサーキットと称する全段直結のOCL回路を採用したSE408S（400S）が登場して、JBLアンプに対する評価は決定的なものになりました。翌六六年にはプリメインアンプのSA600が発売されて、JBLのアンプの音質の素晴らしさが広く知られるようになったのです。その後、SE400SおよびSA600のパワーアップ版とでもいうべきSE460とSA660が発売されました。これがJBLのコンシューマー用アンプの概要ということになります。

岩崎　JBLのアンプというのは、製造が中止された現在でも、非常に特別な意味で、オーディオファンからすれば身近というかあこがれの的になっていますね。その理由というのが、現在日本の、いや世界のといってもいいかな、ほとんどのメーカーで作られているアンプ構成の土台になっている全段直結のOCL、つまりJBLがTサーキットとして発表した回路を取り入れだした頃から、トランジスターアンプの本当の良さが発揮され出したように思うのです。そういう意味での原点として、JBLのパワーアンプは日本のオーディオ界では非常に重いウェイトを持って感じられるのじゃないですか。

山中　そうですね。これは日本だけではなくて、おそらく世界中のソリッドステートアンプのひとつの革新的なデザインという意味でJBLのアンプはたいへんな意味があると思うのです。

　それではまず、JBL初のアンプであるSE401のことから話を進めていきたいと思います。

斬新な発想〝エナジャイザー〟登場

山中　このSE401が発売された一九六三年から六四年にかけては、ソリッドステートアンプというのはまだ本当のはしりの時代ですね。

岩崎　ちょうどサイテーションやアコーステックのアンプが出てきたころですね。アコーステックはブロック別に直結回路を使って、全段直結ではないけれども、カップリングコンデンサーが二ヵ所ぐらいしかなくて、非常にユニークなアンプだといわれていましたね。

山中　しかし、当時、そうそうたるアンプのトップメーカーでは石のアンプはほとんど手がけていなかったといってもいいでしょう。

要するに、そういうまだ海のものとも山のものともつかないようなディバイスを、ＪＢＬが、しかも生まれて初めてつくるアンプに使ったというところが、非常にＪＢＬらしいですね。

岩崎　時代の先取りというか、常にトップ技術を採用していく姿勢ですか。

山中　ええ、あの時ぼくが一番ユニークだと思ったのは、エナジャイザーという方式です。スピーカーの中にアンプを組み込んで使うということ。しかも、スピーカーに合わせていろいろなイコライザーボードを用意して、それぞれのシステムに一番マッチするような特性にできるのですね。こういうアイデアからもうかがえるように、自分のところのスピーカーシステムを最もよい状態で鳴らすためにはどうすればいいかということから、やはりアンプまで作らなくてはだめだということになったのでしょうね。だからどちらかというと、イコライザーボードに主眼があったのではないかという気がするのですよ。イコライザーボード付きのアンプを作るにあたって、スピーカーシステムの中に組み込もうということになると、管球式では発熱の点で無理ですね。そうすると、やはり当時としては最新のディバイスのトランジスターを使ったのだろうと思いますね。

岩崎　いや、多分そうだと思いますよ。同じイコライザーボードを外して裏返して差し込むと、そのイコライザーがフラットになるわけです。このアンプが他のアンプと比べて大きく異なるところといったら、まさにこの点ですからね。やはりイコライザーそのものの価値というか、必要性を相当意識してつくった製品

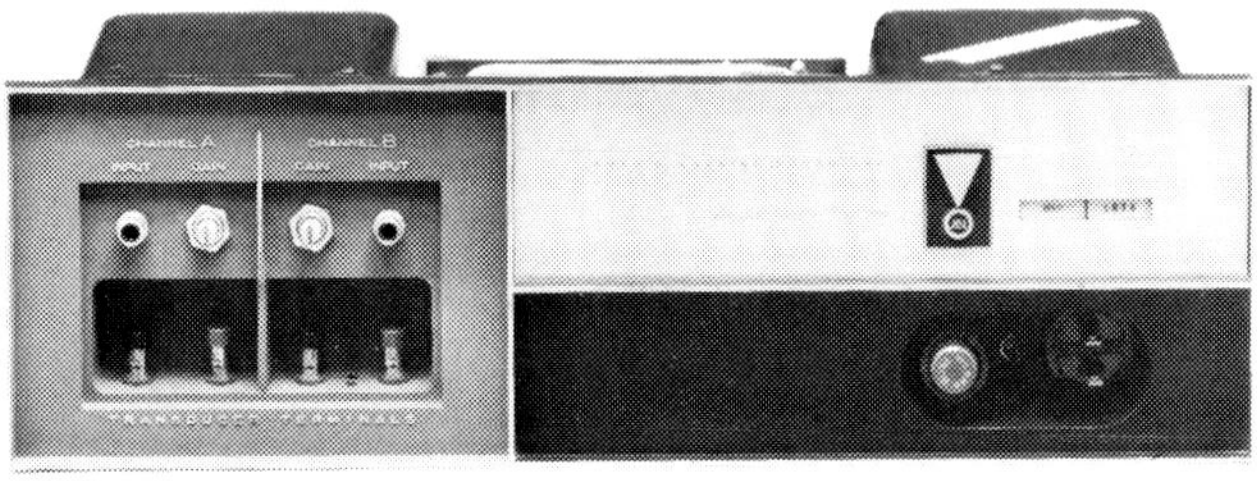

JBL初のアンプSE401、JBLのスピーカーシステムに内蔵するエナジャイザーとして発表された。イコライザーボードは左右両チャンネルがひとつの基板にまとめられている。本機についているのはパラゴン用。

でしょうね。

その外観も変わっていますね。現在の一般的なパワーアンプと違って、いわゆるフロントパネルとよべるものは何もなくて、イコライザーボードと二つのトランスカバーがむき出しになっている。このあたりは非常にマニア好みっていう感じですね。それでいて、裏の方をみるとかなりがっちりしたパネルがついている。

山中　そうなんです。裏というか、実はあれが表だったわけですよ。ＳＥ４０１にはいわゆるカバーというものはなくて、入出力のターミナルボードのついた面がパワートランジスターのヒートシンク兼用のダイキャストパネルになっていて、スピーカーシステムに組み込むとこちらの面が前に出る。あれが結局表のパネルだったわけですよね。

岩崎　ＳＥ４０１が最初に組み込まれたシステムというのはやはりパラゴンあたりですか。

山中　いや、オリンパスかもしれません。

岩崎　オリンパスも組み込めるようになっていましたけれど、パラゴンとどちらが先か知りたいのですけれど。

山中　ぼくが一番最初に日本で聴いたのは、河村電気でパラゴンを輸入しはじめ、その何台目かに入ってきた製品からエナジャイザーが付くようになっていたと思います。それからハーツフィールドの最後期の製品にも組み込まれていましたね。

岩崎　内容的には、ゲルマニュウムトランジスターを使って、パワー段を入力トランスでドライブするという、当時のソリッドステートアンプとしては割とスタンダードでオーソドックスな構成でしたね。ＳＥ４

パラゴンの背面に開けられたエナジャイザー用の切り抜き穴。広角レンズで撮影しているため実際より横長に写っている。低音ホーンの構造や075の取り付け方がわかる。

０１が発売された頃は、トランジスターアンプの信頼性を十分に考慮しながらできた回路ですね。入力トランスを加えることで、オーバーロードとか、使い方の間違いからパワートランジスターをこわしてしまうようなことを食いとめていたのでしょう。

また、ここで使われているパワートランジスターは、ＲＣＡでオーディオ用として最初に開発されたゲルマニュウムトランジスターで、この石を使わないとアンプとしてはだめだといわれたぐらい、当時とすれば画期的なオーディオ用のディバイスでしたね。いまからすると、確かに特性を測ってみても、あるいは実際に音を聴いてみても、相当古いなという感じがするけれども、あの時代ではやはり、よくぞここまで作ったものだなという感じがしたのも事実です。

大分あとになってから、ぼくが最初にＳＧ５２０を入手した時に一緒だったのがトランス付きのＳＥ４０１だったのですよ。いまにして思うと残念だったのだけれども、その頃にすれば、入力トランスが付いているということだけで、割と古い設計のアンプなんだなと思って、かなり抵抗があったわけですよ。その上、二、三回トラブルをおこしたものだから、手離してしまったわけですけれども、非常におとなしい音だった記憶があるのです。わりとおっとりした音でしたね。低音の感じも高音の感じも、ＳＧ５２０にみられるように、いわゆるワイドレンジという雰囲気ではなくて、相当ナロウレンジだという意識をいまだに持っているのですよ。

山中 音の感じは全くその通りでしょうね。あの頃のソリッドステートアンプというものが、いわゆる石の音といった形容がされるくらい、球のアンプの音とは違った、硬さというかそういう傾向を持っていたでしょう。それを避けるために、いまおっしゃったような傾向の音になったのだろうし、ＪＢＬはスピーカーメーカーなのですから、自分のところのユーザーが、いま使っている球のアンプからＪＢＬの石のアンプに替えて音が悪くなったのでは、これはもう絶対売れませんよね。ここら辺を相当意識して、かなり音の感じとしては丸い音にしたのではないかという気がするのですけれどもね。

ソリッドステートの革新的デザインＪＢＬ・Ｔサーキット

山中 ＪＢＬはＳＥ４０１の次にプリアンプのＳＧ５２０を発表しました。そしてその後、一九六五年にＪＢＬ・Ｔサーキットという全段直結のＯＣＬ回路を開発してそれを製品化したのがパワーアンプのＳＥ４０８Ｓです。今度は、エナジャイザータイプだけではなくて、パワーアンプ単体としても使えるようにケースを付けた製品も発売され、これがＳＥ４００Ｓといいました。それぞれ末尾に〝Ｓ〟とつくのは、使っているトランジスターがシリコンになったからですね。このモデルになってから、ＪＢＬのアンプはちょっと他のアンプとは違う石のアンプだということで、たいへんな評判になりました。

ところで、このＪＢＬ・Ｔサーキットというのは、完全な上下対称型のコンプリメンタリー回路で、全段直結のＯＣＬになっている、要するに、現代のソリッドステートパワーアンプのサーキットの典型的な形になっているものですが、これを商品の形で取り上げたのはＪＢＬが一番最初だと思うのです。

岩崎 大体、マランツのソリッドステートのパワーアンプ＃１５が現われたのはこの時期じゃないですか。

山中 ええ、＃１５はＳＥ４００Ｓと非常に似た時期に発売されていますね。

岩崎 マランツ＃１５の場合は、やはり直結回路なのですけれど、ドライブ回路が非常に変わっているのですよ。簡単にはコピーしにくいところがあって、仮に回路図と同じに作ってみても、必ずしもうまい具合に動作するとは限らない、ドライバー段のトランジスターの選択にたいへん面倒くさいところがあるのです。ところがＪＢＬのＴサーキットの場合は、オリジナルの回路図通りにつくると、ある程度はうまくいってしまう。それで日本のメーカーにコピーされる源になったように思うのですよ。

　もともと、全段直結回路というのはコンピューター用の回路なんですね。コンピューターの場合だと、パルスが入ってきても、ＯＮかＯＦＦかだけの動作で、

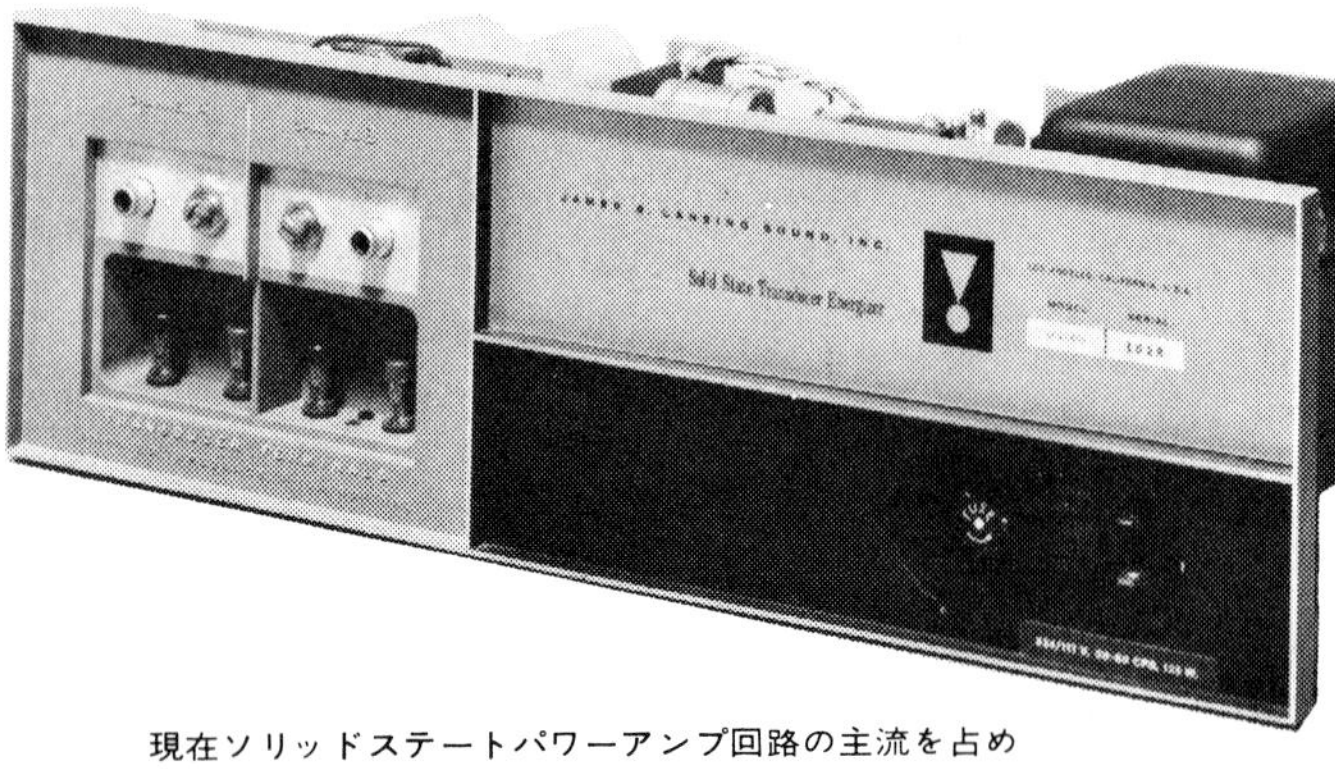

現在ソリッドステートパワーアンプ回路の主流を占める全段直結OCLの原形、JBL・Tサーキットを採用したエナジャイザーSE408S。

音楽波形のようなアナログの細かい変化は相手にしなくてもいいようにできている。したがって多少調整がずれていても、それほど問題にならない、かなり大ざっぱにできるのです。そういったコンピューター用の回路を原点に置きながら、複雑な変化をする音楽波形を扱うオーディオ用のリニアアンプをつくったところが、やはりＪＢＬの技術力の高さだと思うのです。

山中　それに、Ｔサーキットというものがソリッドステートでなければ絶対に実現できない回路ですからね。ここで初めて、ソリッドステートアンプの本来のメリットが発揮できたといえるでしょう。

岩崎　当時一般的な風潮として、トランジスターをいくつか使って比較的真空管と似た性質のブロックを作って、それでアンプを構成するというように、球を石に置き替えることに腐心していましたからね。

　それがこのＳＥ４００Ｓ（４０８Ｓ）になって、トランジスターのもっているＰＮＰとＮＰＮという逆極性であるところを非常に巧妙に利用して、トランジスターの回路の特徴をフルに生かして、まさにソリッドステートでなくてはできない回路に仕上げていますね。

山中　そうですね。やはりＪＢＬにいたアンプの設計者が非常に新しい感覚を持っていて、しかもそのセンスが卓抜だったのでしょう。

岩崎　ＳＥ４００Ｓ（４０８Ｓ）もＳＥ４０１同様イコライザーボードを内蔵していて、ＪＢＬのスピーカーシステムに対して周波数特性やダンピングファクターをそれぞれ最適値に調整して、スピーカーを理想的な条件でドライブするようになっていますね。そしてＳＥ４００Ｓの場合は、フロントパネル中央のスモ

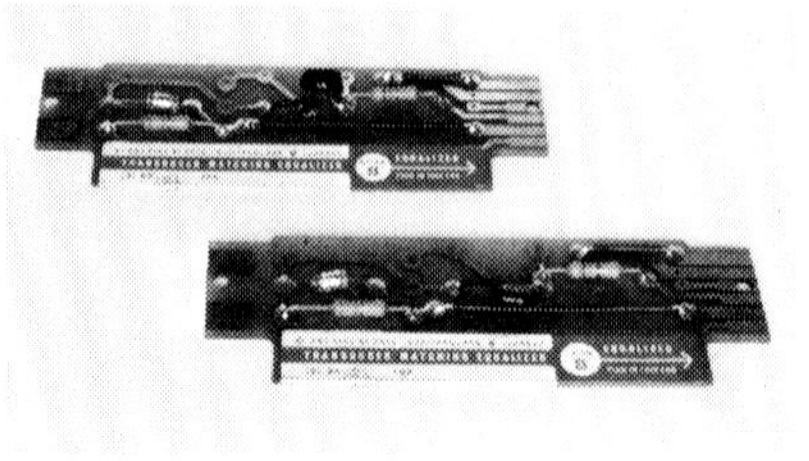

SE408S/400Sのイコライザーボードは左右チャンネルが別になっている。これはオリンパス用のM21。

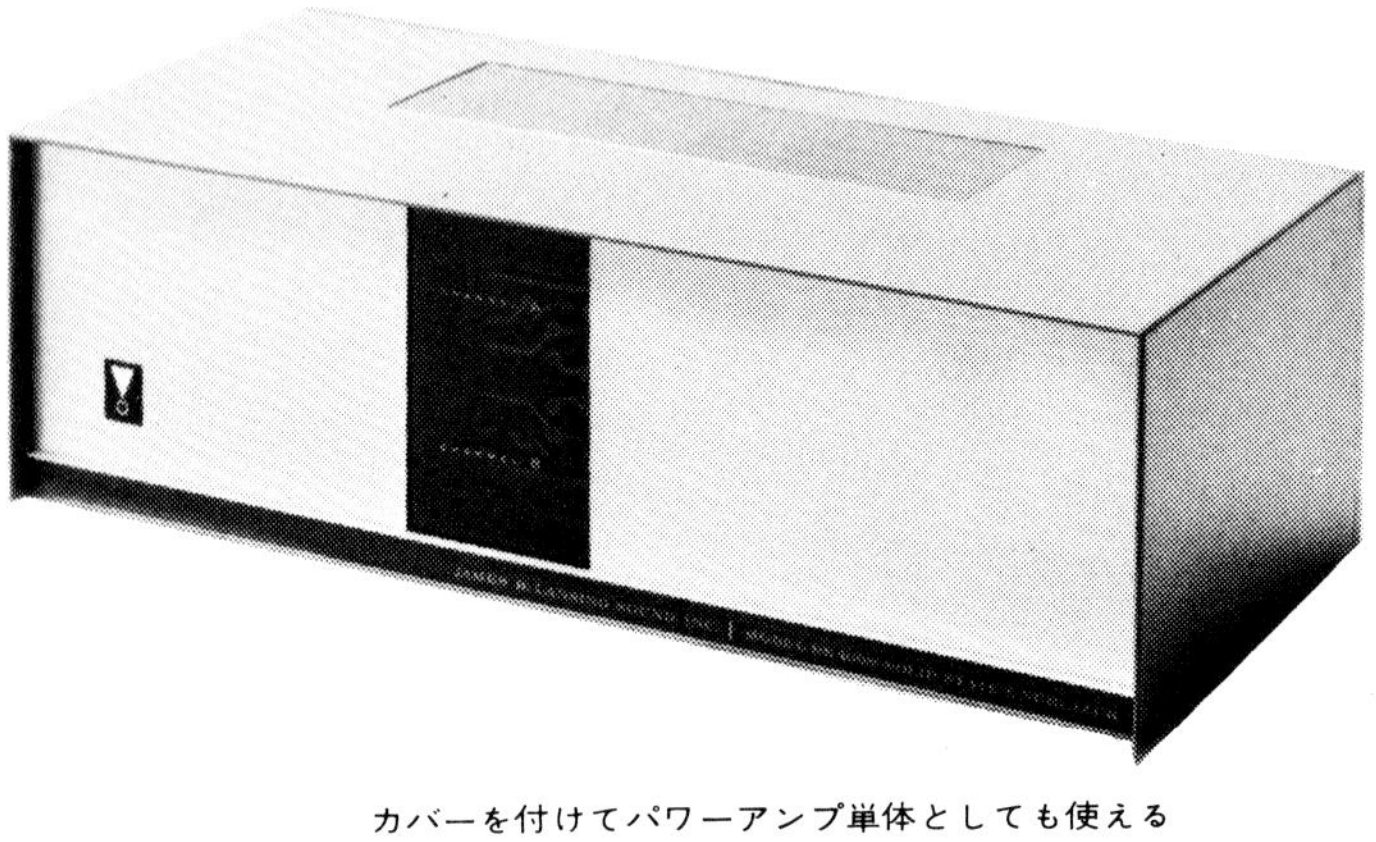

カバーを付けてパワーアンプ単体としても使えるようになったSE400S。中央のスモークガラスを通してイコライザーボードが見える。

ークのガラスを通して、M21とかM23というイコライザーボードのモデルナンバーが見えるようになっていて、イコライザーを通した状態かフラットな状態か——SE401同様、イコライザー基板をはずして裏返して差し込むとフラットになるのですが——わかるようになっていますね。

その上、このアンプはもともとエナジャイザーですから、バックパネルもたいへんこったものになっていますし、表・裏どちらを見ても素敵ですね、全然裏がないアンプですよ。こういう造形的な素晴らしさはちょっと他に例がないでしょう。

山中　あらゆる面で、JBL・Tサーキットを採用したSE400Sが現われたことは、ソリッドステートアンプにとってはひとつの画期的な出来事だったわけですね。

コンピューターエイジの申し子 グラフィックコントローラー

山中　ところで話が少し前後しますが、JBLは同社としては初めてのパワーアンプを製品化したことで、そしてそれがかなり好評だったので、それに伴ってどうしてもプリアンプもJBLのシステムとして作らざるを得ないようになってきた。またコントロールアンプを作ることはアンプ製造に乗り出した最初から当然考えていたのだろうと思いますけれど、SE401に少し遅れて、SG520が生まれました。

岩崎　ぼくは最初SG520の宣伝写真を見て、なにか非常に取っつきにくいというか、これでもアンプかな？　というふうな感じだったのですよ。丸いツマミが全然なくて、全部四角くボツボツとならんでいるだけで、その上スライドボリュウムでしょう。いわゆるわれわれのイメージとしてあるアンプとは全然違うものでしたからね。だから、これははっきりいって、未来型という感じだった。ちょうどいまの自動車で、ウェッジタイプの何かすごく前がザッと下がったヤツ、いわゆる車のイメージではないですね。そんな車を見て、いいかもしれないけど、どうしても取っつきにくいとか、とてもじゃないけど自分の車にはしたくないとかって、そういう意識を初め持っていたのです。当時としたらSG520はそれと同じような感じで、とても自分で買いたいとは思わなかったわけですよ。

ところが、現実にどうかというと、自分の手元に置いてみると、さすがJBLだというか、使いやすさとか、デザインの良さを強烈に知ったのです。これはデザインのオリジナリティというものでしょうね。発表された時に、誰もがいいというような形をねらったとしたら、あんな素晴らしいものはできっこないと思うんですよ。

山中　JBLのアンプがこれだけ有名になったというか誰もの印象に残っているのは、結局SG520のあのデザイン、これは全く空前絶後のものであったし、かなり時代を先取りしていたためでしょうね。その上いまでもまだなおエバーグリーンですよ。最新のアンプにまじっても決して古さを感じることはありませんね。

スライドボリュウムとかプッシュボタンスイッチという新しい素材を使って、機能として最も必要なもの

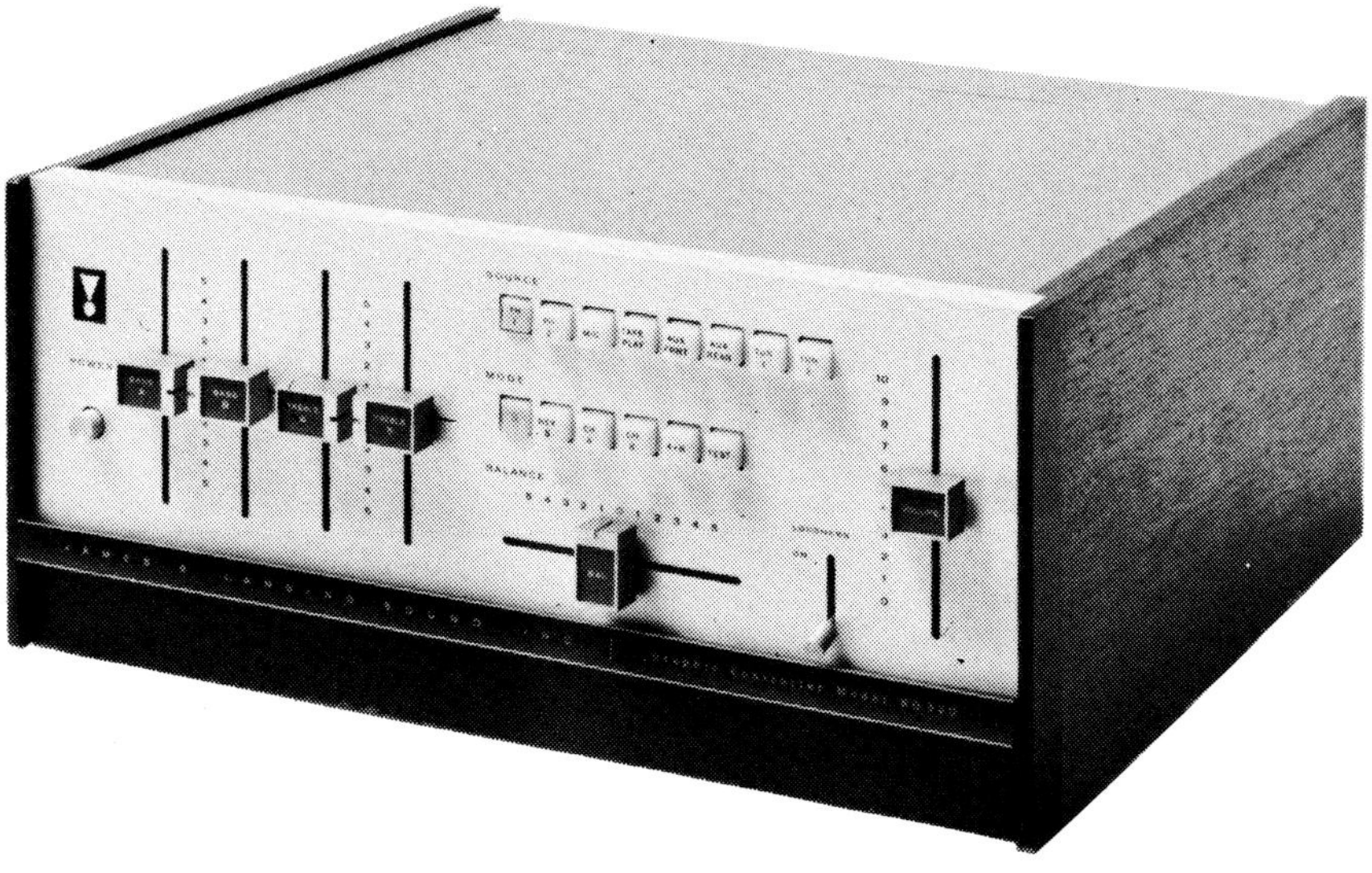

初めて見る者に衝撃をあたえる斬新なデザイン、グラフィックコントローラーSG520。

が非常にうまい具合にパネル面に配置されていますし、下の方にはヒンジドパネルを付けて、普段あまり使わないファンクションは全部この中に納めてしまうというように、造形的に見事にまとめられている。

このパネルのレイアウトをよく見れば見るほど、もうこれ以上動かし難い造形上の絶対性が感じられて、デザイン上の完成度の高さがうかがわれます。これはやはりJBLならではでしょう。おそらく、SG520のデザインはパラゴン等のデザインで知られているアーノルド・ウォルフでしょうね。

岩崎　彼のデザイン的センスがあったからこそ、これだけ素晴らしい製品になったのだろうと思いますよ。

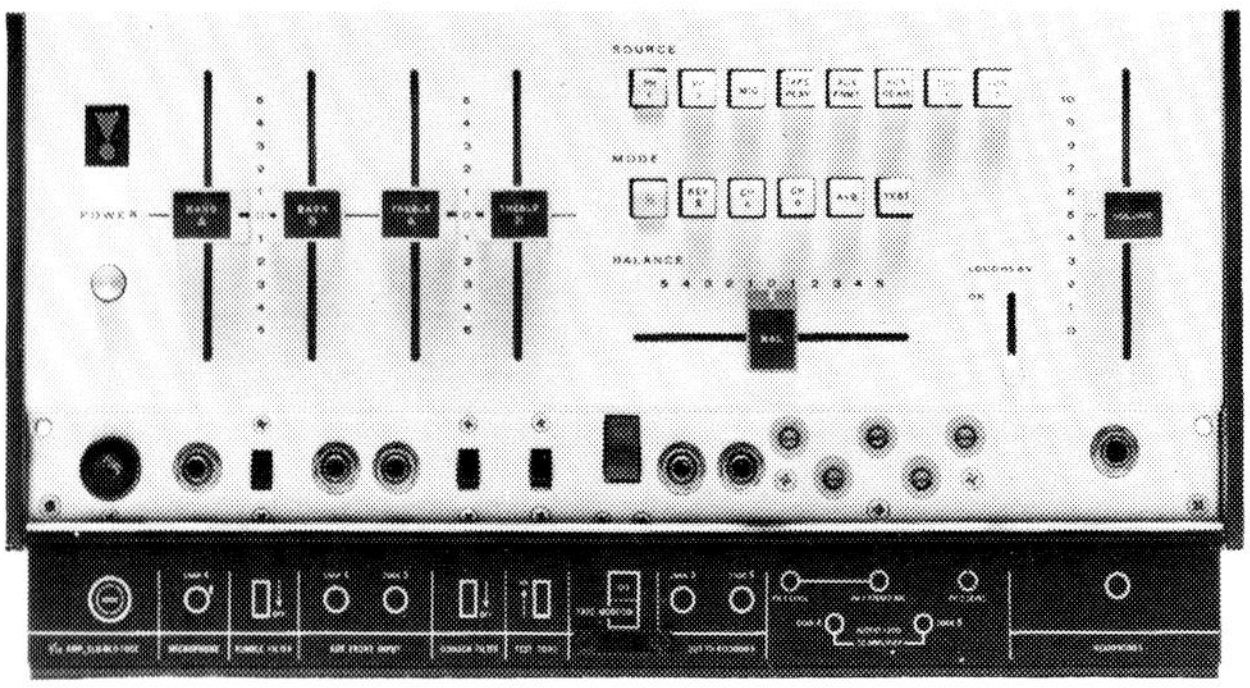

SG520のヒンジドパネル内のファンクション。左から、ヒューズホルダー、マイクロフォン用ピンジャック、ランブルフィルター・スイッチ、AUX入力ジャック、スクラッチフィルター・スイッチ、テストトーン発振器スイッチ、テープモニタースイッチ(ヒンジドパネルを閉じると自動的にOFFになる)、レコーディングアウトプット、PHONO1レベルバランス調整(上)、アウトプットレベル調整、ヘッドフォンジャック。

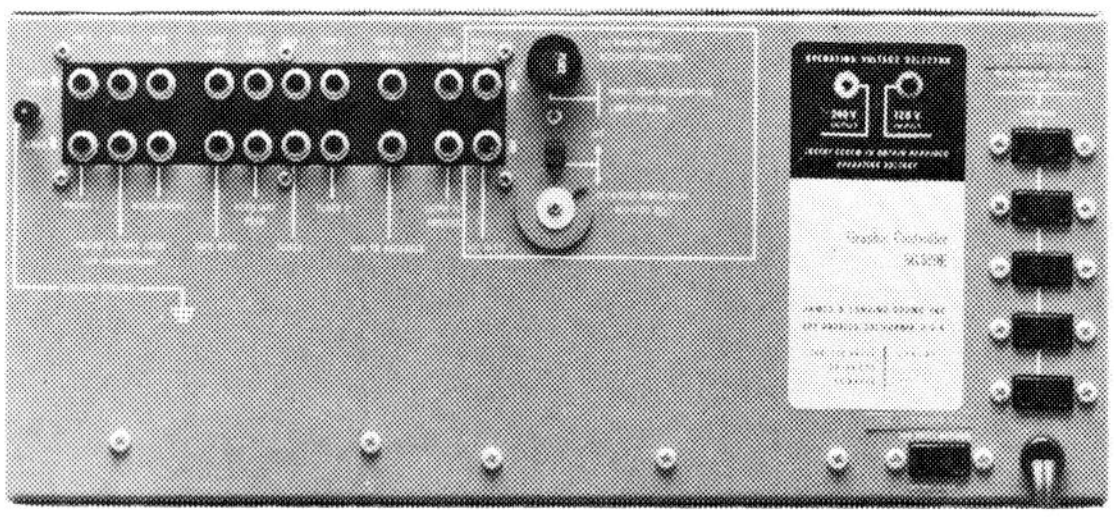

SG520のバックパネル。右端のピンジャックはコントロールリレーボックスF22専用のアウトプット。

パネルから受けるバランス感とか、使いやすさとなってくると、スライドボリュウムとプッシュボタンスイッチを使ったアンプの中では、これだけまとまっている製品は現在でもちょっと見当らないでしょう。
山中　フロントパネルの素晴らしさもさることながら、たとえば普通ですとアンプの本体を木箱に入れたりするのですけれども、SG520の場合、とてもあの斬新な形を木箱に入れるということは無理ですね。それで両サイドにウッドパネルを付けた。しかもこのウッドパネルはウォールナットのムクの板を使っているんですね。そしてこのウッドパネルには溝切りがしてあって、トップパネルとリアカバーを差し込めるようになっている。こうするとアンプのケースを止めているビスの類は全部見えなくなって、裏側もカバーされるので接続コードもかくされるわけです。ですから、たとえば部屋の真ん中に置いても使うことができる。裏側まで化粧していたことなどはやはりJBL独特のセンスですね。スピーカーの場合でも裏にも中にもこるという姿勢が、やはりアンプにもそのまま生きているのじゃないかと思うのです。
あと、パネル面の仕上げについては、スタンダードというか一番オーソドックスなタイプはホワイトアルミのヘアライン仕上げです。
岩崎　ヘアラインもそんなに派手な感じじゃないですね。
山中　ええ、非常におとなしくて、あんまりピカッと光らない感じで……。
岩崎　本当に肌触りの柔らかい感じですね。
山中　アルミの素材をそのまま磨いたという感じを苦労して出していますね。
そのほか、ゴールドフィニッシュ——シャンパンゴールド——のものと、同じシャンパンゴールドでもツートーンに分けたのもあるんです。
岩崎　いや、そういうお話をつい先頃伺いましてね、もうびっくりしたのですけれども。
山中　あるんですよ。ヘアラインの引き目を変えて、光線の具合でツートーンに見えるのが。
岩崎　ということはトーンコントロールの中点のところを境にしているのですか。
山中　ええ、非常にこったものですよ。そのほかに真黒のがあるはずなのです、SG520のブラックというのが。これはまだ現物を見たことないのですけれども、写真では間違いなく見たことあるんですよ。あとで話に出てくるSA600やSA660のパネルの手法を、実際にプリメインの製品を出す前にプレビュー的にSG520で採用したのではないでしょうか。

岩崎　SA600がSA660になってパネルが黒くなったでしょう、あれと同じことをSG520で? おそらく実験的な意味でかなり初期の時代にあのプリアンプのブラックが出たのでしょうね。しかしSG520のブラックというのは、ちょっとこたえられないですね(笑い)。

山中　ええ(笑い)、これはぜひ一遍現物を見てみたいと思うのですけどもね。写真で見る限りでは、なかなか素敵です。

岩崎　ところでSG520の回路図で興味深いのは、この製品が発表されたころは、もうすでに世の中はシリコントランジスターの時代になっていたのに、ゲルマニュウムトランジスターとシリコントランジスターを併用していることでしょう。結局ゲルマニュウムトランジスターは最後まで一部に使っていましたね。この辺が、やはりJBLが発見した、トランジスターの持っている欠点を補うためのひとつの手だてだろうと思うのですけれども。

山中　おそらくそうでしょうね、ノウハウなのだと思いますよ。

　SE400Sのところでも話が出たのですけれど、SG520が出た当時、昔からキャリアのあるアンプメーカーは、一所懸命になって、球のアンプの回路をソリッドステートに置き替えるというトランジスターの使い方で苦労していたわけです。それに対してJBLの場合は、最初から〝石のアンプ〟ということで設計された。決して石に球の働きをさせようとはしていませんね。これがJBLのアンプの一番大きな特色だと思うのですけれど。

　それから最初の製品は、まだアメリカ製のスライドボリュウムの部品がなくて、ドイツのエッグミラーという、プロ用のスタジオミキサーコンソールを作っているメーカーのスライドボリュウムを使っているんですね。プッシュボタンの方もコンピューター用のスタイルでしょう。非常にトルクが軽くて、押すとそこだけライトがつく。これはもうコンピューターエイジの申し子といっていいアンプですね。

岩崎　ぼくがSG520を最初使いだした時に、スライドボリュウムを動かしてみると非常に柔らかいというかスムーズで抵抗感がないわけですよ。硬さというものが全然なかった、ミキシングコンソールと違ってSG520のパネルは立っているでしょう、しかもこんな大きなツマミが付いているのだから、これはきっと使っているうちにパタンと落ちてしまうのじゃないかと思ったのです。それがなんと、かなり使い込んでからも、そんなことは全然なかったですね。

山中　もうひとつ細部でおもしろいのは、音量バランス調整用の1kHzのテストトーン発振器を内蔵していることですね。これとF22というリレーコントロールボックスを組み合わせることで、スピーカーの位相を切り替えて、スピーカーから聴こえる音が最小になるように調整すれば左右の音量バランスが完全にとれるオーラルナルバランス方式を採用しています。それからこのF22には、パワーアンプの電源用リレーも入っているんです。ですから、エナジャイザーをスピーカーに取り付けてしまっても、電源のON―OFFはプリアンプの方でできるのです。このリレーコントロールを動作させるのに、プリアウトから出ている左右2本のシールドワイヤーのアース側の片一方を使って、それに直流を流してリレーを動かしている。ですからエナジャイザーの電源コードをプリアンプまで引いてこなくてもいいわけです。非常にこったことをやっているのですよ。

岩崎　シールド線に直流を流してリレーを動作させるなんていうのは、オーディオマニアのデリケートな神経を考えるとすごい冒険だと思うのです。その冒険をいとわずにやる精神が、やはりこれだけのデザインを生む原動力にもなっていると思いますね。

　いろいろほめてばかりですけれど、このアンプにも欠点がないわけではないですね。ぼくが実際に使っていて気になることなのですけれど、ボリュウムのレベルの低いところで使うと左右のバランスがくずれるのですね。

山中　やはりステレオアンプ初期の製品ですからね、それはしょうがないのではないですか。

岩崎　まあ、そのためにバランス調整がついているんで、問題はないといってもいいのですけれど、非常に小さな音で聴くとき、ボリュウムを絞ると……

山中　岩崎さんそんな小さな音で聴くことあるんですか(笑い)。

岩崎　だからあんまり問題にならなかったわけですけれどもね(笑い)。とにかく、下から1/5ぐらいにすると、ぼくのＳＧ５２０の場合だと音像が左に寄る。それから1/4ぐらいにすると今度は右に寄るわけです。そして、そこから上は普通になる。つまり、どうしても左右ふらつきぎみになるところがあるのです。

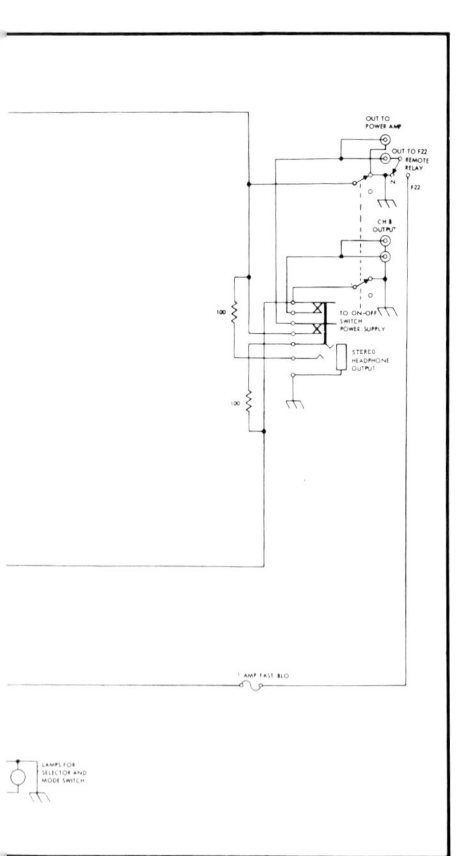

山中　それはいまの最新のアンプでも全部そうですよ。アッテネーター型にでもしないかぎり、レベルの低いところで左右の連動誤差を少なくするのは技術的に非常に難しいですから、現在でもある程度は許されていますね。これを完全、といってはおかしいけれど、それに近い状態で実現していたのはかつてのマランツだけでしょう。

岩崎　実際には、その範囲で使うということはあまりないですからね。実用状態としては大体中点から上でしょう。

山中　常時、中点あたりの状態で使えるように、うまくアンプの中でブロックごとのレベルセットをやらなければいけないのですよ、本当は。

岩崎　中点あたりは一番音もよくなりますしね、これは非常に大切なことでしょう。

山中　それから、ＳＧ５２０の欠点としていっておかなければならないことのひとつに、メインテナンスが非常にやりにくいということがありますね。やはりアンプメーカーとしてのキャリアの不足からくることではないかと思うのですが、プッシュボタン型のスイッチとかスライドボリュウムなど、アイデアが優先して、コンストラクションへの配慮がちょっと足りないような気がしますね。

岩崎　中身まで考えていなかったということですか。

山中　まあ、中身もちゃんとできているのですけれ

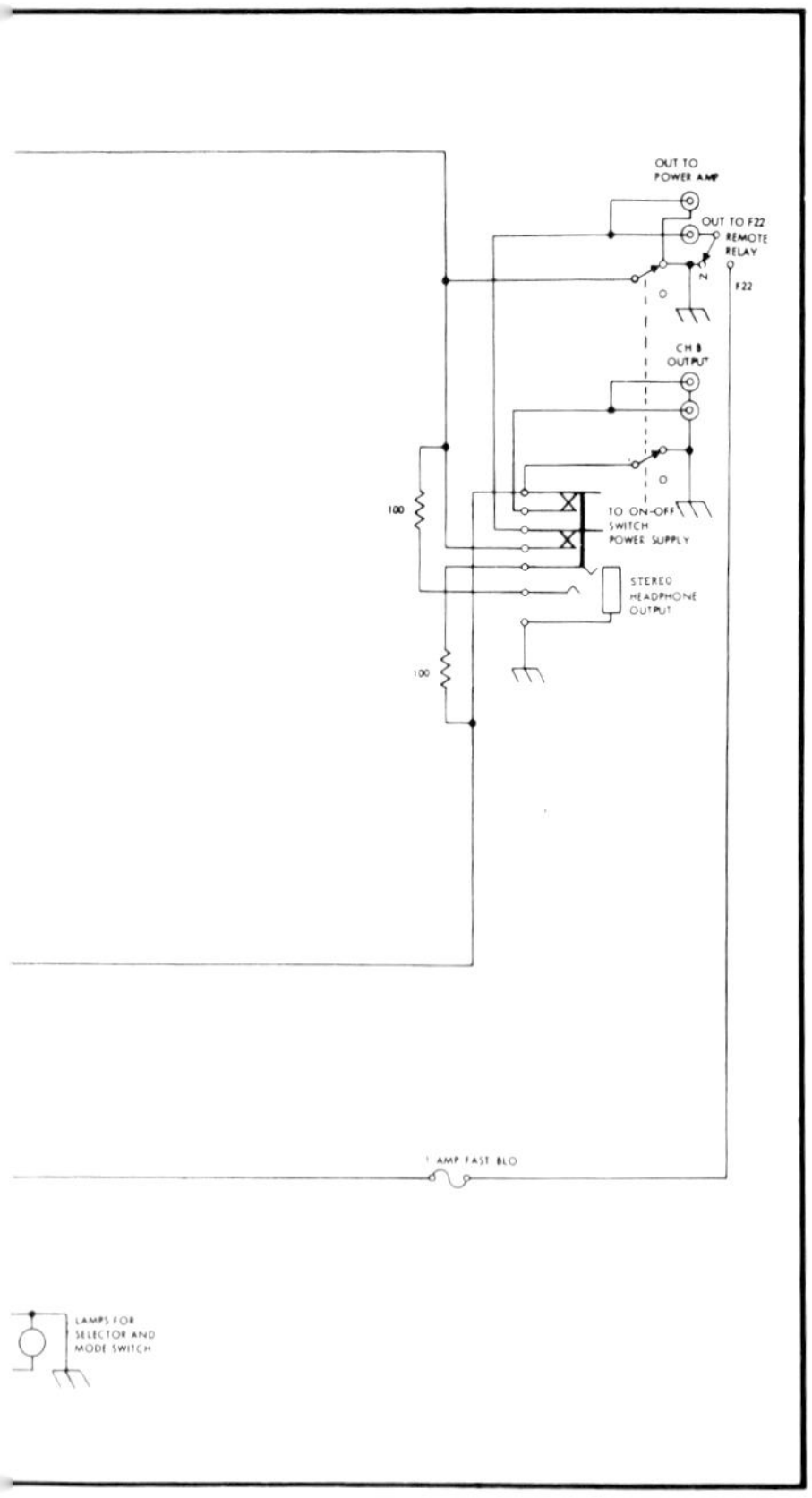

JBL Publication SD520-2

September 1966

SG520

JBL GRAPHIC CONTROLLER

circuit diagram

This schematic diagram shows the internal circuitry of your Graphic Controller. Sub-circuits are indicated by boxes on this diagram and are expanded on the opposite side of this sheet.

Resistors are shown in ohms.
K = x 1,000 ohms
M = x 1,000,000 ohms (1 megohm)

Capacitors are shown in microfarads or picofarads.
MF = 1 microfarad
PF = 1 picofarad (1/1,000,000 microfarad)

P/N denotes JBL part number. These are specially designed parts for which equivalents are difficult or impossible to obtain. To replace these parts, order directly from JBL, referring to the part number. In all probability, the only parts of the Graphic Controller which might ever need replacing are the pushbutton lamps. These are readily obtainable. Request the G.E. #1820 lamp or equivalent.

JAMES B. LANSING SOUND, INC., LOS ANGELES 39, CALIF.

ども、要するに、あとで直したりすることの難しいアンプなのですね。

岩崎　実はぼくがSG520を使ってしばらくした頃の話ですけれど、プッシュボタンスイッチのノイズが出るわけですよ。それも非常に不思議なことに、ノイズが出始めた頃から、中のパイロットランプが切れ始めましてね。それが一つ切れ始めてから全部切れるまで、一ヵ月くらいしかないんですよ。バタバタバタッと切れちゃう(笑い)。電源電圧が変わったわけじゃないし、使い方が荒くなったわけでもないし、不思議でしかたがなかったのですけれど。そんなことをしているうちに、今度はボリュウムからノイズが出るようになって、結局、修理してもらうことにしたのです。ところが、ボリュウムを取り替えるにはアンプを全部ば

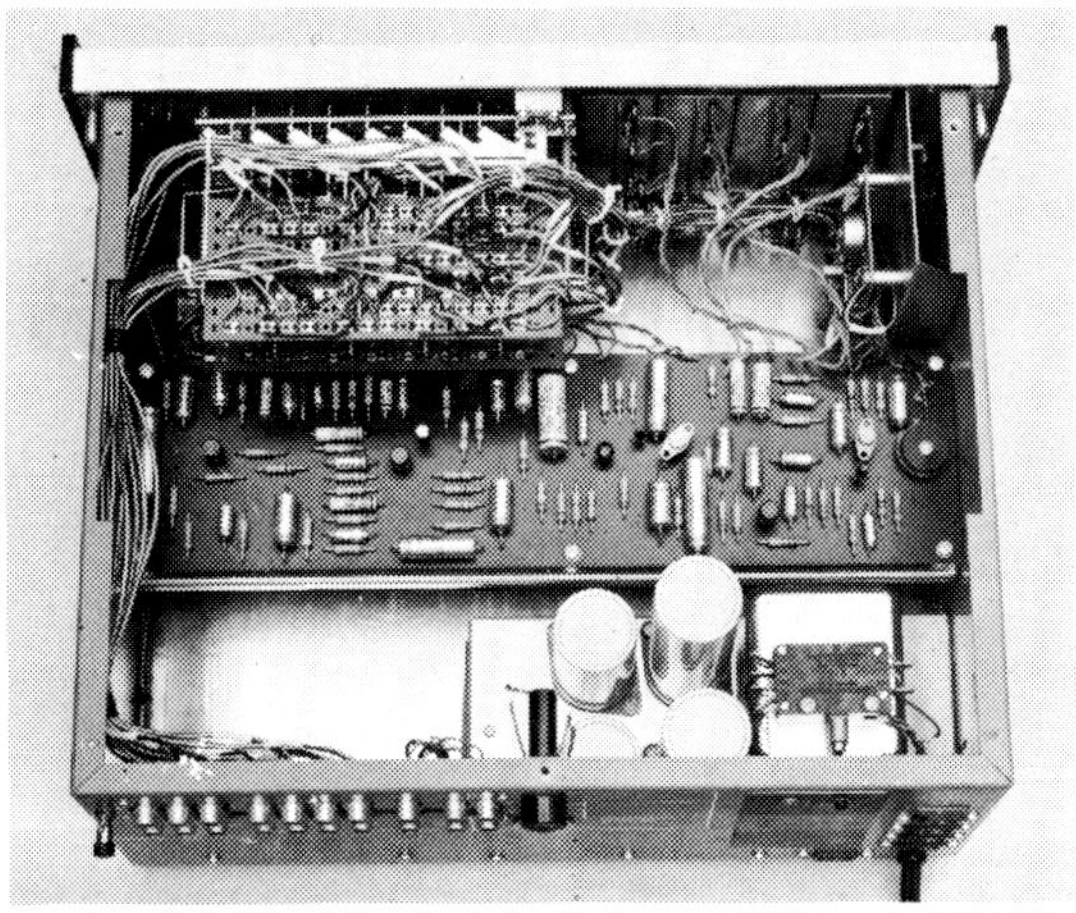

SG520の泣き所のひとつにメインテナンスの困難なことがあげられる。内部を開けて見ると、プッシュボタンスイッチ周りの複雑なこと(左上部)やスライドボリュウムの取り付けの様子(右上部)がわかる。

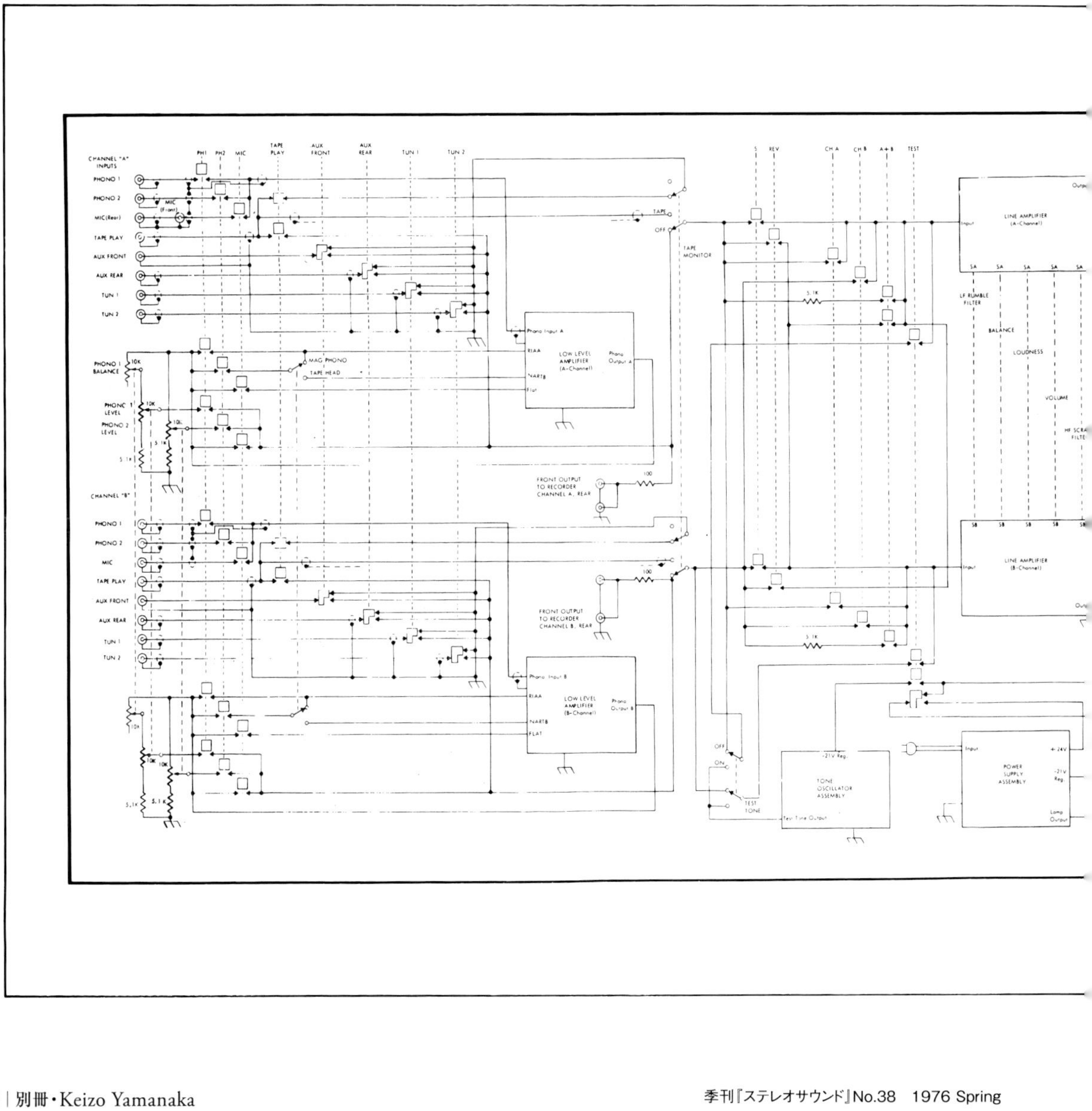

らさなければだめだという。そうすると、これは開けるのがたいへんなアンプなので、修理期間を一ヵ月くれというのです。ぼくは一ヵ月も持っていかれては困るので、そのときは断わった記憶がありますよ。日本のメーカーの中でもそれほどサービス体制が弱いと思えないサンスイが、ＪＢＬのアンプに限ってはものすごい時間がかかるのですね。修理できる人間が少ないにしたって、一ヵ月もかかるというのは相当なものでしょう。

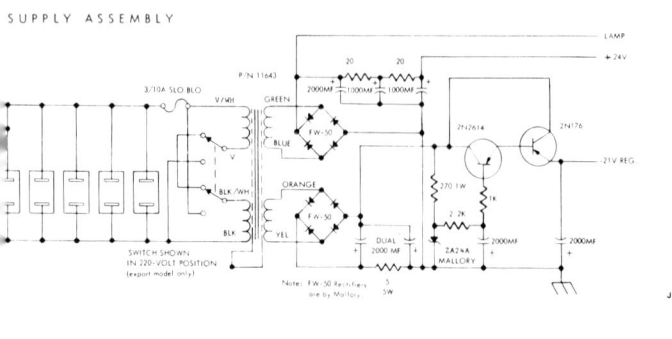

山中　自分でやってみるとよくわかりますけれど、たいへんなのですね。あとで話に出てきますが、おそらく、このメインテナンスの難しさも、ＪＢＬがアンプの製造を中止した大きな理由じゃないかと思えるくらいなのです。

現代にも通用するＪＢＬトーンの魅力とは

山中　ところで、ＳＧ５２０とＳＥ４００Ｓの音についてはいかがですか。

岩崎　音のことをいう前に面白い話があるのですけれど。当時、サイテーションのⅣという管球式のプリアンプを使っていたんです。これは一段のプレート・グリッド型ＮＦをかけてあるアンプだったので、ノイズの出る可能性が大分あったのです。そしてマランツの＃７を使い出してわかったのですが、サイテーションのノイズの特徴というのは、ものすごく帯域が広いなって感じがするわけです。注意して聴いてみると、ノイズの分布が割と高い方にずーっと広がっているよ

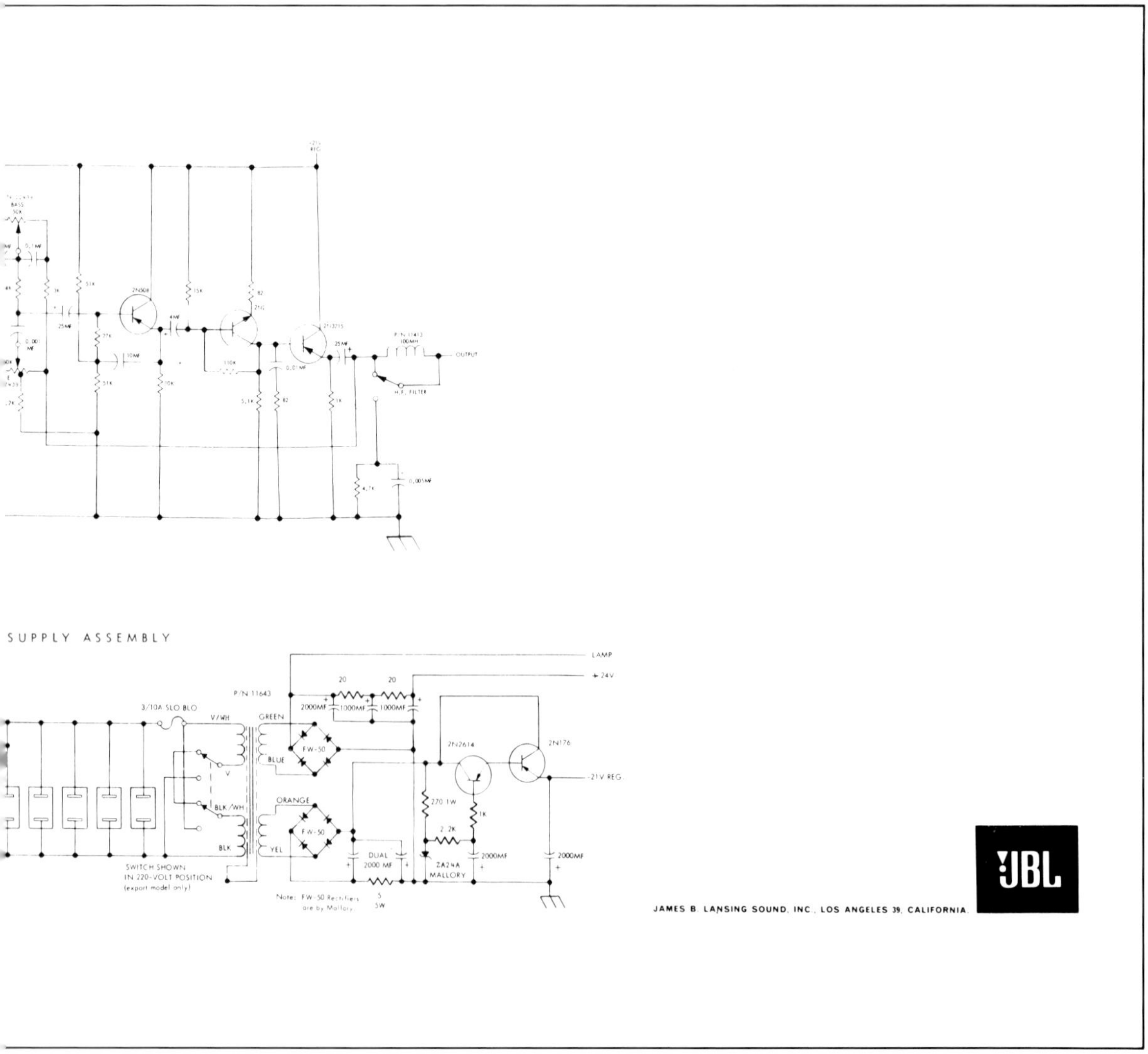

うなのです。

それからやはり同じ頃、アコースティックのプリアンプも使ったことがあって、その時感じたのですけれど、トランジスターアンプ初期の製品だけに、やはりSNがよくないのです。測定してみるとそう悪くないけれど、ノイズの感じが聴感上非常に耳障りなんです。8k〜10kHzあたりにグッとピークがあるような、そういうノイズなわけですよ。

山中　出てくる雑音がホワイトノイズじゃないわけですね。

岩崎　ええ、シーとか、ヒーというような音ですよ。それが球のサイテーションのプリだと、広帯域感のある、ずーっとばらまかれたような感じのノイズで、すごいなと思いましたね。ところがそれをもっと極端にした感じを受けたのですよ、SG520で。

マランツの#7とSG520を切り替えたときに、一番違うなと思うのは、ノイズの音の感じですね。ノイズがないというわけではないけれど……。

山中　JBLだとパッと拡がった感じがするんですね。

岩崎　現実にスピーカーから出てくる音を聴くと、SG520と同じような感じにノイズが聴こえるアンプは他にちょっとないくらいに、拡がって聴こえましたね。二つのスピーカーからノイズが出てくるでしょう、普通だと大体センターに定位するわけです。ところがSG520だと、バーッと全面に拡がってしまうから、センター定位があまり感じられないのですね。ノイズに焦点がないので聴きづらくないわけです。

山中　ノイズは完全にバックグラウンドになってし

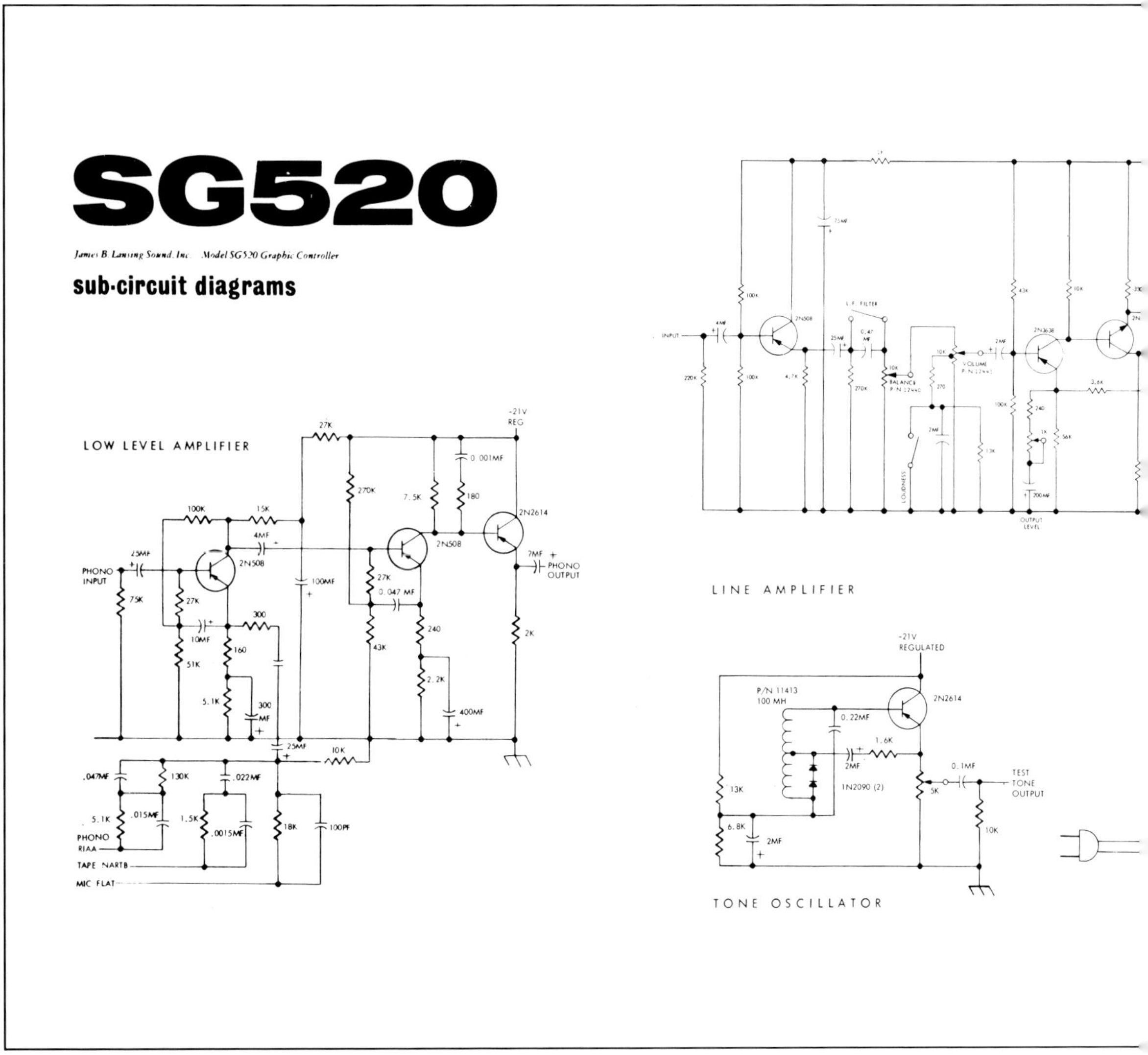

SG520のサブサーキットダイヤグラム。各ブロックごとの回路の詳細がわかる。

まいますからね。

岩崎 マランツなんかだと、やはりセンターにやや定位感がありますね。ノイズがフーッと前から出てくる感じがしますね。ところがＪＢＬは前から出てくるのではなくて、まわりから出るという感じですね。それがステレオ感のひろがりがよいとか、セパレーションがよいとか、あるいは実際に再生帯域が広いとかいうことの端的なあらわれだと思ったのです。

山中 しかし一番最初の頃のＳＧ５２０はあまり広帯域な感じではなかったでしょう。

岩崎 そうですね、いわゆるウォームトーンという感じ、高い方がダラ下りになっているような音でしたね。

山中 それが、実際に製品が売られるようになってからすぐに、ワイドレンジで非常にフラットな感じの音に変わりましたね。

岩崎 たぶん、使っているトランジスターが少し変わったのだと思いますよ。

山中 そうでしょうね。ワイドレンジで非常にフラットな音のイメージというのは、ＪＢＬのスピーカーなどがすべて目指している方向でしょう。特に、当時ＪＢＬはスピーカーでも、広帯域化に非常に一所懸命になっていましたからね。

岩崎 ＳＧ５２０やＳＥ４００Ｓが出た頃は、ソリッドステートアンプは、まだ、いわゆるトランジスター的な音がするというようなことの方が気になっていた時代ですね。トランジスター的な音というのは――いまでもよく使いますけれど――ある意味では音が硬いとか、あるいは高域で少しエネルギーのピークが感じられるとか、そういう意味あいがあったでしょう。ところがＪＢＬの場合は、高域に十分レンジが伸びていて、しかも高域でエネルギーが大きくなるという感じは全然なかったですね。

山中 スッと抜けている感じ、本当に当時のアンプの中では一頭地を抜いていましたね。

もう十年近く前のことですけれど、ステレオサウンドの第3号でアンプの特集を初めてやった時に、テスターがそれぞれＪＢＬの音の印象を書いているのです。その中で、たとえば瀬川さんは――ＪＢＬは彼が最も好きなアンプのひとつなのですけれど――『透明度に於て桁ちがいによく湖の底の底まで見通せるという音だ』と表現していますし。

岩崎 この音はまさに透明感そのものですね。

山中 岡さんも『ひじょうに鮮明度がたかい』と書かれているし、ぼくも分解能が高いとか、細部のニュアンスが鮮明に描き出されると書いている。みんなイメージが似ているわけですよ。やはり、ＪＢＬははっきりと個性を持っていたのでしょうね。

岩崎 それも現代的な嗜好の個性ですね。

山中 これはもう、石でなければ出ない音だなと、その時本当に思いましたね。

岩崎 ぼくがＪＢＬのアンプを買う気になったのはそこなんですよ。当時、石のアンプというと、何か球のアンプとは違った悪さがあったのだけれど、ＪＢＬの場合は「石だからこれほど良くできた」という言い方を初めてできたアンプでしたね。

山中 しかも、音のイメージと寸分たがわぬデザインでしょう。このデザイン・プラスの魅力がまたたいへんなものですね。トランジスターアンプ初期の傑作のひとつだと思いますし、いま聴いても、ＳＮの点を除けば、音質的には立派に通用しますね。

岩崎 確かに、最新・最高級のアンプと比べるとＳＮ比の点では若干おちますけれど、前にも話したように、ノイズの性質そのものは決して悪くないですね。

もっとも当時の製品の中にあって、ＳＧ５２０はアメリカでは４５０ドル、日本で25万円でしょう。マランツのプリが16万円の時ですからね、５～６割高い値段がついていた。

山中 いまのマークレビンソンみたいなものでしょう。そのころの感覚からいうともっとすごいかもしれない。

ハイセンスなプリメインＳＡ６００

山中 セパレートアンプの方の話はひとまずこのくらいにして、この他にＪＢＬのアンプとして有名だった製品にプリメイン型のＳＡ６００がありますね。

このアンプの場合、いわゆるエナジャイザー方式で使うことは全く考えないで、あくまでもオーソドックスなプリメインアンプとして使うように作られています。これはちょうどＪＢＬがブックシェルフ型のスピーカーを次々に発表しはじめた時期に、それらの小型システムと一緒に使うアンプとして設計されたためでしょうね。

パワーアンプ部はＳＥ４００Ｓとほとんど同じもので、出力も40Ｗ＋40Ｗと同じです。これにコントロールアンプをつけたという形で、構造的にもパワーアンプ部の前にコントロールアンプ部を取り付けた形になっていて、そのために入出力ターミナルはアンプの底部にあります。これは写真を見ていただければよくわかるのではないでしょうか。しかもパネルサイズをＳＥ４００Ｓとほとんど同じ大きさにまとめたことで、非常にコンパクトになって、うしろから見るとＳＥ４００Ｓそっくりですね。このアンプもＳＧ５２０同様両サイドにウッドパネルを付けられるようになっています。

岩崎　ＳＡ６００のデザインがまた素敵なのですね。このアンプが現われるまで、プリメインでこれだけモダンな感じの製品はなかったでしょう。ＳＧ５２０は独創的で未来指向的な感じがするので、ちょっととっつきにくいくらいの印象ですけれど、実際に使ってみると手になじんでくる。ＳＡ６００の場合だと逆に、パネル面のレイアウトそのものはとてもオーソドックスでどうということないのだけれど、使っていていつも新しさを感じる、大変にフレッシュですね。

山中　ファンクション的にも一般の人が使う場合に必要な最少限の機能だけにしぼってしまって、そのまとめ方がうまいですね。それに本当に細かいところまで神経のゆきとどいた仕上げ、この辺がやはりＪＢＬの最大の魅力でしょうね。

岩崎　パネルとツマミの間にほんの少し間があるでしょう。こういうことをすると、製造中に中心がちょっとずれたら、ツマミが偏心してついてしまっておかしいですからね。ところがアメリカのアンプにはよくあるんですね、ピンジャックの位置が左右でズレていて一直線上に並んでいないとか、ヘッドフォンジャックがパネルに印刷されている穴と実際に開いている穴とがズレているなんてザラですからね。そんなことが平気だったときに、ＪＢＬのツマミはパネルに開いた穴のちょうど中心にピシッとおさまっていた。その上、ツマミに矢形というか、片方にちょっとエッジが出ていますけれど、こんなところの加工ひとつを見ても、これだけ細かい神経でつくられていたアンプはそうはないでしょう。

山中　似たようなことをやっているところはあった

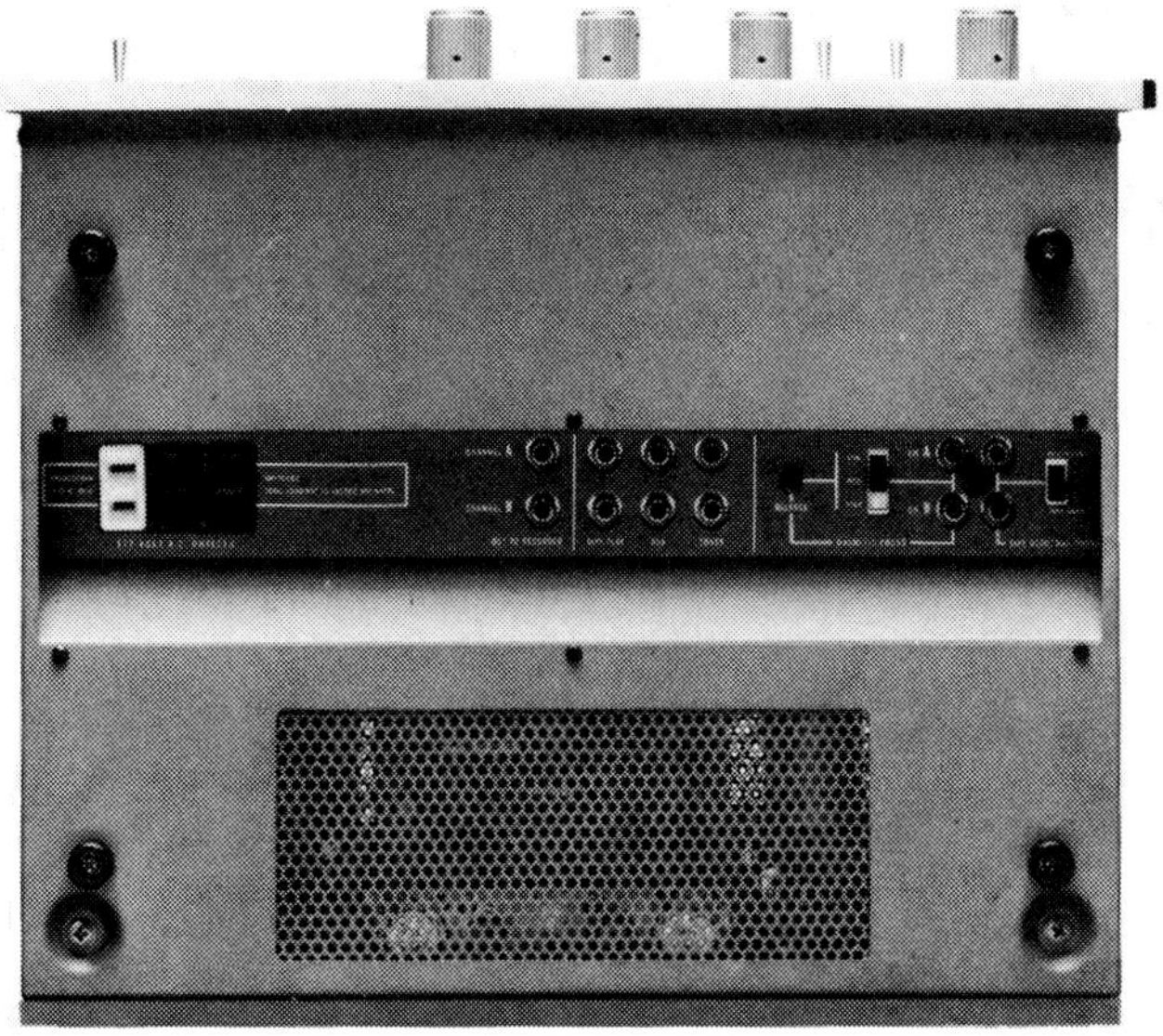

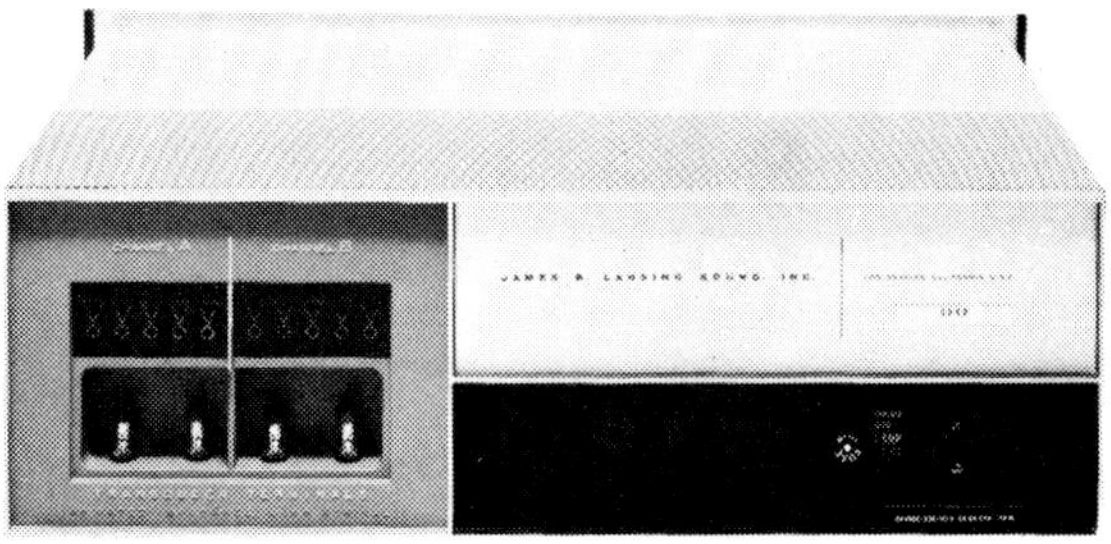

SA600の底部(上)とリアパネル(下)。SE400S用のダイキャストパネルをそのまま流用し、その前にコントロールアンプ部を取り付けた構造がよくわかる。リアパネルはパワートランジスターのヒートシンク兼用のため、入出力端子はアンプ底部に追いやられている。

さすがJBL、細部の工作にもクラフツマンシップがにじむ。

けれど、あくまでも似ているというだけで、ＪＢＬほどしっかりできている感じはないですね。

岩崎　それからスナップスイッチもいいですね。非常に細くて長くて、それでとても柔らかいタッチでしょう。最初に触った時、いままでのスナップスイッチの感覚でいくと、何かあやふやな感じがしたほどでしたよ。

山中　いまは似たような感触のスイッチが増えましたね。最高級品までみんな同じような感じになってきましたから。

岩崎　それから、テープモニターとナルバランスのツマミをＯＮにすると、螢光塗料みたいな非常に鮮かな赤いマークがパッと出てくるでしょう。このあたりはデザインとして相当なものだと思いますよ。

山中　あそこのレバー一つを下げただけで、これ買った！　ということになるのですよね(笑い)。岩崎さんもそうでした？

岩崎　ええ、あの色でね(笑い)。

山中　はっとさせられるわけ、にくいですね。

岩崎　ＪＢＬの場合、ＳＧ５２０をみてもＳＡ６００をみても、デザインのうまさというのはそういうところですよね。かっこうがいいとか、バランスがいいということだけじゃなくて、泣かせどころがある。デザインの真髄はそういうところでしょう。

山中　しかし、この泣かせどころというのはなまじやると安っぽくなったり、すぐ底がばれたりしてしまいますが、さすがにＪＢＬは見事ですね。

岩崎　これは、オーディオ機器の魅力として、性能の良さと同じくらいに大切なことでしょう。性能がよければよいほど、逆に大切なわけですよ。

それから音のことをいうと、ＳＡ６００は低音が豊かに盛り上がっている。こういう言い方は誤解されるかもしれませんが、ＳＧ５２０とＳＥ４００Ｓの組合せに比べて、低音のエネルギーの出方というのが、ゆったりとしている感じがするでしょう。

山中　そういった音作りは意識的にしているのではないですか。

岩崎　結局、ＳＡ６００を使う層を考えると大半はブックシェルフ型のスピーカーを使っている人でしょう。ですから、ブックシェルフの持っている欠点というか、物足りないところをアンプで補おうという意識が相当強いのだと思うんです。

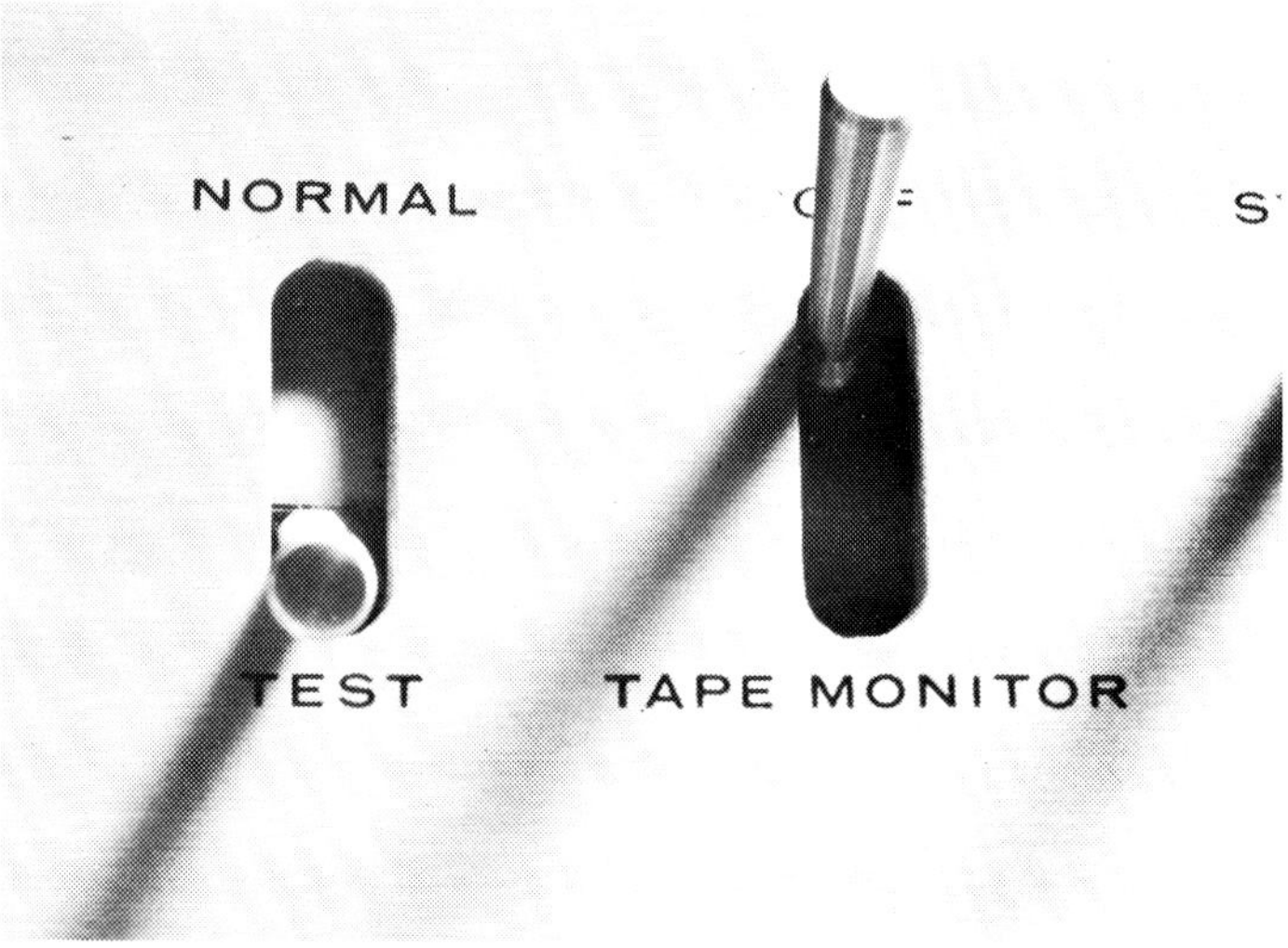

岩崎氏が一瞬にしてSA600を買う決心をしたというスイッチの赤いマーク。

山中　おそらく、コントロールアンプでこういう傾向をつくっているのでしょうね。しかし音色は変わっていないでしょう。そこが立派だと思いますね。

岩崎　ＳＧ５２０とＳＥ４００Ｓの組合せと比べると、同じＪＢＬでありながら、音の上でもはっきりと性格を変えていますね。しかし、これほどはっきりと低音感を変えてしまうと、それでは前のアンプが悪いのかと、違った意味にとられてしまう心配がありはしないですかね。

山中　これは日本の実状を考えたときに本当にうらやましいと思うのですけれど、ＳＡ６００をアメリカで売り出す場合、ＪＢＬはユーザーの対象をはっきり限定していますね。かなりハイブローな、しかもあまりオーディオにはうるさくないというかむしろあまり関心を持ちたくないような人で、インテリアの整ったちょっとした部屋に置いておけるという線をねらっているでしょう。日本にはこれほど対象ユーザーを絞ったオーディオ製品は見当らないでしょう。

岩崎　ＳＡ６００がＳＧ５２０と同じような形をしていたら、商品として、あまりオーディオにうるさくないユーザーがどうしても欲しくなるという雰囲気にはならないと思うのです。

山中　考えてみれば、同じ形で少し安いリトルブラザーを出すことは、かなり問題なのですね。デザインというのは本当はその形ではひとつのモデルしか考えられないわけでしょう。それを何か少し変えただけで

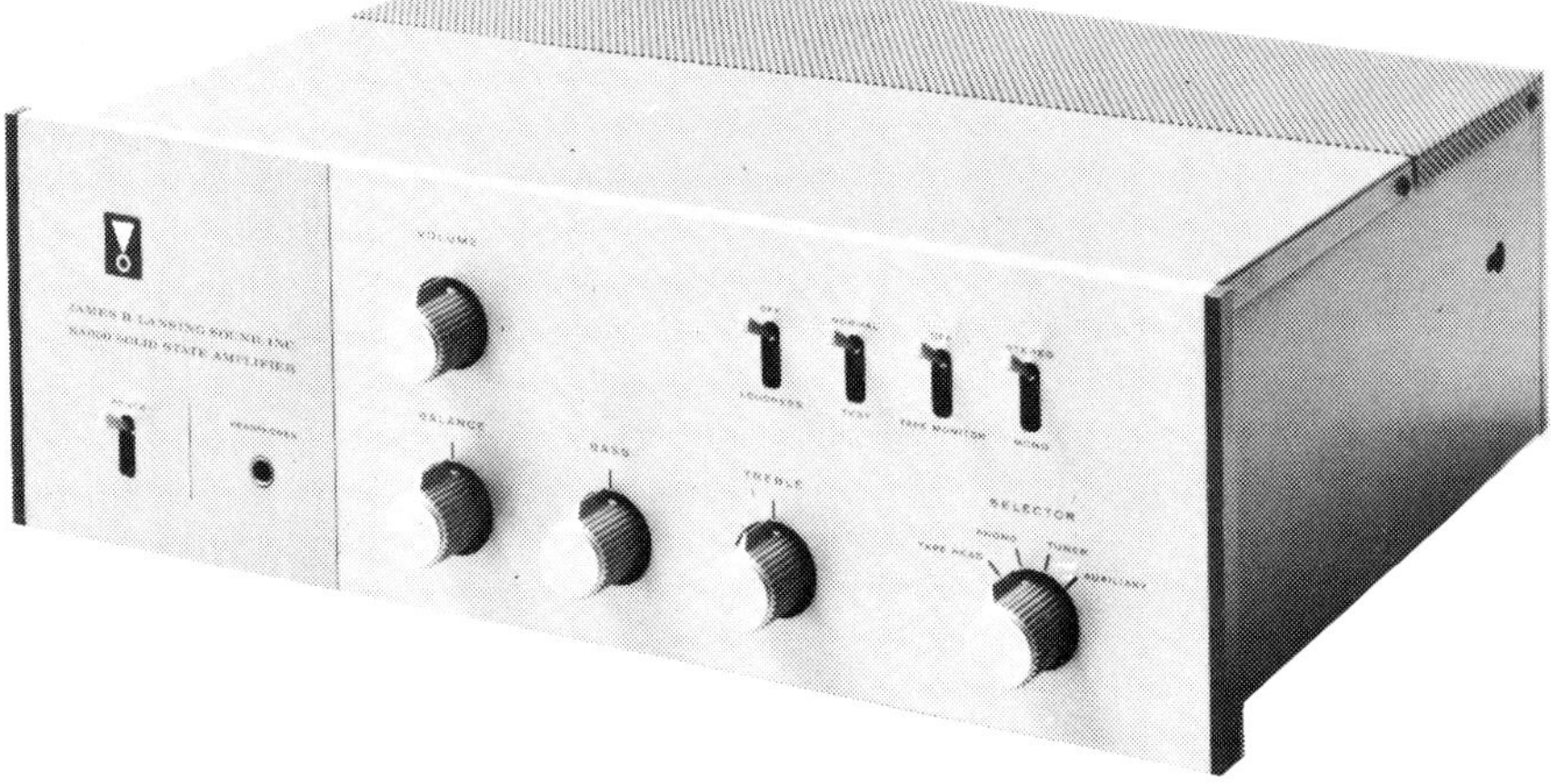

一見オーソドックスなパネルレイアウトながら、使う者にたえず新鮮な喜びを与えるプリメインアンプSA600。

値段の安い製品を出したり、高いのを出したりすることは、逆にいうとユーザーも選択に迷うでしょう。そこでJBLの場合は、形を完全に変えていますでしょう。同じ形ではひとつしか製品を出していないのは立派だと思いますよ。JBLはスピーカーの場合でも、シリーズを少し変えて、しかもデザイン的には完全に別物にしているでしょう。

岩崎　細かく言えば音も違いますからね。スピーカーをとってみても、値段が違えばデザインも違うし、音も違う。それで、明らかにどこに向けている製品かを、メーカー自身が知っていますよね。未熟なメーカーだと、その辺どうしていいかわからなくて、いろいろ作りますから、あとはユーザーの方にお任せ、みたいな形になってしまうでしょう。やはりデザインとか性能は、メーカーの方でこうあらねばならぬというはっきりした姿勢があって、それで製品を出してもらわないとね。

モア・パワーの声にこたえるSE460/SA660

山中　JBLのアンプシリーズはその最後期になって、セパレート、プリメインともそれぞれパワーアップして、SE460とSA660が登場します。SE460は外観上はSE400Sとほとんど変わらなくて、パワーだけがSE400Sの40W＋40Wから60W＋60Wになりました。回路そのものは基本的にはほとんど変わっていなくて、電源部を少し強化したくらいでしょう。

岩崎　電源部を強化して、パワートランジスターが変わりました。

山中　しかし、SE460になって、やはり音がずいぶん変わりましたね。

岩崎　この辺は意見のわかれるところで、賛否両論があり、必ずしも新しいSE460の方がいいという意見ばかりではないですよ。しかし少なくとも世の中の一般的な傾向として、トランジスターアンプにパワーをどんどん要求するようになってきましたから、SE460やSA660が登場したのもひとつの時代の

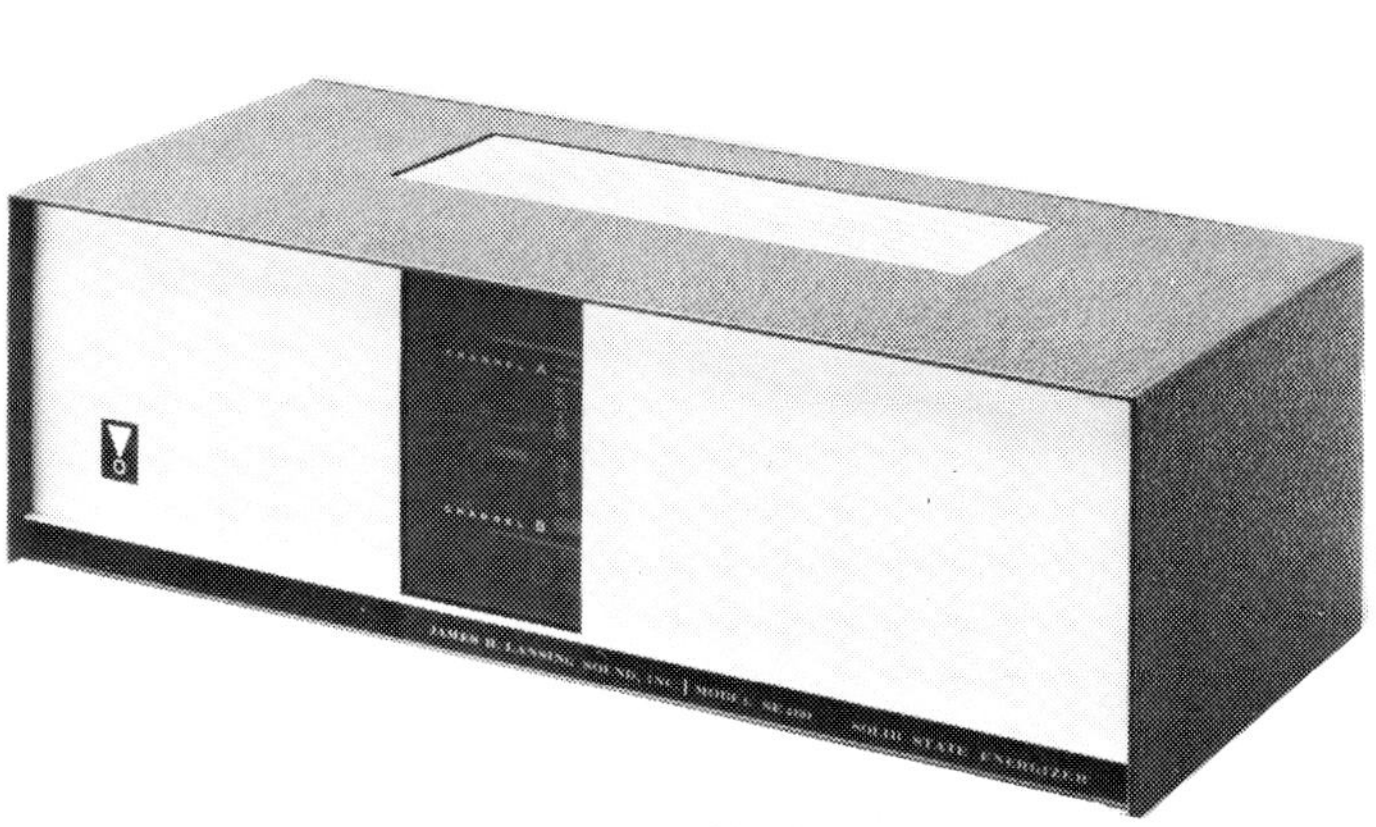

SE400Sのハイパワー版を望む声にこたえて開発されたSE460。出力は60W＋60Wに強化された。

流れでしょう。ＳＥ４０１がデビューした頃の日本では、チャンネル当り16～17Ｗの管球式アンプが全盛で20Ｗなんてアンプはまずなかったし、スピーカー自体の能率もいまのシステムに比べたら格段に良いものばかりでしたから、40Ｗ＋40Ｗという出力はたいへんなものだったのですけれどね。ＳＥ４６０が発売された時点では、60Ｗ＋60Ｗでは決してハイパワーのアンプとはいえないようになっていましたね。

山中　ＪＢＬも時の趨勢に従ったといっていいでしょう。

岩崎　おそらくＪＢＬとしては、パワーを増やしたから、音の方も変えてやろうなどという意識はなかったと思うのですけれど、結果として変わってしまったのでしょうね。

山中　パワーアップしたために変わってしまったというのが本当のところでしょう。しかしＳＥ４６０はそれなりに魅力的なアンプでしたね。

ＳＥ４６０がデザイン的にはほとんどそのままＳＥ４００Ｓを踏襲していたのに対して、ＳＡ６６０はかなり大幅にモデルチェンジしていますね。全体のデザインはＳＡ６００と同じですが、パネルの色をブラックフェイスにしたり、トーンコントロールのツマミが左右独立して調整できるようになったり、ファンクションの機能も一部変更されています。回路的にも少し改良されて、プリアンプ部に定電圧電源が採用されたりしています。ですから、ＳＡ６６０はスピーカーの主流がブックシェルフに移ってしまった当時としては、ＪＢＬがかなり重視していた製品のように思えるのですけれども。

SA660は60W＋60Wにパワーアップしただけでなく、パネルがブラックフェイスになり、トーンコントロールもツマミを二重にして左右別々に調整できるようになった。回路的にも改良が加えられ、プリメイン型に対するJBLの意気込みが感じられる製品だ。

岩崎　ＳＡ６６０のこのまた黒いところがすごみがあっていいですね。

山中　ちょうど当時ブラックフェイスのアンプがいろいろ現われてきたでしょう。それからＪＢＬのスピーカーシステムでも、黒い感じのシステムがけっこうありましたからね。

岩崎　たとえば「ノバ８８」とか。

山中　あの辺のスピーカーの雰囲気とぴったりという感じのアンプですね。

そして突然の終焉が

山中　ところがあろうことか、これらのアンプの製造が、ある時期になって突然打ち切られたのですね。別段人気が落ちたり、旧型になったからやめたというのではなくて、現役製品のバリバリのままだったのに突如として製造を中止してしまった。これはもう、何ともわれわれとしては残念なことでしたね。しかしまた、その消えっぷりのよさも見事でした。これだけ魅力的な製品の最後としては非常によかったのではないかと、今になって思えばそういう気がするのですよ。あのままＪＢＬがアンプの製造をつづけて、だんだん安物のアンプを作ってみたり、全然イメージが変わったものを出したりしたら、かえって残念ですものね。

岩崎　あのまま製造をつづけていたら、当然時代の趨勢でもっとパワーアップしなければならなくなるだろうし、その時は、ＳＥ４０１、ＳＧ５２０、ＳＥ４００Ｓ、ＳＥ４６０とつづいてきたＪＢＬのセパレートアンプシリーズに大きな変化がおこるでしょうからね。あるいは、ＳＡ６６０の置かれた立場を考えると、当然数をもっと売らなければならないようになるでしょうし……。確かに大衆化を避けるという意志はメーカーとしてあったかもしれないですね。

山中　それは十分考えられますね。結局、ＪＢＬは一時期アンプの製造を完全にやめてしまったわけです。最近ではプロフェッショナルシリーズとしてＪＢＬのブランドでパワーアンプを何種類か出していますね。ですから、これからまた、ＪＢＬがコンシューマー用アンプを発表する可能性もあるのではないかと思いますし、期待したいですね。

オーディオの名器にみる

クラフツマンシップの粋③

ガラード301, トーレンスTD124/II・TD224

鼎談＝岩崎千明／長島達夫／山中敬三

GARRARD　Model 301　Turntable

THORENS TD124/II Turntable

THORENS　TD224　Automatic　changer

オーディオの名器にみる クラフツマンシップの粋 (3)

ガラード301、トーレンスTD124／II・TD224

鼎談＝岩崎千明／長島達夫／山中敬三

山中　名器シリーズも三回目を迎えますが、今回はガラード３０１とトーレンスＴＤ１２４、この二機種のターンテーブルを中心に岩崎さん、長島さんとお話を進めていきたいと思います。

実をいいますと、この名器シリーズにターンテーブルを取り上げることには、わたくし自身かなり抵抗があったのです。といいますのは、ターンテーブルに関しては、たとえ名器に値するにせよ、過去の製品より現在の製品の方が性能的にははるかにいいものになっているではないか、ダイレクトドライブやクォーツロックの出現で、性能的には飛躍的に向上しているではないか、それなのにいまさら古いターンテーブルを取り上げるなど、アナクロニズムもいいところだというような意見がかならず出てくると思うのです。

そういう反発は必ずあるでしょうが、メカニズムの基本の問題がいま一番忘れられようとしているように思えてならないのです。ターンテーブルのようなメカニズム系のものはそこが最も肝心なところですから、どうしてもここで話題にしておかなければいけないと思い、今回はターンテーブルを取り上げてみました。

ガラードとトーレンスを前にてい談中の、左から、長島、岩崎、山中の三氏。

ハイファイターンテーブルの原器ガラード３０１

山中　年代順にいきますとまずガラードなのですが、このガラード３０１が現われたのはたしか一九五四年頃、つまりＬＰレコードが開発されて間もなくの時期に発表された、当時としては非常に高級なプロフェッショナル・ターンテーブルに近い製品だったわけです。おそらく最初は、イギリスのＢＢＣ（British Broadcasting Corporation）の検聴用に使うためにつくられた製品をもとにしているのだろうと思います。事実、ＢＢＣでガラードの３０１はかなり長いこと使われていた。そういう意味でも、本当のプロフェッショナル的な要素を完全に備えたターンテーブルの傑作だと思います。

岩崎　製品が出た当初のガラードについては、高嶺の花みたいな商品だったものですから、あまりはっき

ガラード301、モーターボードのアイボリーとターンテーブル・ゴムシートの黒が見事な調和を見せる。この他にターンテーブル外周にストロボを刻んだモデルがあるほか、ごく初期の製品は全体がグレーのハンマートーン仕上げになっていた。

りした記憶がないのですよ。ガラード301をわれわれが最初に知った頃の値段が、たしか二万円台だったと思います。その当時われわれの給料がせいぜい一万円にもならなかったくらいですからね。今日でいうと二ヵ月分の給料ですよ(笑)。とてもとても手の届くようなものではなかったでしょう。たいへんな高級品でね、少なくとも三〜四千円でトバとかアカイのLPを聴くのに使えそうなモーターが出ていた頃の話ですからね。そういう意味で、あまり身近な感じで接したことはなかったですしね。もっぱらガラードのプレーヤーを頻繁に見たのは喫茶店ですよ。五十年代の初めの頃、LPが日本に入ってきた頃出現した、いわゆる音楽喫茶ですね。ガラス張りの機械室みたいなところの一番目立つ場所にガラードのターンテーブルが回っていてね、すごいなァーと思ってガラス越しに眺めていただけで、実際に手にとったのははるかに後でした。そういう意味で、中身をじっくり知る機会が比較的遅かったように思うのです。

　最初にわれわれがガラードを知ったのはやはりオートチェンジャーからでしょう。

山中　RC80という有名なオートチェンジャーが一世を風靡して、GEのヴァリレラ型カートリッジを付けて使うのが、ハイファイマニアのプレーヤーのスタンダードでしたね。

岩崎　ガラードのオートチェンジャーはアメリカの兵隊がよく持っていたでしょう。装置が壊れたので直してくれというので行ってみると、たいていガラードのオートチェンジャーなのです。これがチェンジャーのくせに、ターンテーブルは非常に重いわけですよ。はめる時にあわてて指でもはさんだりすると飛び上がってしまう、血マメができるくらいですから。こんなターンテーブルは当時なかったでしょう。重いから性能がいいというわけですよ。ターンテーブルは重くて慣性質量が大きい方がいいというのは今でこそ当り前ですけれど、当時われわれはガラードでそのことを初めて知ったのでしたね。重量級のターンテーブルということは後で話に出てくると思うのですが、こんなことからもガラード301の母体はオートチェンジャーのRC80あたりだろうと思いますね。そのモーターとターンテーブル部を単体化したといっていいと思うのです。

長島　たしかにガラード301はオートチェンジャーをもとに企画された製品でしょうね。

岩崎　最初に301を見た時、モーターボードが真っ白でしょう、ここは手でさんざん触れるところで、その上ぼくの場合、汚い手でも平気で触るもので、レバーの周りが薄汚れてくるのですよ。RC80なんかは茶色っぽい色でしたから汚れが目立たなくてよかったのですけれど。ところが先ほどこの部屋に入ってきて301が置いてあるのを見て、あっそうかと思った。イギリスのヴィンティッジカーにこの色・配色がありますね、フェンダーと下の方が黒くてほかがアイボリーというのが。ガラードの色と配色からは、まさにヴィンティッジカーの気品とか格調という雰囲気を感じますね。

長島　このアイボリーは英国独特の色でしょう。しかもレコードをのせた場合、視覚的にマッチングが良く、一番邪魔にならないという感じがします。

岩崎　今日ここで301を見て、なぜ白くしたのかを改めて認識し直しました。

山中　ガラード301の一番オリジナルのモデルというのはグレーのハンマートーン塗装なのです。この頃はターンテーブル本体まで全部ハンマートーン仕上げになっていて、これが最もプロ的な感じが強かったですね。それが途中からこの色になった。

　それからターンテーブルの外周にストロボを刻んだモデルが出たのも、このアイボリーの塗装に変わってからでしょう。オリジナルモデルではストロボはありませんでしたが、プロ用仕様でつくられたものの評判がいいので、コンシュマー用にもストロボ付きのモデルが併売されたのでしょうね。

岩崎　ストロボが付いていた方がちょっと格好良く見えるでしょう。ぼくは自分のガラードにはストロボが付いていなかったので、ストロボ付きを見たときはちょっとがっかりしてしまったのだけれど、マニアの人にいわせるとあれはない方がいいそうですね。この白と黒だけの方がすっきりしていて上品だというんです。

山中　ストロボ付きは精神衛生上あまりよくないでしょう。電源周波数の変動でフラフラ動いて見えますからね。ターンテーブルの外周にストロボを刻むのは、大体オリジナルはプロ用機からの発想なのですけれど、これだけ似たような製品が増えてしまうとかえって値打ちがなくなりましたね。

　それから、ターンテーブル自体の形状がよく考えられていて、裏側の周辺部にいくほどダイキャストの肉厚が厚くなっていて、イナーシャ効果を上げるようになっています。

岩崎　要するに慣性質量を大きくとっている……。

長島　ガラードはターンテーブルの慣性質量と鳴きの問題をその頃から考えていたように思うのです。このターンテーブルはこのままですと鳴きます。

――とターンテーブルをはずして手にもって実際にたたいてみる。

ところが、いったんゴムシートを乗せますと、完全に止ってしまう。

――たしかに、チィーンという感じで鳴っていたターンテーブルにゴムシートを乗せると音はピタリと止む。

山中　最近、ゴムシートの違いで音が変わるとか、

ガラード301のターンテーブル。重量は6ポンドあり、周辺部にいくほど肉厚が厚くなり、慣性質量を大きくとる工夫がされている。

ターンテーブル自体の音の良し悪しということがまた言い出されているでしょう。ガラードではそういう点がかなり基本的に解決されていますね。

事実、SN比などの点を別にして、ガラードは音のいいターンテーブルだと今でもみんな言うでしょう。これでなくては嫌だという人はたくさんいますからね。その秘密というのは、ターンテーブルの構造とかゴムシートの材質、形状、そういうところにあると思うのですが。

岩崎　ゴムシートを使うのがターンテーブルの常識になってきたのは、確かガラードが出た頃からでしょう。

山中　それまではあまりゴムは使われていませんでしたね。

岩崎　大体フェルトとかラシャが多かった。

山中　コルクなんかも使っていましたね。

機械の本質をわきまえた内部機構

長島　それから、このターンテーブルを受けるスピンドルシャフトがまた独特なのです。普通はスラスト軸受――ターンテーブルの全重量を支える部分――にボールが入っていたのですけれど、ガラードはスピンドルシャフトの底とスラスト軸受が両方とも平面になっているのです。

山中　平面同志でスラストを受けているのですね。

長島　この軸受とシャフトを初めて見た時は、なんでこんな抵抗の大きい、ばかみたいなことをするのだろうと思ったのです。ところが、結局これはリライアビリティを重視したためだったのですね。ボールを使った軸受ですと、ともかく3キログラム近くあるターンテーブルの重量を一点で受けることになるわけでしょう。これではどんなに硬い金属を使ったとしても、長年の間には減ってしまうわけですよ。しかしガラードのように平面で受けておけば、減り方ははるかに少ないでしょう。

ただし、平面同志でスラストを受けるのだから、シャフトと軸受の平面研磨がよほどしっかりしていないと、一回転の間に軸受の上でシャフトが、ちょうどコマが回る時のような感じで、踊りを踊ってターンテーブルの回転がおかしくなるはずですね。ガラードは、この問題を解決するのに、シャフトの底にスラストパッドを入れている。それは片面が平ら、反対側がドーム状になっていて、シャフトはそのドームを中心に回転することになる。

山中　要するに自動調芯になっているわけですね。

長島　ええ、自動調芯なんですよ。

それからほんとに感心してしまったことに、いくら平面同志でスラストを受けているからシャフトの摩耗が少ないといっても、長い時間使えばどうしても減りますね。減ったものはどうなるかというと、極端なことをいえば、減った分がシャフトの外側にバリのような格好になって出てくるわけでしょう。それがちゃんと軸受の方で逃げてあるのです。

山中　バリが軸受にあたらないように、軸受の方に〝逃げ〟がとってありますね。これなどは、機械設計の極意をかなり心得た人が設計した証拠でしょう。

長島　やはり機械設計に関連したことで、モーターのキャプスタンの形状も独特ですね。普通は$33\frac{1}{3}$回転の一番細い部分が上にきて、78回転用の太い方が一番下にきますね。形やバランスの上からもキャプスタンの下側を太くするのは自然に思えるのですけれど、モーターのシャフトというのは上にいくほど、つまり軸受から離れるほど、振れが大きくなるわけでしょう。ですから、一番大切な$33\frac{1}{3}$回転を下側の軸受に近い方

にもってきて、33⅓よりは多少ラフな回転でもかまわない78回転用の部分を上にもってきているわけです。

岩崎　当時そこまでも考えてやっていたのですね。

山中　それからモーターが、これはインダクション型なのですけれど、たいへん良くできていて、優秀な性能をもっていますね。

岩崎　山中さんのおっしゃったことをもう少し詳しく説明すると、ダイレクトドライブの全盛になる以前は、ターンテーブル用のモーターはほとんどがシンクロナス型だったでしょう。当時の日本ではシンクロナス型モーターは高級品で性能が良くて、インダクション型モーターはそれに比べると安物で性能が悪いと一般にいわれてきた。しかしこのシンクロナス型がいいという常識は、安物のインダクション型だけを見てきたせいでしょうね。

ガラード301のモーターキャプスタンとアイドラーのクローズアップ。キャプスタンは一般的なものとは逆に33⅓回転用の一番細い部分がモーターの軸受側にきている。またアイドラーの肉が厚いことにも注意。このアイドラーはステーのネジを１本外すだけで簡単に交換でき、プロ用として使われる時の信頼性の高さにもつながっている。

山中　そうですね。ガラードのインダクション型モーターなどは、ほんとうに真面目につくられた性能のいいモーターといえますね。

岩崎　ほんとうに手をかけて良くつくられたモーターなら、インダクション型だから性能が劣るなどということはあり得ないはずですね。

長島　ガラードがインダクション型モーターを使ったことにはそれなりの理由があると思うのです。というのは、シンクロナス型モーターは電源周波数に同調して回転数が決まりますから、放送局などで非常に正確に一定の回転数でシンクロナス型モーターを回すためには、ガラードが発表された当時の電源事情だと、モータージェネレーター――片方にモーターが付いて片方に発電機が付いている機械で、あの頃の放送局はたいてい持っていたと思います――がなければ使えない。これでは使える場所が限定されてしまって困るわけですよ。この辺のことを考慮したためなのでしょう。

山中　それもあるでしょうが、インダクション型を採用したからこそ、エディカレントブレーキ方式――今ではすっかりポピュラーになっていますが、当時ガラードが世界で最初に開発した方法だと思います――を取り入れることができ、スピードの微調整が可能になった。こちらの要因も大きいと思いますね。

　日本やアメリカとヨーロッパでは、プロ用機器の実際の運用面での考え方が違うんですね。ターンテーブルは一定不変の回転が守られない限りプロ的な使い方はできないという発想と、ターンテーブルはむしろ回転を自由にコントロールできないことには本当のプロ用としては使えないという二つの発想があって、ガラードの場合は明らかに後者ですね。

岩崎　英国はヨーロッパのハイファイ・オーディオ機器の供給源的なところがあるでしょう。ですからヨーロッパの各国に持っていっても、いろいろな国状のところに対応できなければいけない。その上英国は、大英帝国の名が示すように、かつては世界を相手にした国ですから、そういうことからいっても、運用面での融通性を持たすことを重視したのでしょうね。

長島　乳母日傘で育てられたような放送局ばかりで使うわけではないでしょうからね。あらゆる環境で実際に使われた時に便利で確実な方がはるかにいいという考え方が根本にあったと思うのです。

　これに関連したことなのですが、モーターの振動を吸収するためのサスペンションにはゴムブッシュを使うのが常識でしたけれど、ガラードは違うのですね。ほとんど全部機械的なサスペンション――スプリングを使っているんです。しかもこのスプリングに鳴き止めのゴムスリーブが入っている。とにかくゴムを使っている部分が非常に少ないのです。アイドラーぐらいなものじゃないですか、ゴムを使っているのは。結局これも耐久度――リライアビリティを極端に重視したからなのでしょう。

山中　当時の日本のオーディオ製品はアメリカナイズされているというか、アメリカのオーディオ機器を基にして出発していますから、アイドラーにしても何にしても、非常に物量豊富なアメリカ的発想で、駄目になったら取り替えればいいんだということで、サスペンションにはゴムを使うのが常識になっていたでしょう。また、ゴムというのは簡単で非常に当を得ているというか、性質としてサスペンションにむいていますからね。ところがイギリス人っていうのは、おそらく当時のゴムを信用しなかったのでしょう(笑い)。
　こういうところにガラードの主張がはっきり出ていますね。最初に301を開発する時に、BBCで放送業務用に使うことが前提にあったためだろうと思いますし、先ほど岩崎さんがおっしゃったように、このガラードが発表された頃は、イギリスはまさに大英帝国だったわけで、勢力圏が必ずしも本国には限られていなくて、例えばインドのような暑いところから寒いところまで非常に多岐に渡っていた。そういういろいろな環境・状態で安定に動くターンテーブルを開発しなければならなかったので、ガラード301がこのような形で生れたのでしょう。それがこの金属サスペンションに端的に現われていますね。

長島　このターンテーブルが現われた時はよくわからないところがいろいろあって、なんでこんなばかばかしいことをするのだろうという感じが強かったですね。ところが先ほどのセンタースピンドルの話のように、後になってみると、なるほどそうだったのかと、ガラードに教えられたことがたくさんあるのです。

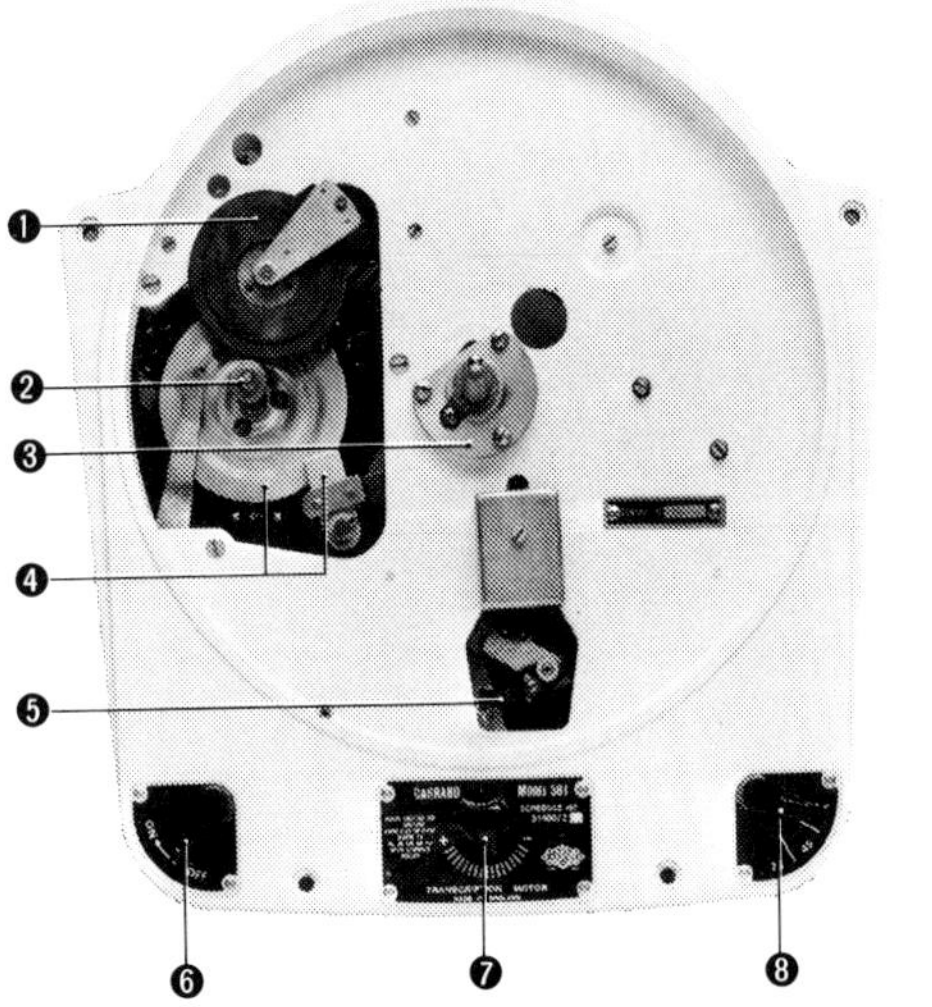

ガラード301のターンテーブルを外したところ。①アイドラー　②キャプスタン　③センタースピンドル　④エディカレントブレーキ　⑤ターンテーブルストップ用ブレーキ　⑥電源スイッチ／アイドラーレリーズレバー　⑦スピード微調ノブ　⑧スピード切替レバー

ガラード301の裏面。センタースピンドルの軸受けの右斜下方に出た突起は、初期のモデルでは専用のグリースチューブからの注油孔だったところ。ゴムブッシュを一切使わない金属スプリングのモーターサスペンション機構に、耐久度を最重視するガラードの設計思想がうかがえる。

岩崎　いわゆるターンテーブルの常識というか、技術的な基本は、われわれはほとんどこのガラードによって知ったのではないでしょうか。

長島　たしかにそうですね。このガラードにはイギリス人のレコードに対する愛情と熱意、それらが結集していると思うのです。

レコードのかけやすさは天下一品

山中　SP時代から、イギリス人のレコードに対する愛着には独特なものがありましたからね。例えばセンタースピンドルの形状ひとつをとっても、レーベルに傷が付かないような形にしてある。

長島　実際に使ってみるとわかるのですけれど、これほどレコードの扱いやすいターンテーブルは少ないですね。しかし、現時点で見れば性能的には多少問題がある。当時としてはモーターの振動は異例に少なかったかもしれませんが、現在のDDに比べれば相当ゴロが出てくるしSN比も悪いでしょう。取り付けるプレーヤーケースのボードがよほどしっかりしていないと駄目なのですね。

岩崎　板というよりは厚い塊みたいな感じのボードでないと最高の性能は抽き出せないですね。

長島　ですから、ターンテーブルとして現在でも最高の性能を持っているかというと、それには疑問がある。しかしそんなマイナス面は、レコードのハンドリングがしやすいことを始めとしたプラス面ですべてカバーされてしまうと思うのです。

山中　現在の日本のターンテーブルは電気的な性能

は立派だと思いますけれど、そういった取り扱いの面での配慮がないがしろにされていますね。これがいわゆる完成度の高さということに結びついてくるのですけれど……。

長島　ゴムシートの厚さ、断面の形状・直径、それにターンテーブル自体の直径・形状、これらが実に心憎いばかりに調和がとれているんですね。ですから30センチのレコードを両手で持ってターンテーブルの上にもってくると、ちょうど指先がガイドになってターンテーブルの外周にそってレコードがスッと入っていく。これは本当に目を閉じていてもかけられますね。

そして外す時は、レコードの縁がちょっとターンテーブルから出るんですね。その上、ゴムシートの縁が丸くなっていて、レコードはターンテーブル本体から少し浮いた形になっているでしょう。ですからサッと外すことができる。

山中　大道香具師じゃないですけれど、サッと持っていけばスッと入る、スッと手をのばせばサッと取れる。ほんとに目をつぶっていてもできますね。このレコードのかけやすさという点は、現在のターンテーブルに一番欠けている面でしょう。本当にガラードと同じようにレコードのかけやすいターンテーブルを、日本のメーカーにもつくってほしいですね。

スイスの精密機械工作が生んだ傑作トーレンスTD１２４

山中　ガラード３０１の話をしているとキリがないのですけれど、この辺で、ガラードのライバル、というわけでもないですけれど、ターンテーブルのもう一方の旗頭とも言うべき、トーレンスのＴＤ１２４についてお話していただこうと思います。

トーレンスはもともとはオルゴールの製造から始まったスイスの会社なのですが、手巻き蓄音器の頃からのメーカーで、精密機械工作には十分慣れていて経験もありましたし、ＴＤ１２４を出す前にはレコードカッティング用のターンテーブルとかいろいろなオートチェンジャーを出していましたね。

トーレンスTD124。全体に角をおとし、微妙に変化する曲面で構成された、古き時代の典型的なヨーロッパ製オーディオ機器のデザインが美しい。

岩崎　アメリカの市場で評判をとった、４３とか８３など製品名が2桁番号の、オートチェンジャーがありましたね。その辺で基本型の高級品のＥ５３を出した。

山中　そういったオートチェンジャーを作っていた経験をベースにして、それから全く離れた形でマニュアルのターンテーブルの本格的なものをつくったわけですね。

この製品が現われたのはガラード３０１よりかなり後で、一九五七年か五八年頃だと思います。時期としてはモノーラルＬＰの後期、ステレオになる直前ぐらいに製品が出されたという感じで、ステレオ化への胎動がすでに製品に感じられますね。また、開発された時期がガラードより新しいだけあって、性能的には、例えばＳＮ比ひとつをとっても、かなり大幅に前進した製品だと思います。なによりもこれはスイスの精密機械工業が生んだだけあって、各部の工作に対する考え方などが、ガラードとは全然違った意味で、またひとつのピークを成した製品ではないでしょうか。

おそらくアメリカ市場を相当意識してつくられたためでしょう、当時発売されていたいろいろなターンテーブルの特徴を全部盛り込んで、それをまたうまくまとめてありました。

長島　他のいろいろな製品の特徴をうまい具合に取り上げて、それをグレイドアップした形で取り入れてしまった。これは現在にいたるまで、トーレンスの考え方から抜け切れていない部分が多いですね。

例えば、ストロボイルミネーションを、ミラーを使って窓から監視するようなスマートな方法でまとめたのには感心しましたし、アームボードをモーターボードに組み込んで、ネジ三本でアームごと簡単に交換できるようにしたのもトーレンスが最初でしょう。その後この形式が流行しますね。

山中　この取り外し可能なアームボードには16インチのアーム用のものもあって、ほとんどのアームが取り付け可能でしたね。そして当時の海外の著名なアームメーカーはほとんど、トーレンスのＴＤ１２４用のプレカットしたアームボードをオプション部品として売っていた。このことからもわかるように、高級ターンテーブルのスタンダードとして、ひろくオーディオマニアの間に普及していたのですね。

長島　また、プレーヤーケースに取り付けた状態で、ターンテーブルの水平度の調整ができるようになっていますね。そして、この水平調整用のアジャストリングにはインシュレーターが内蔵されていて、ハウリング対策も考慮されているといったように、トーレンスの特徴をあげていくときりがないですね。

山中　アームの取り付けからハウリング対策まで、ターンテーブル単体でありながらプレーヤーシステムとして完璧に考えられている点では、ガラード301からかなり進歩していますね。

長島　そうですね。トーンアームを取り付けて、プレーヤーケースに組み込めば、コンプリートなプレーヤーシステムが完成してしまうのですから。

高性能を可能にした独創的な機構の数々

山中　内部に目を移すと、このターンテーブルの機構上での一番大きな特徴に、ターンテーブルの駆動方式としてベルトとアイドラーを併用した、いわゆるベルト・アイドラー・ドライブ方式を採用していることがあげられますね。

モーターの回転はまずゴムベルトでプーリーに伝えられ、直接ターンテーブルを駆動するのはアイドラーで、16・33⅓・45・78回転の4スピードの切換えをしています。この方式はトーレンスが最初に開発したもので、この方式を採用したことでモーターの振動をほとんどアイソレイトすることに成功しています。

長島　アイドラーに対する考え方も、ガラードとは違いますね。ガラードは写真で分るように、ターンテーブルに当たる周辺部の肉厚を厚くしてありますが、トーレンスはアイドラーの中心部の肉厚を厚くして、周辺部は薄くしていますね。これなどは、いかにしてモーターの振動をターンテーブルに伝えないようにするかという配慮の現われでしょう。

時期的にも、この製品が現われた頃から、ワウ・フラッターやランブル、SN比がより一層シビアに追求

トーレンスTD124／IIのターンテーブルを外して内部を見ると、ベルトアイドラー方式のドライブ機構の詳細がわかる。①モーターキャプスタン　②ゴムベルト　③エディカレントブレーキ用マグネット　④プーリー　⑤アイドラー　⑥クイックスタート・ストップレバー　⑦センタースピンドル軸受　⑧アームボード　⑨電源スイッチ／スピード切替レバー　⑩スピード微調ノブ　⑪ストロボ監視用プリズムミラー　⑫水準器　⑬レベルアジャストリング。

初期のTD124からの最も大きな変更点はターンテーブルが鉄製から非磁性体のものになったことで、その他にも細部ではモーターのサスペンションが改良され、ノブ類のデザインが角ばった感じに変わり、塗装がベージュからグレーになり、ゴムシートのパターンも変わった。

トーレンスTD124／IIの裏面。重量級ターンテーブルをドライブするのは右上に見える小さな4極インダクション型モーター。四隅にはレベルアジャスト用のリングに内蔵されたインシュレーターが見える。

されるようになってきていましたね。

岩崎　ＳＮ比ということに関しては、ガラードが出た時点で、アメリカではすでにマニアの間で、アイドラードライブよりはＳＮが優れるといわれた、ベルトドライブ方式が流行しはじめたのではなかったでしょうか。

山中　ガラードが現われたすぐ後に流行しだしたという感じだと思います。

岩崎　そこでトーレンスは、ベルトドライブの良さとアイドラードライブの良さを両方取り入れた。

山中　そうそう、うまい具合にね。

岩崎　ベルトドライブのＳＮ比の良さに加えて、アイドラードライブのトルクを確保しようという格好ですね。ある意味では、ターンテーブルに考えられることすべてを集約してしまい、それをスイスの精密機械工作の技術と非常に質の高い金属材料によってまとめ上げたターンテーブルですね。

長島　トーレンスが当時使っていた金属材料の質の高さ、これには本当に感心してしまいますね。例えば、インナーターンテーブルは鉄で、センターのソケットスリーブも鉄で、別にメッキをかけているわけではないのですけれど、全然サビていないんです。他の部分を見ても同じようなことが言えますね。現在ではこれだけの材料は、使おうにもちょっと手に入らないのではないでしょうか。

山中　モーターボードのダイキャストなども割と肉が厚いですね。肉の厚い鋳物はばかにされますけれど、トーレンスのようにこれだけきちっと仕上げるのは大変な技術ですね。また塗装も素晴らしいでしょう。

長島　非常に手のこんだ塗装方法ですね。とにかくガラードのターンテーブルはトーレンスにとって相当刺激になったでしょうね。ガラードには絶対に負けられるものかという意気込みのようなものが感じられます。

山中　また、この製品もガラードと同じように、エディカレント方式のブレーキを使って、スピードの微調整ができるようになっています。それからターンテーブルが二重構造になっていて、アウターターンテーブルをストッパーで単独に止めたり動かしたりすることができます。これはヨーロッパ系のプロ用の機械にずいぶん使われている方式で、クイックスタート・ストップが簡単にできるのが大きな特徴です。例えばＥＭＴの＃９３０stや＃９２８などもターンテーブルが二重になっていて、クイックスタート・ストップができるようになっていますね。ＴＤ１２４はこの方式を、コンシュマー用としておそらく初めて採用した製品でしょう。これらの機能が非常に巧妙にまとめられているのが、やはりスイス製ならではの持ち味ではないかと思うのですが。

長島　機械に対する考え方が、ガラードとトーレンスでだいぶ違うんですね。そこがおもしろいと思う。ガラードは割とどうでもいいところは割愛するけれど、トーレンスの方はそこのところを非常にシビアに追い込んでいくんですね。

例えば、センタースピンドルの先端にはちゃんとボールを入れて、しかもそのボールを大変複雑な方法でシャフトに固定したりしている。シャフトの研摩そのものも大変な精密加工ですし。

山中　精密さという点ではガラードとはちょっと格が違うという感じですね。

長島　そうですね。見る人が見れば、トーレンスの工作や加工精度は一段と格が上だということがわかると思います。スイスの持っている精密機械工業のセンス、それがずいぶん生かされていますね。

山中　ところで、トーレンスはガラードに比べて、また一段とトルクの小さい小型のインダクション型モーターを使っていますけれど、ターンテーブルは異常に重いわけですね。II型になる以前のＴＤ１２４ではその重量が11ポンド(約5キログラム)、これはおそらくコンシュマー用の製品としては一番重いターンテーブルでしょう。このことからもわかるように、ターンテーブルの質量で回転をコントロールするというトーレンスの思想がはっきりと出た製品ですね。

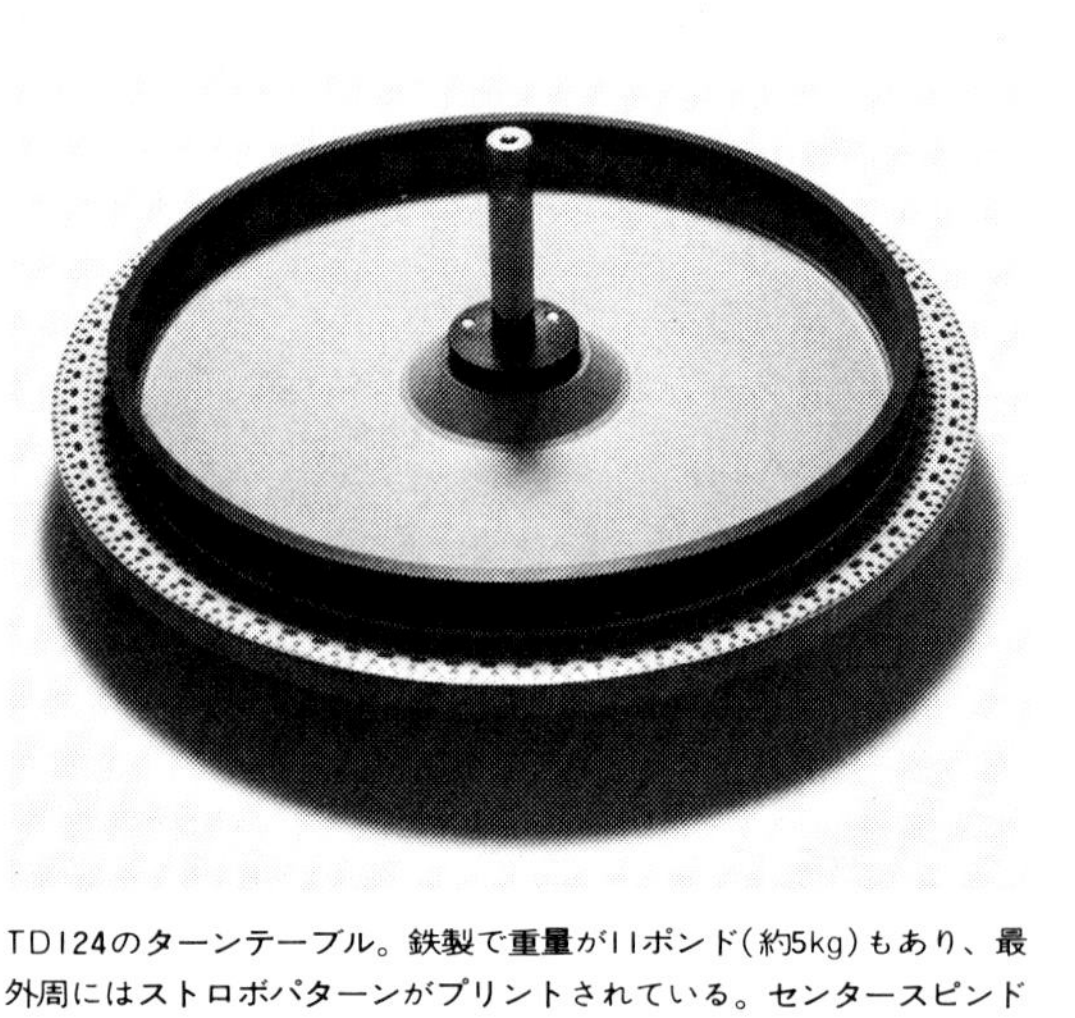

TD124のターンテーブル。鉄製で重量が11ポンド(約5kg)もあり、最外周にはストロボパターンがプリントされている。センタースピンドルの先端にはスラスト用のボールが埋め込まれている。

六〇年代のプレーヤー界を独占したトーレンス

岩崎　ＴＤ１２４の出現で、結局この後すべてのターンテーブルを商品としてシャットアウトしてしまったといっていいでしょう。

山中　まったくその通りですね。ＤＤモーターを使った製品が現われるまで、最高級ターンテーブルの名をひとり占めにしてしまったわけですからね。

岩崎　割とバラエティに富んでいるはずのオーディオマニアの嗜好をひとつに限ってしまったわけで、考え方によっては、プレーヤーの世界をえらくつまらなくしたと思うんです(笑い)。トーレンスが現われる前は、いろいろ変わったターンテーブルやプレーヤーがあって面白かったでしょう。

山中　レクオカットがあり、フェアチャイルドもありましたからね。

岩崎　それからプレストとかスコットとかグレイも出してた……。また、いわゆる電子制御のターンテーブルさえも当時出現して、着々と成果をあげつつあったのに、トーレンスが出たために全部が消えてしまった。

山中　本当にトーレンスは功罪半ばしますね、そういう意味では。

一九五八年にアメリカに現われてから十年間というものは、完全に市場を独占してしまいましたでしょう。一九七〇年ぐらいまでは大体トーレンスの時代なんです。

岩崎　もっと後、ＤＤが市販されるようになるまででしょう。オーディオ製品に限りませんが、これほど長年に渡って圧倒的な成功を納めた製品が世の中にあるだろうかと思って考えてみると……。

長島　本当に少ないですね。

岩崎　ちょっとないでしょう、フォルクスワーゲンくらいではないですか。

長島　他にも探せばあるかもしれませんが、後の世代にまで絶大な影響を与えたというのは非常に少ないと思います。

とにかく実際に使ってみると、われわれが使う範囲においてこのターンテーブルもガラード同様素敵なんですね。使い勝手がものすごくいいんだ。

山中　二重ターンテーブルでクイックスタート・ストップができるということが使い勝手に大きく寄与しているのでしょうけれど、最近よく言われている「ターンテーブルの音の良さ」から言うとちょっと問題があるのではないでしょうか。

長島　ぼくはそうとばかりはいえないと思うのですが。トーレンスはアウターターンテーブルの内側にクラッチが付いていて、このクラッチ面は補強リブも兼ねているのです。そしてこのクラッチ面がインナーターンテーブルにはめ込まれたゴムに当って一緒に回転するのだけれど、アウターターンテーブルのクラッチ面は粗面仕上げになっていて、スリップするということはないですね。その上、アウターターンテーブル自体かなりの質量を持っていますし、実に巧妙に考えられている。それにこのターンテーブルもゴムシートを乗せるとほとんど鳴りませんね。

ですから、いろいろと細かいところまで調べていくと、あながちターンテーブルを二重構造にしたから音が悪くなるということも言えないと思いますけれど。

TD124／IIのアウターターンテーブルに粗面加工されたクラッチ面（白く見えているところ）とそれを受けるメインターンテーブルに取り付けられたゴム。

山中　たしかにそうですね。しかしこの製品にも欠点はあって、発表された当初からの一番の泣きどころは、ターンテーブルが鉄製のためマグネチックカートリッジを使うと、ものによってはターンテーブルに吸い着けられて、針圧が増えてしまうのです。その後ＭＫIIに改良されて、ターンテーブルの材質が非磁性体になり、針圧が狂うというトラブルはなくなりましたね。しかしこの改良でターンテーブル自体の重量はだいぶ減ってしまいました。

ＭＫIIはこの他にも、モーターボードの塗装がベージュからグレーに変わり、各部のノブのデザインが丸味をおびたものから角ばった感じに変わり、モーターのサスペンション機構も改良されています。しかしこれは個人的な意見なのですが、トーレンス本来の味わいは鉄製ターンテーブルを使った初期のモデルにあるように思えるのですが……。

岩崎　そこは意見の別れるところでしょう。

ぼくがＴＤ１２４を買ったのにははっきりしたきっか

けがあるのです。今はなくなってしまったらしいのですけれど、十年くらい前に池袋に「オルゴール」という小さな喫茶店があり、その店に古いオルゴール、それも高さが2m近くもあって上の方がガラス張りで下が箱型になっている、ちょうど本箱のような格好をしているオルゴールがあったのです。直径が50センチくらいの真鍮製のピンを埋め込んだディスクが入っていて、これが実際に動くんですよ。すごい音で鳴りましてね。これがオルゴールか、オルゴールというのは本当はこういうものなのか！　とびっくりした。われわれの知っている掌に乗るようなのじゃなくて、すごい低音で床を鳴らし、オーケストラのような音を出すわけですよ。そのオルゴールをよく見たらこれがトーレンス製で、一八〇〇年代の製品なのです。その名前を見た時、トーレンスという会社は百年の歴史があるのかと思いメーカーとしての歴史とか伝統の重さを強く感じて、それであわててTD124を買ったんです。

その時に、海外メーカーのわれわれの知らなかった重味というのを非常に強く感じましたね。ところが重味があっても、具体的に製品が伴わないメーカーもないわけではない(笑い)。しかしトーレンスに限ってそんなことはありませんでした。TD124のおかげで、その頃の他の優秀なターンテーブルの影が薄くなってしまったくらいですから。

オーディオのからくり細工 トーレンスTD224

山中　高級ターンテーブルの代名詞のようなTD124ですが、このバリエーションとして〝マスターピース〟という愛称が付いている、オートチェンジャーのTD224がありますね。

これもまた大変な機械で、当時出ていたオートチェンジャーはほとんどがレコードは上からの落下式で連続演奏するようになっていましたが、TD224は別にレコードのストックヤードがあって、そこからレコードを一枚一枚専用アームでターンテーブルに運び、演奏が終わるとその下にある演奏終了後のレコード用のストックヤードに持っていく、これを繰り返す連続演奏方式で、普通のマニュアルプレーヤーと全く同じ一枚掛けの方法で演奏状態になるわけで、積み重ね式のオートチェンジャーとは全く違ったものですね。

長島　これを初めて見た時、ぼくはウインドーの外から一時間以上眺めていたのです。なぜ一時間も眺めていたかというと、どうやって専用アームがレコードをつまみ上げるのかわからなかったわけです(笑い)。

岩崎　ほんとに最初はわからなかったですね。

長島　一時間眺めて結局わからなくて、その後山中さんがTD224を手に入れたとうかがったので、真っ先に見せてもらったところ、なんとレコードの中心孔を持ち上げるんですね。

山中　中心孔の内周をつかむのですよ。ですから、レコードのレーベルは絶対傷付かない。当時の落下式のオートチェンジャーのように爪の跡がつかないのが特徴です。この辺はレコード愛好家の心理を非常によく考えていると感心しました。おそらくオートチェンジャーの最高傑作のひとつでしょう。

長島　とにかくこの機械の動き方は実に人間的というか、おもしろいですね。

レコードを最初にヤードから持ち上げる時の荘厳な様子、非常にしずしずと持ち上げていって、ターンテーブルの上にソーッと置くんです。演奏が終わるとまた専用アームが出てきて、レコードをしずしずとつまみ上げて、今度は下の方のヤードに持っていくわけです。それからがおもしろい。バッと離すのですよ(笑い)。一枚目のレコードが戻る時は、ほんとにゴミでも捨てるような感じで離しますね。

山中　この専用アームを動かすことからターンテーブルの回転まで、何から何までやっているのが、なんとTD124と全く同じトルクの小さなかわいらしいインダクション型モーターひとつなんですね。

長島　こういったところに、トーレンスのメカニズム屋の持っている性格が全部出てきているような気がしますね。

TD224の動作を示す写真。このように専用アームがレコードを1枚1枚ストックヤードからターンテーブルに運んでくる。

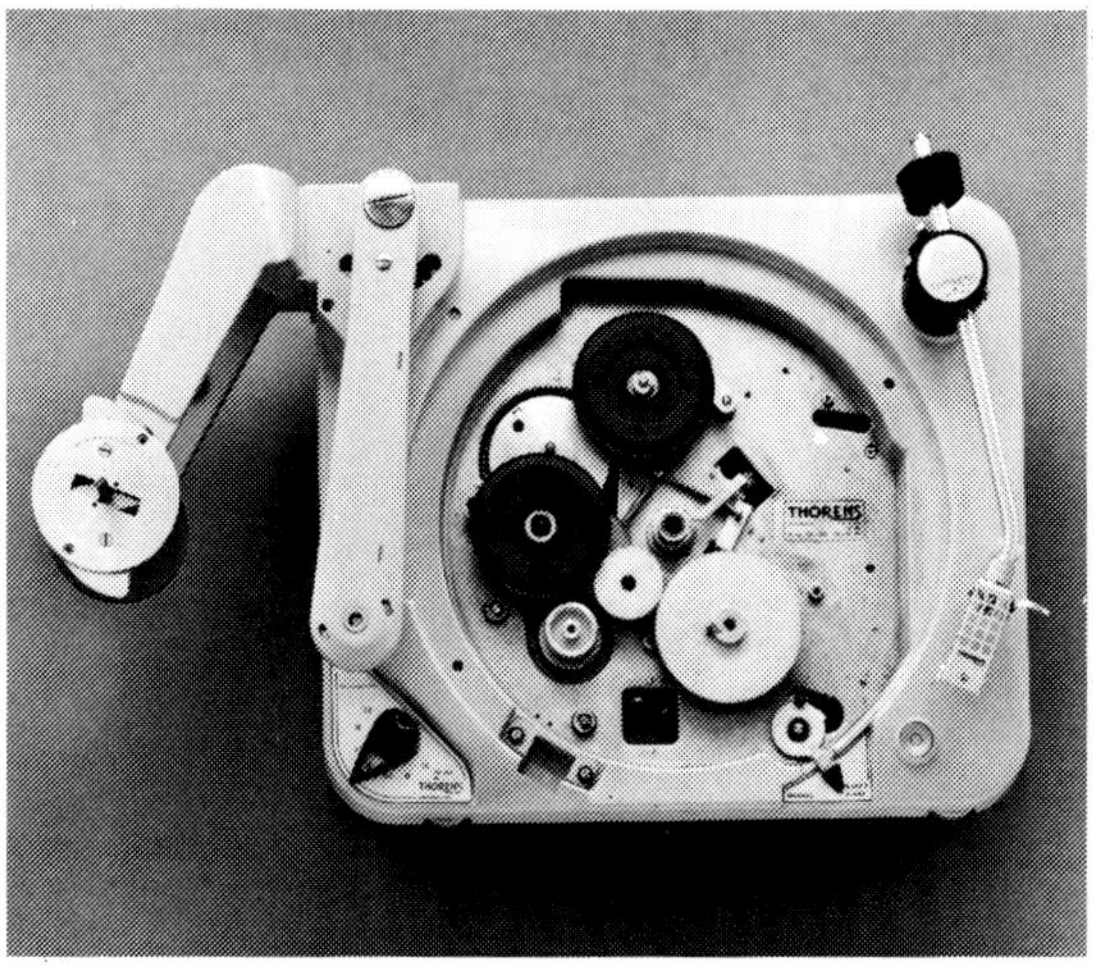

TD224のターンテーブルを外すと現われるオート用メカニズムは、一見他のオートチェンジャーと大差ないように見えるが……。

裏側にかくされたこの複雑なオートメカニズムを動かすのは、TD124と全く同じ小型の4極インダクション型モーターひとつだ。

力の弱いモーターでいろいろなメカニズムを動かすと、メカニカルな抵抗——ガタだとかバックラッシュなど——があったらスムーズに動かなくなってしまうわけです。そこのところを、死にものぐるいで（笑い）切り抜けていますね。

岩崎　機械的な抵抗が少ないからこそ、こんな小さなモーターひとつですべてのメカニズムが動くのでしょうね。

山中　ある程度ターンテーブル自体の持っているイナーシャを利用してメカニズムを働かせていますから、動作の途中で電源コードを抜いたりすると完全にジャムって（歯車などがかんで止まる）しまう。

岩崎　たいへんなことになってしまうんですね。ワンモーション終わらせないとターンテーブルを外さない限り絶対にもとに戻ってくれないですから。

長島　とにかく、歯車やカムの機械抵抗の少なさと、ターンテーブルの持っている回転エネルギーのバランス、これは絶妙ですね。

山中　アメリカの製品に多い、力で押すという感じではなくて、芸術的ともいえる繊細なメカニズムなんです。

岩崎　レコードが早く来ないからと言って、レバーを押したりすると、スタート点から狂ってしまいますね。ちょっと同期がずれてしまう感じで、一旦そうなってしまうと仲々もとに戻らないでしょう。ですから完璧に、まさに芸術的につくられたものだけに、使う方もこの芸術性を尊重しないと（笑い）。

山中　トーレンスはＴＤ１２４とＴＤ２２４を出した後、一九六〇年代の後半に西ドイツのＥＭＴの傘下に入り、西ドイツで生産されるようになりました。そのため以前のトーレンスの持っていた良さと、現在のＴＤ１２５／IIなどのトーレンスの良さとは、だいぶニュアンスの違ったものになりましたね。

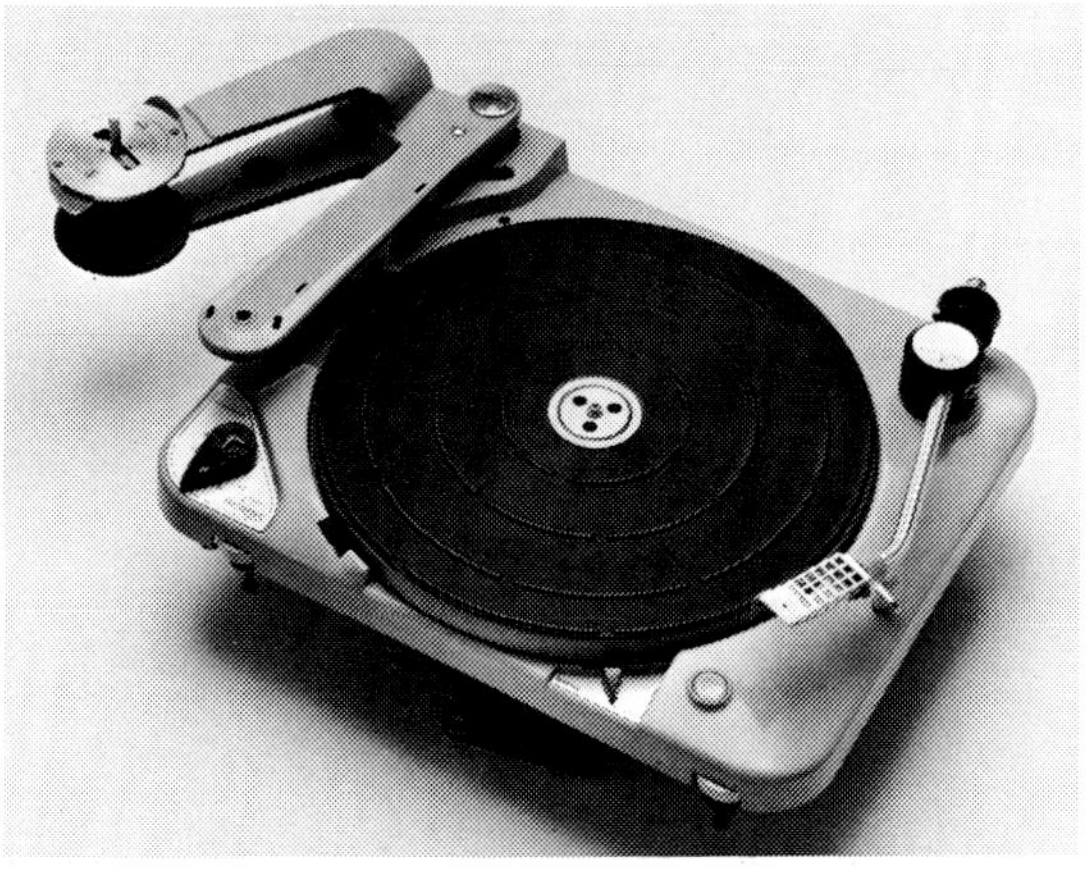

トーレンスTD224“マスターピース”レコードを傷付けることなく連続演奏を可能にしたオートチェンジャーの傑作。現在のEMTのプレーヤー用のアームの原型となったダイナミックバランス型のアームには、本来はプラスチック製のヘッドシェルが付属する。

ガラード、トーレンスが名器たり得た秘密は？
ターンテーブルの現役製品に望みたいこと

岩崎　トーレンスにしてもガラードにしても、現在のプレーヤーから見ると、なんとなく古色蒼然というか、雰囲気としてやはり古いと思いますけれど、逆になんとなく人間的に感じられるのも確かですね。

山中　ＴＤ１２４の全体の丸い、角を落したなんとも言えない曲線、これはちょっと他にないですね。まさにヨーロッパの曲線《アール》でしょう。

岩崎　なんとなく肌で感じるというのかな、触って感じるという面でのヨーロッパ製品の特徴を、機械工作の上にまでも強く出しているのがトーレンスやガラードではないでしょうか。

長島　岩崎さんのおっしゃった古いということですけれど、ここにある機械はかなり昔につくられ、時代の荒波に十何年ももまれて来ているにもかかわらず、その年月の経過をあまり感じさせないと思うのです。

たとえ一時期忘れられてしまい、蔵の中に入れられたとしても、再びこうして目の前に出して見ると、先程のヴィンティッジカーの例えのように、また新たな魅力を感じますものね。ところが、今つくられている新しい製品は、これはおそらく二～三年したら本当に古くなってしまうのではないでしょうか。

山中　より新しい製品の出現で陳腐化してしまうでしょうね。

長島　その意味で、本当に古いのか新しいのかということを、今こそ考え直さなければならないのではないかと思います。

本質に対して非常に忠実につくられた機械は、結局はエバーグリーンじゃないのかな。

岩崎　使う目的の本質に一番忠実だということが、製品の上に現われているものは、生き残っていくことができるのでしょうね。

山中　この名器シリーズの対象にしていこうという製品は、生産されていた当時、他にも優秀といわれたオーディオ機器はたくさんあったにもかかわらず、現代まで生き残ったものでしょう。これはやはりひとつの傑作なわけです。おそらく、今市場をにぎわしている製品の中からも、ほんのわずかでも将来に残るものが出てくると思います。

長島　年月が経ってみないとわかりませんが、可能性はありますね。

岩崎　たしかに将来に残るオーディオ機器はこれからも出てくるでしょうが、しかし、ガラード、トーレンス、どちらを見てもメカニズムで最高の性能を得ようと、非常に手をかけてつくっていますね。ところが今のプレーヤーはエレクトロニクスにすべてを頼ろうとしている。エレクトロニクスというのは、早く言えば、良いものの普遍化が大前提にありますからね。よりよい性能を、より多くより安くつくるためにエレクトロニクス化するわけで、そういう点からすれば、ガラードやトーレンスは明らかに現代の新しい製品より性能的には落ちるかもしれない。しかし、何かやたら信じられないほど手がかかっているということが、現在の製品との間に境界を生んで、隔絶たる地位を得ていることの裏づけになっているのではないでしょうか。

長島　エレクトロニクス化もぼくは悪いことだとは思わないのです。ただ、エレクトロニクスを手抜きの手段として使っているように感じられることが多いので、そんな製品を見ると非常に嫌な感じがします。

山中　特に、ターンテーブルやテープデッキなどのメカニズム系のものがエレクトロニクスを導入していくということは、この過程でメカニズムをどんどんエレクトロニクスで置き換えて、非常にコストダウンするというか、高水準のメカニズムで得られるのと同じような性能を、より安く可能にする、エレクトロニクスで代替えできるようにしていこうというのがそもそもの発想ですからね。

岩崎　現実に、確かにエレクトロニクスを使えば、よりよい精度がより安い値段で達成できる。そういう意味での性能向上にはなると思いますね。

長島　しかし、手抜きは一切せずに本当に手をかけた高精度のメカニズムをつくって、そのサポートに現代エレクトロニクスが使われたら、つまりあくまでも性能を高めるためのサポートの手段としてエレクトロニクスを使ったら、次元の違ったものができるでしょうね。そのとき初めてトーレンスやガラードの製品が古い、とはっきり言えるようになるでしょう。ところが、今これらが古いとはっきり言い切れないこと自体に、何か根本的な問題があるような気がするのです。

山中　そういう意味で、オーディオ界はいま一番過渡的な時なのではないでしょうか。しかし、メカニズムとしての基本がどうしても守られていなければ、本当にいいものはできないということが、少しずつとはいいながらも、わかりかけていることも確かですね。

長島　本当に優秀なメカニズム、優秀なエレクトロニクス、これがプラス面に作用したら素晴らしいですね。こういうものは、やはり現実の製品として具現化して欲しいですね。

山中　オーディオ機器の場合、最終的には音の良し悪しが製品を判断する上での大きな要素ですが、ターンテーブルの場合はこの辺で非常に難しい問題がある。これは大体音のしないもの、機械なわけですから、少しでも余分な音が出てはまずいでしょう。余分な音のいっさい出ないターンテーブルの出現を期待したいですね。

オーディオの名器にみる

クラフツマンシップの粋④

JBL D30085 ハーツフィールド

鼎談＝岩崎千明／長島達夫／山中敬三

JBL D30085 HARTSFIELD

JBLがスピーカーメーカーとしての名声を確立するに至った原動力となった同社初期の最高傑作のひとつ。本来はプロフェッショナル用（主としてシアター・サウンド・サプライ）として設計／開発された375ドライバーと150-4Cウーファーを、このシステムのために新たに開発された537-509ホーン／レンズとフロントローディングの低音ホーン型エンクロージュアに組み合わせている。

高級蓄音器の影響から抜けきれないでいた当時のスピーカーシステムのデザインに革新をもたらした姿は今日でも見る者をひきつけずにおかない魅力をもっている。木目の美しさをモダンデザインに生かしたエンクロージュアと金色のフォールデッド・スラントプレート・レンズの調和が見事で、インテリアの造形物としても完成度が非常に高い。

現在もメインシステムとして活躍中のハーツフィールド（撮影協力＝中西康雄氏）

JBL Model D30085 HARTSFIELD

オーディオの名器にみるクラフツマンシップの粋——(4)

JBL D30085 ハーツフィールド

鼎談＝岩崎千明／長島達夫／山中敬三

シリーズ初の スピーカー登場

山中　今回はこのシリーズで初めてスピーカーシステムを取り上げるわけですが、その第一弾としてJBL初期の傑作といわれる、"ハーツフィールド"にスポットをあててみようと思います。

　JBLはスピーカーメーカーとして一九四六年にできた会社なのですけれど、同社の創立者である天才的なエンジニアのジェームス・バロー・ランシングが設計・開発したコーナー型システムD1005を発表し、これが非常に評判をよびまして、その次にD1005をさらに上回るシステムとして開発されたのがD30085ハーツフィールドなのです。このスピーカーが発表されたのは一九五三年頃、ちょうどLPレコードがステレオになる四〜五年前のモノーラルLPの全盛時代だと思います。

　このスピーカーは、JBLのエンジニアであったハーツフィールド氏が設計したためその名が冠せられたといわれていますが、このハーツフィールド氏の人となりについては、非常に優秀なエンジニアであったらしいということぐらいしかわからないのです。JBLでは、創設者のJ・B・ランシングとハーツフィールド、そしてレンジャー・パラゴンを開発したパラゴン大佐が過去の歴史に残る、そして一般にも名前のよく知られた有名なエンジニアでした。

　ハーツフィールドは、JBLが発足当初から一貫して進めていたプレッシャー・ドライバー、いわゆるホーン型スピーカーの理論を推し進めて、ウーファーを含めて全帯域ホーンロード・システムとしてコンプリートした第一作になるわけです。しかも完全な家庭用に設計されたスピーカーシステムで、非常に美しく仕上げられており、外観・内容ともにとにかく当時の技術の最高水準を投入したものでしょう。

　このシステムは当時の高級スピーカーがすべてそうだったように、いわゆるコーナーホーン型システムにまとめられています。そして同社の最高級ドライバーユニットの375を家庭用のシステムに持ち込んだのは、このハーツフィールドが最初であり、そのためにわざわざ特別なホーンをつくっています。この537—509というホーン／レンズは見ればすぐわかる通り、完全にハーツフィールド・システムの一部として設計されたもので、音響レンズの一種であるスラントプレートを折り曲げて奥行きを縮め、スペース的に狭い場所に格好よく収められるよう考えたものです。

岩崎　たしか日本には河村電気研究所が初めて輸入したんですね。河村さんのところは割と新しいものに対して意欲的ですが、米国でもやっとJBLが有名になり始めた頃すでに日本に入れていた。JBLのスピーカーシステムなんていうのは、オーディオを非常によく知った人が名前をぼちぼち言い出したぐらいで、一般のユーザーはほとんど知らなかったし、アメリカでも大きな評価を得る前のことですね。その頃すでに日本に輸入されていたということは、いまにしてみると驚くべきことだと思うんです。

　たしか第二回のオーディオフェア(編注　昭和28年)で、河村電気のコーナーに何気なく置かれてあったわけです。音響レンズの金色がアクセントとして決まっていて、木目の美しさといい、ぼくはこれを見たときには、これでもスピーカーなのかと思いました。聞きしにまさる見事さに、きっとこれはすごいスピーカーなのだろうと思ったわけです。だから戦後のわれわれの世代の者にとっては、JBL＝《イコール》ハーツフィールドに思えるのではないでしょうか。

山中　JBL自身も最近出したリーフレットに、ハーツフィールドはJBLのこの時代のひとつの象徴的なスピーカーであったとはっきりうたっていますね。明らかに一時期を画したスピーカーだと思うんです。JBLが最高級ユニットを使って素晴らしいデザインにまとめたシステム、その完成した第一作がこのハーツフィールドだと思うんです。

時代を画した 斬新なデザイン

岩崎　ハーツフィールドまでの大型スピーカーは、大体においてフロアー型の蓄音機、つまりクレデンザのような形から発展した格好でつくられていましたね。当時のパトリシアンもそうだし、英国系のスピーカーもほとんどが、いかにも本箱とか蓄音機といったイメージにつくられていた。そういうものを一切無視して——というよりぶち破ったというか、非常に新しいデザイン感覚で登場したといえますね。木目の持っている美しさと質感を非常に重要視して、当時のモダンデザインの最先端で、それと金属の質感、黄金と木のコンビネーション、それらを凝縮し、インテリアのオブジェとしての完成度が非常に高い傑作ですね。スラントプレートのすき間さえひとつのデザインになっているわけです。強い個性を持ちながら、それが非常に高いレベルにあった。まあいまにしてそう思いますが、これが出現した時は余り変わった格好なんでびっくりして、これがスピーカーかなあ?と思ったが、出てきた音を聴いてまたまた驚きましたね。

山中　音の印象は強烈でしたからね。第二回のオーディオフェアの時、岩崎さんお聴きになりました。

岩崎　ええ、無論。鮮明さに驚いてから、スピーカーの置かれたコーナーに上がって聴いていいかって尋ねて、スピーカーの前を行ったり来たりしてみたのですけれど、聴く位置が違っても、音が変化しないのにはびっくりしました。指向特性がものすごくいいんでしょう。これが本当にスピーカーから出る音か、と思いましたね。

長島　たしかにおっしゃることはよくわかるような気がしますね。ハーツフィールドに使われているユニットは、もともとは劇場を中心とした広い場所で強いエネルギーを放射するためにつくられた、シアターサウンド・サプライ用のドライバーでありウーファーだったわけですね。その強力なスピーカーユニットをなんとか家庭の中の再生装置に持ち込もうということをJBLがやったわけでしょう。

山中　そこがおもしろいところですね。ハーツフィールドに使われている375ドライバーユニット、それから150―4Cウーファーは、二つとも完全にシアターサウンド・サプライ用に設計された、スクリーンの後ろに置く大型ホーンシステム用ユニットなのです。これを家庭用の強力なシステムに、ともかく破綻なくまとめ上げた。これは大変な力量といえますね。

長島　家庭用のシステムとして破綻なくまとめ上げたことが、さっき岩崎さんがおっしゃった、なにか違和感はあるけれど、こいつはすごいという感じを与えたのではないでしょうか。

山中　劇場用としても使えるような低音ホーンとかホーン型HFユニットを普通そのまま組み合わせてまとめると、ものすごくごつい感じになりますけれど、ハーツフィールドはそれが全く裏に隠されて、きわめて巧妙なデザインに仕上げられている。これがやはりその後パラゴンなどの数々の優秀なデザインのシステムをつくり出す原動力になっているのでしょう。

長島　スピーカーのもとをたどっていくといくつかの源流に分かれるのですけれど、そのひとつであるウェスタン・エレクトリックの流れが途中から二つに分かれて、一方はいうまでもなくアルテックですね。そしてアルテックはシアターサウンド・サプライに徹していった。一方、同じような基本的構想をもちながら、家庭用システムに徹していったのがJBLといえます。そして家庭用の最高のスピーカーを目指した結果生まれたのがハーツフィールドでしょう。ぼくはこの辺に〝アメリカ〟を感じるんです。ヨーロッパだったらおそらくこんなばかなこと――あえてばかなといいますけれど――はやらなかっただろうと思う。

山中　こんなスピーカーを家庭に持ち込むなんてことは当時の人だってあまり考えなかったでしょうね。

しかしおもしろいことに、アルテックもこの時期には、たとえばラグーナとかいろいろな形でプロ用ユニットをそのまま家庭用として使えるようなデザインのキャビネットに納めたシステムを発表しています。ところがアルテックは家庭用の高級システムを手がけることを一時やめて、プロ用システムに徹する時期があるんですが、JBLはあくまで家庭用のシステム中心に発展してきたといえますね。

とにかくハーツフィールドが発表された時の人々の反応の大きさは、いまの人にはちょっと想像つかないでしょう。その頃のアメリカのオーディオ誌を見ると、三ヵ月前くらいから予告広告が出てまして、それが何回目かにやっと発表されたわけです。その後は「ライフ」誌にまで紹介されたそうですね。

長島　とにかくこのスピーカーには無駄が全然ありませんね。結局、当時のJBLのユニットを使って、それを完全にローディングして、マッチするようにHFユニットを組み合わせると、ひとりでにこういう姿・形になってしまう。装飾のためにねじ曲げたようなところが全然ないでしょう。

山中　よくわかってみると、非常に機能に徹した格好ですね。それでいて美しい。これこそ本当のデザインといえるでしょう。

基本的にはウェスタンの当時からある、いわゆるフロントロードの折り曲げホーンの構造をモディファイしてこういう形にまとめ上げている。発明ではなくてモディファイなのですけれど、その見事さ、これがハーツフィールド氏最大の業績でしょう。

特徴的なフロントロードホーン

山中　それでは実際に、特徴のある内部構造のことに触れていきましょうか。

低音部は構造図を見ていただくとよくわかると思いますが、コーナー型の折り曲げホーンになっています。これは、いわゆるフロントロードになっていて、ウーファーの後面からのプレッシャーは全く使っていません。ウーファーは完全にクローズドチェンバーの中に納めて、フロントからだけエネルギーを放射しているわけです。ですから、ホーン型スピーカーとしては非常にベーシックなスタイルのシステムだと思うんです。現代のブックシェルフを見なれた目からは大型のシステムに見えますけれど、低音ホーンとして考えた場合、かなり小型な、コンパクトなシステムといえますね。なぜコンパクト化できたかというと、コーナー型ホーンという形態をとって、部屋のコーナーをイメージホーンとして利用しているからです。

図を見てもわかるように、普通の折り曲げホーンの構造とは全く違った、非常に複雑で巧妙な構造ですね。

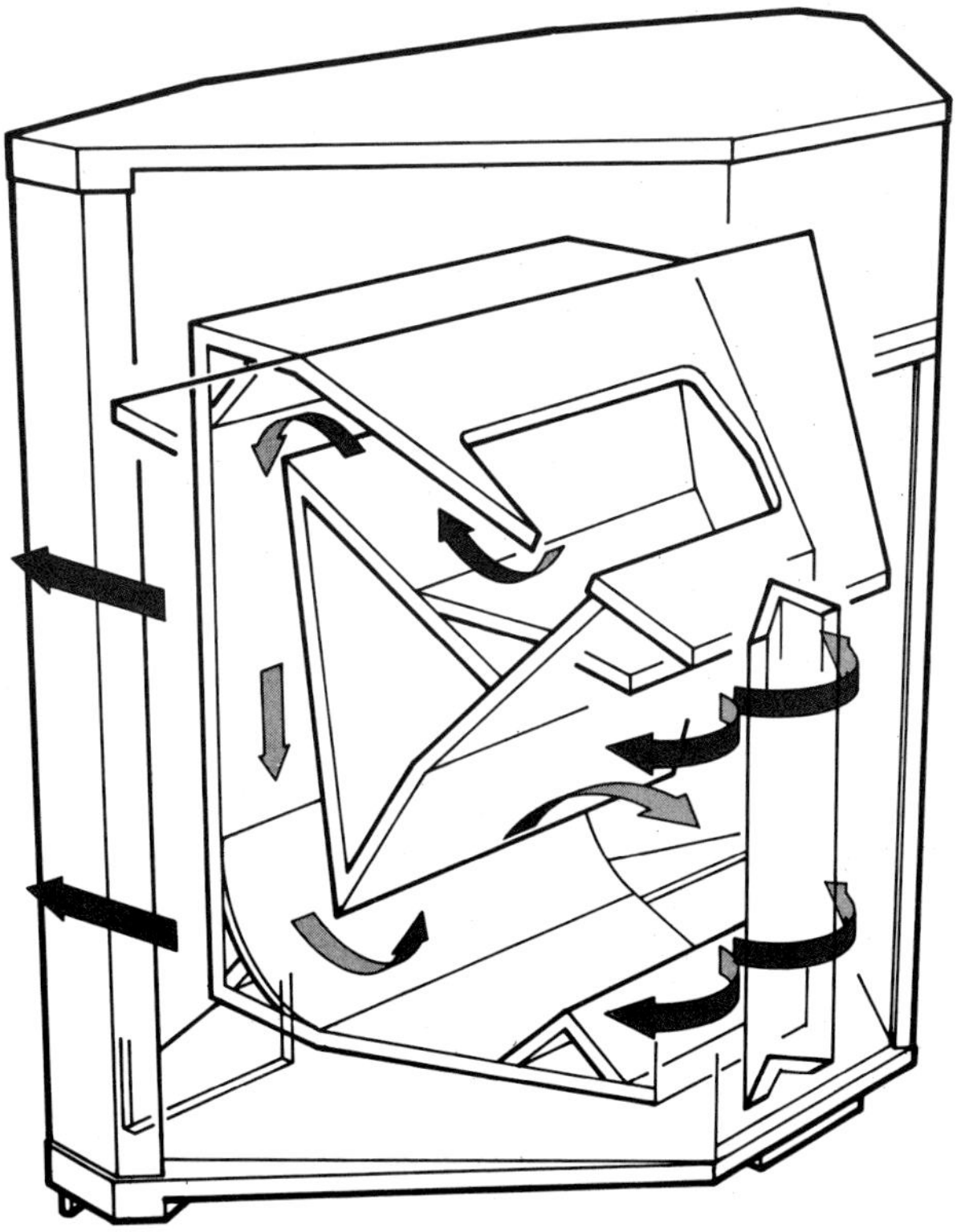

ハーツフィールドの低音フロントロードホーンの構造図

ハーツフィールドからHFユニットとサランネットを外したところ。低音ホーンの開口部とそのシーリングの様子がわかる。

岩崎　当時は、クリプシュ型のホーンが多かったですから、ハーツフィールドもクリプシュ型のホーンの一種だと思っていらっしゃる方が多いけれど、構造的には明らかに違いますね。

　ユニットが上部に、斜め下を向いてついていて、まず下へ向かって貫通して、一回曲げられたのち、そこからちょっと上にあがるような感じになって、その先で左右に分かれて外に放射されるようになっています。

長島　このホーンは長さとフレアーを出していったら、いわゆるホーンの理論と合わないところが出てくるはずなんです。たとえばホーンの全長にしても短いし、フレアーも違うし……。音のいいホーンといわれたものは大体みんなそうですね。ホーンの理論にある程度はのっとっているけれど、その先は独自の設計になっている。

山中　このホーンは、エクスポーネンシャルホーンの理論でつくられたものではないですね。あまりノドを絞らずに、フレアーもエクスポーネンシャルに広がるのではなくて、割とストレートホーンのような感じでいって、最後で広げてあり、そしてそのところでスパッと切ってあるでしょう。

岩崎　長さの割には比較的ひろがりの少ないホーンですね。ということは、ほとんどのＪＢＬのＨＦホーンと考え方が似ているんですよ。

山中　これはＪＢＬのホーンに対するひとつのポリシーなのでしょう。実際はもっとカットオフの低い、長いホーンを途中で切ったという感じで使っている。そして、切ったところまでではなくて、その先の理論値ではあるであろう帯域まで使おうというのがＪＢＬの考え方ですね。それゆえに、使用帯域からすれば非常にコンパクトにできて、長大になる低音ホーンを何とか家庭用システムに収めることに成功したのでしょう。

岩崎　ましてこの場合はコーナー型ですから、両側の壁と床を延長ホーンとして有効に使えますからね。

山中　これだけの開口面積でオーディオ帯域の下の方をカバーしようとしても無理なわけです。そこで、あくまでも下の方はイメージで伝え、最低域はあきらめるという考え方ですね。その上のハーモニックスをきれいにうまく出して、あたかも下の方の音が出ているような感じにしようとしています。

長島　その辺が昔の人の非常に知恵のあるところだと思うんです。最低域を一所懸命出そうとしても、そしてたとえ出たとしても、その上にオーバートーンがきれいにのってくれなければ本当の低音にはならないんですよ。うまくのらないのなら、むしろ最低域のファンダメンタルの量は少なくても、ハーモニックスをいかにきれいにのせるか。そうした方がよほど低音の感じが出てきますからね。当時の設計者――これはＪＢＬだけに限らないと思いますが――シアターサウンド・サプライをやっていた

ウーファーを取り外して低音ホーンのスロート部分を見る、木材の接合部は完全にシールされている。

150-4Cのバックチェンバーの天板はゴム質のパッキングでシールされ、米松の合板を3枚重ねた補強材が取り付けられている。

連中は、それを完全につかんでいたのでしょう。

山中　最低域をあきらめて、その上のオーバートーンをうまく再現して、それで全体の帯域をカバーしようという考え方は、JBLのその後のスピーカーシステムにも共通していますね。ごく最近になって、ブックシェルフが主流になるようになってからは、低域を周波数特性の上でも伸ばすようになってきた。

岩崎　ところが、二十年以上も前のスピーカーを使って、それで新しい非常に低い音まで入っているレコードを聴いてみても、立ち上がりのよさという点でも、いまのスピーカーに比べて全然ひけ、ひけをとらないどころか、こちらの方がむしろいいですね。量感も十分あるし……。

山中　たしかに、ロックのエレキベースの音とか、パイプオルガンのペダルの音などの基音は聴こえないんですよ。

岩崎　しかし、低音のフッとした、最初のところの音はけっこう出ますから、立ち上がりのよさを非常に強く感じますね。

山中　音楽で一番重要な帯域はどの辺かというと、100Hzからせいぜい1kHzくらいまででしょう。この間にほとんどの成分が含まれている。それから、上のHFホーンが受け持つ音でも、その基音はほとんどこの帯域に含まれています。ですからその辺をガッチリ押えると、再生される音の質が非常に高くなる。これがハーツフィールドの一番大きな特徴でしょう。

岩崎　最近ちょっと使ってみてわかったのですけれど、このシステムは低音は建物ぐるみで考えるべきスピーカーで、スピーカー単体ではどうも低い方が出ない感じになるけれど、部屋ぐるみでうまく使えば、ローエンドを十分に出すことも決して夢ではないのではないかしら。

山中　しっかりした床の、ガッチリしたコーナーに置いた場合は、このシステムの低域はすごいですね。

長島　とてもほかでは聴くことはできないでしょう。

山中　低音ホーンの材質を見ても、米松の非常に乾燥した——これは二十年もたった後で見ているためもあるのでしょうが——合板を使って、非常に強固に仕上げてありますからね。

日本にハーツフィールドが最初に入ったのを見た時は、裏側がずいぶんラフに仕上げてあるので、値段が高い割にはお粗末な仕事だなと思ったのですけれど、いまにしてみればよみ、よみが足りなかった(笑)。

長島　手をかけなければいけない部分とクォリティにあまり関係ない部分で仕上げ方がはっきり違っていて、合理的に、しかも非常に神経を使って組み立てていますね。

山中　たとえば、ウーファーのホーンのプレッシャーチェンバーの部分はゴム質のパッキングを入れて完全なエアータイトになっているし、ホーンの各接合部分は全部シーリングがほどこされているといったように……。

長島　バックチェンバーの上板も興味深い構造になっていますね。非常にぶ厚い補強材が貼ってあります。大変な圧力がかかるところですから、この部分が弱かったらどうしようもない。変なモードで板を共鳴させないためと、もう一つはバックチェンバーの容積の調整をしているわけです。この横木の切り方ひとつにしても、ちゃんとR《アール》をとって切っていて、非常に細かく神経がはらわれている。しかもこれだけの厚さをムクの木にしていますね。いまのスピーカーなら、箱にしてしまって中にグラスウールでもつめ込んで、強度的にはこれで十分だ、とやるところなんでしょうが……。

良質な低音再生を可能にした150-4C

長島　ハーツフィールドに限らず当時のシステムがなぜオーディオの最低域を犠牲にして、ホーンロードに固執したか、そのもうひとつの理由に、ウーファーの振幅を小さくしたかったことがあると思うのです。

良質な低音を再生するためには、実は、オーバートーンのかなり高いところがきれいに出て、基音とのバランスがよくて、それから位相の問題、これらがきちっとしていないと駄目なのです。するとウーファーは、変な話だけれど、かなり高い音まできれいに出さないといけない。

山中　そのためにはあまり大きな振幅はとれないわけですね。

長島　それから折り曲げホーンにしても、何回も折り曲げてウーファーとして重要な帯域であるオーバートーンの部分を減衰させることはできない。そうするとひとりでにホーンの全長は決まってしまい、折り曲げ回数も決まってくる。当然、ファンダメンタルに対するエアーローディングも決定される。その上で、ファンダメンタルに対するオーバートーンのバランスを取る。その辺のバランスの、非常にうまい解答のひとつがハーツフィールドだったんじゃないかという気がするんです。

山中　ハーツフィールドに使われている150―4Cというウーファーは、非常にコーン紙が硬い上に、f_0もかなり高いでしょう。

長島　こういう硬くて、しかも軽いコーン紙は最近のスピーカーには全く使われなくなりましたね。指ではじくと、パチン！という手ごたえがあるんですね、このコーン紙は。

岩崎　薄いセルロイドみたいな感じですね。そして強度の割には軽いコーンですから、能率も相当高いでしょう。

山中　マグネットもD130系と比べると½ポンド重いんです。ですから、システム全体としても非常に能率の高いスピーカーですね。

ハーツフィールドに使用されているユニット

150-4Cウーファー

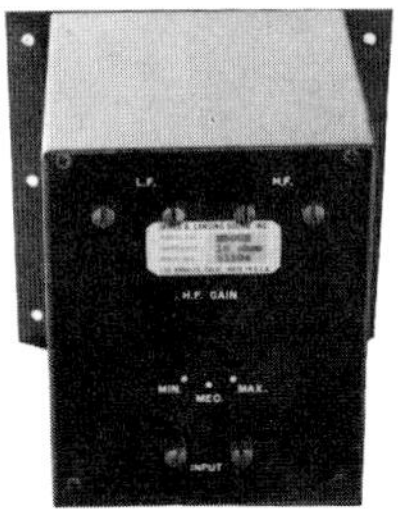

N500Hクロスオーバーネットワーク

375ドライバーユニットと537-509ホーン／レンズユニット

岩崎　ハーツフィールドの場合、ウーファーの後面は密閉されていて、その容積も決して大きくないわけで、その中に15インチのウーファーが入っていて、しかもホーンに通じる開口部も大変小さい。ですから、あまり大きな振幅は出せないですね。後ろの空気に押えられてしまうわけですから。すると当然のことながら、振幅を大きくして低音の量感を出すのではなくて、プレッシャーとして必要なものを出すということだけを考えたのに違いないので、要するに完全なホーンドライバーというわけですよ。コーン型のスピーカーで、振動面積はたしかに38センチで大きいけれど、考え方はあくまでもホーンをドライブするための、いわゆるプレッシャードライバーとしてつくられているのですね。

長島　昔の低音ホーンに使われていたユニットはみんなそうですけれど、方便としてコーン型スピーカーを使っていたという感じですね。

山中　大きなドライバーユニットをつくりたかったのだけれど、できないから……。

長島　結局コーン型のいいユニットを使うのが一番いいということなんで、普通のフリーエアーに音を放射するコーン型スピーカーとは、考え方が根本的に違うはずですね。この場合、コーンの前にかなり長大な空気柱を背負っていますから、振幅はそれほどとらなくても低音は出てくるわけです。当然このような目的で使われるスピーカーは、作り方も変わってくるわけです。

スピーカーの性質を知りつくしたネットワーク

山中　ただこの低音ホーンにも弱点はあって、フォールデッドホーンという以上、必ず高域は減衰してしまうわけです。折り曲げるたびに減衰するから、実用上の高域が限定されてしまう。そこでJBLは、ネットワークの方でそれをなんとか補おうとしています。

　このハーツフィールドのネットワークは、ウーファーの高域をほとんど切っていないのです。一応、L（コイル）だけは入っていますが、6dB／octで、しかも非常に高い方だけ切っているようですね。

　HFユニットの方は、完全な12dB／octで、大体500Hzぐらいから低域をスパッと切っています。

長島　マルチウェイのスピーカーは、たとえば3ウェイならば、スコーカーはウーファーに対しての、トゥイーターはスコーカーに対してのオーバートーンをどうやってうまくのせるかが問題になってきますね。ですから、そこら辺でネットワークは単純に6dB／octや12dB／octでつくればいいということではなくなって、ケースバイケースでカットオフや減衰量も変化するわけです。

山中　HFユニットの方は500Hzで切っていますけれど、ホーンの大きさや開口面積からいって、500Hzから完全にロードがかかるわけではないでしょう。

長島　これは375の方とも関係してきますが、HFホーンは、ロードが完全にはかからない帯域まで動作させていますね。

山中　その辺を今度はウーファーの方がアシストして、うまく両方のユニットをつなげるというネットワークでしょう。だから、普通の500Hzでマイナス3dB落ちのクロスオーバーネットワークを接いだら、まともな音にはなりませんね。

わたしもずいぶん実験してみましたが、たとえば、バイアンプ方式で500Hzでクロスさせてみると、完全に中域がロスってしまう。

岩崎　ウーファーの方は1kHzくらいまで使わないと駄目なのじゃないですか。

山中　極端なことをいえば、ウーファーの高域は出しっぱなしにして、それにうまく合わせて高域ユニットをのせるという感じですね。一種の妥協といえないこともないですが、HFホーンの大きさ自体に少々妥協がありますからね。

長島　ホーンというのは、理論上は完璧で理想的につくったとしても、成功するとは限らないですからね。ホーンの中はいいとしても、ホーンからフリーエアーにつながる、そのつなぎ目でみんなおかしくなってしまう。だから理論通りにはいかないわけですよ。その辺の処理をどうするかで、そのスピーカーの設計者のポリシーがものの見事に出てきますね。

ウエスタンの流れをくむ強力ドライバー375

長島　ところで、この537―509というホーン／レンズは完全にハーツフィールド用に開発されたものでしょうが、このスラントプレートという考え方、これはJBL以外にもあったのですか。これ以前には見なかったような気がするんですが。

山中　おそらくJBLが最初でしょうね。しかし、音響レンズそのものの発明者はH・C・ハリソンなのです。その後、JBLがウエスタンのためにつくったハチの巣型の構造のものがオリジナルですね。ただ、スラントプレートという方式はJBLが最初でしょう。

長島　スラントプレートの働きは、音道の長さをスピーカーの中心部と周囲で変化させて位相差をつけ、ホーンから平面波で出てきた波を、ハーツフィールドの場合は水平方向に、ほぼ球面波に変えているわけです。そしてさらに、スラントプレートを波形に折り曲げて全長を短く抑えていますね。

山中　ドライバーユニットの375については、改めていうまでもなく、現在も製造されている有名なユニットですね。バート・ロカンシーが設計したもので、オリジナルは594Aというウエスタンのドライバーユニットですけれど、4インチという、いまでも世界最大のダイアフラムと、非常に強力な磁気回路をもったユニットで、500Hzクロスオーバーで使うには少し小さい537―509を強引にドライブするという形で、低域のクロスオーバーを500Hzまで下げることに成功しています。これには537―509を、小さいながらもバッフルにマウントして使っていることも関係していますね。本来このホーンはバッフルにマウントすることが前提なのですけれど、バッフルなしで使っている場合が多いでしょう。するとローエンドが全然違ってくるんです。

ただし、この375ドライバーは、高域はあまり伸びていないんですね。大体7kHzぐらいからレベルがダラ下りになってしまうのです。そこをスラントプレートをつけて、その辺にちょっと共振を持たして、ちょうど10kHzぐらいまでは特性上大体フラットに出るようにしています。そこから先は落ちてしまうのだけれど、これはスラントプレートのもうひとつの働きといっていいでしょう。

岩崎　375につけるホーンの中ではこれだけなのですけれど、シンバルが俄然生きてくるんですね。

長島　聴いてみると、明らかにこのスラントプレートは鳴っていますね。

山中　それも結局、全体の帯域のバランスを考えてやったことだろうと思います。良い悪いは別にして、ひとつの考え方でしょうね。

岩崎　ところが後になって、ハーツフィールドを3ウェイ化するようになると……。

山中　今度はかえってそれが邪魔になるんですね。

岩崎　075を使って3ウェイにする頃には、羽根と羽根の間にスポンジみたいなものを入れて、鳴きを抑えたりしていますね。

山中　しかしこのシステムは、帯域的にはローエンドがあまり伸びていませんから、それに合わせてバランスをとって全体の帯域をまとめてあるので、これにただトゥイーターを加えると、今度はバランスが崩れてしまいますね。

ハーツフィールドサウンドの特徴をさぐる

岩崎　ハーツフィールドを実際に聴いてみて、とても不思議だったことがあるのですが、椅子にすわって聴くと、どう考えても高音の出てくる位置は耳より高くなるでしょう。ところが実際は、音像は決して耳より高くならないのですね。つまりスラントプレートの下の四角い大きい板の真ん中に音像が出来るんです。目のアクセントはスラントプレートの方で上にあって、しかもそこから高音が出ているのですから、そちらに音像も引きずられるはずですけれど、音は明らかに真正面から聴こえてくるのです。

山中　それからこのスピーカーのおもしろいのは、ずっとそばへ寄っていくでしょう、しかしどこまで行っても高音と低音が分かれてしまわないんですね。スラントプレートの正面で聴いても低音がそこから出ているように聴こえるし、離れれば中央の板のところにピシッとイメージするんです。

岩崎　音源がぴたりと一つにまとまって、実にリアルでしょう。どんな聴き方をしてみても、ベースが低音ホーンの奥に引っ込んでいるというようなことがない。ドラムスも、低音が引っ込んでしまってシンバルだけが近くにあるなんてことにならないで、ちゃんとドラムスは位置的にふさわしいところに一つの音源として聴こえますね。そういう意味で、ホーン型スピーカーの理論と実際が、非常にいい意味で一致しないスピーカーですね。ホーン型のスピーカーをステレオに使った場合、定位の問題や、高音と低音のユニットが必ずしも聴いている位置から等距離にないこともあって、位相の問題が出てきたりするのですけれど……。

長島　それから、このスピーカーのもう一つのいいところは、レベルが変わっても定位にゆるぎがないことでしょう。よく、定位はいいけれど、レベルの変動につれて定位がヒョロヒョロ動いてしまうスピーカーがありますね。

山中　それはユニットのノンリニアのせいでしょう。大体ウーファーとドライバーユニットはリニアリティが揃わないものなんです。ところがその点、このシステムはすごいですね。レベルが変わろうが、音域が変わろうが、ピシッと定位して動かない。

岩崎　いまのスピーカーは大体において、高域のユニットに対してウーファーがプアーですからね。昔のスピーカーは、高音に負けないくらい低音がガッチリしていたでしょう。たしかに、オーバーダンプで低音が出ないということはあるけれど、それとは関係なく、リニアリティに関しては非常にスムーズですね。

山中　お話ししていると良いことずくめのようなのですが、コーナー型スピーカーのどうしてもさけられない欠点というのが、このハーツフィールドにもありますね。低音の定在波に対して問題が出やすいことと、実際面で一番問題なのは、スピーカーの両サイドからステレオのイメージが出ないことですね。普通のフリースタンディングのスピーカーを、ある程度の距離をおいて設置した場合は、スピーカーの外側にも音がひろがるようになるのですが、コーナー型は完全に二つのスピーカーの間のその範囲にしか音が出ません。どんなにスピーカーの間隔をひろげたところで駄目ですね。これが唯一の欠点でしょう。

　また、部屋のコーナーにしか置けないのだから、ひとりでに理想的な部屋の大きさや形も決まってしまいますし……。

長島　そして最良のリスニングポイントがたった一点しかないんですね。

岩崎　やはり相当大きな、ハーツフィールドが小さく見えるような部屋で、スピーカーを十分に離して置くよりないのでしょう。しかし最近の住宅事情では、なにも日本に限らずアメリカでも、それ程大きなリスニングルームはなかなか望めなくなっていますね。

山中　そのこともあって、ＪＢＬはステレオの初期まではこのスピーカーをつくっていましたが、結局製造中止にしたといわれていますね。

岩崎　その裏返しでパラゴンができたのでしょう。

山中　パラゴンはステレオ化のすぐ後に発表されて、現在でも残っているわけですけれど、部屋の影響をあまり受けないということも、寿命をのばしている理由のひとつでしょう。

ステレオ初期の大幅なモデルチェンジ

山中　ところで、いままでお話ししてきたことは、ハーツフィールド最初のオリジナルモデルについてなのですが、ハーツフィールドは途中で一度、大きなモデルチェンジをしています。時期的にはステレオの初期、パラゴンを発表した後だと思うのですが、ウーファーの低音ホーンの構造を一新して、全然別のスピーカーといってよいくらい変わっています。いわゆる〝Ｗホーン〟という構造で、これは昔からウェスタンのシステムに使われていたホーンを原型としたものです。それを巧妙にハーツフィールドのスタイルの中に納めたわけです。この新しいモデルも大変よくできたホーンだと思うのですけれど、ただ何というか、天才的なひらめきとでもいったものは、オリジナルのハーツフィールドにより強く感じられますね。

　ホーンの構造が途中から変わった理由を考えると、オリジナルは非常につくりにくいということが第一でしょう。なかなか図面にのりにくい部分があるスピーカーで、おそらく名人芸的な腕をもつ職人が何人かいて、その人たちしかつくることができなかったのでしょう。

岩崎　つまり現代のメーカーが作る製品として残るのには、若干のマイナーチェンジを余儀なくされた、それが後期のハーツフィールドの姿といえるのではないですか。

　ただし、それに伴って０７５を加えて３ウェイ化していますから、いわゆる現代的な意味でのワイドレンジ化も、その時遂げたのでしょう。

山中　低音ホーンは開口部がオリジナルのハーツフィールドより少し大きくなって——音響レンズの両サイドの方まで全部ホーン開口部になりましたから——理論的には多少低域が伸びたはずですが、聴感上はほとんど聴き分けられないですね。

長島　それから、低音のプレッシャーユニット——つまりウーファーのコーン紙の材料も変わっているでしょう。

山中　１５０—４Ｃと、名前は同じですけれど、コーン紙の材質が全然違います。f_0が下がって、振幅も大きくとれるコーンになっているんです。この頃から、エンクロージュアの材質も米松合板だけではなくて、チップボードがかなりあちこちに使われるようになりましたし、そういった意味で、ハーツフィールド最後のモデルはかなり現代化されたわけです。

もちろん、当時のJBLのシステムの多くが採用していたのと同じように、パワーエナジャイザーを取り付けるスリットが横に設けられたりして、システムとしてはかなりパラゴンと近くなったといっていいと思うんです。実際につくられていた期間は、この後期モデルの方が少し長いですね。

ネットワークもその頃を境に大分変わっています。モデル名が最初はN500Hだったのが N400になり、それから最後はN600になりました。これは何も、クロスオーバー周波数が変わったわけではなくて、他のネットワーク、たとえばN500などと粉らわしいので、こういうモデル名になったのだと思います。

長島　低音ホーンやコーン紙が変われば、当然ネットワークの方も変更しなければならないでしょうからね。

オールドファンには永遠のあこがれ

岩崎　いまぼくの手許にある資料だと、キャビネットの表面仕上げにコンテンポラリーとプレミアムの二つがあって、キャビネットだけの値段ですと、一九五七年頃、366ドルと396ドルかな。30ドルほど前者の方が安いんです。

山中　その中でも、それぞれ突板と仕上げの違いが数種あって、好きなものを選べたのですね。

とにかく、ハーツフィールドが発表されて間もなく、一九五六〜七年で800ドル近くしたシステムですから、いまの値段にスライドさせると一本200万円にはなるでしょう。いや、当時の感覚からいったらそれ以上かもしれません。ライカ一台が家一軒分といわれた時代がありましたけれど、ハーツフィールドもまさにそんな感じですね。

そのために、これはJBLのおもしろいところなんですが、最初はキャビネットだけお買い下さい……、キャビネットと音響レンズを買って、ユニットはD216（D208の16Ω版）という一番小型の8インチのフルレンジ一本を使いなさいと、それに専用のアダプターキットがあって、D216から本来は150―4Cの付く孔までつないで、ハーツフィールドをD216のバックロードホーンとして使えるようにした。これは非常におもしろいシステムだったでしょうね。

岩崎　スラントプレートの裏に正面を向いてD216が取り付けられているわけで、その後ろに弓型に曲ったアダプターがあって、ハーツフィールドの低音ホーンにつながっている非常に凝ったものですね。

山中　復元したアダプターを写真で見ていただければわかりますが、これも大変凝ったホーンになっていますね。これを使うとユニットの値段と合わせても、オリジナルのハーツフィールド・システムの半値くらいになるんです。

D216(208)を取り付けるためのアダプターキット。この状態でウーファーの取り付け部分に固定し、フルレンジのD216(208)は音響レンズの後ろ側にくる。

あとでお金ができたら375や150―4Cをお買い下さいということで、プアーマンズ・ハーツフィールドが存在したわけです。

D216ではなくて、D208をつけた状態で実際に音を聴いたことがありますが、低音は全く同じホーンを使っているわけですからオリジナルと同じように出ますし、高音は逆におとなしくなって、非常にソフトな、独特のなかなか魅力的なシステムでした。

岩崎　しかし安いといってもエンクロージュアが300ドル以上ですからね（笑）。

山中　おそらくこれは、JBLが得意とするグレードアップシステムのはしりじゃないですか。

これはほんの一時期だけつくられたようなのです。しかし、こういったモデルが最初の頃考えられたということは、JBLはハーツフィールドにそれだけ力を注いでいたということでしょう。

長島　当時のハーツフィールドが人口に膾炙していて、レコードが好きな人にとっては夢だったのでしょうね。だからこそ、プアーマンズ・ハーツフィールドなるものが現われたのでしょう。

岩崎　当時のアメリカでは、ライフが究極のスピーカー、夢のスピーカーといってハーツフィールドを取り上げたそうですが、ぼくのように五〇年代からのオーディオファンにとっては、たったひとつの夢のスピーカーはときかれたら、ハーツフィールドと答える人がほとんどじゃないですか。

オーディオフェアを第一回から知っているマニアだったら、あまり目立たない格好で出品されていたけれど、しかし、あたりを払って素晴らしく豪華な雰囲気をはなっていた、あの河村電気のコーナーに見付けた人だったら、おそらくその人にとってはハーツフィールドを所有することが、それこそ生涯のオーディオの夢になったのではないでしょうか。

撮影協力＝中西康雄氏
資料提供＝インペリアル工芸

オーディオの名器にみる

クラフツマンシップの粋 5

QUAD〈QUAD22／QUADII〉

鼎談＝井上卓也／長島達夫／山中敬三

SERIAL Nº 51501
THE
QUAD II
AMPLIFIER
LEVEL
CANCEL
RADIO
MIC
DISC
TAPE

英国の良識が生んだ最良のレコード鑑賞用アンプのひとつ、QUAD22 コントロールユニット（手前）とQUAD II モノーラルパワーアンプ（奥）。

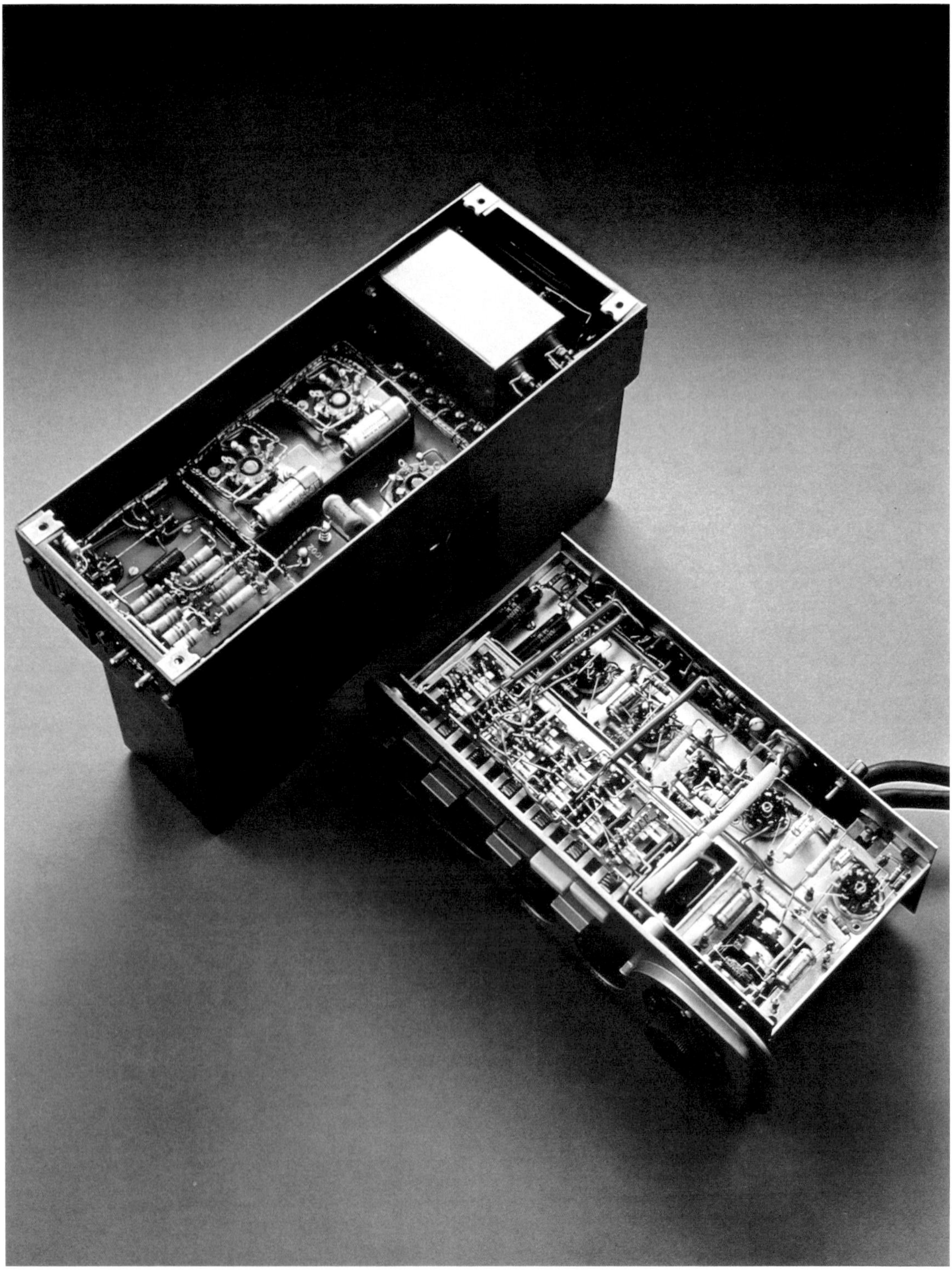

部品や配線が斜めに走ることなく整然と直交するように配置された典型的な英国調の内部処理が美しい

オーディオの名器にみるクラフツマンシップの粋（5）

QUAD　QUAD22／QUADⅡ

鼎談＝井上卓也／長島達夫／山中敬三

QUADの歴史

山中　QUAD《クォード》のアンプは、現在でも日本のオーディオファンに非常になじみ深いわけですが、まずこの会社の概要からお話しすることにします。この会社の正式名称は、Acoustical Manufacturing Co.Ltd. といい、QUADというのは、この会社で出している製品につけられている商品名なんですね。しかし、現在ではむしろQUADという名前の方が有名になっていて、会社名が陰に隠れてしまっているほど、QUADという名前は親しまれています。

最初に、QUADという名前のいわれを説明しておきますと、これはQuality Amplifier Domesticの頭文字をとって名づけられたといわれています。つまり、あくまで実用製品で、しかも高性能な製品を目指すという姿勢を表わしているわけですけれども、この会社は最初の製品からQUADという呼び名を使っています。

この会社の発足は一九三六年といわれていますので、非常に歴史が長く、ハイファイ・アンプリファイアーメーカーというか、ハイファイ・メーカーの中でも、高級アンプをつくってきたメーカーとしては最古といってもいいんじゃないかと思います。たとえば、37号で採り上げたマランツの場合は一九五三年、またマッキントッシュの場合でも一九四七年ですから、このQUADに比べればはるかに新しい会社といえるわけです。

一九三六年の創立ですが、最初は主にトランスを製造していて、実際にハイファイ・アンプをつくり始めたのはかなり遅くなって一九四〇年代の後半からだろうと思います。一九四〇年代というのはまだSPレコードの時代で、一九四八年になってやっとLPレコードが発表されるわけですから、ハイフィデリティという言葉がまだ一般化していない時代に、すでに高性能のアンプを発表していたという点をみても、由緒正しいメーカーだということが伺われますね。

創立者は、ピーター・J・ウォーカーという有名なエンジニアですが、この人は現在でも同社の会長《チェアマン》として、新しいアンプの他いろいろな製品の設計・開発に携わっていて、大御所的な存在として活躍されています。ウォーカー氏は、アンプの設計エンジニアであるとともに、デザイナーとしても非常に優れた才能を持っていて、この会社の製品のデザインはウォーカー氏自身の手になったもので、デザイン的にも一つのポリシーの通った点が大変高い評価を受けているわけですけれども、その意味ではウォーカー氏の人となりのすべてがこの社の製品に出ているといえますね。

このメーカーの最初の製品は、四〇年代後半に発表されたQA12／Pというアンプで、当時はもちろんSP時代ですから現在のような形でのフォノイコライザーなどはなく、パワーアンプと一体化されていて、いわゆるインテグレーテッドアンプ的な形式がとられていました。

一九五〇年になって、QUADⅠ型パワーアンプ、やや遅れて、1型コントロールユニットが発表されました。この製品からすでに、プリアンプユニット（コントロールアンプ）とパワーアンプユニットというセパレートアンプ形式として製品化されていることが特徴ですね。こういうセパレートアンプ形式をとったことでは、QUADはかなり早かったと思います。また、これは後で詳しく話そうと思いますけれども、管球アンプとして今回の話の中心になるQUADⅡ型アンプの基本的な原型は、このⅠ型アンプですべて出来上っていたわけです。それは写真などをご覧いただければわかると思いますが、そういう意味では、相当完成度の高い製品をすでにこの時代につくり上げていた点もユニークなところですね。

長島　当時は、たとえばマッキントッシュとかリーク、フィッシャーなどが高級品を競って発表していた時代ですね。

山中　ただ、それらのメーカーのいわゆるハイファイアンプというのは、まだいわば実験的《エクスペリメンタル》要素の強い製品でしたね。それに比べてこのQUADのアンプは、最初から完成度の高い形で登場しているところが、大きな特徴ではないかと思うんです。これは、先ほどのQUADの名前の由来からもわかるように、ピーター・ウォーカー氏の一つのポリシーですね。

一九五三年にII型パワーアンプとQCIIコントロールユニット——もちろんこれらはモノーラルの管球アンプですが——が発表されています。そしてその前に、同社で初めてのスピーカーシステムを発表したわけです。これは〝コーナー・リボン〟と呼ばれるシステムで、トゥイーターにリボン型を採用したコーナー型の製品です。これが一九四九年ですね。この頃はLPレコードが実用化され始めて、ハイフィデリティが喧伝されつつある時代だったわけですけれども、非常にレンジの広いリボン型のユニットを高域に採用したことで、当時としては非常にワイドレンジな再生を目指したものとして話題になった製品です。

その頃ピックアップもこの会社から発表されています。これは当時大変話題になった高性能なリボンピックアップで、形状的にも非常にユニークなものです。この製品を製造していたのはアコースティカル社では

QA12／P　QUAD最初の製品。SPレコード時代の後期に登場したので、現在のような形でのイコライザーは内蔵されていないが、ボリュウムやトーンコントロールがフィーチュアされた一種のインテグレーテッドアンプ。

QUADⅠ　外観こそ若干異なるが、回路等の基本設計はのちのQUADⅡとほとんど同じ、LP初期の頃の製品。

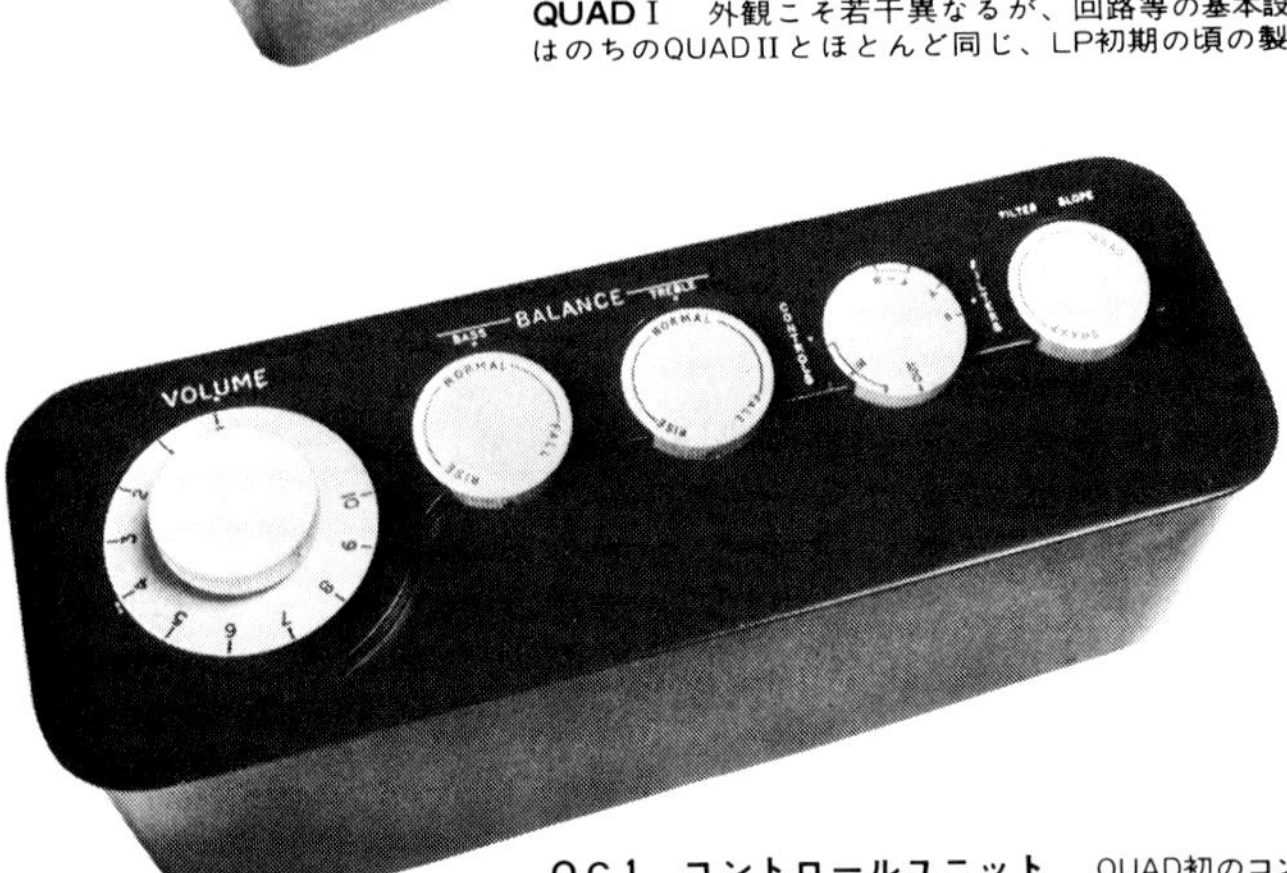

QC1　コントロールユニット　QUAD初のコントロールアンプ。QUAD22の基本デザインが、すでにこの時に完成されていたことがわかる。

コーナー・リボン　QUAD初のスピーカーシステム。トゥイーターにリボン型のユニット（サラン中央上部にL字型に付いている部分）を採用した、1950年代前半としては非常にワイドレンジのスピーカーシステム。

リボンピックアップ　スコットランドのフェランティ社が製造しQUADが販売していた。ウィリアムソン氏とウォーカー氏の共同開発といわれる。

なく、当時英国のオーディオ界で話題を呼ぶ製品をいろいろつくっていた、スコットランドにあるフェランティ社の製品で、同社に当時いた有名なD・T・ウィリアムソン氏（ウィリアムソンアンプの設計者）と、QUADのピーター・ウォーカー氏の二人の共同開発といわれています。

一九五七年になって、現在でも売られているエレクトロ・スタティック・ラウドスピーカー、略してESLという傑作が登場します。

一九五八年には、いよいよステレオLPの実用化時代に入り、翌年の五九年にはもうこのQUADから、従来のQCIIコントロールユニットをベースにした、QUAD22というステレオプリアンプが発表されました。パワーアンプは、いままでのII型をもう一台追加すれば、このプリアンプを使って完全なステレオシステムに変更できるわけです。QUADは、ステレオ時代の大変早い時点で製品を切り替えているわけですね。有名なマランツ#7より約一年遅れただけです。これから後は、現在売られているソリッドステートの33と303というセパレートアンプシステムになるまで（一九六七年）、このQUAD22、II型をずうっとつくり続けたわけですが、そういう意味ではハイファイの黄金時代というか、勃興期からステレオ時代に至る長い期間にわたって、QUADの製品を一番有名にしたのは、やはりこのII型と呼ばれるシリーズの一連のセパレートアンプではないかと思います。

というわけでこのII型アンプシリーズを今回の中心テーマとして話を進めていきたいと思いますが、まず、個々の製品を見ていく前に総体的なQUADのアンプの特徴について、長島さんからお話ししていただけますか。

QUAD＝ウォーカー氏

長島　QUADのアンプは、――これは現在発売されている製品についてもいえることですが――他のメーカーと違った大きな特徴があるんです。それは何かといいますと、まず第一に、発表された製品には試行錯誤のあとがほとんどないということです。たとえばII型のパワーアンプが登場する前にはI型パワーアンプがあったわけですが、それを比べてみると、真空管の数や、その使い方、つまり基本的な回路構成はほとんど変っていない。全くといってもいいぐらい同じ回路が使われているんですね。もちろん、細部の部品や配線を見れば違っています――トップの真空管がI型ではEF36というトップグリッドのST管を使っていたが、II型ではほとんど同じ規格のEF86という五極管に変更されている――が、I型からII型に至る間での基本的な進路修整みたいなものはないんです。

もう一つは、非常にシンプルな回路が使われていることです。II型パワーアンプを例にとれば、整流管を除くとたった四本の真空管で出来上っている。プリアンプにしても真空管は少ないですね。とにかく、シグナルのパスするところを極力少なくするというのがＱＵＡＤの考え方だと思うのです。その狙いは何かというと、クォリティが上げられることと、もう一つはスタビリティの問題じゃないかと思うんです。この考え方は、現在のトランジスター式のセパレートアンプに至るまで、バックボーンとして貫かれていますね。ですから、一見したところでは、非常に平凡なアンプ、何の取り柄もないように見えるんですが、それを細かくみていきますと、必ずどこかにある種のひらめきが入っている。それが表面に出てこないところがすごいですね。

井上　ひらめきというと複雑なものを想像しがちなんですけれども、ＱＵＡＤの場合はシンプルだというところが一つの鍵なんですね。たとえばＱＵＡＤⅠ型より少し前に発表されたＤ・Ｔ・ウィリアムソン氏のウィリアムソン・アンプに比べてみればよくわかりますね。いわゆる増幅段数の考え方は、どうも多段アンプにした方がひらめきがあるような感じがするんですけれども、実は増幅段数を少なくした方がむずかしいわけです。

長島　そこでおもしろいと思うのは、ウォーカー氏とウィリアムソン氏のアンプに対する考え方は、最終的なところでは一致するんですが、方法論がまるで反対なんです。ウィリアムソン氏は、とにかくあらゆる手を尽くして高性能を狙うという、いささかエキセントリックなところがある。たとえばスタビリティは多少犠牲にしても、というところ。ところが、ウォーカー氏は、まず第一にスタビリティを考えて製品をつくっていく。そして、最終的には二人とも高性能に到達するというおもしろさがありますね。

山中　それは、ウィリアムソン氏は、あくまでアンプそのものに興味を示して、物理データを優先したという感じですね。それに対して、ウォーカー氏は最初からあくまでレコード再生を目的としたアンプをつくろうとしたからだと思うんです。

井上　だから、名前もＱＵＡＤなんですね。

山中　そうですね。とにかく、前にもいいましたように、デザインも含めてすべて自分自身でやっているものだから、ＱＵＡＤの製品はまさにピーター・ウォーカー氏の人格そのものなんですね。

長島　それから、ＱＵＡＤのもう一つの特徴は、一つの製品の寿命が長いことですね。逆にいえば、変更する必要がないと製作者側が考えるようなものを製品化しているからだろうと思うんです。

井上　一つの製品をつくるまで、練りに練っているんだろうと思います。

山中　そうですね。たとえばＱＵＡＤのパワーアンプを見ても、全体のコンストラクションは大変に完成度の高いものでしょう。むだな部分が全然なく、しかも全体のレイアウトも練りに練ってつくられたものだということが伺えます。抵抗などのパーツのサイズまで最初から計算に入れてＣＲ基板——プリント基板ではない——を設計して、それが全体のシャーシのサイズにピタッと入る。これはもう最初から一人の人が考えに考えてつくったものでしかありえないし、もう動かしがたいものになっているんですね。

長島　その動かしがたいものをつくるということがどんなにむずかしいことか。必ず途中で自己反省が入って修整していくのが普通なんですけれども、それがないのは非常に恐ろしいことですね。

それから、これも現在の製品まで共通していることですけれども、ＱＵＡＤのアンプには特別な部品は使われていないんですね。わりあいどこにでも売っているような部品を使って、クォリティの高い製品をつくる。部品は使い方だという見本みたいなアンプですね。

山中　もちろんこの製品が開発された当時としては、かなりグレイドの高いパーツを使っていますけれども、決して軍規格などの最高のパーツというわけではなく、あくまで市販のものの中から、ウォーカー氏の目で選ばれたいいパーツを使っているということです。パーツリストをみても全部メーカー名が書いてあり、その番号のものを使えば元通りになる。そういう意味を含めての安定度というのは大変なものですね。

出力管のＫＴ66はシャーシから少し落して取り付けられ、アウトプットトランスと出力管の高さを揃えるとともに、放熱効果もあげている。

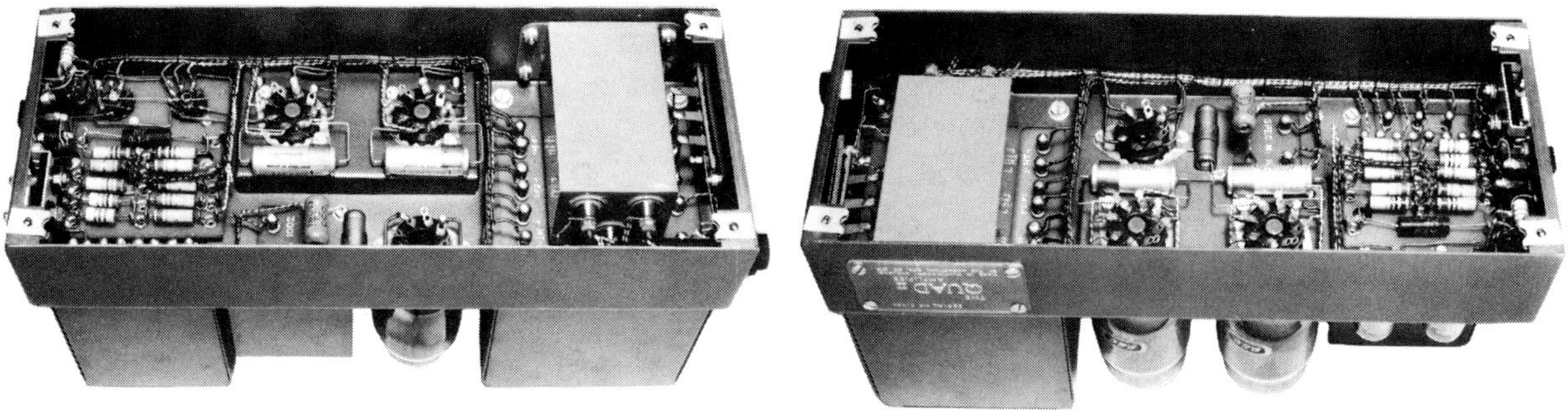

一分の隙もなく整然と処理されたQUADⅡパワーアンプの内部の様子。これこそ典型的なヨーロッパタイプの配線だ。プリント基板とは違うＣＲ基板に注意。

ところが、肝心のトランスは全部自社の製品を使っています。これは大変重要なことで、特にアウトプットトランスは心臓部ですから、これはずいぶん苦労したということをウォーカー氏自身から聞いたことがあります。

井上　そうでしょうね。英国にはトランスの名門がかなりあったはずですが。

QUADⅡパワーアンプ 緻密でむだのないコンストラクション

山中　それでは、いよいよ個々の製品について詳しく触れていこうと思います。まず、Ⅱ型パワーアンプについてですけれども、外観的にはパワーチューブのKT66が印象的ですね。これは当時、イギリスのスタンダードなパワーチューブだったわけですけれども、その形状やたたずまいが何ともパワーチューブとして魅力のある恰好をしている球なんですね。ウォーカー氏は、おそらくこのKT66を最初に意識して、このパワーアンプのデザインを考えたんではないか、という気がするんです。

井上　そうですね。たとえばそのKT66をシャーシから少し落として取り付けてあるあたり、かなり神経を使っていますからね。これによって全体の高さをピシッと揃えると同時に、放熱の効果も兼ねているわけですから、大変に合理的な設計です。

山中　全体のスタイルは、むだなスペースが全くなく、非常に凝縮した形にまとめられていますね。いまでもちょっとこれだけのものはつくれないでしょう。

井上　つくれないでしょうね。ですから、これと比較されてしかるべき当時のアンプ、たとえばリークのポイント・ワンは0・1%歪みということで有名になったアンプですが、それは抵抗とかコンデンサーの配置か、QUADと同様なCR基板だったんです。しかし、その回りの処理が不完全で、このⅡ型パワーアンプとは全く違うわけです。Ⅱ型はすごい構成力ですね。現在でこそパワーアンプなどで、特にコンストラクションが音に影響を与えるということがいわれていますが、このⅡ型パワーアンプはその最もオリジナルなものといえますね。

長島　それは、この当時からすでに行なわれていたことなんですね。Ⅱ型を裏からみればよくわかるのですが、配線が全部最短距離になるように、見事に処理されています。

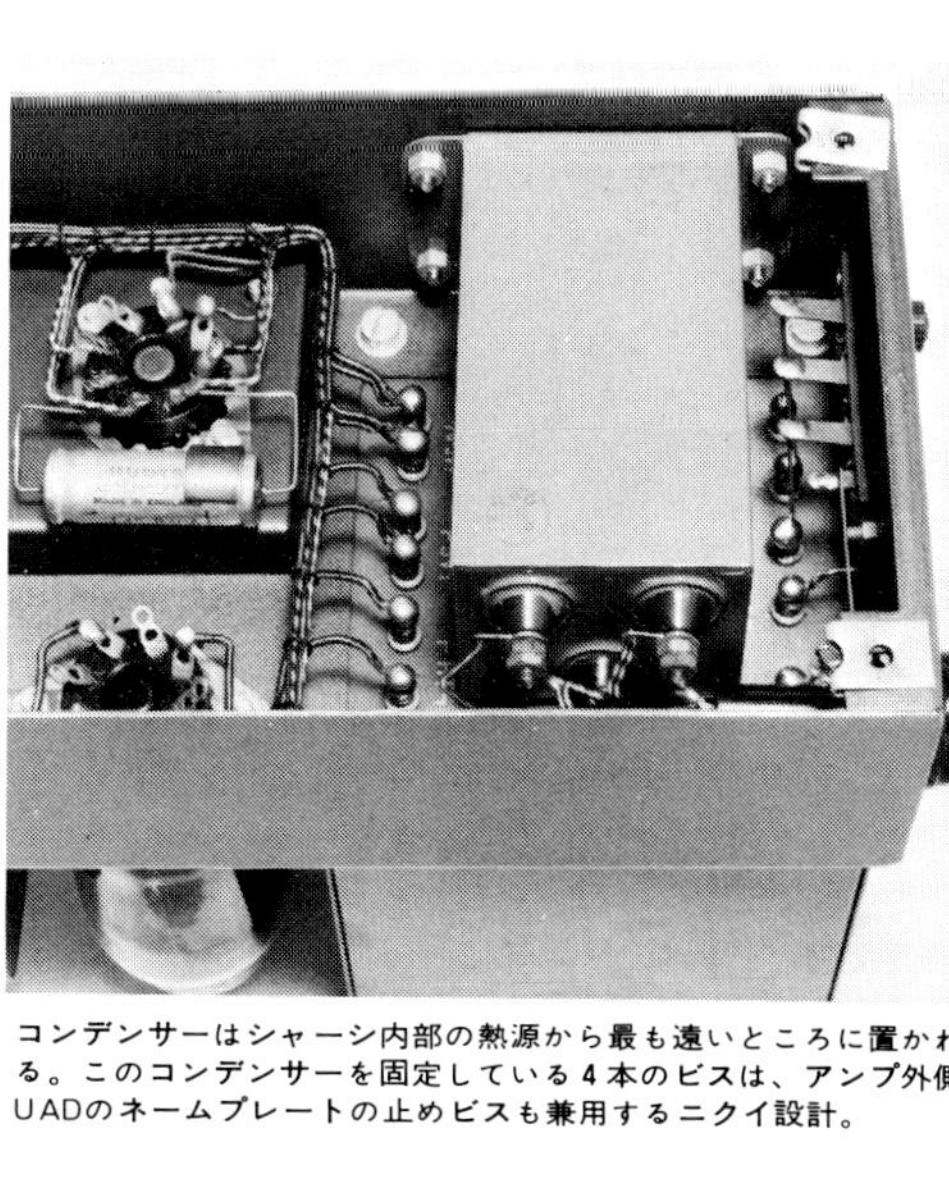

コンデンサーはシャーシ内部の熱源から最も遠いところに置かれている。このコンデンサーを固定している４本のビスは、アンプ外側のQUADのネームプレートの止めビスも兼用するニクイ設計。

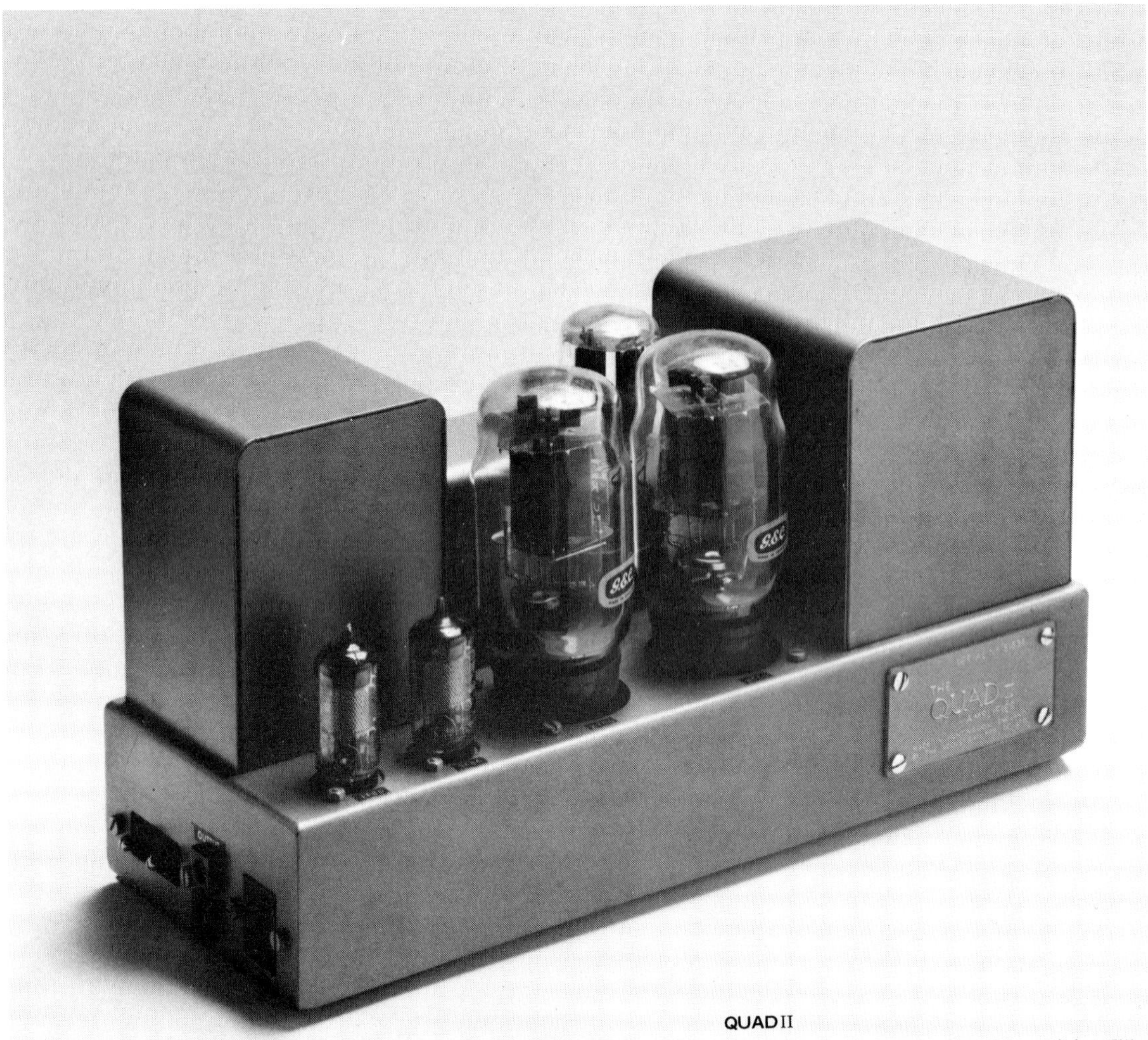

QUAD II

●構成：KT66×2　EF86×2　GZ32　●出力：15W　●歪率：0.1%(700Hz　出力12W時）0.25%（50Hz出力12W時）　●周波数特性：20～20,000Hz　−0.2dB　●入力感度：1.4V(出力15W時）　●SN比：80dB　●ダンピングファクター：5　●寸法・重量：W 313×H165×D106mm 9kg

山中　最短距離でありながら、ヨーロッパ的に全部直角にピシッと配線を曲げるタイプですね。斜めに走る線がない。

長島　アメリカのアンプの場合も、最短距離配線は重視しているんですけれども、目的のため手段を選ばないようなところがあって、抵抗やコンデンサーが右往左往している感じになるんです。

井上　ですから、アメリカの場合は事実上の最短距離なんですが、QUADII型に見られる配線処理は、縦、横という二つのラインにおける最短距離で、見た目がすごく整然としている。

山中　やはりこれは、ピーター・ウォーカー氏が一人でつくったか、あるいは非常に優れた全体の統率力のある頭で組み上げないと、こういうアンプはできないでしょうね。

それから、このアンプの場合、コンデンサーがどこにも見えないんですよ。これは、シャーシの中にきわめてスペースファクターよく納まっているんです。しかも熱に一番遠いところに置いてあるのはうまいですね。そして、その止めネジがQUADのネームプレートをとめているネジを使っているんですよね。これを発見したときには本当にしびれたね(笑)。

井上　アンプのバランスをとるためには、逆にチョークをシャーシの裏にしまって、上にコンデンサーを出すという手法が普通ですよね。当時のマッキントッシュなどはその代表ですからね。

山中　次に、II型の回路の特徴について、長島さんからお話ししていただけますか。

長島　II型パワーアンプの特徴は、先ほどQUAD

のアンプの特徴のところでお話ししたことがすべてあてはまりますけれども、特に挙げるとすれば、パワーチューブの取扱いでしょうね。ここにある種のひらめきを感じるんです。というのは、これは真空管時代の後期になると当り前のことになるんですが、カソード巻線をアウトプットトランスに設け、そこでＮＦをかけて、パワーチューブそのもののクォリティをまず上げてしまう、そういう使い方をしているんです。当時行なわれていた一般のパワーアンプというのは、位相反転回路にかなり複雑な回路を使っていたわけですけれども、これでは真空管の数がふえてしまうんですね。ウォーカー氏はそういうことを避けて、ＥＦ８６という五極管二本だけという、言わばクォード型とも言う非常に簡単な回路で巧妙な位相反転をやってしまい、あとはパワーチューブだけという構成ですね。それで十分な増幅度を持たせている。

山中　そこは、われわれにとってこのアンプを一番理解しにくいところでしたね。印象に残ったのは、まず、そのＥＦ８６による初段の考え方と、それにＫＴ６６をパワーチューブに持ってきたことです。

長島　このカソード巻線を設けるアウトプットトランスは、マッキントッシュでもやっていますね。

山中　マッキントッシュが最初に始めたというのが定説なんですけれども、年代を調べていくとこの辺は微妙ですね。

井上　基本的に違うのは、マッキントッシュのトランスの場合、一次側とカソード巻線の二本の線を並べて巻くという、バイファイラー巻きになっていることです。ＱＵＡＤの場合は分割巻きになっている。

QUADIIはその安定度、クォリティの高さからプロ用としても数多く用いられた。そのため、電源電圧をワンタッチで変えられる(上)他、アンプ底面には雌ネジが切ってあり、壁やラックにマウントしても使えるようになっていた(下)。

長島　結局、QUADの分割巻きというのは、それまでにトランスの理論として確立しているオーソドックスな方法なんですけれども、これを基本的な考え方として非常に安定な形で実現している訳です。

井上　一次側と二次側の結合度をより上げようと思えばバイファイラー巻きになり、安全度を見込めば—一次側には高電圧がかかるから——絶縁問題があるので分割巻きになる。

山中　その辺が、QUADのQUADたる所以だと思うんです。

　そこで、話をトランスの方に持っていって、ともかく分割巻きをしたトランスということになると、話はどうしても有名なウィリアムソン・アンプにいくわけです。これは、いうなれば極端な分割巻きをした出力トランスをつくったことによって、多量のNFをかけることに成功した初めてのアンプでしょう。それがQUADの場合には、同じ分割巻きのトランスを使いながら、パワーステージのいわゆる局部NF的な考え方を加えて、非常に安定に実用化した。そういう点で最初から考え方の違うところがおもしろいですね。

井上　つまり、最近のアンプでは定石的な手法になっているネガティブ・フィードバックを、QUADは全面的には信頼していないんじゃないですか。ですから、局部NFをかけパワー段の特性を改善しておいて、オーバーオールのNFを、かなり抑えています。

長島　それから、I型とII型のアウトプットトランスは、I型の現物がないので詳しいことはわかりませんけれども、回路図を見る限りI型の方がはるかに分割の回数が多いんです。II型になって、それが非常に簡素化されていますね。

井上　やはりそこは、さっきのフェランティのリボンピックアップのお話にもあったように、D・T・ウィリアムソンとお互いに知合いだったから、多層分割巻きトランスの欠点も知っていたんではないですか。

山中　ウィリアムソン氏とウォーカー氏は実際に親友でもあり、その辺でかなり密接なつながりはあったようですね。

長島　ともかく、このパワーアンプ自体のクォリティに対する安定度は高いでしょう。オーバーパワーになったときに、これほど強いアンプはない。

山中　やはり、オーバーオールのNFがあまりかかっていないからでしょうね。

井上　それでいて、定格出力は15Wですが、歪率は12W出力で0・25%（50Hz）という低い値ですね。

山中　これは15Wの出力ですが、実際には25Wから30Wぐらい楽に出る感じなんですね。しかも、なだらかに上る歪率カーブなんです。

長島　オーバーパワーになったとき、歪みがこれほど耳につかないアンプはないですね。ですから、とても15Wとは思えないようなスピーカーのドライブ能力がある。結局、その辺はスペックに対する余裕を十分とるというか、それに対する考え方が違うのだと思うんですね。

井上　どこまで出力が出せるか、という考え方ではなく、これもやはり実際にレコードを鳴らす、ということが前提になっているからでしょうね。

長島　それから、II型パワーアンプのもう一つの特

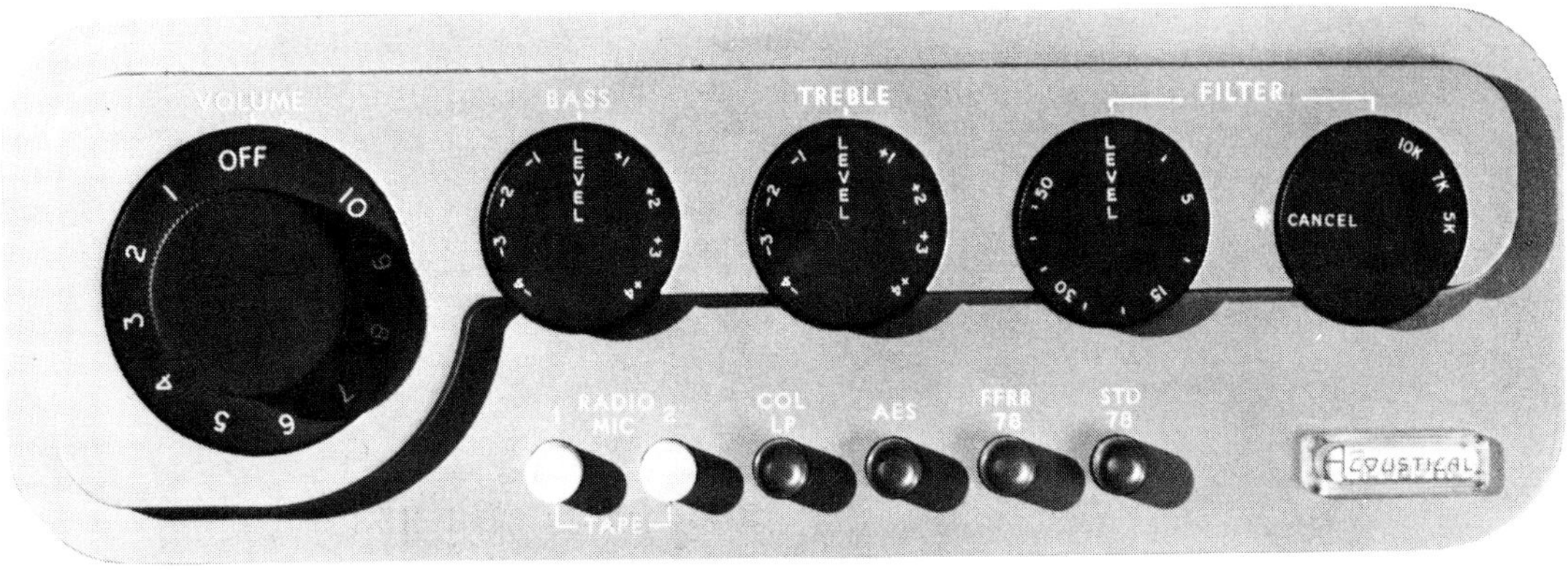

QCII モノーラルLPの初期に、QCIの後を継いで製品化されたコントロールアンプ。後のQUAD22と全く同じといってよいデザインに注目。当時はQUADよりもACOUSTICALのブランドが優先されていたのが右下のネームプレートからわかる。

QUAD22

●構成：EF86×2，ECC83×2　●出力電圧：1.4V　●歪率：0.1%以下（出力1.4V時）　●周波数特性：20〜20,000Hz±1dB　●入力感度：PHONO＝4mV，RADIO・TAPE＝70mV　●SN比：70dB以上　●トーンコントロール：±15dB(100Hz，10kHz)　●寸法・重量：W267×H89×D148mm，3.1kg

QCII の写真と見比べていただきたい。ボリュウムツマミの下に目だたなくバランスツマミが追加され、プッシュボタンが丸型から角型になり若干ファンクションが変更された他はほとんど同じで、しかもこの中にステレオ2ch分のアンプを組み込んでしまったのは、マジックとでもいうほかない。

徴は——これは現在のパワーアンプにも受け継がれていますが——電源に対する考え方が非常にシビアだということです。一般的に、どんなアンプでも電源には交流電源を使いますが、それを直流に直すために、このII型の場合は整流管を使っているわけですけれども、完全に直流には変わらないんです。若干の交流成分が残ってしまう。これをリップルといって、結果的にはハムの成分になるんですが、プッシュプル構成の場合はそのままでもキャンセルアウトされるから、出力にはハムとして出てこないんです。ところが、キャンセルアウトされるからといって、各真空管の動作でながめてみれば、電源電圧は変っているわけですね。これでいいことは何もないんです。ところが、これはQUADのアンプだけではなく当時のアンプに共通のことだと思いますが、チョークコイルを入れて完全にリップルを抑えているんですね。

山中　アメリカの高級アンプは大体チョークを使っていますね。これは電源のレギュレーションを重視したためでしょう。

井上　このパワーチューブのスクリーン・グリッドとか前段増幅管にわざわざチョークを使っていることは、さっきのトータルNFが少ないということと兼ね合いがありますね。

山中　とにかく、この回路を見ると極端にシンプルでしょう。もう洗えるものはみんな洗った形で製品化しています。そうすると、チョークが一見むだのように見えるけれども、これが非常に重要なポイントで抜きがたいものなんですね。

もう一つのこのアンプの特徴は、いま電源のことを長島さんが言われたけれども、それと同時にコンデンサーの容量をギリギリまで減らしていて、一切むだがない。

長島　この当時は確か、ケミカルコンデンサーはもう世の中に存在していたでしょう。ですけれども、このII型の場合は、メインのコンデンサーにペーパーコンデンサーというたいへん歴史の古いものを使って実質的な電源インピーダンスの低下をねらっています。

山中　それはやはり信頼性を重視したんでしょうね。

　とにかく、あらゆる意味でこのアンプは、個人的なことになりますけれども、一番しびれたんですよ。

QUAD22 コントロールユニット
適応性の広いシンプルなアンプ

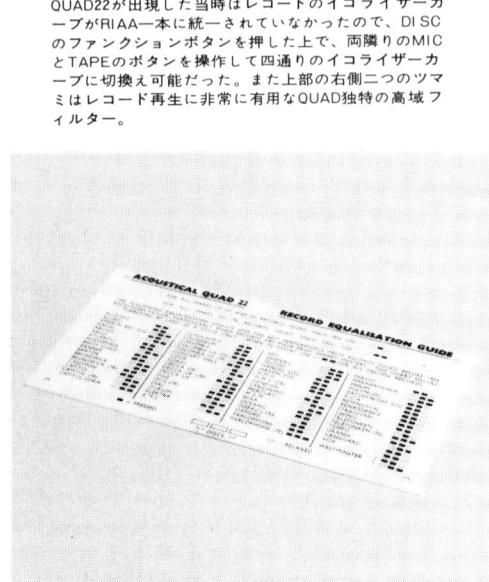

山中　このII型パワーアンプをコントロールするユニットには、モノーラル時代のQCIIとステレオになってからの22があるわけですけれども、これらはあくまでパワーアンプとペアで使うことを前提としてつくられた製品です。ですから、電源はすべてパワーアンプから供給される形式がとられています。当時のイギリス系のコントロールアンプは、すべてこの形式になっていたわけですけれども、これはQUADの影響とみていいかもしれませんね。

　この22型コントロールユニットについては、まずQUADのQCIIコントロールユニットから説明する必要がありますね。

井上　そうですね。つまり、この22型と同じ大きさのモノーラルアンプがあったわけです。当時のステレオプリアンプというのは、SN比とかその他性能的な問題があって、大型化する傾向があったんですけれども、それがQUADの22型アンプは、モノーラルのQCIIコントロールユニットと同じ大きさの中に、2チャンネル分のアンプを納めてしまった。これは本当に不思議でしたね。

山中　それではQCIIコントロールユニットにかなり空きスペースがあったのかというとそうではなく、スペース的な余裕などほとんどないんですね。おそらく大変な苦労をしてステレオ化したのだと思うんですけれども、ともかくシャーシサイズは同じ、フロントパネルのツマミの数も同じ――プッシュボタンが角型に変ったが――、ふえたところは、ステレオのバランスコントロールが目立たないように付けられたということぐらいです。

長島　2チャンネルになれば、確実に真空管や部品の数は倍になるわけですから、それがなぜあの大きさに入ってしまったのか、全く不思議でしたね。

井上　QCIIコントロールユニットでは、フロントパネルのプッシュボタンスイッチは、延長シャフトを通じてシャーシの一番うしろにセッティングされているスイッチを動作させていたのです。これはQCIIがもともと合理的に設計されていたことを表わしているのですが、22型ではそのスイッチをフロントパネル側に移し、その空いたスペースを利用して2チャンネルにしたわけです。これは絶妙なマジックですね。

長島　タネはわかっていても不思議ですね。

山中　ところで、このアンプは機能的な面で非常に特徴があります。というのは、当時のLPレコードを再生する場合、イコライザーカーブが、現在のようにRIAAカーブだけではなくて沢山あったわけです。ですから、当時のハイファイ・プリアンプはそれを一

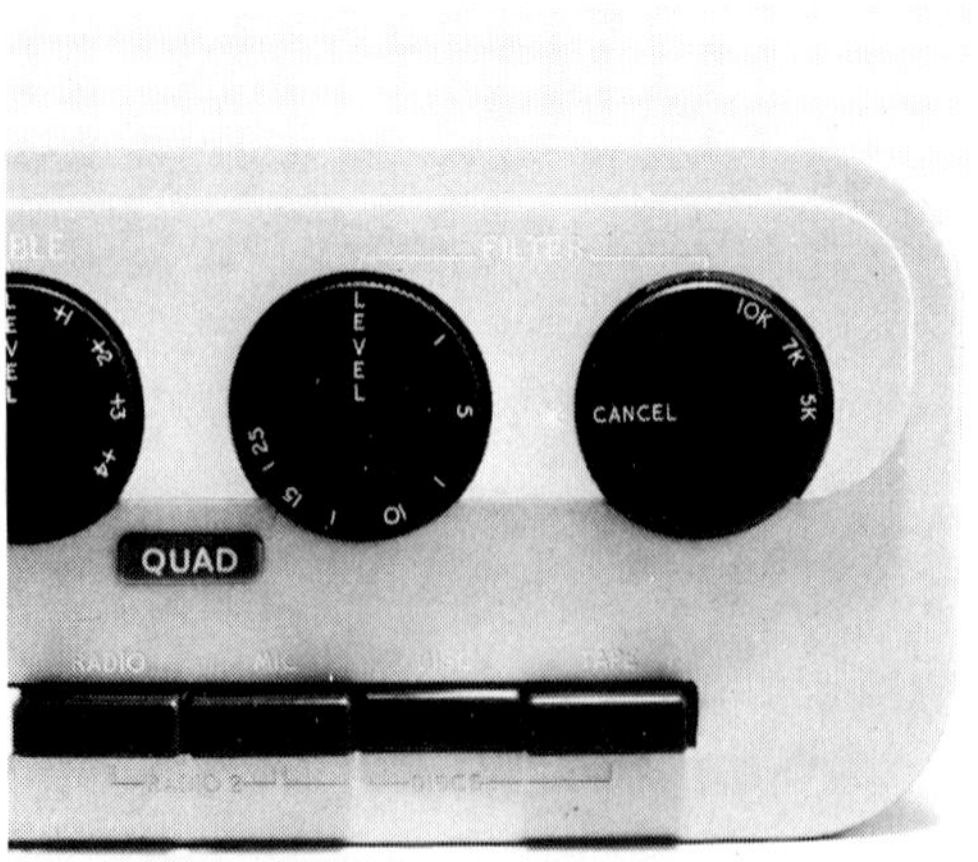

QUAD22が出現した当時はレコードのイコライザーカーブがRIAA一本に統一されていなかったので、DISCのファンクションボタンを押した上で、両隣りのMICとTAPEのボタンを操作して四通りのイコライザーカーブに切換え可能だった。また上部の右側二つのツマミはレコード再生に非常に有用なQUAD独特の高域フィルター。

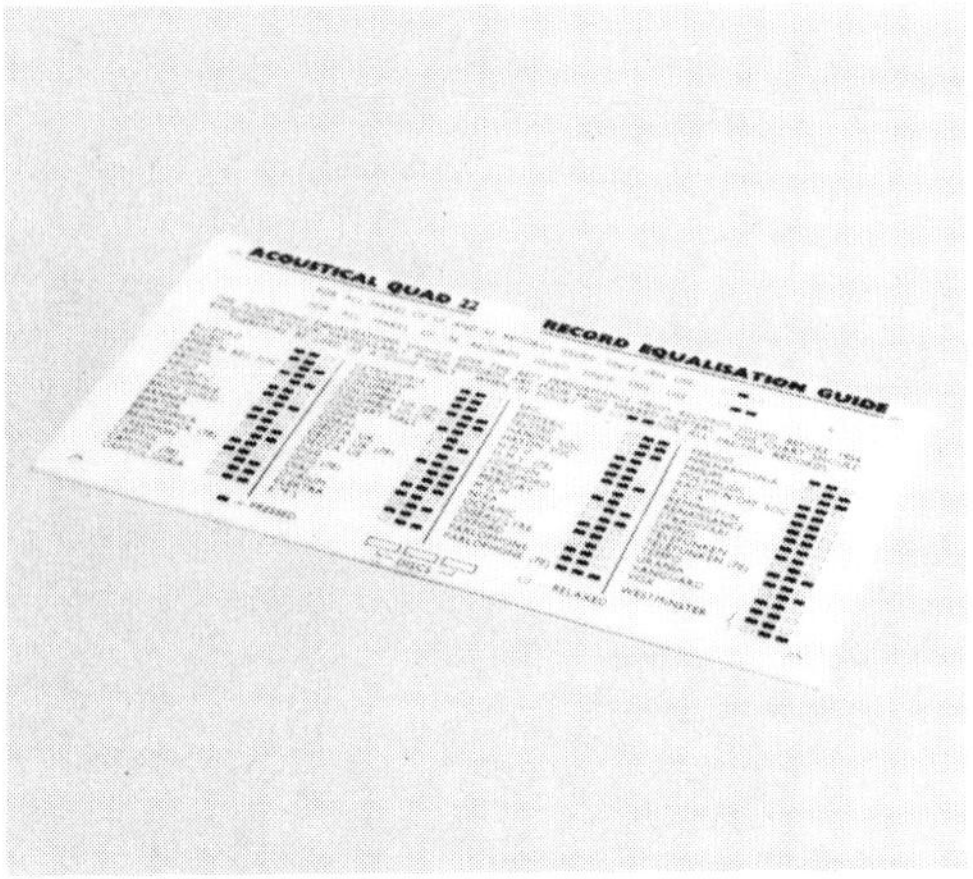

これは各レコード会社やレーベルによってイコライザーカーブを切換えるためのチャート。QUAD22を買うとこのチャートが付いてきた。四隅には孔が開いていて壁などに止められるようになっている。

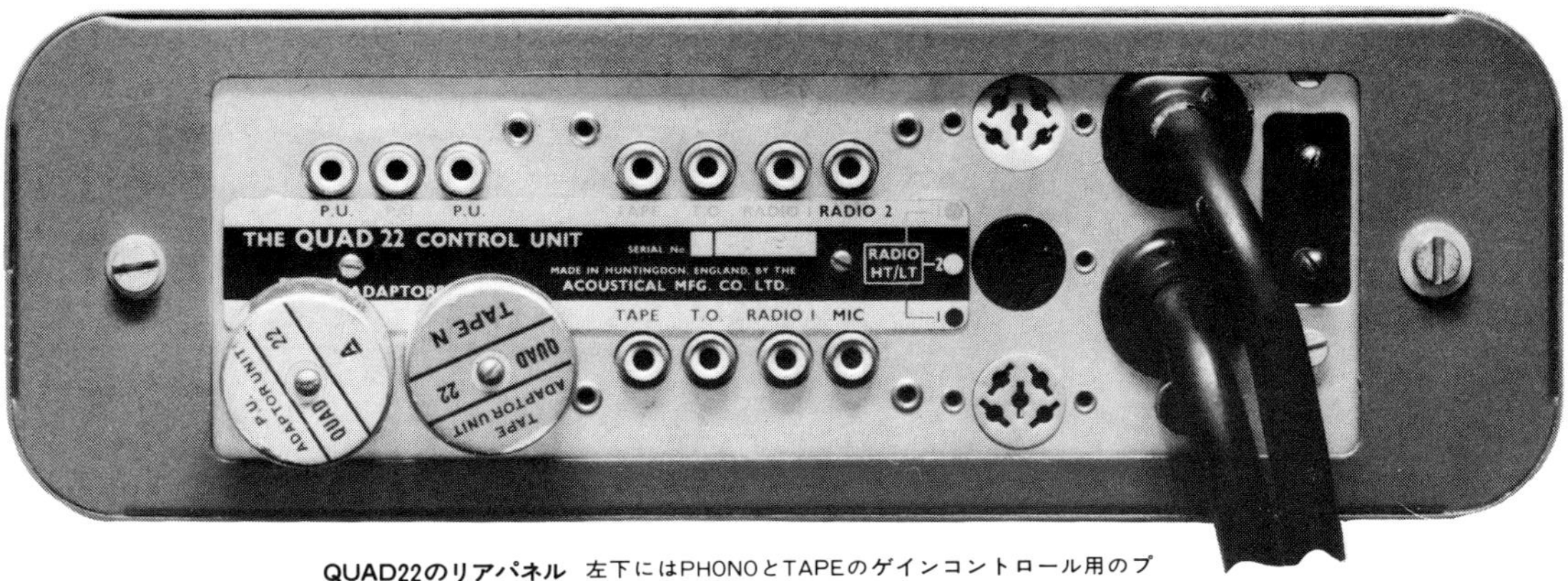

QUAD22のリアパネル　左下にはPHONOとTAPEのゲインコントロール用のプラグインユニットが取り付けられている。右側から出ている二本のコードは、QUADⅡに接続するためのものである。これでパワーアンプからプリアンプに電源を供給するとともに、プリアンプ出力の送り出しと、パワーアンプ電源のON-OFFもコントロールした。その左はチューナーへの電源供給用コネクター。

応全部補整できなければならなかったんですが、この22型の場合、そのやり方が非常に巧妙なんですね。普通には、いろいろなイコライザーカーブに合わせるポジションがアンプについていて、それをセレクトする方法をとっていたわけですけれども、このアンプの場合には、入力切替のためにRADIO、MIC、DISC、TAPEの四ポジションがあり、そのうちRADIOを除いた三つのプッシュボタンの押し方の組合せで、イコライザーカーブが四通りつくれるというユニークな方法がとられていたのです。DISCのポジションは常に押さないといけないですからね。そのイコライザーカーブのチャートは取扱い説明書に載っていて、それを参考にしながらセレクトすればよかったわけです。

長島　もう一つの特徴は、リアパネルにプラグインのCRユニットが二つ付けられていて、一つはピックアップの感度とイコライザー補正用、もう一つはテープ入力の感度補正用なのですが、そのユニットの差し替えによって調整できるようになっていたことです。

　ピックアップの感度補正はイコライザー段でするわけですけれども、それをプラグインユニットにしたのはやはり当時の英国の事情があったように思うんです。これはわが国でもそうでしたが、セラミック、クリスタル、マグネチックといろいろなタイプのピックアップがあって、それに全部対応できなければいけないわけです。とにかく4mVから300mVの出力電圧のピックアップまで使えましたね。

　それからおもしろいのは、左チャンネルと右チャンネルで感度の違うCRユニットまで用意されているのです。

井上　基本的にはA、B、E、Fの四つのアダプターですが、そのダブルレターのアダプター、つまりAAとかAB、AEというように、いろいろバリエーションがあるわけですね。

山中　これはアメリカでも事情は同じでしたけれども、ピックアップのゲインや特性のバラツキが非常にあったんですよ。ともかくアメリカの場合は、インプット回路をふやして切り替えたわけですが、QUAD22の場合は、あくまでシンプルな機能しかないので、そうしたプラグインユニットによって複雑なものに対応できるようにしたんですね。

長島　ですから、このアンプはちょっと見ると非常にシンプルなアンプのようですけれども、実は大変適応性の広いアンプなのですね。

PHONOとTAPEのイコライザー／ゲインコントロール用のプラグユニット。セラミック、クリスタル、マグネチック等いろいろなタイプのカートリッジに合わせてバリエーションがあった。

山中　その適応性の広さは、独特のフィルター機能でさらに拡大されています。いわゆるトーンコントロールは通常のバスとトレブルが付いているのですけれども、そのほかに非常に凝ったフィルター回路が設けられているんですね。これは、フィルターのロールオフポイントが5kHz、7kHz、10kHzの3段切替になっていて、しかもそのスロープの特性を連続可変で、かなり広範囲に変えられるという、物すごくキメ細かく多様な能力を持っているんです。というのは、やはり当時のLPレコードの高域特性が必ずしもいいものばかりではなく、ノイズが出たり、歪みが多かったりしたんですね。それを微妙にコントロールして、ともかくレコードを最良の状態で再生しようという一つの目的が、このフィルター機能にはっきり表われているわけです。当時のイギリス系のハイファイアンプにも、こういう回路はついていましたね。

長島　結局、初期のカッティングマシンや再生側のピックアップの性能、あるいは盤質が、必ずしもよくはなかったからですね。それにしても、このフィルターの効き方はすばらしい。

山中　非常に実用性の高いフィルターで、特に10kHzのロールオフポイントでのフィルターの効き方は、実際にいまでも非常に有効ですね。

もう一つ、このフィルターに関連してのことでは、キャンセルポイントというのがあります。これはトーンコントロールも含めてキャンセルできるタイプです。この機能は最近のアンプでは珍しくなくなりましたけれども、こういうシンプルなコントロールユニットですでにうまく消化されているところもうまいですね。

長島　いままで話してきた機能についてはそのままQCIIコントロールユニットについてもいえることですけれども、22型になってから付けられた機能としてはバランスコントロールがあります。これは一般的な絞り切りできるタイプではなく、左右それぞれ6dBの範囲でしか変化しないタイプです。

QUAD22のバランスコントロールは一般的なタイプと違い、左右それぞれ6dBの範囲でしか音量が変化しないため、片チャンネルの音を絞り切ることはできない。

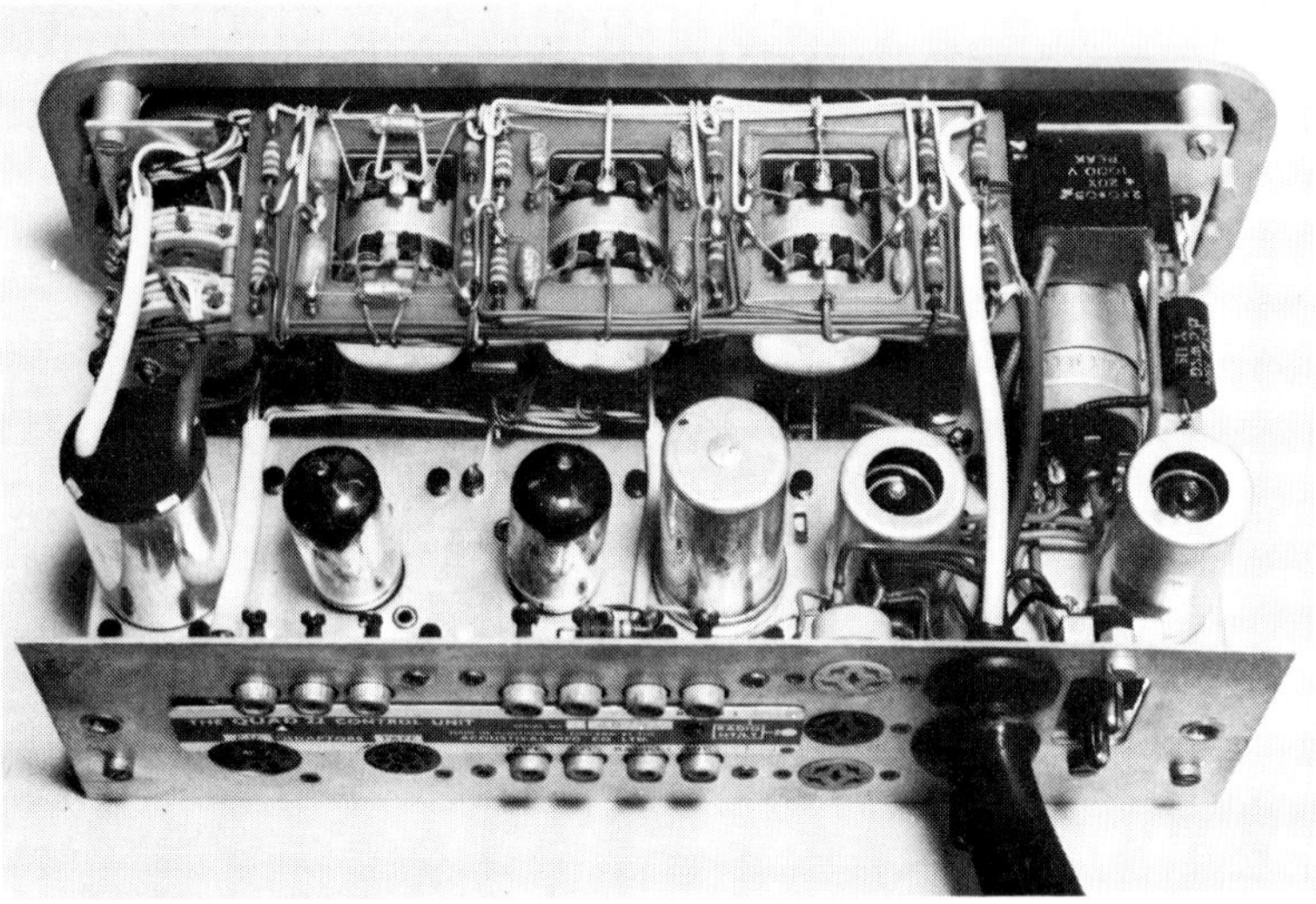

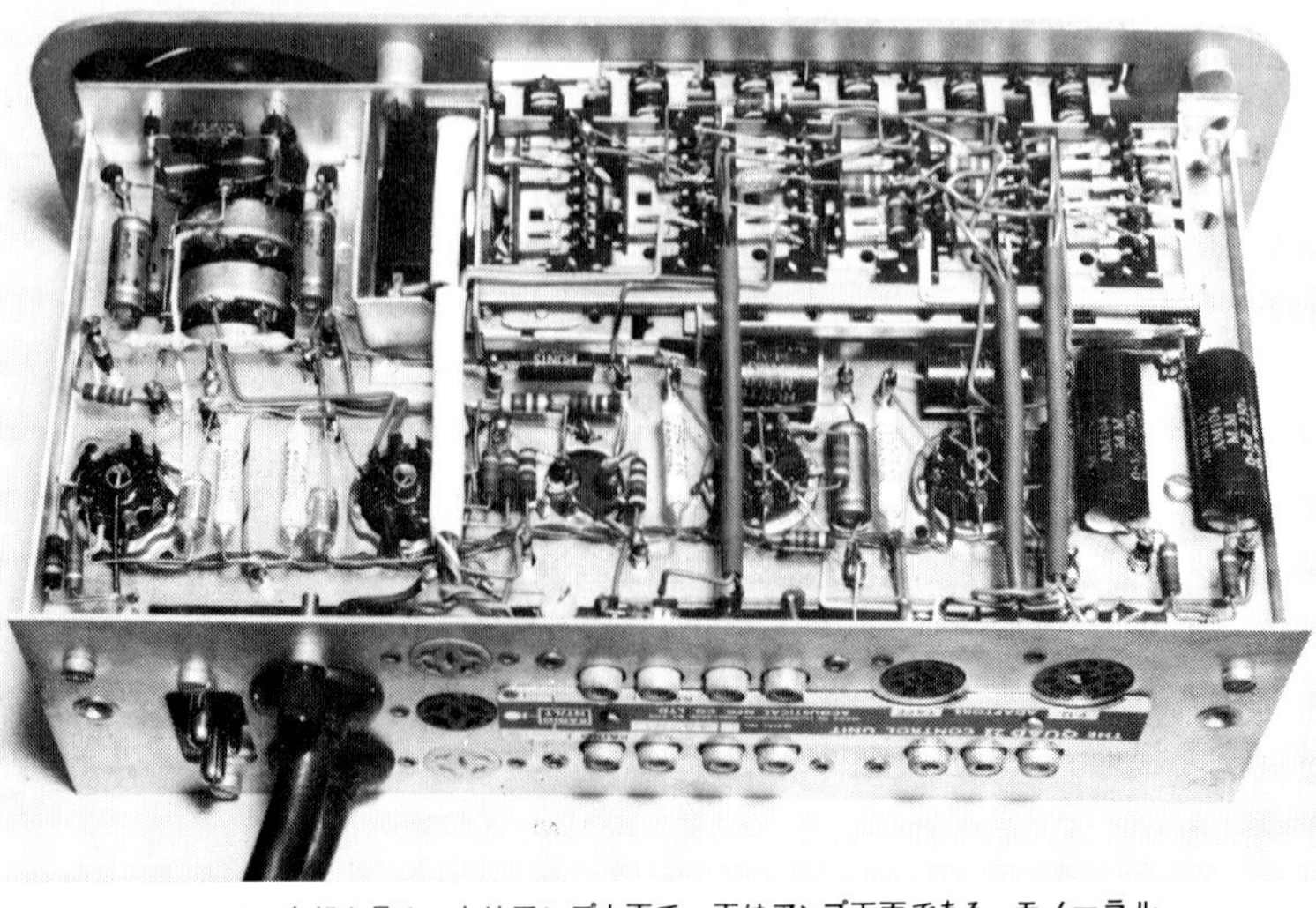

QUAD22の内部を見る。上はアンプ上面で、下はアンプ下面である。モノーラル型のQCIIと同寸のシャーシ内にステレオ用の2ch分のアンプを巧妙に組み込んだ様子がわかる。

井上　左右のバランスをとるための機能ですから、それでいいんですね。
長島　それから、おもしろいのはモードスイッチですね。モノーラルのポジションを押すと、パワーアンプの片方の電源が消えるんです。
山中　そうですね。ステレオを押すとⅡ型パワーアンプの両方が働き、モノを押すと左側のパワーアンプがキャンセルされる。その意味で電力節減にもなり、両方のアンプを同時に駆動したい場合は、ステレオとモノのボタンを一緒に押せばよい。
井上　これもさっきのイコライザー切替のボタンの組合せと同じで、一つの機能であるべきスイッチを二重に使っている例ですね。
長島　２２型の回路について触れておきますと、原型のＱＣⅡからＥＦ８６とＥＣＣ８３という二本の真空管による二段構成になっています。これに似た使い方は、アマチュアが自作するときに楽だということでやっていた時期があります。それは五極管を使ってＰ―Ｇ帰還――プレートからグリッドに返す帰還――でやっていたわけですけれども、ＱＵＡＤ２２の場合はＣＲと併用で、グリッドにＣＲが入り、それにＰ―Ｇ帰還が入るという形です。
　とにかく、ＥＦ８６という一本の球でイコライゼーションが終っているんです。
井上　その辺を考えると、ＦＥ８６にかなり依存していたんではないですか。こういうシンプルな回路だけに、やはり使用する真空管は十分セレクトしたようですね。そうしなければ、このプリアンプはあり得なかっただろうと思います。
　それから、プリアンプのアウトプットレベルが低いんですが、それでもパワーアンプがドライブできるということは、オーバーオールの設計としてすごく楽になるでしょうね。Ⅱ型パワーアンプほど入力感度の高いアンプはなかったでしょう。そういうレベル設定はアメリカのアンプとは全然違いますね。

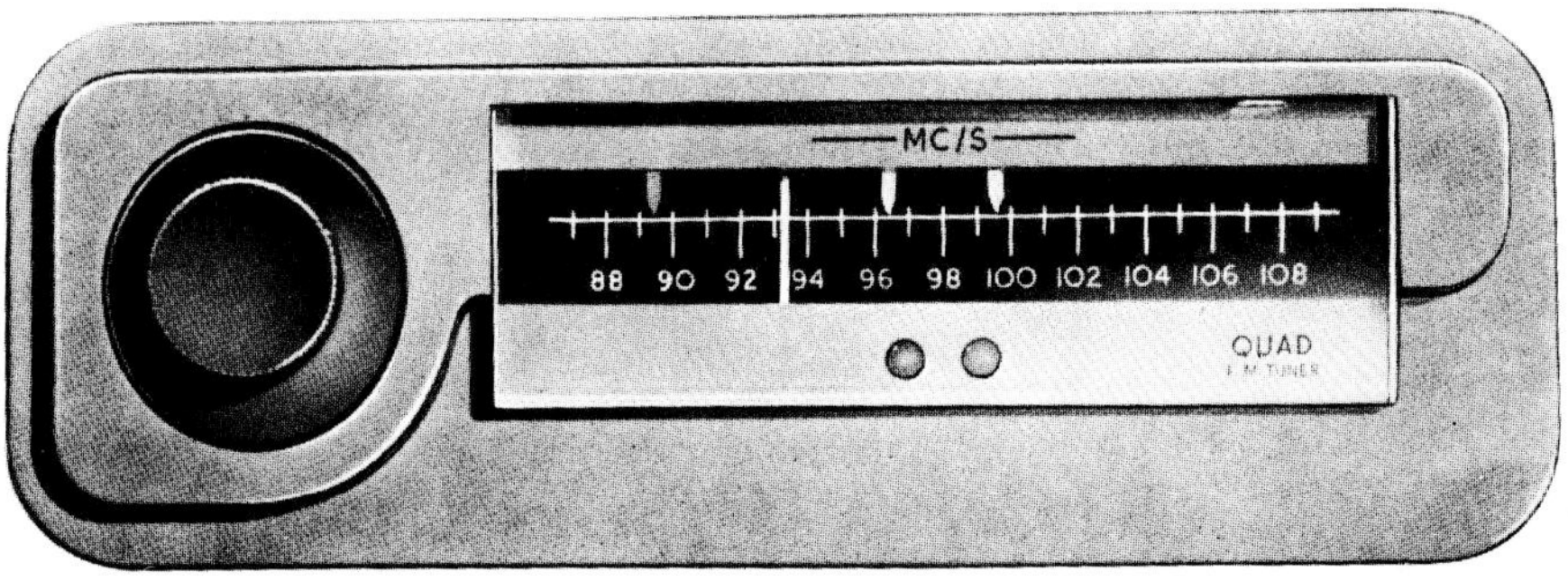

QUAD FMチューナー　現在のFM3でも採用されている、二つのランプをシーソー式に点灯させて同調点を知るチューニング機構はこの頃からすでに使われていた。通信機的なコンストラクションで、高周波のロスが非常に少ないのが大きな特徴だ。

長島　ＱＵＡＤでは、このプリアンプとパワーアンプのレベルマッチングの考え方を現在でも変えていませんね。

AM、FMチューナー アンプシステムの魅力的なペア

山中　このほかに、ＱＵＡＤⅡ型のアンプシステムに組み合わされる非常に重要な製品として、チューナーがあります。これはＦＭチューナーとＡＭチューナーで、ＡＭチューナーには、いわゆるインターナショナルバンドのタイプとヨーロピアンと呼ばれるドメスティックバンドの二種類ありましたね。
長島　先ほどの２２型コントロールユニットのリアパネルを見ると、コネクターが二つ付いているんですけれども、それはＡＭチューナーとＦＭチューナーに電源を供給するためのコネクターなわけです。ですから、ＱＵＡＤのチューナーというのは電源を持っていない。これはコントロールユニットと全く同じ考え方で、パワーアンプからすべてのシステムに電源が供給されるということです。
　ＱＵＡＤのＦＭチューナーは、モノの時代に出来たわけですけれども、その後マルチプレックスステレオになって、ここでまたＱＵＡＤらしいというか、非常にユニークなことをやったんですよ。それは、マルチプレックスの復調回路をトランジスターを使って小さな箱にまとめて、それをモノーラルのチューナーの後ろにネジ止めしてしまったわけです。それでモノのチューナーがアッという間にステレオチューナーになっ

てしまったわけです。
山中　外付けのアダプターをつくったわけですね。
それから、このダイアルの同調機構のインジケーターがおもしろいですね。これは現在のFM3も同じですけれども、同調したときに二つのランプが同時に点灯するわけですね。これは意外にシビアです。
長島　内部のコンストラクションも、いわゆる家庭用ラジオという観念からちょっと離れていて、プロフェッショナルユースの機械の一部がそこにあるというような感じでつくられています。このチューナーもQUADの製品らしい、非常にシンプルな回路が採用されているわけですけれども、まず非同調の高周波一段増幅のあと、ミキサーが入り、いきなりLCタイプのIFにつながってしまう。増幅段数も少ないですね。しかし、ハイエフィシェンシーということに非常に気を配っています。これが特徴ですね。
山中　それに完全な高周波配線をしていますね。このチューナーも、さっき話に出たように抵抗やコンデンサーが縦横にきちっと並んでいて、最短距離に配線されている。これは実に不思議な感じがしますね。
長島　チューナーブロックのシールドもきちっとしていますね。
ＡＭチューナーについても全く同じですね。最少の回路構成で、ちょっと見れば何の変哲もない。ところが、実際に内部のコンストラクションを見ていくと、アレッと思うところが沢山出てくる。
山中　同じ回路図でありながら、特に高周波関係というのはコンストラクションと部品の選択によって全く変るわけですね。

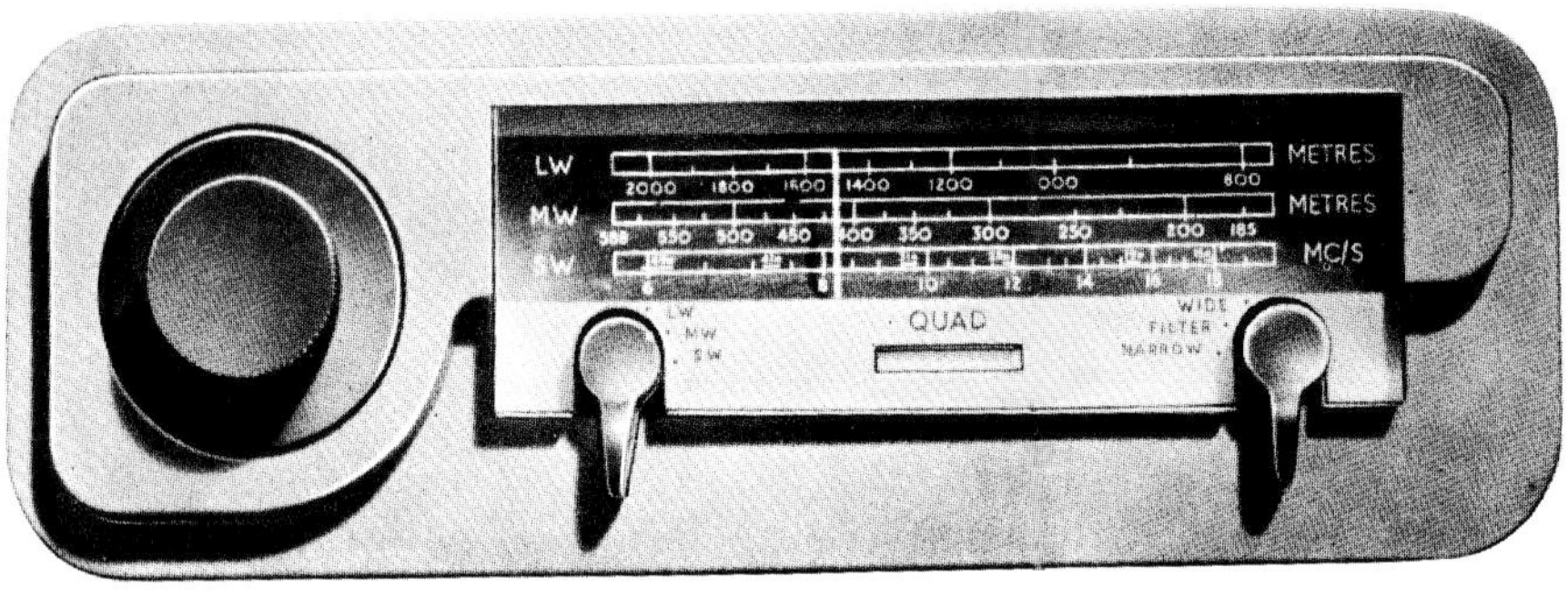

QUAD AMIIチューナー　この製品は長波、中波、短波すべて受信可能なオールウェーブ・ヨーロピアンタイプ。この他にドメスティックバンドの製品もあった。

井上　徹底的に高周波的なロスが少ない設計ですね。
長島　それが結局は、クォリティを上げるのに役立っているということでしょう。
井上　それでは大変単純なチューナーかといえばそうではなく、このAMチューナーは、最近のFMチューナーでよく見られる中間周波のバンド切替が付いているんですよ。
山中　このAMチューナーというのは、デザインといい、ユニークさといい、すごく魅力的なんですよ。

QUAD50E
QUAD初のソリッドステートアンプ

山中　それから、これはごく最近中止になったQUADの最初のソリッドステートアンプである50Eについても触れておきたいと思います。このアンプは一九六五年頃に発表されたモデルですけれども、もともとBBCの要請によって、モニターアンプとして設計されたのが開発のきっかけだったらしいんです。
長島　50というモノーラルパワーアンプは、入力インピーダンスの違いによってA、B、Cという各モデルがありますね。
山中　その最終モデルが50Eで、BBC用のはもちろんその規格に合わせた送り出しと送り込みを持っているわけですけれども、このパワーアンプはQUADらしいソリッドステート化アンプといっていいと思うんです。外観的には、現在でも製品化されている303というステレオパワーアンプと同じ筐体の中にモノーラルアンプが入っていると考えていいのですけれども、実際には50Eの方がオリジナルな設計で、あとでステレオパワーアンプを入れたわけです。
まず、このソリッドステートアンプの一番大きな特徴は、普通のソリッドステートアンプというのはシングルエンドタイプの構成になっていますが、このアンプではいわゆるプッシュプルタイプの構成になってい

QUAD最初のソリッドステートアンプQUAD50E。BBCのモニター用アンプとして開発され、つい最近まで製造がつづけられていた。真空管式アンプのデバイスをトランジスターに置き換えたような回路構成が特徴。このアンプの筐体の中にステレオ用のパワーアンプを組み込んだのが現在の303と考えてよい。

る、アウトプットトランス付きの一般的な真空管増幅器を、そのまま、デバイスをトランジスターに置き替えたと考えていい回路構成になっていることです。アウトプットトランスを使ってシングルエンドタイプでない回路構成をとったソリッドステートアンプは、現在に至るまでないと思います。

長島　トランジスターの初期にはそういうアンプが試作的につくられたことはありますが、製品化された例はないですね。

山中　もちろん、入力側にもともとこのアンプはプロ用の設計ですから、入力トランスをビルトインできるような構造になっていて、それによってバランスインプットにもできるという形になっている。完全にプロフェッショナル仕様のアンプですけれども、QUADらしいソリッドステート化の第一号製品として、やはり記念すべきアンプではないかと思います。

出力は、いままでのII型の15Wから50Wと、大幅にパワーアップされていますが、これはおそらくBBCの仕様に基づいたものでしょうね。

長島　そのパワーアップの原因は、一つには使うスピーカーの能率が下がってきたということでしょうね。もう一つはESL。

井上　それから、その間におけるモニタリングレベルの変化もかなり大きな要素ではないですか。

山中　そうですね。実際にダイナミックレンジがプロ用の世界でふえていますからね。

この50Eというアンプは、いままでのパワーアンプと違って、完全に最初からソリッドステートということを意識したスタイリングをもっているわけで、これも大変シンプルで、しかもプロ的なイメージの強い製品として興味深いんですが、音の点でも大変ユニークな製品だったと思うんです。いわゆるソリッドステートアンプということではなく、球のアンプのもつスムーズさというか……。これはピーター・ウォーカー氏によれば、現時点ではもう特性的に魅力がないんだということですが、実際に聴いてみると、３０３とはやはり全然違った魅力というのはありましたね。

長島 それから、これは５０Ｅがもしもインプットトランスを使っていたならばという前提に立っての話なんですけれども、そうしていれば、アンプとしてはパワーの受け渡しという考え方をしていることになるわけです。いまのトランジスターアンプというのは電圧の受け渡しであって、トランジスター本来としてはパワーの受け渡しの方がはるかに本筋なんですね。ですから、古いということが言えるのかどうか疑問ではありますけれども、いまのトランジスターサーキットが完璧かどうかというと、ぼくはそう思わないんです。

山中 最近になって、やっとそのパワーの受け渡しという考え方をだいぶ回路の設計に入れつつあるでしょう。案外トランジスターという増幅素子に対する基本的なアプローチのしかたは、ＱＵＡＤの方が正しかったのかもしれませんね。

５０Ｅというアンプは、ともかくある時期、プロ用として長い間使われ続けたアンプですし、それだけ実力のあったアンプだと思うんです。ほかのアンプがソリッドステートになったときに、やたらに帯域を広げてしまったけれども、５０Ｅの場合はそのデバイスだけをいままでの真空管に置き替える考え方で……。

長島 そうですね。ＱＵＡＤの製品に共通しているのは、ウルトラワイドレンジという考え方を絶対にとらないことですね。必要な帯域を充実させて、むしろ不必要なところは切り落そうという考え方をします。それは悪い意味で保守的ではなく、常にあるところでは非常に前衛的な考え方をする。そして、これは特にプロ用ということもあるんですけれども、オーバーパワーやオーバーインプットに対するスタビリティが十分に考えられている。まさにＱＵＡＤの伝統を受け継いでいるソリッドステートアンプといえますね。

特徴あるＱＵＡＤの音

山中 最後に、このＱＵＡＤ２２とII型パワーアンプとの組合せの音ですけれども、当時非常に高性能と謳われていた、たとえばマランツとかマッキントッシュに比べると、かなり違った鳴り方をしましたね。つまり、ハイファイ的な聴き方をするとちょっと物足りない感じはするんですけれども、その実、非常に大切なポイントのクォリティは高い。

長島 たとえば楽器の重なり具合とか、ステレオフォニックな響きなどの再現性にかけてのニュアンスは、このアンプの一番の特徴ではないですか。

山中 アンプに限らず、ＱＵＡＤ製品全般についていえることですけれども、一つの基準というもの——音楽を聴く上にこれだけはどうしても必要だという基準があって、その範囲でのクォリティを極力上げる、それ以外のところには手を加えない方が、むしろトータルのクォリティが上がるという考え方でしょうね。

長島 一番大きな基準になっているのは、やはり家庭でレコード音楽を聴くということでしょう。ですから、そこでおかしな音を出さない——ある意味ではレコードの持っている欠点を出さない——で、しかもレコードから最善の音楽を引き出すということ、それがＱＵＡＤなのではないでしょうか。決して不要な周波数レンジはとらない。ですから、どちらかといえばちょっとナロウレンジに聴こえてしまう。しかし、スピーカーのクォリティを上げてきちんと使ってやると、はじめてこのアンプの真価が出てくるんです。

井上 現在のＱＵＡＤ製品でもそうですね。いかに帯域をコントロールするかということが、このメーカーのアンプの一つのポイントになっています。

山中 この辺は、ある意味ではプロ用の機械と一種共通したところがありますね。一つの設計の目的を決めて、その範囲で最善をつくすでしょう。

井上 ですから、ＱＵＡＤは単能のよさではないですか。アメリカ的な製品はもっとバーサタイルですね。

山中 夢を持っているというか、よくすればどこまでもよくなるんじゃないかという、幻影みたいなものを追っかけているところがアメリカ系のアンプのよさなんですけれども、ＱＵＡＤの場合、そこを大人の感覚で割り切ってしまって、その範囲で一番うまくまとめ上げた製品ということになるんではないですか。イギリスという国が大体そうでしょう。ＱＵＡＤというのは、オーディオの世界では本当に稀有な存在だと思うんですけれども、その国柄がウォーカー氏のパーソナリティとうまく組み合わさって、こうした一つの完成度の高い製品が出来たのではないかと思います。

オーディオの名器にみる
クラフツマンシップの粋 6
AMPEX

鼎談＝井上卓也／長島達夫／山中敬三

●1モーターポータブル機の傑作PR10

Scotch
Scotch
LOW
HIGH
TAPE SPEED
AMPEX
CORPORATION
FAST FWD
REWIND
PLAY
STOP
START
RECORD
POWER
PHONES
RECORD
RECORD INDICATOR
POWER
OFF
ON
VU
AMPEX
CORPORATION
RECORD LEVEL
EQUALIZATION
INPUT TRANSFER SWITCH
METER AND OUTPUT SWITCH
PLAYBACK LEVEL
PHONES
RECORD
RECORD INDICATOR
POWER
OFF
ON
VU
AMPEX
CORPORATION
RECORD LEVEL
EQUALIZATION
INPUT TRANSFER SWITCH
METER AND OUTPUT SWITCH
PLAYBACK LEVEL

上●アンペックス社の記念碑的存在　マスターレコーダー　MR70
右●アンペックスの名声を確立するに至った　Model 300

AG440の直接の前身である　Model 350

撮影協力：小泉安雄氏，クラウンレコード株式会社

オーディオの名器にみる クラフツマンシップの粋(6)

AMPEX

鼎談＝井上卓也／長島達夫／山中敬三

アンペックスの創生期

山中　今回の名器シリーズはアメリカ・アンペックスの製品を取り上げてみようと思います。アンペックスというと誰でもが知っているように、テープレコーダーのメーカーとして最も有名な存在で、オーディオ界に非常に大きな足跡を残し、現在も残しつづけています。アンペックスはいろいろな意味で非常に興味深い会社で、最もアメリカ的な機械をつくったといえるでしょう。特にプロ用のテープレコーダーを中心に発展してきた会社だけに、アメリカのオーディオのプログラムソースを作る側に対する影響力は絶大なものがあったように思います。いままでこのシリーズではコンシュマー用の製品を中心に話を進めてきましたが、今回はアンペックス社の性格からいっても、本来アマチュアにはあまり関係のない、プロ用の製品をどうしても取り上げざるを得ないわけで、それらの製品を中心に話をすすめていくことをおことわりしておきたいと思います。

最初にアンペックス社の生い立ちを簡単にご紹介しますと、この会社は第二次大戦が間もなく終戦という一九四四年に、アレキサンダー・M・ポニアトフというロシア生まれのエンジニアが創立した会社で、初めはレーダー関係の仕事をしていました。このポニアトフという人は白系ロシア人で、機械工学と電気工学を専門に学びそれらへの造詣が深く、アメリカに亡命してレーダー関係の仕事をしていたわけです。このポニアトフ氏が始めたアンペックス社の名前のいわれがまた面白いのですが、アレキサンダー・M・ポニアトフのそれぞれの頭文字AMPにエクセレンスをつけまして、アレキサンダー・M・ポニアトフ・エクセレンスでAMPEXという名前にしたそうです。

第二次大戦終結後連合軍がドイツから押収したマグネトフォン。当時連合軍側ではまだ磁気録音は実用化されていなかったが、ドイツ軍の連合国向け放送が正確に同じことを繰りかえし、なおかつそのクォリティがディスク録音などと比べ格段に良かったことから戦中からその存在が予想されていたという。

アンペックス社が創設されて間もなく第二次大戦が終結し、アメリカの陸軍通信隊がドイツのテレフンケンでつくられていた〝マグネトフォン〟を持ち帰り、アメリカに初めてテープレコーダーが紹介されたわけです。これがたいへんな反響をよびまして、アンペックス社もこのテープレコーダーを見て非常に興味をもち、実際に製品の開発に着手したようです。

テレフンケンのマグネトフォンがアメリカに持ち込まれたのが一九四五年ですが、その翌年にはアンペックス最初の磁気録音機である♯２００が発表されています。この♯２００はアンペックス一社にとどまらず、テープレコーダーの大きな基礎をつくった製品として重要なものです。テープレコーダーそのものはドイツで開発・実用化され、戦後アメリカに持ち込まれてアメリカ流にいろいろ改良された結果非常に素晴らしいものになっていったのですが、アンペックスはその完成に大きく寄与したといえるでしょう。テープ録音が実用化される以前は、プロ用にもディスク録音が採用されていましたが、テープレコーダーができたため録音が非常に容易になり、編集や録り直しも自由にできるようになって、それ以来レコード産業や放送局の用途などに大きな貢献がなされたわけです。そういったアメリカにおけるテープレコーダーの創生期に、アンペックスはすでに実験的なものでなく製品化に取り組んでいたという意味で、同社はまさにアメリカのテープレコーダーの歴史そのものといっても過言ではないでしょう。当時アンペックスとならんで、マグネコード社が、名実ともに代表的メーカーとして有名だったのですが、現在まで脈々と続いているのはアンペックスただ一社になってしまいました。

テープレコーダーはもともとがレコードの録音や放送業務用に使うことを目的としてつくられたため、実用化された後もかなりの期間はプロ用のものしか世の中に存在しなかったのですが、コンシュマーユースのハイファイ・テープレコーダーを製品化したのもアメリカにおいてはアンペックスがかなり早かったと思います。アンペックスはコンシュマー用のテープレコーダーを開発すると同時に、プリレコーデッドテープ、いわゆるミュージックテープもいち早く製品化し、その普及に非常に力を入れていました。コンシュマー用のハイファイ・テープレコーダーを普及させるためにはやはりミュージックソースの存在が必要不可欠で、プリレコーデッドテープを同時に発表しなければユーザーの期待に沿えないという判断があり、総合的に開発のプログラムを組んでいく姿勢があったことが、アンペックスが今日の大を成したひとつの大きな裏づけになっているように思います。

アンペックスはその後オーディオ用のテープレコーダーから発展して、コンピューターやビデオレコーダーの分野にも進出し、テープ関係のいろいろな分野に幅広く活躍してきたのですが、オーディオ用のテープレコーダーの開発・製造を常に会社の柱として守り続けているという点で、たいへん興味深いと思います。

アンペックス社創立の頃の話で、ビング・クロスビーと同社の関係で面白いエピソードがありますね。

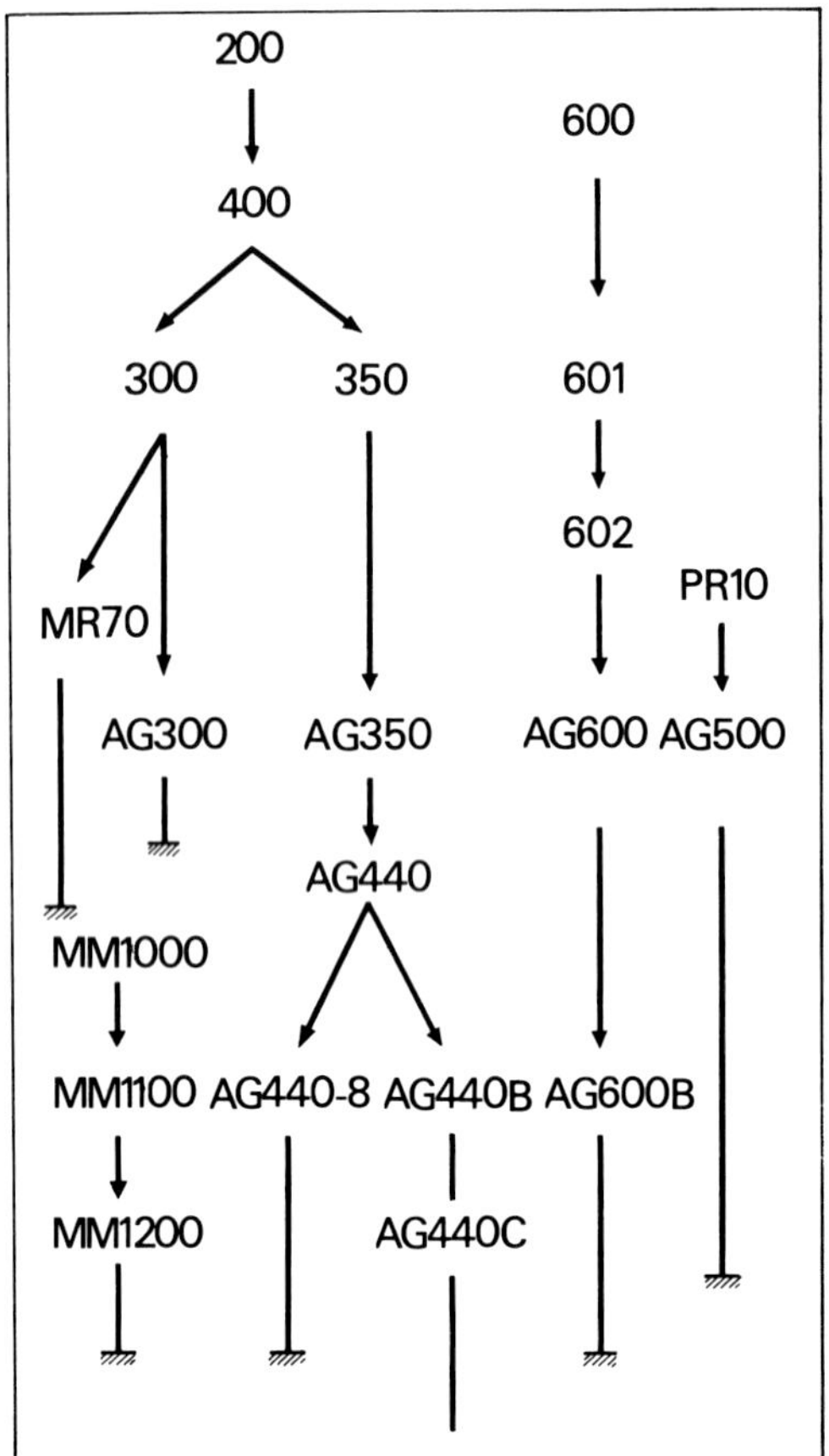

アンペックスの製品系列

長島　どこまで信憑性のある話かは定かではないのですが、アンペックスが♯２００を開発した頃アメリカではビング・クロスビーが絶頂期を迎えていて、全米のあちこちの放送局やレコーディングスタジオで引張りだこだったわけです。ここで彼はできたばかりのテープレコーダーに目をつけて、自分のラジオ番組の全米ネットワークにそれまで使っていたディスク録音をやめてテープ録音に切換えるとともに、アンペックスの経営に参加したという話があります。

山中　一時期アンペックス社の役員をやっていたことは間違いないようですね。

長島　もうひとつの異説としては、ポニアトフ氏に資金を出して♯２００の完成に大きく貢献したのがビング・クロスビーだという話もあるのです。これには確証がないのですが、当時絶頂期を迎えていたビング・クロスビーですから、当然テープレコーダーの開発には関心があったと思うのです。

第1号機♯200誕生す

長島　アンペックス社がいちばん最初に開発した♯２００は、いまから見るとかなり大型なコンソールタイプで、非常にヘビーデューティな機械なのですね。普通新しいメーカーなり個人のエンジニアが製品を一番最初に完成させる場合は、これほどまでに大がかりな機械をいきなりつくることはあまりなくて、もう少し実験機めいたものでスタートしてだんだんと優れたものをつくるようになるのが一般的だと思うのですけれど、アンペックスの場合はその後に出てくるたいへん優れた製品と基本的にはほとんど同じものを、最初の製品である♯２００で既に完成させていますね。

山中　その後のアンペックスのテープレコーダーの原形が♯２００でほとんど完成しているといっていいでしょうね。テープレコーダーそのものはアメリカがオリジナルを開発したものではなくて、すでにドイツである程度実用化されていた機械をもとに作られたこともあって、初めから完成度の高い製品が出来上ったのでしょう。

長島　アメリカに最初に持ち込まれたドイツのマグネトフォンの写真を見ますと、アンペックスの♯２０

アンペックスの第１号機Model 200を囲んだポニアトフ氏（中央２列目の黒いスーツの人）と当時のアンペックス社の全スタッフ。写真の説明には1946年７月とある。

０よりはずっと小さな軽い機械なのです。それなのになぜ、このマグネトフォンを手本にしたと思われる＃２００がまるで戦艦のように巨大で大規模なものになったのか、ちょっと不思議ですね。

井上　アメリカが第二次大戦の戦勝国だということも大きな原因のひとつではないでしょうか。現在あるものに上乗せしてそれ以上のものを作ろうという、いわゆるわれわれがアメリカ的という発想が、当時最も強く発揮されたと見るべきなのじゃないでしょうか。当時のアメリカの国力、そして戦争によって培われたテクノロジーが、技術者とともに戦後民間企業にまで浸透していったその辺の層の厚さがあって初めて、＃２００のように完成度の高い機械が生まれたのだと思います。

長島　マグネトフォンを見て、ポニアトフ自身がその中に何かウイークポイントを発見したことも＃２００の成立に大きく関係していると思うのです。テープレコーダーは基本的な構造とメカニズムがある程度ガッチリしていないことには十分な性能が得られないし、放送局などでかなり手荒に扱われても大丈夫なようにヘビーデューティ・ユースに耐えるということが、アンペックスのその後の製品全部に貫かれていますね。

井上　アンペックスの＃２００が完成された裏にはおそらく軍用兵器の影響もずいぶん大きいように思うのです。バトルコンストラクションというものが第二次大戦中に大体完成して、ポニアトフ氏自身も電気工学と機械工学に精通していたということが、＃２００のようなヘビーデューティな機械を生んだいちばん大きな原因のひとつでしょう。

山中　同じ時期にマグネコード社が、ほぼ同じ方式のテープレコーダーをつくっているのですが、こちらの方はどちらかというとポータブル性を重視した。アンペックスの重機械というイメージに対して、軽機械という感じですね。

井上　マグネコーダーは可搬型、いわゆるポータブル型の最初ではないでしょうか。

山中　マグネコーダーがポータブル型をつくるのなら、こちらは据え置き型を開発しようというわけではなくて、お互いそれぞれマグネトフォンを見て、開発をはじめて出来上ってみたら全然違うものになっていたということではないでしょうか。アンペックス社のスタートが非常に大きく重い据え置き型のテープレコーダーだということが、これをつくり出したメーカーの人たちの考え方、あるいは好みのようなものを端的にあらわしていると思います。

〝ワークホース〟＃６００

山中　＃２００の後に＃４００という製品が出まして、これは形態的には＃２００とほとんど同じで、細部を改良した機械といっていいと思います。そして一九五四年に、あの有名なポータブルの＃６００が開発されています。この＃６００は別名〝ワークホース〟といわれるように、いくら酷使しても壊れないことでも有名で、基本的なメカニズムは全く変らないまま、つい最近まで現用機として作りつづけられていました。＃２００や＃４００が持ち合わせなかった機動性を追求して、しかもヘビーデューティに使えるように作られた製品ですね。

＃６００を一番切実に要求し、そしてその完成を喜んだのは、当時アンペックス社の役員のひとりだったビング・クロスビーではなかったでしょうか。これで彼の活躍の場がまた一段とひろがったことでしょうからね。

井上　サムソナイトのケースに入った＃６００を横

＃600に満足げなビング・クロスビー。最近のアンペックス社のパンフレットからのコピーである。

に置いて、ビング・クロスビーが嬉しそうに写っている有名な写真がありますね。

山中　＃600はアンペックス製品の中でロングランをつづける第一号になりました。そしてその前に現われたのがアンペックスの代表的存在といえる＃300です。

アンペックスの名を不動のものにした＃300

山中　＃300はアンペックスの第一号機＃200を原型にしてつくられた機械で、スタジオ使用を目的として、性能的にはもちろんのこと耐久性も非常に考慮されていました。結局＃300の出現によりアンペックスの名が一躍有名になったわけです。そして、アメリカのほとんどのレコーディングスタジオで採用され、大きな放送局にも備えられていました。とにかくプロ用のテープレコーダーとしてこれを持っていない会社はないというくらい普及した製品で、現在でも＃300を現用機として使っているスタジオは多いですね。

井上　製品開発のテンポとしてはかなり早いですね。一九四六年に＃200をつくって、三年後の一九四九年にはもう＃300を開発している。

長島　ところがこの＃300と＃200は、基本的にはあまり変っていないですね。

山中　ただ、全体のレイアウトというか、トランスポートの構成が非常に完成された形にまとまったのが＃300でしょう。

長島　＃300のテープ走行系の構成やいろいろな考え方はのちのテープレコーダー、特に日本のテープレコーダーには絶大なる影響を与えることになりますね。

山中　ともかくその後のアンペックスの製品はもちろんのこととして、他社のプロ用のテープレコーダーもほとんどがアンペックス・スタイルというか、＃300で基本が完成されたパターンから抜け出ていないですね。

長島　抜けられないのでしょう。やはりこれがいちばん合理的でスムーズなテープ走行系だったということだと思います。

井上　日本の業務用のテープレコーダーは明らかに＃300をもとにして出発したといえますね。大小の比率は違うけれど、他はすべてアンペックス・スタイルというテープレコーダーがほとんどでしたね。

長島　3M《スリーエム》のアイソレートループ方式などの特殊な例を除くと、結局アンペックスが完成させたレイアウトにせざるを得ないようなところがありますね。たとえば、ヘッドやインピーダンスローラーやテンションアームなども、どのように配置してもいいようなものなのですが、ずいぶん研究した結果＃300のレイアウトに落着いたのでしょうね。

井上　テープ編集作業の容易さということを相当考えたのでしょう。テープシフター兼用のヘッドハウジングのカバーなどは典型的なアンペックス・スタイルといえますね。

山中　シャーシそのものは、厚いアルミニウムのパネルを使った鈑金で出来ていまして、肝心な走行系の部分——インピーダンスローラー、ヘッドアッセンブリー、キャプスタン、ピンチローラー、テンションアームなど——はものすごく強固なアルミの鋳物でつく

＃300のヘッドアッセンブリー。3つのヘッドの間にある2本のテープシフターは手前のカバーを開くと同時に動作する。

インピーダンスローラーのフライホイール(左)、ヘッドアッセンブリー(中央の6本コードが出ている部分)、キャプスタンのフライホイール（黒く写っている部分）キャプスタン駆動用モーター（右端）などが砂型鋳物の頑丈なベッドに取り付けられている様子がわかる。インピーダンスローラーの右やヘッド部の左右、右下など特に白く見えている部分が鋳物を加工して平面を精度良くだした箇所だ。

リールモーターも鋳物のフレームに固定されてから、アルミ鈑金製の平面パネルに取り付けられる。

られたフレーム（ベッドという）に取り付けられている。この部分はテープレコーダーの非常に重要な部分なのですが、日本の当時のアンペックス・スタイルの製品を見ると、鋳物のフレームがないのですね。鈑金のシャーシにそのままキャプスタンやヘッドアッセンブリーが直付《じかづ》けされているものがほとんどです。テープ走行系の機械的強度の重要さに気付いたのは、日本ではかなり後になってからでしたね。

長島　テープレコーダーはベッドが大事だといいだしたのはつい最近のことじゃないですか。

井上　コンシュマー用の製品でベッドを頑丈に作るのが常識になったのは、ここ四〜五年のことといっていいですね。

長島　それから忘れてならないのは、アンペックスは一貫して砂型鋳物を使っていて、ダイキャストを使いませんね。これは非常に重要なことだと思います。砂型鋳物の割と粗っぽいフレームなのですが、要所要所はフライス加工したりプレーナーをかけたりして、平面の精度をピシッと出している。しかし余分なことには全く手をかけていないでしょう。

山中　それがアンペックスの大きな特徴のひとつですね。オーディオの例でいうと、ウェスターンエレクトリックやアルテック、ほかにもいろいろありますが、そういった製品に共通していえるアメリカの機械ものの特徴といえるでしょう。性能にあまり関係のないところはほんとに何かやりっ放しという感じがして、肝心な部分だけは非常に手をかけて精度を出すという考え方。それでいて機械としての美しさを感じさせますね。アンペックスのテープレコーダーから学ぶべきいちばん大切なところではないでしょうか。

長島　結果的には非常に精度の高いものが出来上るけれど、余分なところには手をかけていないから、一種粗っぽさみたいなものが見えて、それがアンペックスの場合コンストラクションと非常にマッチしているんですね。

井上　耐久性、信頼性の高さを自ずからその形で示しているといった雰囲気がありますね。

抜群のリライアビリティ

山中　アンペックスのもうひとつの大きな魅力は、独特なアメリカ的な機械のつくりに加えてデザインが素晴らしいことですね。おそらく会社の体質の中から自然発生的に生まれてきたデザインだと思うのです。たとえば＃３００を現時点で見るとたしかに古い形をしていると思うのですが、全体から受ける印象は非常に洗練されていますね。

長島　アンペックスのデザインは機構や機能の必然性から生まれてきた形だと思うのです。

井上　簡単にいってしまえば機能優先のデザインということになるのでしょうが、それに徹しているためそこからある種の美しさが生まれている。

山中　その後に＃３００の系累としていくつかのモデルがありますが、メカニズムの基本は全く同じで、外観にデザイナーが少しずつ手を加えていったのでしょうが、もうそれだけでイメージは共通ながら非常に洗練されたモダンな形になっていく。基本の形そのものがガラリと変らない限り、どうしても以前の古いイメージが残ったりするものなのですが、アンペックス

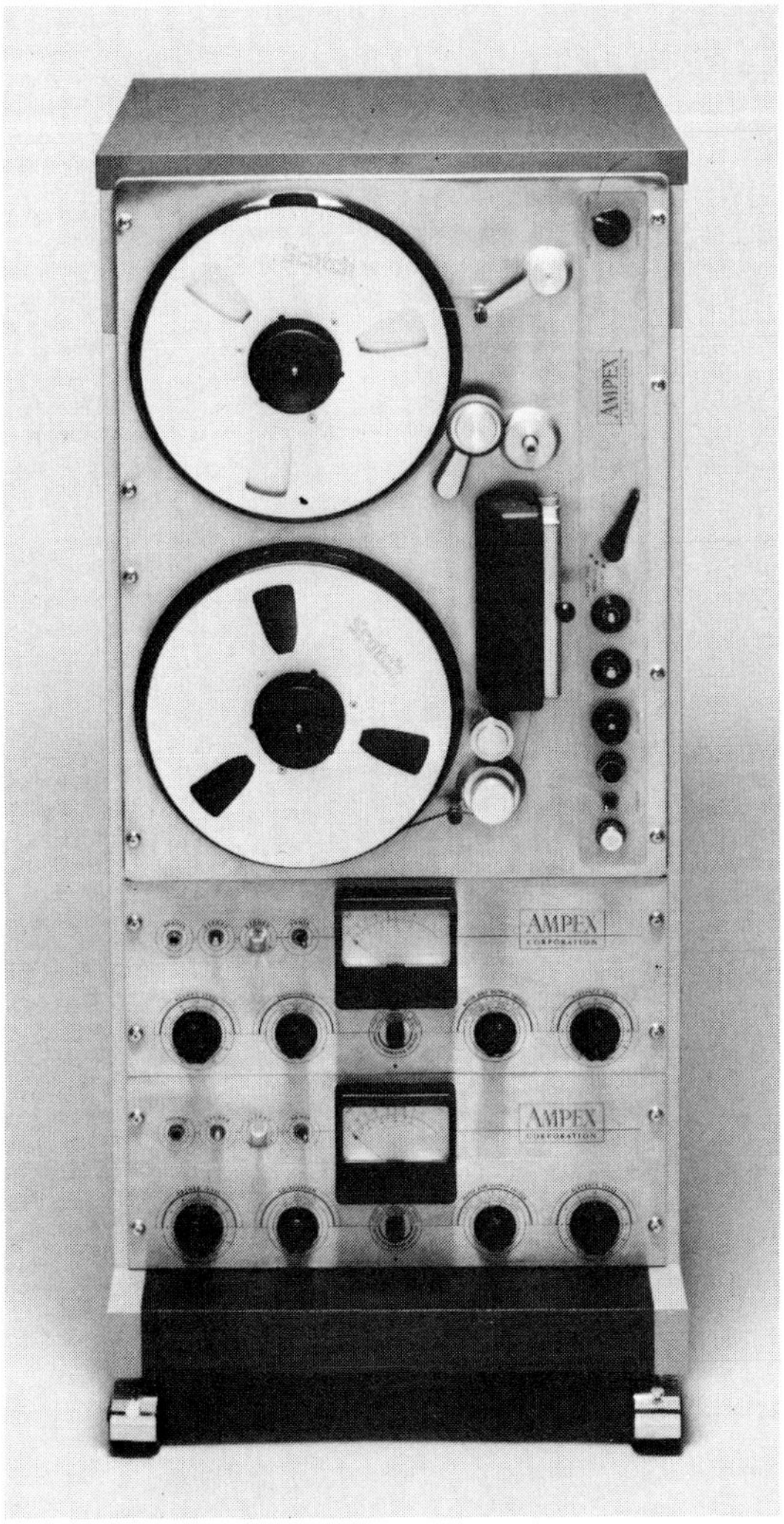

アンペックスの名を確立するに至った＃300。このモデルで完成されたテープ走行系のレイアウトは日本のハイファイ・テープレコーダーに絶大な影響を与えた。本来はコンソールに納めて使用するが、放送局などではこの写真のように19インチ・ラックにトランスポート部分を縦位置にマウントして使うこともあった。

の場合、新しいモデルが出るたびにデザインも素晴らしく生まれ変っていきますね。

井上　ヘッドハウジング周りのちょっとした形の違いとか操作ボタンの形状の変更などによって、全く新しい格好になっていくから不思議ですね。

長島　単なる見せかけの格好だけでなく、変更されるにしたがって格段に使いやすくもなっていくからたいしたものですね。

山中　心ある工業デザイナーにとっては、これほどデザインのしやすい機械もないのじゃないですか。

長島　逆にいえば、絶対に動かせない基本が決ってしまっているのだから、デザインの入り込む余地がなくてやりにくいともいえるでしょう。

井上　業務用の、つまりお金をかせぐための機械だから、小手先的なことでは全く通用しないほど厳しい条件下におかれているわけで、それに耐えるだけの性能でありデザインだったのだと思います。

長島　実際に第一線の現場で＃３００を使ったことのある人に聴いた話なのですが、とにかく壊れないそうですね。また少々壊れたところで、ひっぱたけば直る(笑い)。そういうテープレコーダーが現場ではいちばんありがたいといっていました。レコーディングは待ったなしですから、録音の始まる時になって具合が悪くなって、どこが悪いのだかわからないような機械はとても使えない。その点アンペックスは安心していられるそうです。

　リライアビリティの高さはアンペックスのプロ用レコーダーに流れている基本ポリシーでしょう。これから推察すると、割と早くに製造中止になってしまったような機械は、リライアビリティに問題があったのではないかと思われるのですが……。

井上　壊れるという意味あいが少し違うと思うのです。つまり少しガタがきてからが強いという感じですね。コンシュマー用のメカニズムなどはガタがあったりすると、それでもう壊れたということになって駄目なのだけれど、アンペックスはいろいろなところが少しガタガタしだしてからの信頼性というか、耐久度の強さがまた抜群ですね。

山中　＃３００も故障することはあるけれど、それで録音が駄目になるようなところまでは至らない。その点では絶大なる信頼性だということです。

井上　壊れ方がうまいというのか、壊れかけの状態で巻き戻しや早送りのときはガタガタ振動して機械的なノイズが出たりしても、とにかく最後まで録音はまともに出来る。エンジンだけは最後まで回っている飛行機みたいなもので、墜落はしないわけだ(笑い)。

山中　プロにいわせると、何とか最後の録音の終わるまでお守をすれば動くし、また＃３００なら動かす自身があるそうですね。

長島　＃３００を細かに見ていくと、もうひっぱたいても壊れないようにできている部分と、これでは壊れやすいなと思わせる部分が雑然と同居している。しかし、レコーディングをするというメインの機能に対しては万全の注意が払われていて、プロにとってはそれがいちばんありがたく、必要なことでしょうね。

井上　録音テープという細くて薄いものを、たかだか38cm／secくらいのスピードで走らせるメカニズムとしては、過ぎたるほどのものですね。

山中　しかしこの力があり余っているような機械が、テープを切ることはあまりないんですね。

長島　巻き戻しや早送りはものすごく速くて、途中でリールがぶっとぶのじゃないかと思うほどですが、最後までいってブレーキがかかると、テープに無理な力がかかることなくキュッと止まるさまは見ていて感心しますね。

驚異的なダイナミックレンジを誇るアンペックスサーキット

長島　＃３００はモノーラルの頃開発された機械ですから、エレクトロニクス部分はもちろん管球式ですが、これがステレオになったときの処理の方法が少々強引なアンペックス流で面白かったですね。特にバイアスオシレーターに最も特徴があったと思うのです。ステレオではエレクトロニクス部分を二台使いますが、それぞれにバイアスオシレーターが内蔵されています。このバイアスオシレーターを二台使えばそのままステレオになるかというとそうはいかない。というのは両チャンネルのバイアスオシレーターが全く同じ周波数で発振するなどということはあり得ないわけです。いくら微調整をして合わせ込んでいったところで、使っているうちにはずれてくる。そうすると両方の周波数の差のビートが出て、テープにピーとかキーとかいう音が録音されてしまいます。ですからなんとか二台のバイアスオシレーターの周波数をシンクロナイズしなければならないのです。＃３００の場合は、それをバイアスオシレーターのアウトプット同志を結合するだ

ＶＵメーターの針が＋3dBまで振り切ったまま戻ってこないような録音をしてもクリップしないといわれるほど驚異的なダイナミックレンジを誇る＃300のエレクトロニクス部。

けですませてしまっている。モノーラル時代に出来上ったエレクトロニクスをステレオになってからも何とか使おうとしたためでしょうが、これがステレオ時代に入ってからの＃300のいちばんの使いにくさになるんですね。いくらアウトプットを結合したところで位相はずれてしまうわけです。位相がずれるとビートが発生しますから、現実にこの当時録音されたレコードの中には、ビートがかすかに聴こえるものが何枚かありましたね。

エレクトロニクス部分のもうひとつの特徴として――これは以後の製品にもずっと受け継がれていくのですが――ライン送り出しの増幅段の真空管を規格ギリギリの目いっぱいまで使っていることがあげられるでしょう。真空管の規格いっぱいまで使うことから、アンペックス独特の音が生まれているともいえるのですが、管《タマ》の寿命《ライフ》は短いでしょうね。しかしプロ用の機械ではある一定期間が過ぎたら、真空管などは寿命がきていようがいまいが全部取り替えてしまいますから問題ないというのがアンペックスの考え方なのでしょう。

山中　アンペックスのエレクトロニクス――回路設計――は非常にユニークというかちょっと無謀というか、普通われわれが考えている増幅回路の設計とはずいぶん違いますね。まるでパワーアンプのようなコンストラクションでしょう。

長島　テープが飽和してしまうほどのレベルで録音しても、エレクトロニクスにはまだ余裕がある。エレクトロニクス全般に余裕度が大きくて、その意味ではメカニズムとエレクトロニクスに非常に共通性があるといえますね。

しかしスペックの面からいうと決して良いとはいえないでしょう。出力だけは十分すぎるほどありますが、歪率にしても周波数帯域にしてもそれほどよくない。コンシュマー用テープデッキのデータを見なれた目にはずいぶん控え目なカタログデータで、実際の製品も規格ギリギリのことが多いのですが、いくら酷使してもそれ以上絶対に悪くならないのですね。この意味でもリライアビリティがあるといえるでしょう。

山中　真空管の使い方にしても――これはトランジスターに変ってからも同じ傾向なのですが――何かすごく奇想天外というか、普通の常識的な使い方とは違うことをしていますね。

長島　たとえば真空管の負荷にしても、段間の受け渡しにしても、われわれの目で見るとこれでいいのかという粗っぽいところがあるのですが、そこからかえってアンペックストーンの魅力が出てくるのでしょう。

トランジスターになってからのポータブル型のアンペックスで面白い体験をしたのですが、エレクトロニクス部分のファイナルのトランジスターが、原設計のままだと80度くらいまで温度が上がってしまう。これではトランジスターがもたないだろうと、電流を下げてそのトランジスターの規格内の安全な範囲で使うように改造してみたのです。すると、いわゆるアンペックスの音ではなくなってしまいました。

山中　各デバイスがむち打たれながら悲鳴を上げて働いている感じ、それがアンペックストーンかもしれないですね。

長島　アンペックスのサーキットの荒々しさは、わかってしまえば納得できるのですが、生半可な電気の知識がある人が初めて見たら、そこらじゅう直したくなるのじゃないですか。

井上　業務用のテープレコーダーにはかなりそういう傾向が残っていますね。たとえばナグラなども、最新のアンプから見れば二世代昔といった感じの回路構成を採用していますね。

山中　初期のマッキントッシュのパワーアンプの回路にも似たような感じがありましたね。常識では考えられないようなことをする……。アメリカ流の独特のサーキットテクニック、いやテクニックというよりルーツみたいなものかもしれませんね。

長島　こせついたところがひとつもない、のびのびとおおらかなサーキット、それが先ほどの話にも出てきたような、一種の野蛮さに通じるのでしょうね。

山中　そのくせといっては何ですが、アンペックスは新しいものに割と早くとびつくし、思い切って取り入れますね。♯300のエレクトロニクスは発表当時はGT管を使っていたのですが、後期になってミニチュア管を使い出すのと同時にプリント基板を採用しています。その上プリント基板は簡単に抜き差しができて、メインテナンスも容易になっている。しかし当時は真空管式ではプリント基板はほとんど実用化されていなくて、プロ用の酷使に耐えなくてはならない機械に基板を使って大丈夫かと思ったことも事実です。

長島　新技術には好奇心旺盛でいち早く取り入れる反面、♯300のバイアスオシレーターのように最初につくったものを営々と変えない頑固なところもありますね。

アンペックストーンを決定づけるヘッドの秘密

山中　♯300に限らず、アンペックスのテープレコーダーの重要な部分にヘッドがあります。アンペックスのヘッドの最も大きな特徴は、コアが圧倒的に大きいことですね。ボリュウムも普通のヘッドに比べると四倍くらいある。

長島　イレージングヘッドからリプロデュースヘッドにいたるまで、計算で割り出したこれで足りるという大きさからすれば桁違いに大きいですね。

山中　このヘッドもアンペックスの音をつくるひとつの重要な要素になっていると思うのです。ヘッドだけを他のものと取り替えると、もうアンペックスの音ではなくなってしまう。

井上　特に当時はアンペックスのデッドコピーといってよい製品がいくつもありましたけれど、オリジナルと音的にいちばん違っていたのは録音系でしたね。再生系は割とニアイコールにできたのですが、録音系がそれらの製品のひとつのネックだった。これはヘッドの違いが影響していたのでしょう。

長島　アンペックスのヘッドの精度が特に素晴らしいかというと、どうもそんなこともないような気がします。たとえば、スリットが全く平行かというと意外とそうでもないし、リプロデュースヘッドのギャップが特に狭いということもない。

井上　ギャップはむしろ広い方でしょう。しかし、手で触って明らかにわかる程度にまで摩耗して、ヘッド面にコンマ何ミリという段差がついても特性はほとんど変わらないのですね。

山中　あまり硬いヘッドではないのでどんどん減るけれど、減っても初期の特性とあまり変らない、これはアンペックスのヘッドの大きな特徴ですね。アンペックスの特許らしいのですが、ギャップが非常に深い、つまり同じ間隔で対向面がずっと深く接しているのです。だから少々ヘッドが減ってもギャップの間隔は変らないので、特性も維持できるのでしょう。

長島　ギャップを深くとると、周波数レンジが狭くなってしまいますね。もっともアンペックスはそれほど極端なワイドレンジは初めから狙っていませんが。

山中　特性と耐久度の妥協点が非常に巧みに選ばれていますね。

ポータブルの♯600シリーズなどは早送りや巻き戻しの時でもテープがヘッドをこすっていますから、使っているうちにどんどん減っていくのですが、当初の特性はかなり維持できるようですね。そして少々減ったヘッドでも研磨して平面を出せば特性がほぼ元通りになるといいますからたいしたものです。

井上　付け焼き刃じゃないわけだ、研ぎ出したらまたもとに戻るのだから。

山中　初期の♯300のヘッドはコアや真ん中のアイランドのスペーサーなどが同一平面に仕上げてあったのですが、後期になるとコアの部分だけがヘッドから飛び出していて、アイランドやその他の部分は一段落ち込んでいます。こうするとコアが減ってもヘッド面には段差がつかないので、特に研磨などしなくても非常に長期間使えるようになりましたね。他社ではあまり例のないことでしょう。

長島　ある程度減ってから先が長いですね。メカニズムについても同じようなことがいえますが、各部分がなじんできてからの寿命が驚異的に長いのです。

AG440の原型♯350

山中　♯300の話が長くなりましたが、このすぐ後に♯350というモデルが発表されます。♯300のメカをほとんどそのまま踏襲して、コンパクトにまとめられた製品です。♯300はトランスポート部の奥行きが19インチのラックサイズですが、♯350では横幅がラックサイズになっていて、全体の大きさではちょうど⅔くらいになっています。おそらく放送局の送り出し用などの用途も考慮して開発されたのでしょう。
＃３５０になっていちばん変ったのは、キャプスタンがダイレクトドライブになったことですね。おそらくプロ用のテープレコーダーでは初めての試みではないかと思います。それまではベルトやアイドラーを使ってキャプスタンをドライブするものがほとんどで、現に＃３００もアイドラードライブを採用していましたから……。

井上　＃３５０はポータブルケースにも納められるようになって、可搬型としての用途にも向くようになりましたね。ＡＧ４４０的な使用が可能になったわけです。

山中　このモデルはＡＧ４４０の直接の原型といっていいでしょう。メカニズムの基本はＡＧ４４０とほとんど変わりませんね。

ここで初めてダイレクトドライブのキャプスタンが採用されたのですが、その成果を＃３００にも取り入れるかというと決してそうではなく、＃３００は最後までアイドラードライブに固執しています。極端なことをいえば、この両者の違いはここだけですね。しかし音そのものはずいぶん違いますね。

井上　このときアンペックスは製品の系列をスタジオ用のマスターレコーダーと、いわゆる一般的な業務用に分けたのだと思います。その違いが音にも出てきたのでしょう。前者はコンソール型でスタジオに据え置くことを前提として、後者はポータブルケースにも入れられて可搬性を重視しスタジオ以外の場所でも使えるようにした。また放送局の送り出しなどには＃３００ほどのグレードは必要としないでしょうからね。

山中　しかし＃３５０は、日本の多くのテープレコーダーの直接のお手本となった、たいへん由緒ある製品ですね。

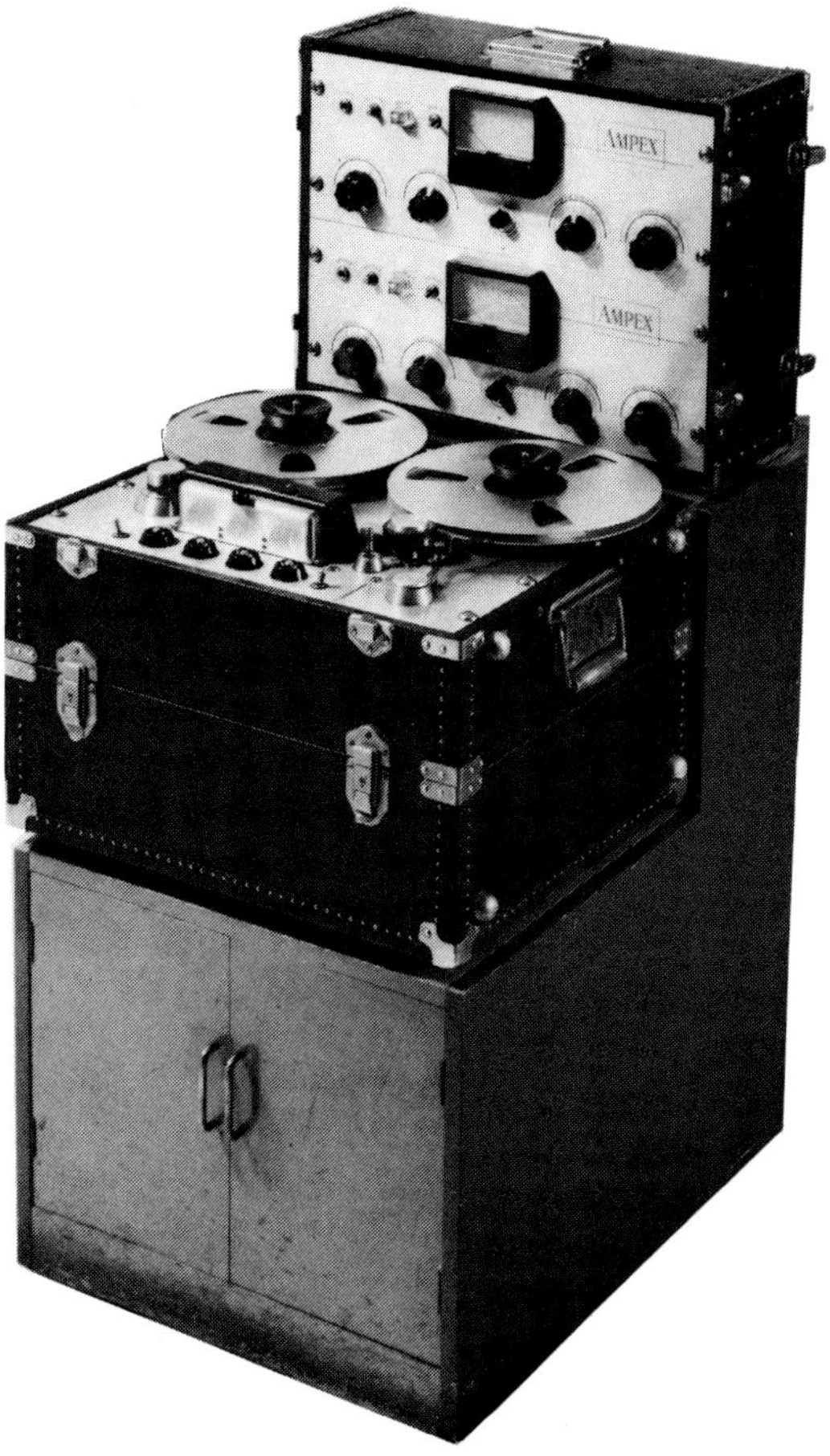

マスターレコーダーとは異なる系統の製品として新たに完成した＃350は、このようにテープトランスポート部とエレクトロニクス部を別々にポータブルケースに納められるようになっていた（ただし、スチール製の置き台はノンスタンダード）。この製品からはキャプスタンがダイレクトドライブになったのも大きな特徴だ。

アンペックスの金字塔ＭＲ７０

山中　＃３５０を発表した後、アンペックスが次の最も大きな目標として取り組んだのが＃３００のさらにハイグレード版ですね。その結果完成したのがＭＲ７０で、このモデルはアンペックスの記念碑的存在といっていいでしょう。

ＭＲ７０は基本的なメカニズムこそ＃３００と共通

ＭＲ70では早くもトランスポートの操作系にリレーを使ったロジック回路が採用され、誤操作を防止している。現在はＰＬＡＹの状態だが、このように動作モードを示すインジケーターランプが点灯する。＃300の頃のコントロール部分とくらべると格段にモダンでシャープな印象だ。

パワーライズされたインピーダンスローラー。スタート時に一瞬モーターで駆動され、その後はスイッチが切れてフリーになりテープの送りだけで動かされる。最下部にあるドラム状の部分には一種の流体クラッチが内蔵されていて、クイックスタートを可能にしている。

ですが、当時のエレクトロニクスの進歩を大幅に取り入れて、非常に機能的な製品に仕上がっています。また、ヨーロッパ系のテープレコーダーで特に追求されていた、操作上でのいろいろな便利な機能を見事に昇華していますね。たとえば操作系にリレーコントロールによるロジック回路が早くも取り入れられていますが、これはコンピューターの初期のものと同じ考え方に基づいたものです。またマスターレコーダーとしての機能を重視したため、クイックスタートを可能にすべく大きな努力がはらわれていますね。具体的には、パワーライズされたインピーダンスローラー——これはその後も他に例を見ないユニークな機構ですね——を採用したり、リールモーターの瞬間増力装置が付けられていたりする。こうしてスタートタイムを極力早くして、すぐに定速が出るようにした。現在のようにエレクトロニクス化が進んでサーボメカを採り入れた機械では、すべての可動部分のマスが少なくなっていますから、コントロールも割と簡単でしょうが、♯３００というヘビーデューティな、あらゆるところのマスが必要以上に大きい機械と基本的なメカニズムを全く同一にしながら、瞬時スタートを可能にしようとした努力はたいへんなものでしょうね。

長島　すべてにマスがある可動部分が等速で、瞬間的に同期して動かないことにはクイックスタートしませんが、そこをなんとかインピーダンスローラーにモーターをつけてまで可能にしようとした、一種の気迫さえ感じられるモデルですね。

井上　車にたとえれば四輪別々に四機のエンジンがついているようなものですが、メカニズムにいろいろな付属機構を加えたため、事実上バーチカルユースができなくなっていますね。

山中　アンペックスの技術と経験が積み重ねられてはじめて完成した製品といえるでしょう。♯３００にある、言葉は悪いですが、野蛮な部分を残しながらも、その上に最新の洗練された機構を盛り込んでいる。

井上　巻き戻し時間が０から４００インチ毎秒！まで連続的に変えられるなどというのは、野蛮といえなくはないですね。

長島　多接点スイッチを使ったバックテンションのサーボ機構なども手が込んでいますね。

山中　多くの機能が追加されて、基本的なメカニズムこそ同一ですが、形の上からは最初の♯３００とは全く別物といえるほど洗練されていますね。

しかしＭＲ７０でいちばん問題になったのもこの点で、非常に複雑化、多機能化したために、リライアビリティやメインテナンスの点で不都合が生じてきた。リレーを使ったロジック回路なども、経年変化による劣化がありますから、耐久性の面からは現在のエレクトロニクスを使ったロジック回路より一段おちますね。

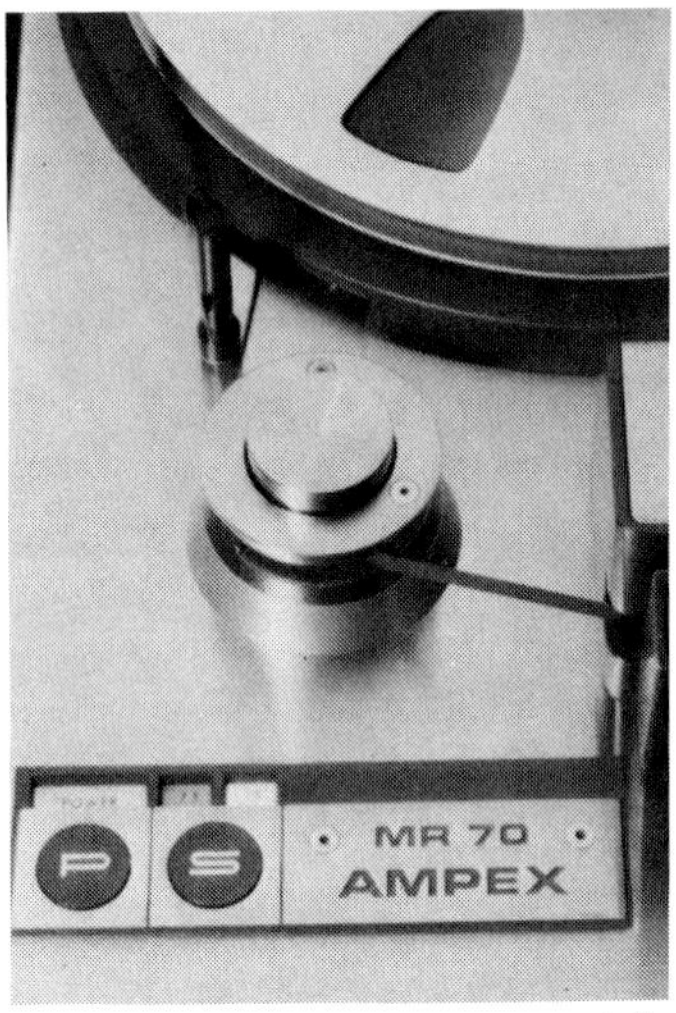

リール台の下から出た、多接点スイッチを使ったバックテンションサーボ機構。

そういう意味で、プロが使う業務用の、井上さんが先ほどいわれた、お金をかせぐための機械としては若干問題があったように思うのです。

ただそれを別として、アンペックスの代々の製品を知る人々が異口同音にいうのは、ＭＲ７０は当時のテープレコーダーの頂点に立つものだったということですね。

長島　オーディオ用テープレコーダーの最高峰であったことは事実でしょう。

井上　開発時期からいって当然かもしれませんが、基本設計の時点から録音テープの進歩をある程度見越して、それに対処できるようになっていたのもＭＲ７０の特徴のひとつに数えられますね。

山中　このころからヨーロッパ系のテレフンケンやスチューダーの進出も目立ってきて、それらはアンペックスに代表されるアメリカのテープレコーダーとは違い、操作機能上からもいろいろと便利に使いやすくなっているし、なんといってもアンペックスには望めないテープ走行の滑らかさとそのサウンドが特徴になるとともに武器になっていましたね。その辺をアンペ

ＭＲ70のエレクトロニクス部には真空管の究極的な姿といわれたマイクロ・ミニチュア管“ニュービスタ”が使われていた。ヒートシンクに囲まれたのとキャップを被っているのがそれだ。

ックスはかなり意識して、世界中で使ってもらえる製品を開発し、スチューダーやテレフンケンの進出で失った地位を回復し、以前のようにテープレコーダーでの絶対的な存在になろうとしたことが、MR70からは非常に強く感じられます。
　エレクトロニクス部には、当時真空管の究極的な姿だと話題になったニュービスタというマイクロ・ミニチュア管を使っています。ニュービスタはミサイル用にRCAで開発されたのですが、これを使った実際の製品はテープ関係ではMR70が最初にして最後ではないでしょうか。

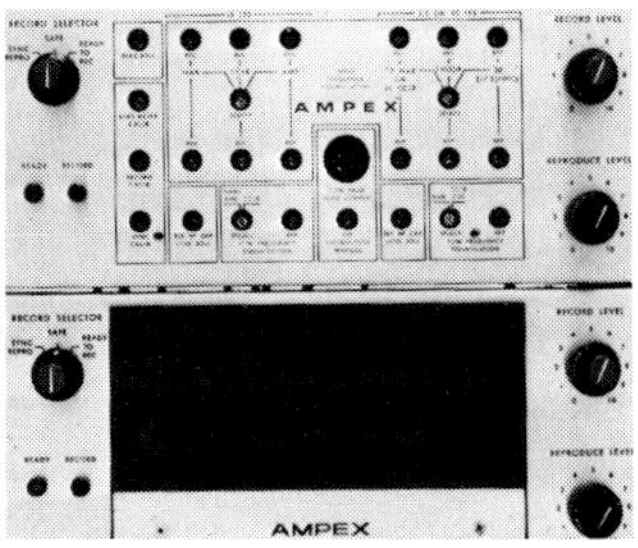

MR70はヨーロッパでの使用にも対処できるようNABの他CCIRやAMEのイコライザーにもすぐ切替えられた。また録音テープの進歩にも対応できるように、各部のアジャストも容易になっていた。エレクトロニクス部右側のサブパネルを外すとそれらの調整機構が現われる。

当時のオーディオ用テープレコーダーの頂点に立つ存在 MR70はコンソールに入れると200kg近い重量になった。

長島　ニュービスタそのものがすぐにトランジスターに取って替られ、非常に短命だったせいもありますね。
井上　一部の高周波用を残してまたたく間にトランジスターに移行してしまいましたね。ニュービスタそのものもあまり種類が豊富ではありませんでしたから、MR70のエレクトロニクス部では二種類だけを使用していますね。
山中　メインテナンスの容易さも考えて二種類のニュービスタで全段を構成したのでしょう。
　このエレクトロニクス部はヨーロッパでの使用にも十分対応できるように、レコーディングとプレイバックのイコライザーカーブをスイッチひとつで切換えることができ、当時スタンダードとされていたカーブにすべて合わせられるとともに、240Vオペレーションにも簡単に切換えられるようになっています。とにかくすべての要求にこたえられるようにと、欲張ったことでは最高の機械でしょう。フレームも#300の鈑金と鋳物の混成とは違い、全部アルミの鋳物で頑丈なシャーシをつくっている。そのため重さもコンソールに入れると2チャンネル機で200キロ近くなるわけで、レコーダーとしては空前絶後の重い製品でしょうね。
井上　MR70と同時期のスチューダーはかなり電気系を重視した設計で、トランスポートにもエレクトロニクス化をおしすすめていますね。普通に考えるとヨーロッパの方がメカニズムを重視して、アメリカはエレクトロニクスを重視すると思いきや、アンペックスとスチューダーの場合は逆だったわけです。
山中　MR70が発表された頃からマルチチャンネル録音流行の兆しがあったため、最初からマルチチャンネルレコーダーとしての機能を持たせていることも忘れられませんね。たとえば#300でさんざん悩まされたバイアス電源は、マスターオシレーターから各チャンネルに分配するようになっているし、ヘッドアッセンブリーなどのごく一部を変更するだけで基本的な構造を変えずに1/4から1インチまでのテープに対応でき、最大8チャンネルまで使用可能でした。
　MR70は一九六四年頃発表されましたが、一九六六年には＃300のバリエーションとして、メカニズムはそのままでエレクトロニクスをソリッドステート化したAG300が開発されます。しかしこのモデルは比較的短期間つくられただけですぐ製造中止になってしまいました。

長島　当時のアンペックスのソリッドステート技術には、はっきりいってまだ問題が残されていたと思うのです。そのためにAG300が短命に終ったのでしょう。アンペックスにも失敗作と思われるものがいくつかあるわけです。

山中　AG300の商品寿命が短かかったこともあって、MR70はずいぶん長いこと作りつづけられて、メインテナンスに泣かされ悩まされながらも多くのスタジオで長い間使われていました。

その後、多チャンネル化が一層進み、8、16、24などとチャンネル数が増えてそれに対応するためにMM1000が現われるまで、MR70が現用機種としてつづいていたわけです。MM1000はその前に開発されたプロ用のVTRのメカニズムを流用していますから、マスターレコーダーとして昔からのトラディショナルなタイプの製品としてはMR70が最後であり頂点に立ったといえるでしょう。

ところで、＃350にもAG300と同じような性格のAG350という後継機があります。AG350はエレクトロニクス部はAG300と共通のトランジスターライズされた製品で、これも比較的短命で終わるのですが、その後皆さんもよくご存知のAG440にとってかわられるようになります。AG440になって初めて、ソリッドステートのテープレコーダーとしてアンペックスが安定期を迎えるわけです。

ＭＲ70のトランスポート部を裏面から見る。深く厚いリブをとった頑丈なアルミ鋳物製のフレームに取り付けられたメカニズムは基本的に＃300と同一ながら、付加された各種の機構のため非常に複雑に見える。

テープオーディオの普及に努めた コンシューマーディビジョン

山中　同じように先ほどちょっと話に出ました〝ワークホース〟といわれた＃600も細部が徐々に改良され型名が＃601、＃602と変わっていき、ソリッドステート化されてAG600になり、次にエレクトロニクス部に大改良が加えられてAG600Bになり、これがつい最近まで製造されていました。＃600シリーズはアンペックス製品の中でもっともロングランをつづけたわけです。次に製品寿命が長いのはAG440にまで至る＃350系でしょう。

井上　日本でも＃600をコピーした1モーター2レバー方式のデッキが作られましたね。

山中　1モーターのトランスポートメカニズムは、テープレコーダーメーカーにとってはいちばんその会社の技術の粋を世に問うというようなところがありますね。アンペックスでも非常な成功をおさめた＃600をもとにして、コンシューマー用のハイファイ・テープレコーダーが開発されるようになります。最初の製品は＃960といいますが、メカニズムの基本は＃600に近くて、これを簡略化というか、ソフィスティケートした形でまとめ上げられています。オーディオファイルの間にプリレコーデッドテープをひろく普及させるきっかけとなった重要な製品ですね。

長島　アンペックスはある時期、プリレコーデッドテープ、いわゆるミュージックテープが、レコードに取って替わると考えていたのでしょう。その頃はコンシューマー用のテープデッキに非常に力を入れています。

山中　当時レコードはまだモノーラルで、いろいろな方式のステレオレコードが研究されていましたが、これが一般的な形で実用化されるとは誰も考えなかったですね。

長島　モノーラルからステレオへの過渡期に、デュプリケーターの開発に血道を上げ、コンシューマー用ハイファイ・テープレコーダーの開発にも非常に力を入れていましたね。

山中　アンペックスは音楽再生用のコンシューマー向けハイファイ・テープレコーダーの基礎をつくり上げたといえるでしょう。

井上　¼インチ幅のテープで、19cm／secという規格を定着させたといっていいと思います。

長島　アンペックスにしてみれば、コンシューマー用の分野でもやっとわれわれの時代がきたと思ったこと

＃600シリーズの最終モデルであるＡＧ600Ｂ。＃601と比較すれば明らかなように、基本パターンは同一ながら細部のデザインの変更でより現代的に生まれ変わる例がここにも見られる。

＃600シリーズはつい最近まで製造がつづけられていた傑作だが、その比較的初期の製品＃601。年代を感じさせる茶色の革製のサムソナイトのケースや結晶塗装の美しさをカラーでお見せできないのが残念だ。

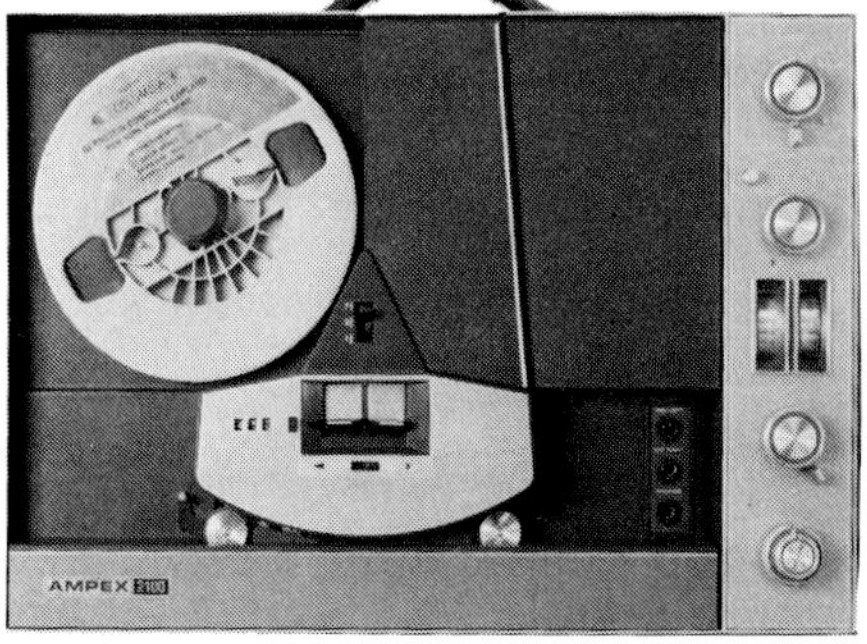

デュアルキャプスタン／クローズドループ方式を採用し、往復録音・再生の機能をもつ＃2100。右上のカバーの中にオートローディング用の特殊なリールが内蔵されている。

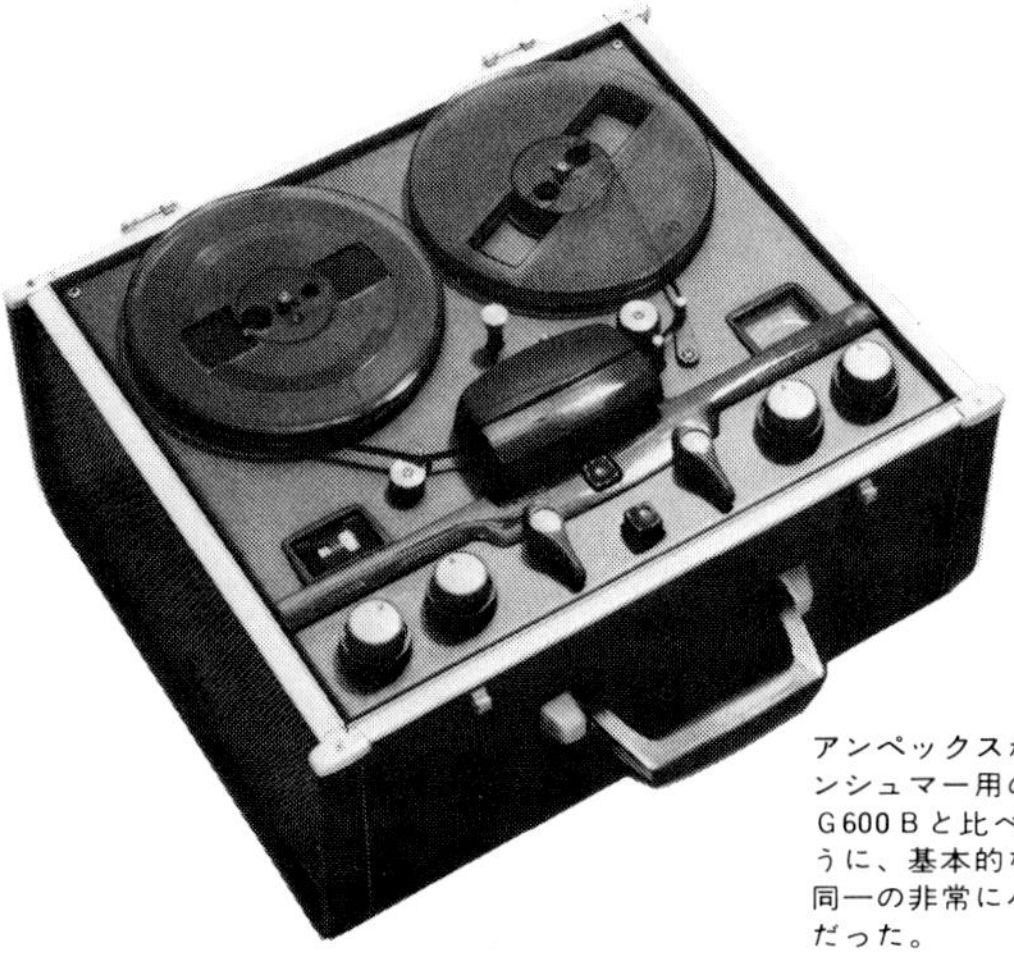

アンペックスが初めて発表したコンシュマー用の＃960。＃601やＡＧ600Ｂと比べてみれば明らかなように、基本的な部分はプロ用機と同一の非常にハイグレードな製品だった。

でしょう。

山中　＃９６０は外観こそコンシュマータイプといえるものになっていますが、フレームは全部アルミのキャスティングでしっかり作られているし、ヘッドはプロ用のポータブルデッキとほとんど同じものが使われています。つまり基本的な部分はプロ用そのままといってもいいですね。当時アメリカで売られていたコンシュマー用のテープレコーダーと比べると、明らかにグレードが一段上だということがわかります。

また、当時のプリレコーデッドテープは2トラック2チャンネルのものがほとんどだったのですが、アンペックスは長時間再生のメリットを意識して4トラック2チャンネル方式に真剣に取り組みました。そしてテープデッキとほぼ同じ頃にプリレコーデッドテープも発売しています。

その後、メカは＃９６０とほぼ同じままいくつかの新製品（＃１０００シリーズなど）が発表され、コンシュマー用としてはいまでもよく知られている＃２０００シリーズが発表されます。＃２０００シリーズはデュアルキャプスタン、クローズドループ方式を採用し往復録音・再生ができる、当時としては画期的な製品でしたね。

井上　当時の日本のコンシュマー用のテープデッキのスタイルがアンペックスの＃３５０系を継承した形が多かった中にまじると、家庭用のテープレコーダーとして非常に完成度が高い新鮮なデザインですね。

長島　オートローディング機構を開発したことからもわかるように、プリレコーデッドテープを本格的に普及させようという意気込みの感じられる製品ですね。

山中　メカニズム自体もそれまでの製品と違って、非常に思い切った方法でベルトを徹底的に使って、性能的には優秀な製品だったのですが、ベルトの経年変化が大きくて耐久性に欠ける面があったのも事実でした。
　その後いくつか製品を発表したのですが、ある時期からアンペックスはコンシュマー用のテープレコーダーに対して熱意を失ってしまったようで、コンシュマーディビジョンは閉鎖されてしまいます。
長島　コンシュマーユースのテープレコーダーに行きづまっていたころ、ちょうどアンペックスの主力がプロ用のVTRに移っていったのではないでしょうか。そしてある意味では家庭用テープレコーダーに見きわめをつけてしまったとも思われるのです。
山中　やはり、プログラムソースとしてはレコードにはかなわないと見きわめをつけ、VTRやコンピューター用のレコーダーに力を注いでいったのでしょうね。オーディオレコーダーの新製品も、この時期はほとんど発表されていません。
井上　アンペックス社の体質として、コンシュマー用のオーディオレコーダーを作っているより、プロ用のVTRやコンピューター用のレコーダーを開発している方が相応しいでしょうしね。

企業自体にパーソナリティを感じる不思議

山中　いま体質という話が出ましたけれど、アンペックスでは設計者は常に変っているはずなのです。メカニズムにしてもエレクトロニクスにしても、実際に開発を担当した人は時期によって違うのでしょうが、完成される製品はすべてアンペックスの強烈なカラーに統一されている。強烈なひとりの個性でコントロールしているというわけではなく、個々には全く関係のない人たちがそれぞれの時点で最高と思われるものを開発しているのでしょうか、何をやっても不思議とひとつのパターンの中に収まってしまうのですね。
長島　代々の人間が違う機械をつくっても、あたかもひとりの人間にコントロールされているかのように同じ流れの中に入ってしまう。いってみれば一種のオートマチックコントロールですか？
山中　アメリカにはこういう例が結構ありますね。企業そのものに個性を感じさせるというのが。たとえばコダックもそうでしょうし、IBMや3M《スリーエム》などもそんな感じですね。それぞれの分野で偉大な足跡を残した企業にはそういう面があるのではないでしょうか。
長島　ひとつの目標が、知らず知らずのうちに代々の設計者の中に、ちょうど遺伝でもするように染み込んでいくのじゃないですか。
井上　特にアンペックスの場合はその個性が強烈なだけに、それがティピカルに感じられるのでしょう。おしなべて、伝統的なサウンドなり設計ポリシーを守っているメーカーというのは他にもありますね。
山中　しかしたとえばマッキントッシュなどは、完全にワンマンコントロールでひとつの筋が通っていて、それは確かによくわかるのですが、アンペックスの場合は別段そういった申し送り事項などないと思うのですが……。
長島　体質みたいなものは申し送ろうにもできない面があるでしょう。
山中　たとえば日本のオーディオの大メーカーで、新しい製品を開発するにあたって、今までとは違う設計グループを起用したとすると、それまでの製品とは音の上でも形の上でも全く別のものができたりしますね。アンペックスではそういうことはないでしょう。
井上　業務用機器をつくっているメーカーだということもあるのでしょう。録音スタジオなり放送局のベーシックな0dB《ゼロデシ》、つまり基準になった場合、そうガラガラ変ったものを出していては通用しませんね。そういうスタッフのあり方でなければ、ワンマンコントロールでは業務用機器はつくれないでしょう。
山中　別々の設計グループが開発したところで、最終的にはひとつの方向に向う仕組みになっているのでしょうね。まるで企業自体がパーソナリティを持っているかのように……。

アンペックスの技術を裏づける1モーターメカPR10

山中　話は少し前後しますが、完成された1モーターのトランスポートメカニズムはテープレコーダーメーカーの技術に対する大きな自信を裏づけるもので、発表する側としては非常におもしろい対象だと思います。アンペックスも常に1モーターメカを、大型の3モーターデッキと同じような地位を持たせて開発していますが、非常に完成度の高いメカニズムの#600シリーズの他に、また違った系列でユニークな製品があります。
ＭＲ７０とほぼ同じ時期に発表されたＰＲ１０がそれで、１モーターながらすべての操作をプランジャーでコントロールしていて、普通の３モーター機と同じようにプッシュボタンコントロールで使えるたいへんユニークなポータブル型のテープレコーダーです。仕様上からは完全に＃３５０クラスと同等の性能を持っているにもかかわらず、大きさが非常にコンパクトで＃６００をほんの少し横方向に大きくした程度におさ

１モーターでありながら、プランジャーを使ってプッシュボタンコントロールを可能にしたＰＲ10。ポータブルでありながら＃350クラスの性能を有していた。

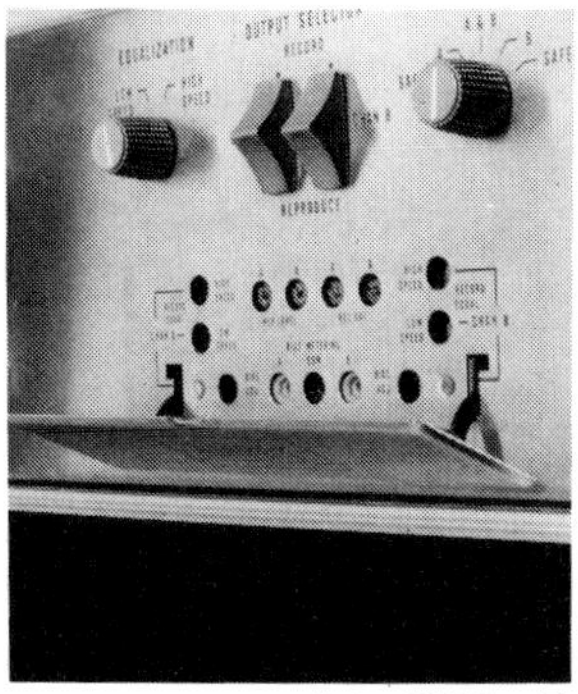

ＰＲ10が開発された頃は、録音テープも磁性体の改良などで性能向上が著しかった。それらのテープに対応するためにＰＲ10もバイアス調整などはフロントのネームプレートを開けるだけで可能だった。

まっています。そのため10号リールは使えなくて、最大7号までなのですが、マグネコーダーを思わせるようなメカで、スタイルがまた素晴らしいですね。

長島　１モーターメカのいちばんいやなところは操作レバーが重くなることなのですが、それをすべてプランジャーでコントロールしてプッシュボタン式にしたのは当時としては画期的なことでしょう。

井上　操作ボタンの感触が面白いですね。半分メカみたいな感じがあったでしょう。

山中　割と軽い力で動くものはメカで処理して、操作力の重いところにプランジャーを使っていたからですね。

井上　メカニズムとエレクトロニクスをうまく一体化したことが感触にまで現われていましたね。

山中　ＰＲ１０が完成されたのはＭＲ７０をつくりだした頃の、いってみればアンペックスが熱気をはらんでいた時代だと思うのです。一方ではマスターレコーダーとしてすべての機能を盛り込んだＭＲ７０《マスターレコーダー》を開発し、もう一方では同じポリシーながら別の機能をもったＰＲ１０《ポータブルレコーダー》を開発している、そして以前からの＃３５０、＃６００を加えて製品系列をはっきり分けて考えるようになった。全体の基本的な考え方は同じなのですが、実際のメカニズム等は全く違う形で表現されていますね。

井上　テープレコーダーを機能別に揃えて、より大きなシステム化をはかったのでしょう。

山中　しかし、ＰＲ１０というような形の製品は他社からはあまり発表されませんでしたし、プロの間にも余り受け入れられなかったようです。結局プロ用でありながら7号リールまでしか使えなかったのが致命傷だったのかもしれません。アンペックスにしてみれば19cm／secで録音すれば10号リールを38cm／secで回したのと録音時間は同じだと考え、クォリティの上からも19cm／secでプロ用として十分通用するだけの性能を持たせたと思うのです。それにこの頃から磁性体などの改良でテープ自体もどんどん進歩してきたので、テープの性能向上に依存して低速化を考えたのかもしれません。

井上　音質的にはスタジオ用のテープレコーダーと対比させるべきものがありましたね。まさしくアンペックスの音でした。しかし実際に使ってみると、ブレーキ系統のコントロールに若干不都合が生じることもありましたね。

山中　ＰＲ１０のエレクトロニクスは管球式だったのですが、そのコンパクトさゆえに発熱に悩まされて、

ＰＲ10はソリッドステート化されてＡＧ500となる。１モーターのポータブル機としては完成された製品だ。

信頼性の面ではかなり苦労したようです。しかしこの後ソリッドステート化されたＡＧ５００が現われて、完全に完成された形の最終モデルに発展していきました。

アンペックストーンとは

山中　いままで何度も話の中に出てきましたが、最後に〝アンペックストーン〟とは一言でいってどんな音なのか、お二人の感じていることをお話しいただけますか。

長島　いちばん特徴があるのはバイタリティでしょう。アンペックスでなければ出てこないような一種異様な、荒々しささえ伴ったバイタリティのある音。これはアンペックス以外では得られませんね。荒々しいというと誤解されてしまい、本当に荒っぽいと思われてしまうかもしれませんが、音楽を録音・再生したとき絶対マイナスに作用するものではないですね。非常に生き生きとして、むしろプラスに作用してくれる良さでしょう。

井上　ディスクにはない音の厚みとか力強さがアンペックスサウンドのいちばんの特徴だと思います。この、音がほとばしり出てくるという感じはディスクレコードでは絶対に聴けない音ですね。

山中　ほんとうに力強いですね、アンペックスの音は。同じテープを使っても他のテープレコーダーと比較してみると、画然たる音の厚み、エネルギー感の違いがあり、変なたとえですがまるでテープの厚さが増したのじゃないかと思えるくらいです。

長島　一時期のアメリカＣＢＳの一連のレコードが、明らかに＃３００で録ったのがわかる特徴のある音を出していましたね。

山中　当時スタンプされたレコードにアンペックストーンがいちばん強く感じられますね。あの頃ＣＢＳは特に＃３００を熱愛していたといっていいでしょう。ごく最近までＣＢＳのスタジオではマスターレコーダーに＃３００を現用機として使っていたくらいですから、＃３００の音を典型的に出したレコード会社といっていいと思います。

井上　当時のアメリカＣＢＳのレコードは、アンペックスの音をいちばんよく伝えていたと思いますが、逆にカートリッジで再生するのはいちばん難しいいやなレコードでしたね。

山中　不思議なことに、ソリッドステート化されＡＧになったときも、トランジスター初期の荒々しさに問題はあったものの、音の厚みそのものは管球式のころと全く変りませんでしたね。

　アンペックスの音を語るとき常にスチューダーの音が引き合いに出されますが、スチューダーのテープレコーダーの音は非常によくまとまっていて、滑らかできれいな音なのですが、アンペックスのもっている力が感じられない。

　それからアンペックスには――ＭＲ７０という飛びきり良いのは除くとして――ＳＮ比のあまり良くない機械が多いでしょう。ところが再生音にノイズが全然まといつかないで、スカッと抜けている。

長島　ヒスは聴こえますが、全く音の邪魔にならない。全体に分散しているというか、とにかく目立たなくて、たとえノイズが出ていたとしても別にどうということはないですね。

井上　ノイズ自体のピッチはかなり低いし、粒子も粗いから聴きにくいはずなのに不思議ですね。

長島　アンペックスの音は非常にドシッと落着いた、いわゆるピラミッド型の音ですから、トータルのバランスでヒスがあってもそれほど気にならないのでしょう。

井上　われわれはどうしても、アンペックス＝《イコール》アメリカのテープレコーダーの音　といってしまいがちですが、実は少し違うと思うんです。これはアンペックスならではの独自の音だと思います。アメリカのテープレコーダーの中でも、アンペックスでしか聴くことのできない音でしょう。クラウンやスカリーはアンペックスとは全く違った音ですからね。

長島　当時のアメリカのメージャーのレコード会社がほとんどアンペックスを使っていたことから、アンペックストーン＝アメリカの音のイメージになってしまったのでしょう。

山中　アンペックスのレコーダーとウェストレックスのカッターヘッドの組合せ、この音が強烈な印象になっていて、どうしてもアンペックスの音がアメリカの音を代表するように思ってしまうのかもしれませんね。

　こうして話してきますと、なにか非常に、アンペックスのメカニズムやエレクトロニクスに対する考え方と出てくる音が全く同じイメージで結びつくような気がしてしょうがないのです。そこがまたいちばん好きなところなのですが……。

（文責＝編集部）

オーディオの名器にみる

クラフツマンシップの粋 7

ELECTRO-VOICE PATRICIAN

鼎談＝井上卓也／長島達夫／山中敬三

THE PATRICIAN

THE PATRICIAN 600

THE PATRICIAN 800 （ステレオサウンドNo.26より転載）

オーディオの名器にみるクラフツマンシップの粋——(7)

エレクトロ・ボイス＝パトリシアン

鼎談＝井上卓也／長島達夫／山中敬三

山中　このシリーズでスピーカーシステムを取り上げたのはNo.41のＪＢＬ〝ハーツフィールド〟が最初ですが、今回はその第二弾として、米国エレクトロボイス社の〝パトリシアン〟について、井上さん長島さんとご一緒にお話ししていきたいと思います。

エレクトロボイス（ＥＶ）社は、ミシガン州ブキャナンに本拠を置く、アメリカのスピーカーメーカーとしてはおそらく最大の規模の会社だと思います。創立がいつなのかは資料がはっきりしないのですが、ダイナミック型スピーカーが登場した比較的初期から一貫してスピーカーメーカーとして活躍していた、非常に歴史のある会社です。アメリカにはエレクトロボイスの他にもジェンセンとかマグナボックスなど歴史の古い会社が多くありますが、ＥＶはその中でもきわだった存在といっていいでしょう。エレクトロボイスなどというブランド名からいっても、歴史が古いことがわかります。

この会社のひとつの特徴として、あくまでもコンシュマー・ユースを対象にしたスピーカーが製品の主流になっていることがあげられるでしょう。たとえばアルテックなどは、トーキー等のプロ用を中心にメーカーがユニットを作っていましたが、ＥＶの場合はあくまでもコンシュマー用が中心で、しかも、ハイファイ・スピーカーなどという言葉が生れる以前から、いろいろな用途のダイナミック型スピーカーを数多くつくっていたようです。

スピーカーに限りませんが、オーディオコンポーネントの性能が飛躍的に向上するきっかけになったのは、一九四八年のＬＰレコードの出現でしょう。ＬＰレコードが登場するということ自体に、エレクトロニクスやアコースティックなオーディオ技術の進歩が胎動としてあり、それがＬＰの発表と同時に一斉に開花したといった感があります。プログラムソースのクォリティが大幅に向上したため、それを再生する装置の方も、それまで蓄積していた技術を使って急速に進歩したといえるでしょう。

長島　コンシュマー用のスピーカーシステムは、ＬＰレコードの出現以前にはたいした変化はなかったのですが、ＬＰが発表されてそれが普及するとともに、ものすごい勢いでクォリティが上がっていき、スケールも大きくなっていきましたでしょう。

山中　一番変ったのは周波数レンジが拡がったことでしょう。トゥイーターなどという言葉が登場したのはこの頃だったと思います。

井上　むしろそれ以前はフルレンジ型がベースになっていて、家庭用においてはマルチウェイ構成など必要がなかった。

長島　業務用のスピーカーはその後もそれほど大きな変化はなくて、むしろコンシュマー・ユースのスピーカーが急速に変革・発展していきます。その頃のことですね、エレクトロボイスの名がわれわれの間でも話題にのぼるようになったのは。

山中　もちろんエレクトロボイスがハイファイ・スピーカーを手がけたのは早くて、ジェンセン、マグナボックス、ユニバーシティやユタなどというメーカーと並んで、アメリカのスピーカーメーカーの最先端をいく会社として、非常に数多くのスピーカーユニットを発表していました。これはアメリカの大手のスピーカーメーカーのひとつの特徴なんですが、製品の種類が物すごく多いのです。そういう背景があって、パトリシアンが登場してきたように思います。

エンジニアの自家用システムから発展したザ・パトリシアン

山中　このパトリシアンが開発されたそもそものいきさつというのが特徴的で、エレクトロボイスにいた技術者のひとりが、自家用のスピーカーシステムとして使うために、同社が発売しているユニットを組み合わせてとてつもなく大がかりなシステムを作り上げた。その結果が非常によくて、これは商売としてもいけるということになり、エレクトロボイスの製品として発売されたといわれています。

これが最初のザ・パトリシアンといわれるモデルです。

長島　当時はいろいろなタイプのユニットが出廻っていましたが、それを使ってひとつのメーカー製のシステムに、それもホーン型を中心としてまとめ上げたという例は、それほど多くはなかったと思います。

井上　発想の原点というのが現代と同じですね。つまり、ひとつのユニットで広い帯域を再生すると、歪とか指向性とか特性上の問題が出てくるので、マルチウェイ化してユニットごとの再生帯域を狭くしていく方向でこのシステムは作られています。当時のスピーカー設計の思想からいうと、これは逆の方向でしょう。コンシュマー用のスピーカーで、帯域を細かく分割したマルチウェイシステムのオリジネーター的存在だったと思います。

山中　当時のスピーカーシステムの考え

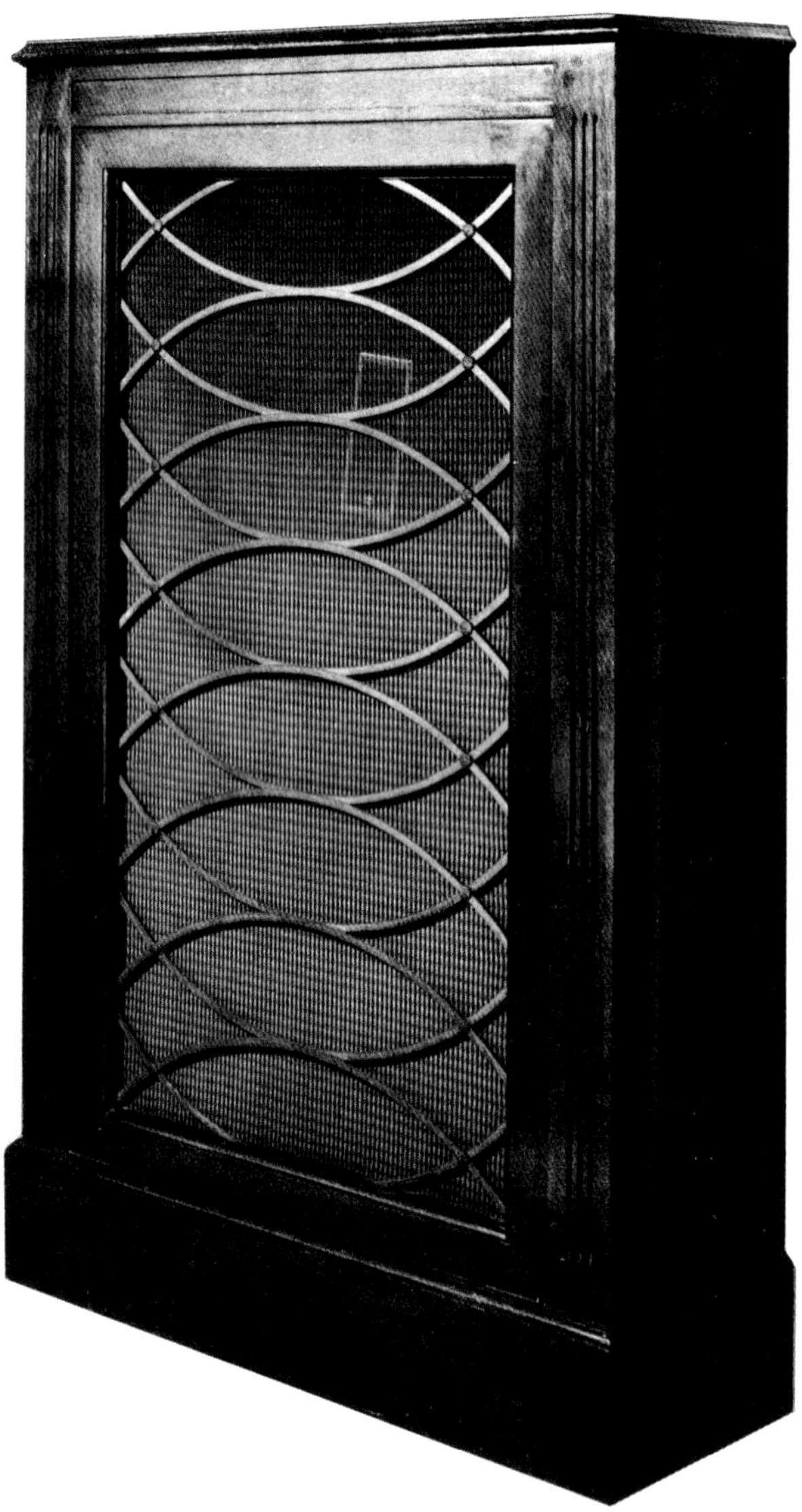

The Patrician
ユニット構成は若干変更されているが、外観はオリジナルそのものだ。
外形寸法は実測でW102×H153×D76cm。

方というのは、ひとつのユニットでなるべく広い帯域を再生できるようにして、可聴帯域内の分割数を減らしていき、2ウェイくらいで何とかまとめようというのが普通の考え方でしたね。

ザ・パトリシアンは、そういう普通なら2ウェイや3ウェイを構成するために作られたようなユニットで、それらのいちばん良いと思われる帯域を使ってマルチウェイに構成した。しかも、最初から4ウェイという、非常にぜいたくな構成で組み上げられていたわけです。これは明らかに、メーカー的な発想ではなくて、個人の発想をもとにしているからでしょう。メーカーが新規にスピーカーシステムを開発するのなら、当然そのシステムにマッチしたユニットを新たに開発して、もう少しコンプリートされた形で、2ウェイなりせいぜい3ウェイくらいでまとめると思いますね。

井上 そのひとつの例としては、長島さんがお使いになっている、ジェンセンのＧ６１０Ｂなんかがあげられるでしょう。いままでの技術をベースにして3ウェイのユニットを開発し、それを同軸上に並べてトライアキシャルという形式にまとめ上げた。

長島 その頃のスピーカーは、今のようにシステムとして完成しているものが少なくて、ユニットが自立しているという感じで、エンクロージュアの方は使う方で勝手に作ってください式のものが割合多かったでしょう。

そんな中に出てきたザ・パトリシアンは、その生い立ちのせいか、システムとしては不器用なまとめ方というか、アマチュアライクな面がうかがえますね。

山中 そういう意味ではアマチュアイズムに徹していたといっていいでしょう。

この辺で、ザ・パトリシアンの概略についてご説明しておこうと思います。このスピーカーシステムは4ウェイで構成されていて、ウーファーは18インチ口径の１８ＷＫというユニットを、クリプシュタイプのホーンロード・エンクロージュアに納めています。

このウーファーの上にくるミッドバスが１２Ｗ１という、もともとはウーファーとして開発された12インチ口径のユニットで、コーンの前には、ノドをかなり絞った木製ホーンがフロントロードの形で動作するように取り付けられています。１８ＷＫとのクロスオーバーは２００Hzにとられ、上は６００Hzまで受け持っています。

６００Hzから３５００Hzまでを受け持つのがＴ２５ドライバーユニットで、実際にカットオフまで負荷がかかるような大きな10セルのマルチセルラホーンが組み合わされています。

３５００Hzから上が、これは大変ユニークな方法をとっていますが、Ｔ１０というドライバーにマルチセルラホーンを組み合わせたトゥイーターと、ＳＰ８ＢＴという8インチのコーン型のユニットを、シリーズに組み合わせて使っています。ですから、4ウェイ5スピーカーという非常に凝った構成ですね。

このシステムで一番面白いのは、このトゥイーター部分ではないかと思います。Ｔ１０というマルチセルラホーン付きのユニットはかなり本格的なトゥイーターで、ＥＶでも当時最高級のユニットのひとつだったわけですが、これになぜ8インチのコーン型ユニットをシリーズに使ったか。おそらく、クロスオーバー付近のつながりの改善のためなのでしょうね。

井上　もうひとつには音色的な理由もあったのかもしれないな。マルチセルラホーンを二つ重ねることによって出てくる、ある種のホーン的な感じ、いわゆるホーン臭さを抑えているのかもしれないでしょう。

山中　ザ・パトリシアンの構成をみると、18WKを使ったクリプシュホーン、T25+マルチセルラホーン、T10+マルチセルラホーンのホーン型ユニットで一応基本的な3ウェイをつくって、その間をコーン型で補強するというか、うまくつなぐようにしている、そういう感じですね。おそらく音色的な面からいろいろとカットアンドトライしていった結果、こういう形になったのではないかという気がします。

井上　このユニットはワンピーク・スコーカー的な性格を持っていますから、6HDと組み合わすにしろ、下を600Hzまでカバーするのは少々苦しいし、上の方も同様のことがいえるでしょう。

山中　トゥイーターのT10とシリーズに入っているSP8BTはT25の上の方をカバーして、12W1はT25の下の方をカバーする、という形で働いているのでしょうね。

井上　クロスオーバー・ポイントの取り方も全体に下に寄っていますね。これはその後伝統的にエレクトロボイスの特徴となるのですが、当時はトゥイーターのクロスオーバー・ポイントは5000Hz近辺にとるのが欧米製品の一般的傾向でしたね。それを350Hzという、当時としては異例に低い周波数からT10に受け持たせていたわけです。

山中　最低域とミッドバスを200Hzでクロスさせているのも、当時としてはあまり例がないでしょう。これではネットワークを作るのが大変だと思うのですが、ザ・パトリシアンの場合は、かなり本格的なクロスセクションをもった12dB／octのネットワークを使っています。

長島　このネットワークは非常にオーソドックスな構成で作られていますね。

井上　定抵抗型で、ほぼ計算式通りの定数が使われていて、補整的なことはされていません。

長島　当時の大型スピーカーを見ると、定数通りで、計算式にのるようなネットワークを使ったものは意外に少なかったでしょう。ところが、ザ・パトリシアンの場合はネットワークそのものは非常にオーソドックスな設計で、ユニットの方でいろいろとバランスをとっている。これも特徴のひとつでしょうね。

山中　今ならネットワークで補整するようなところを、ユニットの使い方でカバーしているわけです。

　ウーファーの方でも考え方がちょっと変っているんです。ザ・パトリシアンにクリプシュホーンを採用したのは、低音にホーンロードのかかった音の良さを取り入れたかったからだと思うのです。ところで、クリプシュのKホーンを使ったスピーカーは、オリジナル・クリプシュからも3ウェイのシステムが既に発表されていましたが、エレクトロボイスはこのKホーンに、オリジナルの15インチではなく18インチのウーファーを納めてしまった。低音ホーンの設計としては本来は15インチ用なのですね。おそらく、15インチよりも18インチのユニットを入れた方が、低域が実際にエネルギーとして伸びたのだろうと思うのです。

　そして高域の方も十分にレンジを伸ばしている。やはり当時としては、相当真剣にワイドレンジ化を狙ったスピーカーじゃないでしょうか。

井上　当時の前衛的設計といっていいでしょう。低域にクリプシュホーンを採用し、他のユニットにもエア・ロードをかけたということが、システムとして一番のポイントだと思います。当時はアメリカのアマチュアの間ではホーンローディング型スピーカーが特にもてはやされた時代でしょう。その後日本でも、床下にホーンを入れるとか壁からストレートホーンが生えているといった大がかりなホーンシステムがずいぶんはやりましたが、その原型は当時のアメリカの雑誌に見ることができますね。

　また、縮小型ホーンも当時全盛でした。その中でも最も定評があったのが、ポール・クリプシュ氏のKホーンです。縮小型というのは、もとをたどれば、ウェスタンのトーキー用に使っていたW型フォールデッドホーンなのでしょうが、クリプシュがKホーンを大々的に発表した時は、計算式通りに作ったフルサイズの低音ホーンに比べて、1/16の大きさで同じ低音が出せるということを強烈にアピールしていたのをおぼえています。

山中　ただ、ザ・パトリシアンのホーンは、構造的にはオリジナルのKホーンとちょっと違いますね。オリジナルは断面構造をみると音道がK字型をしているのでこの名前があるのですが、ザ・パトリシアンは図を見ていただくとわかるように、若干異なっています。

　そして、オリジナル・クリプシュはエンクロージュア後面が開放になっていて、部屋のコーナーの壁を直接ホーンの一部として使う設計ですが、ザ・パトリシアンは一応薄い板がついていて、オリジナル・クリプシュのように部屋のコーナーに置かなくては全く音にならないということはありません。エンクロージュアを壁から離して使っても、何とかなるようにはなっています。もちろん、コーナーの壁につけて使い、その先の壁面はイメージホーンとして利用するのがあくまでも原則ですが。

　もうひとつエンクロージュア関係でユニークな点は、クリプシュ方式の低音ホーンをはじめとしてユニットをマウントした部分がシャーシのような形にでき上っていて、その上にいろいろ装飾されたいわゆる一般的なスピーカーのエンクロージュア風な外装が、ちょうどジャケットのような形でかぶさってシステムができ上っている。シャーシそのものは非常にラフなフィニッシュで、仕上げなどはまったくされていないの

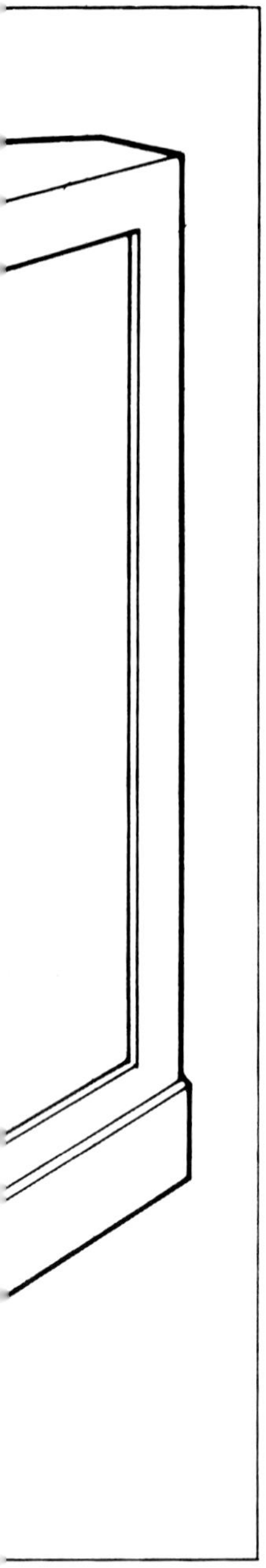

ですが、その上にかぶっているのは非常に優美なデザインの外装なんです。ザ・パトリシアンではっきりしないのですが、この後でお話しするパトリシアンⅣの場合は、シャーシ部分に115Kという型番がついていて、この部分だけでも購入することができて、外装は自分の好きなように作ることができました。アルテックにあった#821というスピーカーシステムなども同じような方式で、外装の中からウーファーとHFホーンのついたシャーシが取り出せるようになっていた。これが当時、こういう大型スピーカーシステムの場合に、一番つくりやすい方法だったのでしょう。

強大なマグネットが印象的な18WKウーファー

山中　このザ・パトリシアンに使われているユニットについてもう少し詳しくお話ししたいのですが、まず一番ベースになる18WKというウーファーです。これは型名の通り18インチ（46センチ）の大口径ウーファーで、ノン・コルゲーションのストレートコーンを使っています。当時18インチのウーファーは他にもいくつかありましたが、それらの大半は標準的な15インチ（38センチ）口径のウーファーのマグネットアッセンブリーをそのまま流用して、コーンだけを大きくしたユニットだったのです。EVの場合それらと違い、同社には15Wという15インチウーファーがありましたが、このユニットをそのまま相似的に大きくして、コーンが大きくなったのに比例してマグネットアッセンブリーも大きくなっています。いま見ても、これだけ大きなマグネットを使ったウーファーは見当らないくらい素晴らしいものですね。

長島　このタイプのホーンはユニットに非常に強いエアロードがかかりますから、15インチのエクステンションではどうしようもないということで、新たに開発したコーンなのでしょうね。

山中　いや、コーン自体は当時市販されていたものとほとんど同じだと思います。ただ、インピーダンスが違っているのです。これはクリプシュホーン用といわれるユニットに共通した特徴ですけれど、ボイスコイル・インピーダンスが一般用ユニットに比べ低くなっている。低域にはどんどん電力が送り込まれて、エネルギーが十分に出るようになっているのです。これがクリプシュホーンの特徴ですね。システムとしてのインピーダンスは16オームと発表されていても、ウーファーのインピーダンスはもっとずっと低くなっているのです。

井上　ホーンロード用のユニットは、ウエスタンの場合なんかでも、公称16オームだけれど実際には3オームちょっとしかなかったこともありますし、JBLの昔のユニットは8オーム以下でしたね。

山中　18WKは特に下げてあったユニットのひとつで、一般用のものと比べると大体1/4くらいのインピーダンスでした。

コーン自体は非常に薄くて軽い割には強度のあるタイプで、はじくとパーンと跳ね返ってきますね。重さからいっても、いまの15インチウーファーのコーンよりはるかに軽い。ですからf_0も高くて、40から50Hz近辺にあります。

またミッドバスに使われている12W1は、現在でもこれに近い形で残っている非常に寿命の長い製品ですが、典型的なエレクトロボイスのユニットといっていいでしょう。フレームがアルミの鋳物でできていて、これをピカピカのバフ仕上げにしている。この外観の美しさは印象的でした。

また、非常に大型のマグネットアッセンブリーがついていることもこのユニットの特徴でしょう。このユニットは内磁型ですが、アルテックやJBLのようなつぼ型のヨークではなくて、パイプと板材を組み合わせて作っている。高精度の手の込んだ加工で磁気回路の効率を上げて能率をかせぐのではなく、マグネットをその分大きくして、物量でカバーしようというのがEVの特徴ですね。

井上　その辺の設計思想が、業務用的でなくあくまでコンシュマー用を中心にしていた現われだと思います。いまは世界的に物の作り方として、ある価格の中で抑えていこうとするでしょう。それが当時から既におこなわれていたのは、良い意味でのアメリカの合理主義を強く感じますね。

山中　当時のスピーカーのマグネットアッセンブリーは、大体コ字型の板金加工したもので、このような密閉型構造の磁気回路は、特に日本などではほとんどなかったと思います。

井上　第二次大戦中に使われていた米国の軍用スピーカーは、どんな小型のユニットでも必ず、このEVと同様の手法をとっていましたね。EV自身も大戦中は軍用のスピーカーを相当作っていたはずです。

山中　軍用に使われたことで、おそらくEVのユニットは長足の進歩をとげたといっていいでしょう。

井上　大戦後、横須賀あたりでよく見かけた軍用色に塗られてメーカー名も何もなく、ただシリアルナンバーだけが入ったユニットには、いまから考えるとEV製と思われるものがかなりありました。後で話に出てくるでしょうが、フェノール系の振動板のノウハウはこのときに得たものがずい

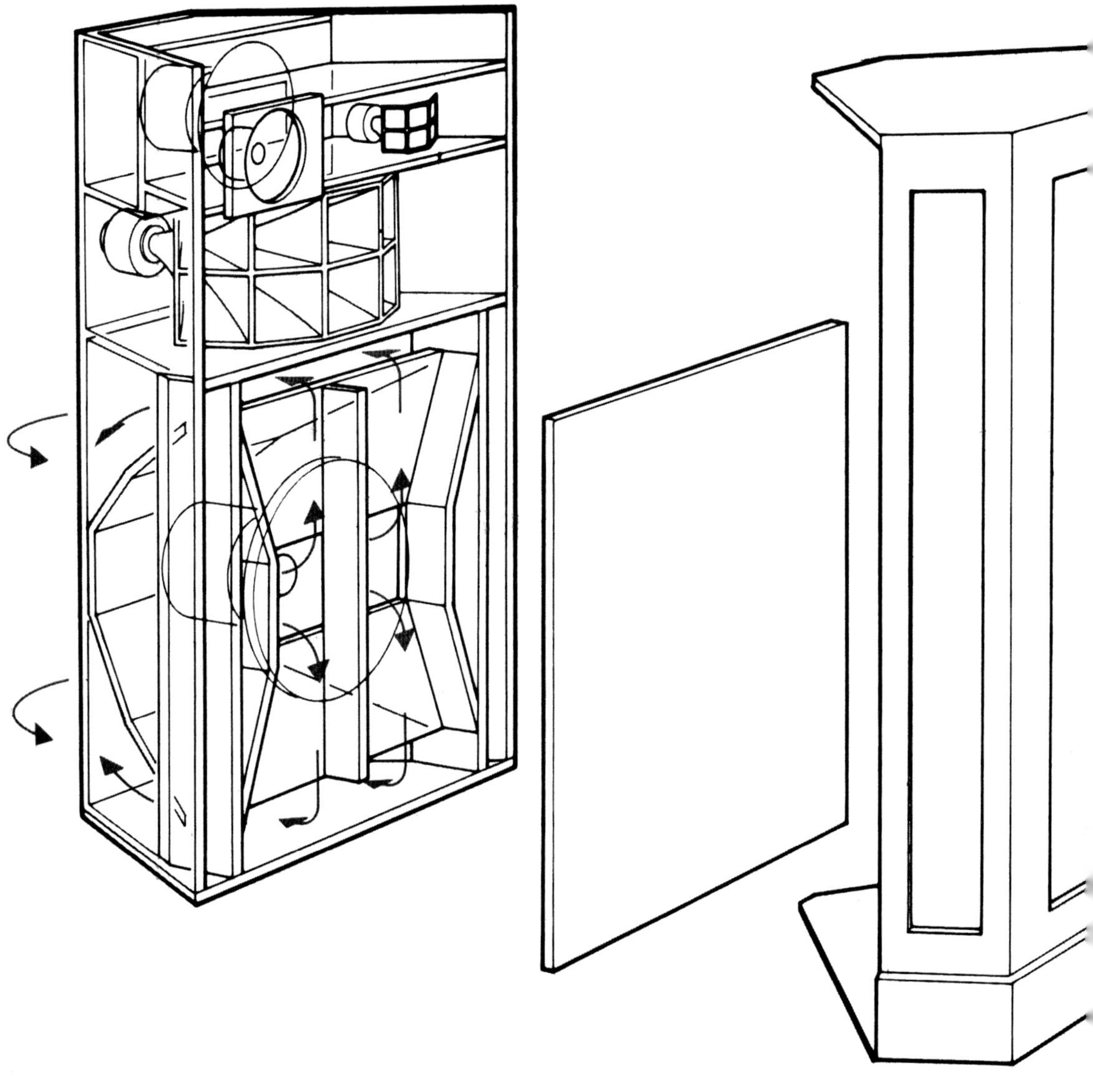

●The Patrician構造図

ぶん多いと思います。

長島　フェノール系の振動板はとにかく塩風には強いですからね。当時の軽金属を使ったユニットは海の上では使えませんでしたから……。

フェノリックダイヤフラムのスコーカーとトゥイーター

山中　フェノール振動板の話が出たので、次にスコーカーに使われていたドライバーユニットのＴ２５にうつりたいと思います。

これも小改良を受けながら、つい最近までＥＶの現用ユニットとして存在した寿命の長い製品でした。ザ・パトリシアンⅣではＴ２５Ａとなりましたが、ザ・パトリシアンに使われているのは最もオリジナルなＴ２５です。このドライバーはアルテックなどのウェスタン系のドライバーのように、磁気回路の後ろ側にダイヤフラムを置く構造とは違い、マグネットアッセンブリーの前にダイヤフラムがつき、その先にスロートがきてホーンがつくという、非常にオーソドックスな構造です。

そしてこのドライバーユニットの最大の特色が、ダイヤフラムの材質にフェノール系の布含浸のもの、いわゆるベークライトの一種を使っていることでしょう。

井上　ミシガン湖あたりから東の、ミッドランド、イーストコーストのメーカーは伝統的にフェノールのダイヤフラムを使い、金属ダイヤフラムは使いませんね。スティーブンスやジェンセンも、メタルダイヤフラムを使わないのが、ひとつの特徴になっていますね。

山中　このＴ２５は磁気回路自体はコンパクトで外観はかなり小さく見えますが、ダイヤフラムそのものは割と大きくて、かなり低いレンジまでカバーできるドライバーです。

ダイヤフラムの構造としても非常にオーソドックスで、ウェスタン系はタンジェンシャルエッジですが、ＥＶは普通のロールエッジ・タイプで、かなりコンプライアンスも大きくなっています。

井上　ボイスコイルがエッジワイズ巻きではなくて、普通の丸線がボビンに巻いてあるのも、ウェスタン系とは全く違うところですね。

山中　ボビン自体も一般に使われる紙ではなく、ダイヤフラムと同じ材質のベークライトを使っていますね。

この上に使われているＴ１０も、基本的にはＴ２５とほとんど同じ構造を持っています。

長島　エレクトロボイスはＰＡ用の高出力スピーカーもある程度手がけていたと思うのです。そのテクノロジーが、このＴ２５やＴ１０にはずいぶん生かされているといっていいでしょう。

山中　そういう意味では、プロ用スピーカーも手がけていたといえるでしょうね。こういう本格的なドライバーユニットをつくるのは、やはりそれだけのバックボーンがあってのことでしょうから。

井上　マイクロフォンで培われた技術やノウハウとか、軍用通信機の受話器用のユニットからきた技術もかなりあるような気がします。

山中　最初に言い忘れましたけれど、ＥＶはマイクロフォンも非常に古くから作っていて、特にダイナミック型マイクロフォンでは市場でも有名な製品が数多いですね。

井上　むしろＴ１０の前身はこの辺からきたように思いますが……。

Ｔ２５は、ちょっと言い方は悪いですけれど、ワンピーク・スコーカー的な両端が下った丸いレスポンスを持っています。これはホーンドライバーとしては典型的な作り方ですね。いまのように、バンドパスフィルターのような、ある帯域内はほとんどフラットに出て、その先でスパッと切れるような特性を持ったドライバーは本来のホーン型ドライバーの特性としてむしろおかしいんです。

山中　当時のドライバーはほとんどそうでしたが、振動系は軽量でマグネットはかなり強い、そういう大原則が守られていますから、能率は非常に高いですね。ザ・パトリシアンのシステムトータルとしての能率も高くて、現在の表示法なら１００dBは軽くこえていますね。

井上　言い忘れましたが、Ｔ１０のダイヤフラムも薄いフェノール系ですね。

山中　ＥＶはドライバーユニットの振動板にはフェノール系しか使いませんね。面白いもので、ウェスタン系は全部金属ダイヤフラムを使っている。

井上　各メーカーの音色的な傾向からそうなっているのでしょう。これはいまだに続いている特徴といっていいと思う。

山中　フェノール系とメタル系では、明らかに音色の傾向が違いますからね。

井上　一般的に、フェノール系のドライバーユニットというと、ＪＢＬなんかもそうですが、ＰＡ用に使われることが多いので、ディスク再生用の装置として見るとクォリティが悪いと思われている方が多いのだけれど、決してそうではありません。ホーン型ユニットのひとつの宿命として、衝撃音とかたたく音には強いけれど、こする音、つまり弦などの再生は苦手だといわれていますね。ところがフェノール系のドライバーはちょっと違う。これでなければ出ない独得の魅力的な音があります。

長島　しかし現在では、フェノール系が振動板の主流から外れてしまっているでしょう。これは非常に使いにくい面があるからだと思うんです。そのまま使ってすぐにいい音が出るなんてことはまず絶対ありませんね。相当長い間使い込んで、慣らしが終ってからでないとこなれた音にはならないのです。

井上　細部の設計をどんどん詰めていった場合に、当時ではある種の成型の精度が出しにくかったことも主流から外れた原因のひとつのように思いますね。

オールホーンロード4ウェイシステム・パトリシアンⅣ完成

山中　その後このザ・パトリシアンをもとに、非常に注目すべき製品として現われたのが、パトリシアンⅣです。これが発表されたのは一九五五〜六年頃だと思いますが、当時はＪＢＬのハーツフィールドなど超大型システムが花盛りというか、全盛時代でした。そこに、装いも新たに、エレクトロボイスのメーカーとしての実力を発揮すべく、同社のトップモデルとして発表されたのがパトリシアンⅣだったわけです。

ザ・パトリシアンからパトリシアンⅣになって一番大きく変ったのは、ユニットの構成が全く新しくなったことでしょう。ザ・パトリシアンでミッドバスに使われていた１２Ｗ１をやめて、当時開発された８２８ＨＦというプレッシャーユニットを採用しています。

スコーカーのドライバーユニットもＴ２５Ａになり、ホーンはより小型化された６ＨＤというディフラクションホーンが使われています。トゥイーターにはやはりこの頃開発された、Ｔ３５という新型のＶＨＦ(Very-High-Frequency)ドライバーが採用されました。

ここにきて、ＥＶの当初の目標であった、オールホーンロードの4ウェイシステムが、非常にコンプリートな形でき上ったわけです。

長島　ここで初めて採用された８２８Ｈ

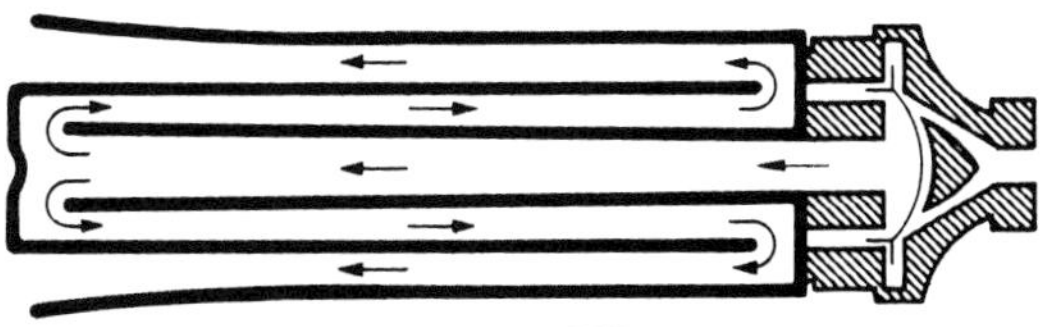

828HFドライバー断面図

パトリシアン600の木製ホーン部分

200Hzまで受け持つ木製ホーン内部に18WK以外のすべてのホーンユニットが組み込まれている。このシステムはMHFドライバーがT250に、VHFがT350に変更されている。6HDホーンの奥に2つ黒く見えているのがミッドバス用の828HFだ。

Fは本当にユニークですね。ちょうど拡声器などに使われているトランペットスピーカーのような構造なのですが、組み合わせるホーンが、途中までが二回折り返しのA8419という型名をもつフェノリックチューブ・ホーンで、これを二組パラレルで、ひとつの開口をもつ木製ホーンの奥に向けて取り付けてある。

山中　一本ではエネルギー的に不足するので2本にしたのでしょう。A8419の開口部が、エンクロージュアの方に作りつけになっている木製ホーンにリレーされていく、大変面白い使い方がされていますね。

828HFというドライバー本体の方はサイズ的にはT25Aをもう一廻り大型にしたユニットで、ダイヤフラムの口径もほとんど同じです。そしてこれはEVとしては初めてだと思うのですが、ダイヤフラムの後ろ側のマグネットアッセンブリーを貫通した穴があり、そちらをロード側として使っている特殊な構造ですね。JBLとかアルテックは、磁気回路の後ろ側にダイヤフラムがついていて、フェイズプラグはフロント側にあり、そちらをロード側として使っているわけです。828HFの場合は、フェイズプラグなどは、ドライバーとして見ると後ろ側についていて、ダイヤフラムのバックチェンバーにあたる部分を貫通してホーンにつながっている。一般のドライバーではフロント側（ロード側）になる方は開放状態なわけです。

井上　これをちょっとモディファイしたのが、848HFとよばれたユニットで、本来のロード側にも小型ホーンを付けて、両面の音を2ウェイのドライバーユニットとして使おうという面白いものです。

山中　本来の目的はそちらだったのでしょう。大変ユニークな構造で、ちょっと他のメーカーでは考えられないようなユニットの開発方法ですね。

長島　もしかすると、PA用に使っていたユニットをモディファイして流用したのではないでしょうか。

山中　多分そうだと思います。ドライバーの外装の仕上り具合からいっても、コンシュマー用がもとになっているとは思えませんね。

とにかくこのドライバーは、バックロードを使ったりリフレックスのホーンを使ったりして、ロードを十分にかけてクロスオーバーを200Hzまで下げることに成功しているわけです。

井上　ホーンの全長を長くする、これは低域まで使うホーンの場合の大原則ですね。ですから発想は奇抜でも、ホーンの設計としては折返しホーンの使用はオーソドックスな手法といえるでしょう。

山中　ホーンのカーブとしては一般的なエクスポネンシャルカーブではなくて、ほぼ円筒型に近い非常に長いスロートを持ったホーンと考えられるでしょう。

井上　この辺にも、低い音まで十分に再生しようという思想が現われていますね。

山中　このミッドバスの上に使われている6HDというディフラクションホーンは、600Hzというカットオフから考えるとかなり小型で、ホーンの形状で下の方をなんとかカバーしようという考え方かもしれません。

長島　またはミッドバスに使われているホーンが、実際よりかなり上の方までカバーしている……。

山中　実際にカバーしているのでしょう。その辺でうまくオーバーラップするようになっているのだと思います。それにサイズ的に考えても、大型の10セルのマルチセルラホーンが、木製ホーンの中には入らなかったためもあるのでしょう。

ともかく、ミッドバスの木製ホーンの中に、それから上の帯域を再生するオールホーン型の3ウェイシステムを強引に組み込んでしまった。この辺に執念みたいなものさえ感じられますね。

長島　パトリシアン・シリーズ最後の製品である800になっても、4ウェイの構成を絶対に崩さないのも面白いですね。

井上　ホーンスピーカーは歪の点で、あまりワイドレンジで使わず3オクターブくらいの使用帯域におさめておくというのが、当時の一種のセオリーとしてありましたね。

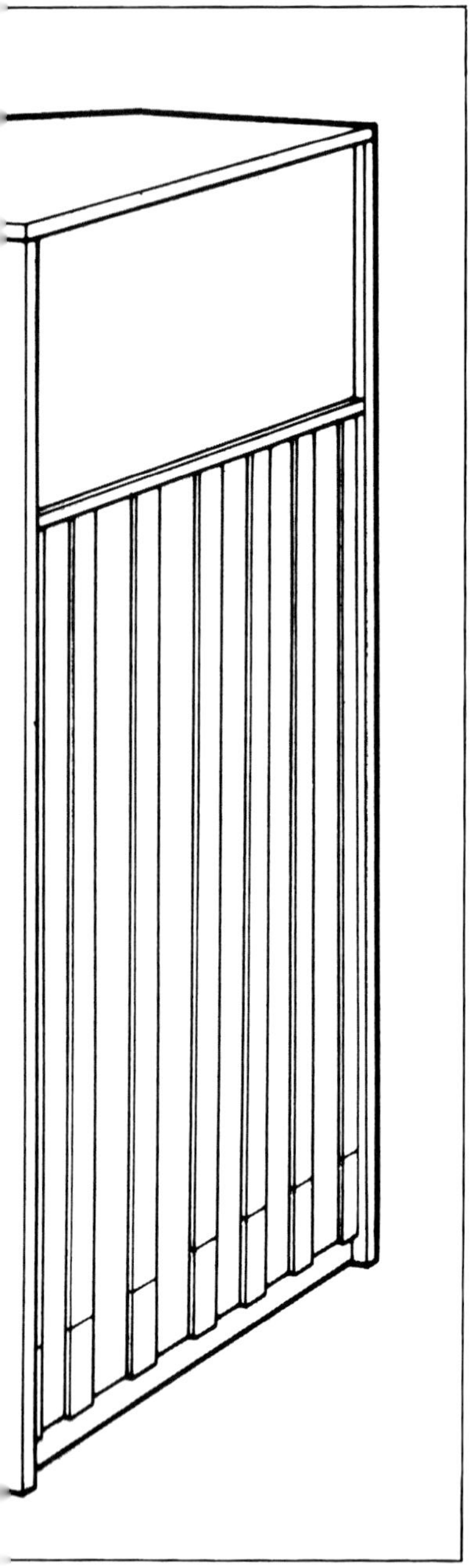

Patrician600

構成はパトリシアンⅣのグレードアップ版で、外装もコンテンポラリーなスタイルに一新された。
外形寸法は実測でW96×H150×D76cm。

特にのどの部分の空気の非直線歪というのは当時かなり問題になっていましたでしょう。それからしたら、当然こういう設計になるでしょうね。

それからもうひとつには、マルチセルラホーンをこういうコーナー型のエンクロージュアに入れた場合、高域のビームがマルチになる問題も出てくるはずなのです。音源を一個所に集中しようというあたりは、ザ・パトリシアンに比べて、かなりコンシユマー用として徹底した設計になったのではないかと思います。

山中　この新しい独得なフレアーをもつ6HDというディフラクションホーンが採用されたことが、Ⅳの音色上非常に効果があったと思いますね。

井上　結果としては、折り曲げホーンの上に6HDを使ったのは、かなり音色的には成功した例だと思う。ザ・パトリシアンの場合どうしてもぼくが気になるのは、マルチセルラホーンを二段重ねていることで、これはマルチビームが二つ重なることになり、いろいろと問題が出てくると思う。

モノーラルだと音の強弱でしか遠近感を出せなかったのですが、音像の大小とかモノながらも定位感みたいなものはあったのです。それに対して、Ⅳのとった方法は、かなりプラスに働いているのじゃないでしょうか。

山中　ミッドバス以上の各ホーンが、小さな——といってもそこそこの大きさはありますが——木製ホーンの中に全部うまく、

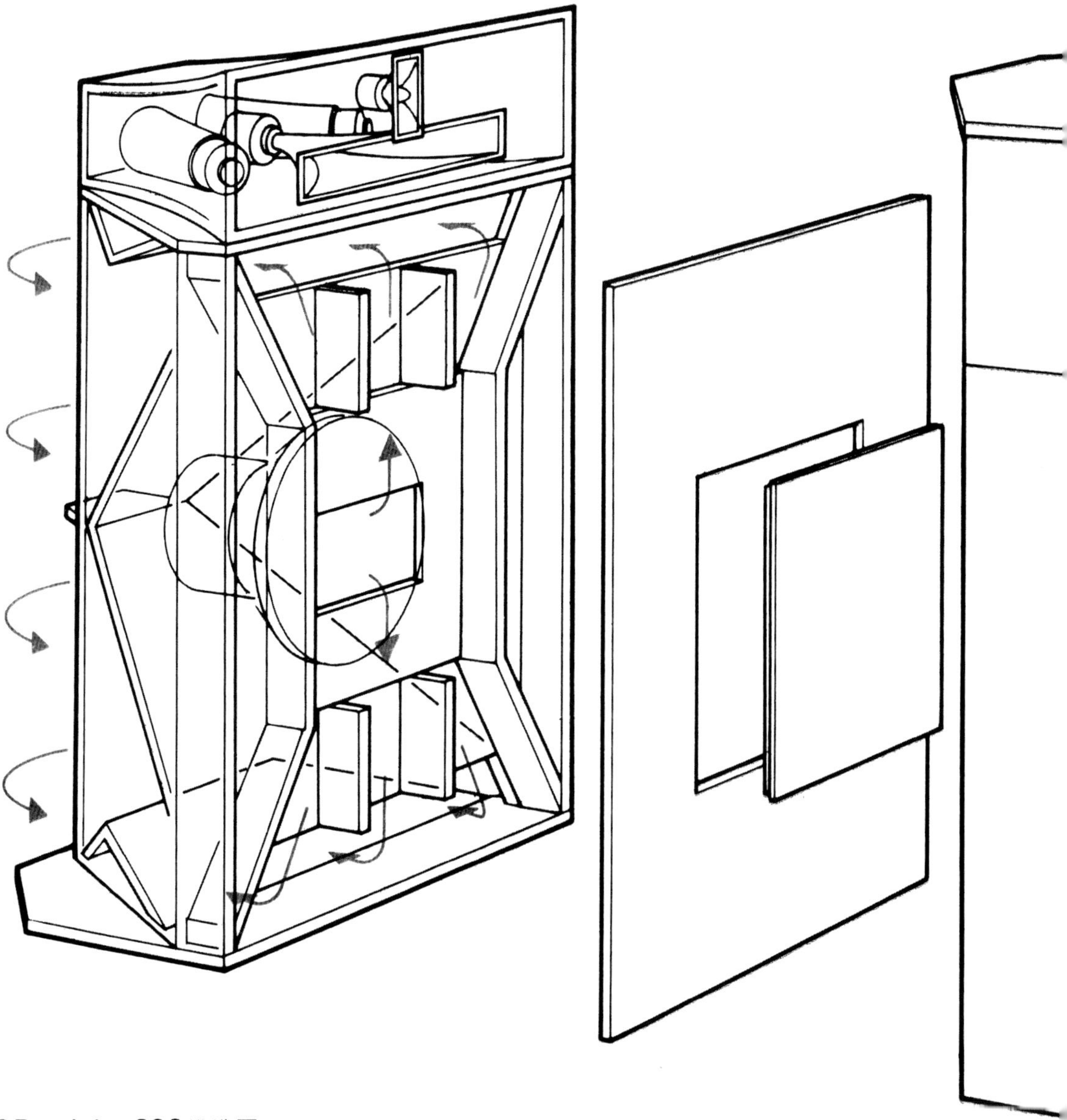

●Patrician600構造図

コンセントリックにまとまっている。この辺がやはり定位感の上でうまくいっている理由ではないでしょうか。

長島　3ウェイに分かれてはいるけれど、見方によっては一つのホーンシステムと考えてもいいような、ホモジナイズされた形で音が出てくるわけですからね。

山中　発想としては同軸上的な考え方ですね。Kホーンのウーファーに受け持たせているのは200Hzから下ですから、この辺のつながりはもう問題にならないし……。

井上　最近リニアフェイズ型のスピーカーが出てきて、音源のまとめ方がいろいろいわれるようになっていますが、もうこのときにEVがやっていたわけですね。それをやっておかないと、マルチウェイのシステムでは発音源があちこちに分散してしまう欠点が出てくる。特に人間の音感として、これは錯覚なのだけれど、低い音は下から聴こえ、高い音は上から聴こえる傾向がありますから、こういう大型のシステムでユニットを縦一列に配置したりすると、必ず上の方に向って、たとえば音が抜けるような感じがあるわけです。6HDとT35のディフラクションホーンを縦・横に組み合わせて定位をシャープにしているあたりはスピーカーの性質がよくわかっている巧妙な設計だと思います。

山中　これだけ大型のシステムですから、聴く距離もブックシェルフなどと比べるとはるかに離れているわけですね。するとこれはもう一つの点音源と考えられるわけで、ステレオになってからこのスピーカーを使ったときの定位感のよさにもつながっているのでしょう。

長島　ザ・パトリシアンのユニットとネットワークのからみにしろ、スピーカーのくせというか性質を熟知した人が作ったことは間違いないでしょう。それがこのパトリシアンⅣになって、本当にコンセントリックされた格好になってきたという感じがしますね。

井上　背景になっている思想としては、本来スピーカーなるものはシングルコーン・フルレンジがいいんだということが、まだこの時はあるのじゃないでしょうか。

山中　ウーファーのクリプシュホーンも、構造的に非常にオリジナルのKホーンに近づきましたね。そして、後ろの補助壁が完全になくなって、部屋のコーナーを最終的なホーンの一部として使うようになった。

しかしオリジナルのクリプシュと一番違っていたのは、ユニットの取り付け方法です。オリジナル・クリプシュは側面に窓が開いていて、そこからユニットを横にスライドして入れるようになっていますが、Ⅳの場合はホーンの一部の板と、中のバッフルを外して、正面から取り付けるようになっていた。これは後で出てくる600と全く同じですから、600の構造図を見ていただければよくわかると思います。

このⅣになってもう一つ重要な変更部分があるんですが、それはクロスオーバーネットワークなんです。ザ・パトリシアンでは非常にオーソドックスな、ほとんど補整を加えていない12dB／octのネットワークでしたが、Ⅳではかなりユニットを意識したものになって、いろいろな細工を加えていますね。たとえば最低域のウーファーは、高域を切らずにそのまま出し放しにして、ミッドバスの低い方だけをカットしてつないでいる。その上の帯域でもクロスオーバーのポイントをちょっといじってみたり、カットアンドトライをくり返して作り上げたネットワークです。

ウーファーの高域をカットしていないのは、おそらく、直列にLを入れることでウーファーのダンピングが悪くなることを、極端にきらったためだと思うのです。実際問題として、このクリプシュタイプのフロントロードホーンは、高域は音響的にカットされて出てきませんからね。

長島　ミッドバスとのつながりの問題もあったのでしょう。今度はコーン型ではないですから、いくら頑張ったところでカットオフはそう下がらない。そうするとウーファーのハイレンジの方を、ナチュラルに、Kホーンで切れるままに出しておかないと、ミッドバスとうまくつながらなかったのでしょう。

いろいろな意味で、ザ・パトリシアンとⅣとの間の関連性というか変遷を見ていると非常に面白いですね。

山中　メーカーが作るシステムらしく、すべてが関連をもってでき上ってきたのが、やはりこのパトリシアンⅣのようですね。

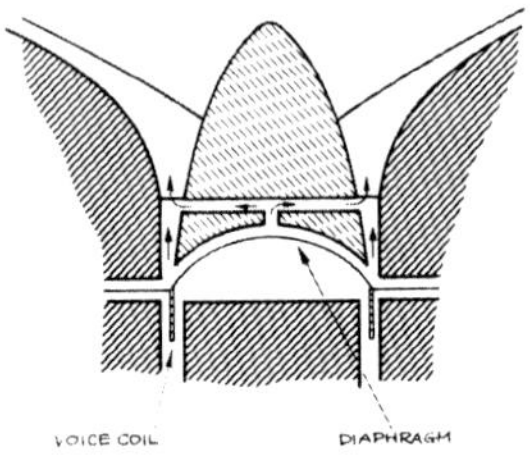

T35／T350断面図

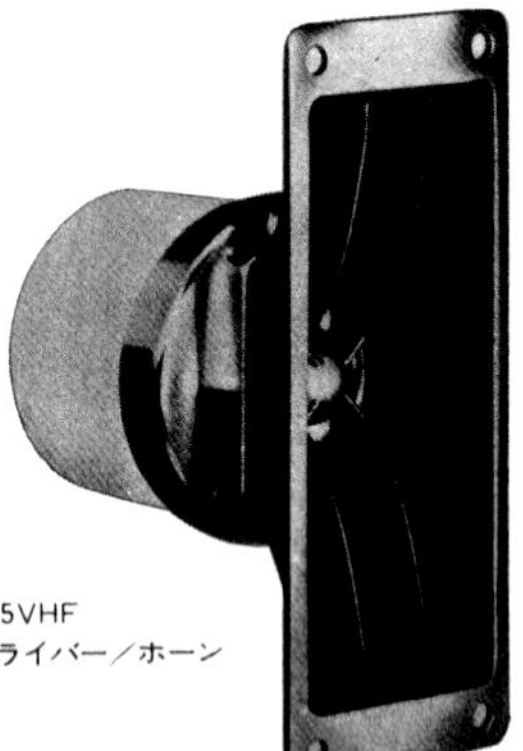
T35VHF
ドライバー／ホーン

変形ボストウイック型イコライザー採用の超高域(ＶＨＦ)ドライバー

山中　トゥイーターのT35は現役で活躍している製品ですが、構造としては非常にオーソドックスですね。磁気回路のフロント側にダイヤフラムを持ってきて、その前にホーンをつけた構造なのですが、大きな特徴として、イコライザーが独特な構造をしていることがあげられるでしょう。ウエスタン系の、いわゆるマルチスロートのイコライザーとは違って……

井上　やはりこれはボストウィック型の変形と考えるべきでしょうね。普通のトゥイーターなんかに使われている、砲弾型イコライザーのついているタイプをボストウィック型というんです。砲弾型のイコライザーがついて、その周りのリング状のスリットから音が出てくる。イコライザーの真ん中に一つ穴を開ければまたカットオフが上がるわけです。

山中　T35はその穴の上をまた塞いだ、独特の形状になっているんです。これは確かEVのパテントになっていたと思います。この独得の構造のイコライザーのため、負荷が非常にリニアにかかるといわれています。

この前につけられているホーンが、スコーカー用の6HDと同様なディフラクション型とEVが称する、非常に拡散性のいい、急激にフレアーが拡がる独得の断面構造をもったものです。これはエレクトロボイスのホーン型トゥイーターのひとつの典型になりましたね。

井上　これが後になって、現在のT35のように、ホーン部にリブ状のものがついた形になりますが、当時のT35は大変シンプルなホーンで、いまのタイプと比べると、ホーンの横幅が少し狭いのです。

山中　このホーンは縦に使う場合と、横にして使う場合があるんです。普通のホーンの使い方だと、縦方向に使った場合横方向の指向性が広くなる。しかしこのディフラクションホーンの場合、むしろ横にして使った方が横方向の指向性が広く取れるような感じもするんですね。EVのオリジナルの指定は、一応縦方向で使うようになっていますが……。

T35はダイヤフラムにも非常に特徴がありました。絹を芯材に使ったフェノリック・ダイヤフラムで、非常に薄くて軽くできていた。その上ボイスコイルはアルミのエッジワイズ巻きで、しかもボビンがないボビンレス構造なのです。ダイヤフラムに直接ボイスコイルがついている。振動系の構造としては最も軽量化されているわけで、その後もここまで徹底して軽量化した構造のダイヤフラムは出てきませんね。

長島　ダイヤフラムとボイスコイルの作り方としては一番理想的でしょう。

井上　逆にいうと、エネルギー的には、トゥイーターだからこそ使えたという構造ですね。

コンテンポラリー・スタイルで新装なったパトリシアン600

山中　パトリシアンⅣが発表されたすぐ後に、外観を一新したパトリシアン600が発表されます。内容的にはⅣと全く同じものなのですが、最初のザ・パトリシアンのところで申し上げたように、外側はあくまでジャケットですから、外装はどのようにでも変えられるわけです。そのことをうまく利用して、いままでのⅣが非常にトラディショナルなスタイルだったのに比べ、600の方は非常にスマートで、当時としてはいかにも現代風なシンプルなスタイルを持ったシステムになったわけです。

同時に、600が出た頃から、ドライバーユニットの組合せに変化が出てきました。たとえば、T35が大変成功して、これに気をよくしてか、今度はこの強力型を作ったんですね。それがT350で、EVではUHF（Ultra-High-Frequency）ドライバーと称していました。ダイヤフラム周りの構造などはT35と同一ですが、マグネットアッセンブリーが約2倍近く大きくなっています。それだけに、音質的にも大幅に向上しています。600の登場と同時に、T35の替りにこのT350を使ったモデルも発表されました。

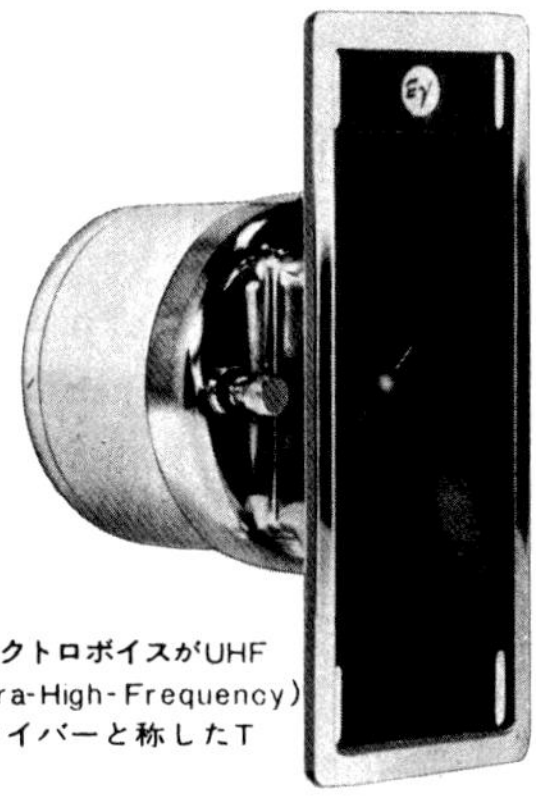

エレクトロボイスがUHF (Ultra-High-Frequency) ドライバーと称したT350

そのまたすぐ後に、フランスからパテントを買ってEVが製造したイオン型スピーカー（イオノバック）T3500を使ったパトリシアンも発表されています。これは型名の末尾にDがつくことで区別されていましたね。ⅣDとか600Dというように。もちろん値段は少しずつ違っていましたが、これらのバリエイションが同時に発売されていたわけです。

長島　最近では製品がありませんので御存知ない方も多いかもしれないのでイオノバックについて説明しておきましょう。これは一般的なダイナミック型や静電型とは全く違って、空気を直接駆動しようというスピーカーなのです。スロートの一番根元のところに電極があって、その電極に高周波の高圧をかける。すると中心電極と周りの電極との間にコロナ放電がおきます。そして高周波の電圧を高くしたり低くしたりすると、コロナ放電の量（エネルギー）が変わるわけです。コロナ放電が盛んになれば空気が熱せられて体積が膨張する。電圧を下げるとコロナ放電の勢いが弱くなるから空気はもとにもどる。このくり返しで音を出すスピーカーなのです。つまり振動板がなくて、空気を直接ドライブしているわけです。

しかし製品としてはあまり長続きしませんでした。中心電極がコロナ放電のためどんどん減ってしまい、ライフが短かかったのと、パワー（エネルギー）があまり取れなかったからでしょう。

山中　パワーが取れなかったというよりむしろ、コロナ放電で空気がイオン化してしまうので独得な匂いがしたり、いろいろ通常のスピーカーとは違った現象がおきるためじゃないでしょうか。

井上　コロナ放電の光がチカチカ見えたり、変な匂いがしたり、使っていてあまり気持のいいものではありませんでしたね。

山中　しかしやはりそのユニークさからいって、歴史に残るドライバーでしょう。ごく最近まで、アメリカのデュケーンやイギリスのフェーンが作っていましたが、一時途断えて、さらに最近ではもう一度見直してみようという動きもありますね。

性能的には大変素晴らしく、独得の音色をもっていて、本当にUHFドライバーといってもよいほど高域のレンジが伸びたユニットでした。パトリシアンの最大の目標であったワイドレンジ化の方向を、このユニットの出現で最も達成したといえるでしょう。ただしこのドライバーを使って、3500Hzのクロスオーバーは、相当厳しいでしょうね。

長島　ミッドレンジに相当負担がかかったと思います。寿命が短く、早く消えていってしまったのも、その辺に原因があるのかもしれないですね。

山中　当時パトリシアン・シリーズはエレクトロボイスの最高級スピーカーでしたから、このT3500のように、EVで開発された最高級ユニットは常にこれに投入するという姿勢がうかがわれますね。しかしそれにしても、EVとしては非常に製品寿命の短いユニットで、ステレオ化が実現した頃にはすでに姿を消してしまっていました。

パトリシアン・ファミリー出現する

山中　Ⅳが発表されたあたりから、パト

※当時は不明だったが、パトリシアン600のMHFはT250、VHFはT350に改良されていることが判明した。

リシアンの名声はいやが上にも高まって、ＥＶ社のステイタスとして、会社としても全精力をつぎ込んでこのスピーカーに傾倒したわけです。そこで当然商売として考えられるのが、これだけのシステムを作ったわけですから、その弟分というか、ファミリーを作ってもいいのじゃないかということで、ずいぶんいろいろな製品が発表されました。たとえば、パトリシアンをそのままスケールダウンして、ウーファーが15インチで同じくクリプシュホーンに入れ、上のドライバーを若干簡略化したジョージアンだとか、三種類くらいはあったと思います。外観やスタイルは６００とほとんど同じで、大きさだけが小さくなっていく形でシリーズが揃ったわけです。いかにパトリシアンが成功したかの証《あかし》でしょうね。

井上　成功して、いかに高価だったかということでもありますね。６００を買えない人のためのシリーズが揃ったわけだ。

山中　当時ⅣＤが最も高価でしたが、これで確か１２００ドルくらいです。

長島　当時のレートで換算すれば四十万円くらいでしょうか、現時点で考えれば10倍近い値段になると思います。

山中　貨幣価値からいったら、どう安く見積っても三百万から四百万円くらいでしょう。以前このシリーズで取り上げたＪＢＬのハーツフィールドが約８００ドルですから、それに比べてもパトリシアンが高価なことがわかりますね。コンシューマー用のスピーカーシステムとしては、おそらく史上最高価だったと思います。

長島　規模からいっても、とにかく一番大きいでしょう。またそういうものが実際に、ペイするだけ売れたわけですね。

山中　買う人がいたんですよ。

井上　パトリシアンが出現した頃は、アメリカが最も豊かな時代でしたね。そういう土壌を持たなかったら、このスピーカーは出てこなかったかもしれない。

山中　Ⅳにしても６００にしても、シャーシは相変らず汚ない仕上げでしたが、外側の仕上げたるや大変なもので、アメリカの木工技術の粋といっていいでしょう。塗装の素晴らしさや木の選び方のよさなど、最高級という名に相応しく、クラフツマンシップにあふれた製品ですね。

長島　何回も塗っては研磨して、また塗っては磨いていくという、高級な家具のニス仕上げの方法をとっていますね。いま見ても素晴らしくきれいで、ますます光沢が出て磨きがかかってくる感さえある。

山中　当時アメリカのトップエンドのスピーカーは、みなそれぞれに仕上げに凝っていましたね。ハーツフィールドにしても、仕上げはオーダーに応じるということで、ローズウッドから黒檀、それこそ何でも選べた。

井上　当時の最高級スピーカーは、家具としても一流品だったわけです。

30インチ・ウーファーを採用したパトリシアン７００

山中　パトリシアンⅣが発売された後、一九五八年にはステレオＬＰレコードが発売されます。すると、さすがのアメリカでも、こうした大型システムを二台も部屋に入れるのが難しかったとみえ、その上、大型システム自体も値段の面で無制限に高いものが売れるということもなくなってきて、かなり厳しい制約が出てくるようになってきたと思うのです。

パトリシアンも六〇年代に入ると早々に、６００を根本的に変更したパトリシアン７００に生まれかわります。この７００はつい最近まで製造されていて日本でもなじみの深いパトリシアン８００の直接のプロトタイプになった製品なのです。

６００から７００になって一番大きく変ったところはウーファー部分で、それまで採用していた１８ＷＫとクリプシュＫホーンの組合せをやめ、当時ＥＶで新しく開発された３０Ｗという30インチ（76センチ）口径のウーファーを採用し、そしてミッドバスは、最初のザ・パトリシアンで使われていたのと同じ12インチ口径の、ＳＰ１２Ｄという新しく開発されたコーンアッセンブリーを使ったユニットに置き換えられました。スコーカーはⅣや６００と同じ６ＨＤディフラクションホーンに、この時点でやはり新しく開発されたＴ２５０というドライバーユニットを組み合わせて使っています。そしてトゥイーターは６００の後期から使われ出したＴ３５０で構成した４ウェイシステムになっています。

最も注目に値いするのは、いままですべてのユニットにエアロードをかけたオールホーン構成だったパトリシアンが、７００になってウーファーからミッドバスまではコーン型のシステムに変ったことでしょう。

３０Ｗというウーファーはコーンアッセンブリーが通常の紙でなく、発泡プラスチックの非常に軽いものになっています。しかし、コーンの軽量化がはかられているといっても、口径からするとマグネットアッセンブリーはかなり小型で、しかも当時流行しはじめたセラミックマグネットを使っている。よくいえば非常に近代的なスピーカーになったといえるのですが、あまりダンピングのいいウーファーではないわけです。そこでショートホーンというかショートダクトをつけて、しかも開口部を後ろ側にもってきて、部屋のコーナーを利用して、ある程度エアロードがかかるようにしてバランスをとっている。

これも大変うまい設計で、非常に複雑なクリプシュのＫホーンから一挙に方向転換して、パトリシアンのイメージを持ちながら、非常に作りやすい構成に変ったわけです。しかも３０Ｗを採用したことで、オリジナルのＫホーンを使ったエンクロージュアに比べ、レスポンス的にはかなり低域が伸びたのが７００の大きな特徴でしょう。

長島　この時はおそらく、クリプシュとの契約が切れたというような事情があったのではないでしょうか。
それからホーンシステムというのは一種の流行のようなものがありましてね。一時期ホーンシステムが非常に隆盛になると、それから少したつと今度はホーンの欠点ばかりが耳につくようになるということがくり返されるようです。ですから、７００が出てきたのはちょうどそんな時期のような気もしますね。つまりホーンじゃなくてもいけるのだと……。

井上　やはりシステムをよりコンパクトにしようというのが一つの方向としてあり、もう一つには、クリプシュからも当初からずっとスピーカーが発売されていたのですが、ＥＶなどの傍系の方がかえって有名になってしまったので、パテント問題などが現実のものとなってきたのではないですか。

山中　大分クリプシュ社からかみつかれたのでしょうね。それまではクリプシュホーンを使ったシステムが数多く出廻っていましたが、この頃から一斉に姿を消すような感じになりましたね。これは単に大型になりすぎるということだけでなく、特許問題もからんでいるのでしょう。

井上　一説によれば、クリプシュの契約が切れたから３０Ｗを開発したという声もはっきりありましたね。
そこで、当時そろそろ産声をあげかけていた、いわゆるアコースティック・サスペンション方式をモデファイしたというか、これがその時点で、新しい大型システムはこうあるべきだ、というＥＶなりの回答だったのでしょう。大口径ウーファーでエアロードを後ろにも——３０インチという口径の割には小さなエンクロージュアに入れて——前にも——ショートダクトをつけて部屋のコーナーとの間をローディングに使い——かけて、うまい具合に振動系をつくった。ですからこの３０Ｗは、ローディングをかけないとまともに鳴らないという独得なウーファーですね。

30W
発泡プラスチックのコーンを採用した76cm口径のウーファー。

長島　この７００も部屋のコーナーに置かないと駄目なスピーカーですね。壁とエンクロージュアの間のすき間をローディングに使って、その延長がダクトであるという考え方でしょう。

山中　延長というよりスロートにあたる部品ですね。

井上　そういう意味では、壁とエンクロージュアの間を一種のホーンに使っているともいえますね。

山中　ホーンスピーカーのドライバーの口径をどんどん大きくしていって、スロートの部分を縮めていったと考えることもできるわけです。

井上　旧タイプのパトリシアンから、素直にシンプルにしていけば、自然とこういう格好になりますね。

長島　すると今度は、ミッドバスにはプレッシャーユニットは合わなくなってしまうから、コーン型になったのでしょう。

山中　合わないし、構造的にもウーファーがこうなってしまうとプレッシャーユニットを使う意味がなくなってきますね。

井上　ＳＰ１２Ｄはかなりマグネットアッセンブリーの大きい高能率ユニットで、おそらく初期の１２Ｗ１のf_0を上げて高能率型に直したものでしょう。

山中　コーンアッセンブリーの質量もかなり軽くて強度があり、f_0の高いタイプでしょうね。

井上　３０インチウーファーが空気を動かす量からいったら、ミッドバスをかなり高能率にしないとエネルギー的にはバランスがとれませんからね。

Ｖ字型リング・ダイヤフラムが特徴のＴ２５０ドライバー

山中　スコーカーに使われているドライバーユニットのＴ２５０も大変ユニークな製品ですね。これは割と寿命が短かったので、型名からＴ２５Ａのスケールアップ版のドライバーだと思われることが多いのですが、構造的には全く別物の、新型ドライバーユニットだったのです。磁気回路は当時としては最大の大きさをもったドライバーで、２５０という型名からもわかるように、Ｔ３５０と対応する最高級ユニットとして開発されたわけです。

井上　ダイヤフラムの構造がユニークなんですね。フェイジングプラグの真ん中にネジがあって、最初はどう考えてもこの後ろにダイヤフラムがついているとは思えなかった。

山中　ＥＶではアニュラーダイヤフラムと称しているんですが、断面がＶ字型のリングダイヤフラムなんですね。結局ボイスコイルから伝達される動きに一番忠実な部分だけしかダイヤフラムとして使っていない。それがＴ２５０の一番大きなねらいだったと思うのです。

ただ問題は、大口径にしてもダイヤフラムの有効面積が非常に少ないわけで、低域のカバーできるレンジはかなり厳しくなってくることでしょう。マグネットアッセンブリーの強力なことと相俟って、非常に応答速度の速いドライバーユニットだったのですが、周波数レスポンス的には暴れが出たりして、かなり使うのが難しかったですね。その辺が一番問題になって、このユニットは割と短命に終ってしまうのです。

しかしこの切れ込みのいい、強力型のドライバーの音というのは、ＪＢＬの３７５などとはまた違った意味での、強烈な味のある音なんですね。

井上 ちょっと説明のしにくい音ですね。これもダイヤフラムはフェノール系ですから、トランジェントの出方がメタルとは全然違うんです。

長島 非常に理想主義的なドライバーユニットですね。これを考えついた時には、やった、と思ったことでしょう。しかし現実との間には若干ギャップがあった。

井上 コスト的に高くなったこともひとつのネックになったでしょうね。

しかしＴ２５と比べると、ぼくなんかは当時ぜひともこちらを使いたかったですね。外観も面白くて、足がはえていてセルフスタンディングなんです。エンクロージュアの上に置いたりしてもゴロゴロしないでよかった。

長島 そのダイヤフラムの構造を知ればオーディオに詳しい人なら誰でも使ってみたくなるような素敵なドライバーですね。

井上 これと似たようなＶ字型リングのダイヤフラムは最近国内メーカーでも採用しはじめていますね。

山中 しかしみんなトゥイーターに使っているだけでしょう。ＪＢＬの０７５も似たような構造だけれど、ＥＶはこれをスコーカー用に使っているところがユニークですね。

井上 ＪＢＬの０７５はＴ２５０に比べるともっとアンバランスな格好で、むしろコーン型の変形と考えていいような構造です。

山中 ７００になってユニットが大幅に変ったので、クロスオーバーもかなり変更されました。ウーファーを大型化したことでミッドバスとのクロスオーバーが下って１００Hzになり、ＳＰ１２ＤとＴ２５０の間が７００Hz、その上が３５００Hzでこれは変りません。

T250ドライバーユニット

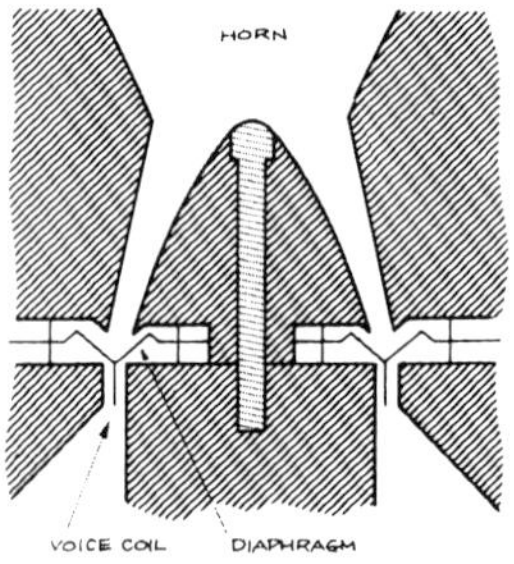

T250断面図

T25Aドライバーユニット

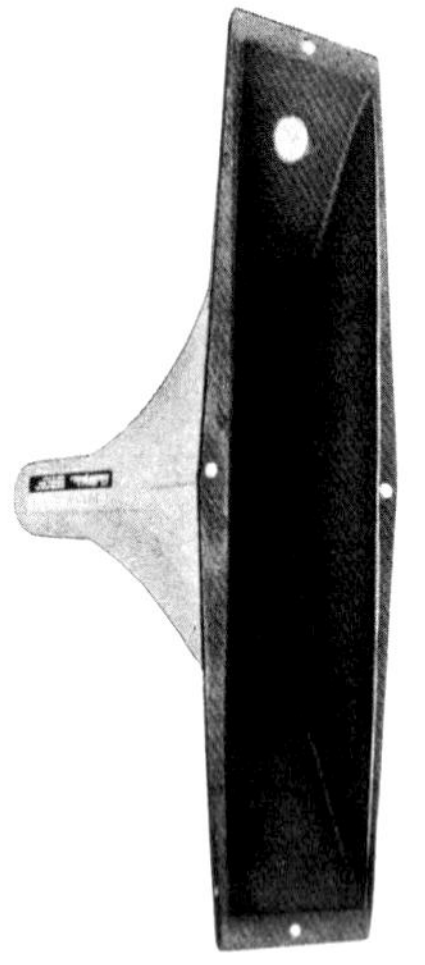

8HDディフラクションホーン

シリーズの最終モデル パトリシアン８００

山中 ７００はいまお話ししたように、それまでのパトリシアンとは全く違った構造のシステムだっただけに、全体のマッチングとかいくつかの点で多少不満があったようですね。製品の寿命も比較的短く、このすぐ後にパトリシアン８００というモデルが発表されます。

パトリシアン８００はつい最近まで作り続けられていた、かなり寿命の長い製品で、わが国でもよく知られているシステムですね。大きさは７００と全く同じで、ウーファーにはもちろん３０Ｗをロードをかけた独特なエンクロージュアで使い、ミッドバスもＳＰ１２Ｄを使っています。スコーカーには８ＨＤという新しいディフラクションホーンを採用して、ドライバーは７００のＴ２５０から再びＴ２５Ａに戻っている。トゥイーターはＴ３５０で同じです。

つまり、７００と８００の大きな相違はスコーカーのコンポーネントが変ったことなのです。クロスオーバー周波数も、ホーンが８ＨＤになった関係で７００Hzから８００Hzに上っています。他は変らず、１００Hz、８００Hz、３５００Hzのクロスオーバーになりました。そしてユニットの配置も少し変更されています。

この８００が出現したことで、７００でいろいろ不満であったところが大幅に改善されて、パトリシアンのファイナルモデルとして完成していくわけです。

井上 パトリシアン８００は、Ｔ２５Ａと８ＨＤの受持ち帯域のコントロールのしかたさえわかれば、大変使いやすいスピーカーでしたね。どちらかというと、その帯域をやや抑えぎみにしておくとうまくいく。

山中 ８００が登場した頃は、完全にステレオが普及していて、ブックシェルフ型のスピーカーが全盛になる頃で、大型システムは次々と姿を消していく時代でした。そこに８００という新しいモデルをひっさげて、ＥＶはあえて大型システムをつくり

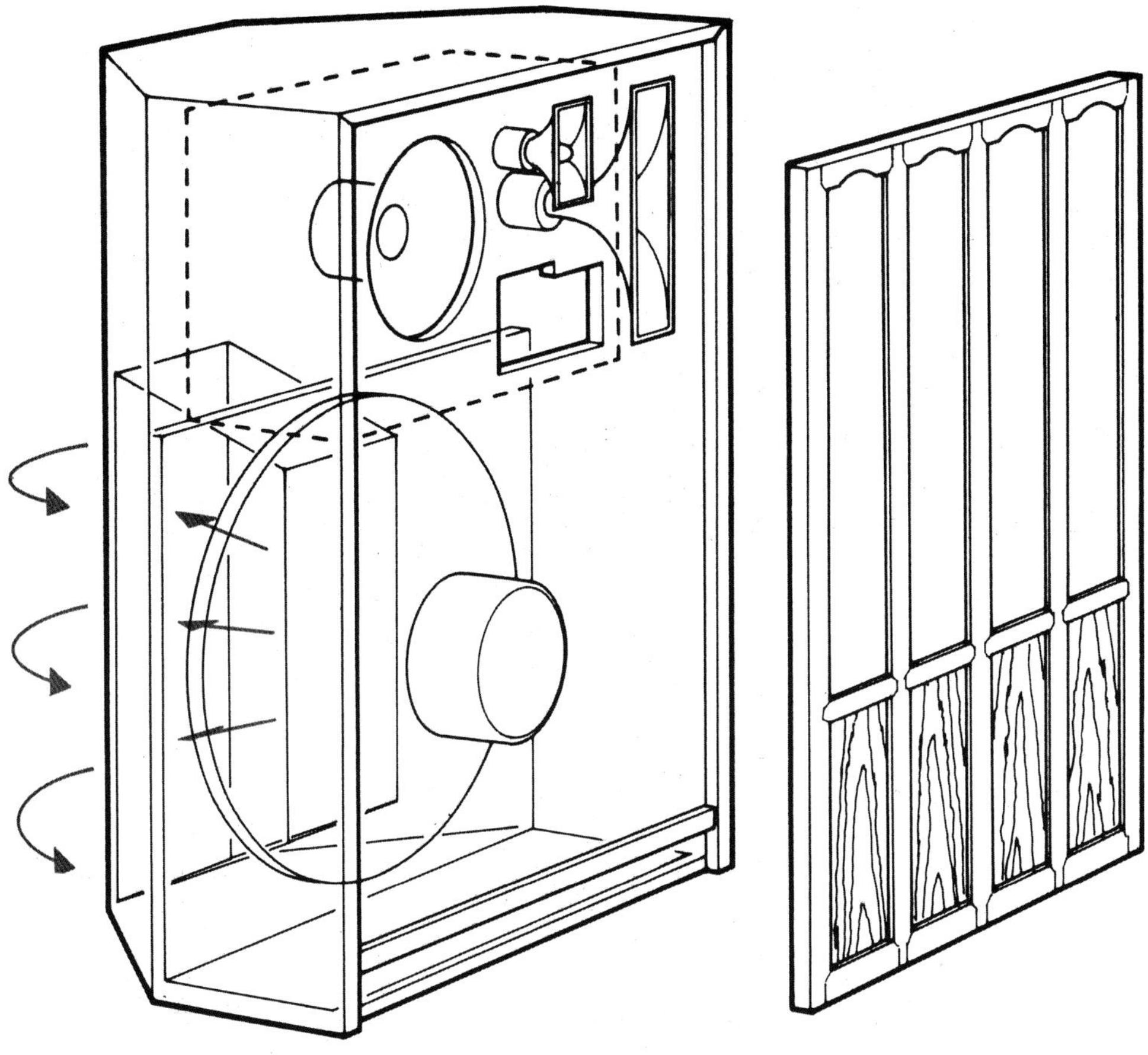

●Patrician800構造図

続けた。ここにEVのパトリシアンに対する愛着を感じることができますね。

このころ新しい大型システムが、ほかから開発された例はないでしょう。強いていえばボザークかもしれないけれど……。

井上　ボザークはいままであった製品のモディファイという感じで、新たに開発したというものではありませんね。今までのものを続けているということにすぎないわけだ。パトリシアン８００は、コンシュマー用としては最後に開発された大型スピーカーといっていいでしょう。

長島　最近はまた大型化への傾向もみられますが、昔から続いてきた大型システムの伝統は一応８００で消えてしまいますね。

山中　しかし、パトリシアンという名のシステムが、内容的には大幅に変りながらも長い間作り続けられたということは大変なことですね。

長島　最初のザ・パトリシアンから最後のパトリシアン８００まで、構造や内容は違っても、パトリシアンの名前が変らないのと同じように、スピーカーに対する基本的な考え方は変っていませんね。

山中　エレクトロボイスという会社は、どちらかというとコンシュマー用でもかなり商売をねらった製品――そういっては悪いかもしれませんが――コマーシャルベースの製品を常に大量に作っていますね。その中でパトリシアンは、ひとつの裏返しというか、会社のステイタスという気持があって、開発当初の思想を維持してつくり続けられたのでしょう。

長島 もうひとつパトリシアン全体についていえることですが、パトリシアンのためだけに、特に強力なドライバーやウーファーを作ったということはあまりやらず、手持のユニットを組み合わせてシステムを作っていますね。

山中 後期になると、これに使えるようにという形でつくったユニットもあると思いますが、これ専用というのはないですね。パトリシアンに使うときは常に単売もしていた。

井上 ただ一つだけＳＰ１２Ｄは単売しませんでしたね。これが例外的な存在。

しかし、パトリシアンのために新規設計で開発しようという意図がなかったことは事実でしょう。あくまでもその時点であるものをベースにしている。そのモディファイ版的な傾向で開発を進めていきます。

長島 むしろユニットの使い方の方にウェイトがかかっているわけですね。

井上 パトリシアンというスピーカーは、最初からシステムプランでオーバーオールを組み立てられたことが、他のシステムとの一番の違いではないでしょうか。

山中 いろいろな意味で、他社のトップエンドのモデルとちょっと意味合いの違う、独特なシステムですね。

井上 音の雰囲気からいっても、これと比較できるスピーカーシステムはなかったですね。

Patrician800

76cmウーファーを超低域に採用した、最後の大型フロアー・スピーカーシステム。外形寸法はW84×H130×D70cm。

独得な低音とフェノリックダイヤフラムが可能にしたパトリシアン・サウンド

山中 それでは最後に、その独得の雰囲気をもつ、パトリシアンの音について触れておきたいと思います。

ぼくは現にパトリシアンを使っている者として最初に発言しなければいけないのでしょうが、いわく言いがたい音なんです(笑い)。ただひとつはっきりしていることは、パトリシアン・シリーズは低域の再生に非常にウェイトがかかっていることでしょう。

長島 パトリシアンのシステムプランそのものが、低音から出発したのじゃないかという気がしますね。

山中 その上にすべてが積み重なっている。

長島 そこがトーキーサウンド用システムとの一番の違いでもあるのでしょう。トーキー用のシステムは、中域というかむしろ高域から出発していますね。人間の声をいかに明瞭に遠くまで伝達できるか。アルテックやＪＢＬはその中核となる中高域から両側に帯域を拡げていった。

ところがパトリシアンは、まず雄大な低域があって、その上に積み重ねていったように思えるのです。

井上 ただ雄大というのとは違いますね。雄大な低音のときは雄大で、低音の入っていないときは鳴らない。本当の低音が入っているときだけ鳴るというのが一番の特徴でしょう。雄大というといつも低音が出ている感じだけれど、そうじゃない。

たとえば小さな楽器のレコードをかけると、ほんと、小型スピーカーみたいな音がする。それがいったんパイプオルガンが鳴ったりすると、部屋の空気を揺がすというか、家中がゆすられるような感じになるところが、アルテックやＪＢＬとは違います。低音の姿・形が変幻自在なのです。

山中 実際問題として、スピーカーでは低音の再生が一番のネックになっていますね。特に家庭用に使うスピーカーの低音は然りで、みんないろいろギミックを使いトリックを使って、低音めいた音をともかく出そうとしている。その中では、パトリシアンは割とこの問題に正面から取り組んだスピーカーといえますね。

井上 正面から取り組んで成功した、数少ない例といっていいでしょう。

現在は、ホーンドライバーはウェスタン系が主流になっているから、ホーン型というとカッチリしたクリアーで抜けが良くて、腰の強い音という認識があるけれど、これに対してＥＶのホーン型ユニットの音は、むしろ柔らかくてもっとしなやかですね。特に弦の再生がウェスタン系とは決定的に違って、すごく滑らかでキメの細かい音でしょう。メタルダイヤフラムでは絶対に出ない音です。

山中 まさに低音と、あとはフェノリック系のダイヤフラムによる中音以上の音色、これがパトリシアンの一番の特徴であり、魅力ではないでしょうか。

オーディオの名器にみる

クラフツマンシップの粋

最終回

フォノ・カートリッジの名門

鼎談＝井上卓也／長島達夫／山中敬三

●オルトフォン　SPU-A　●EMT　TSD15（旧型）

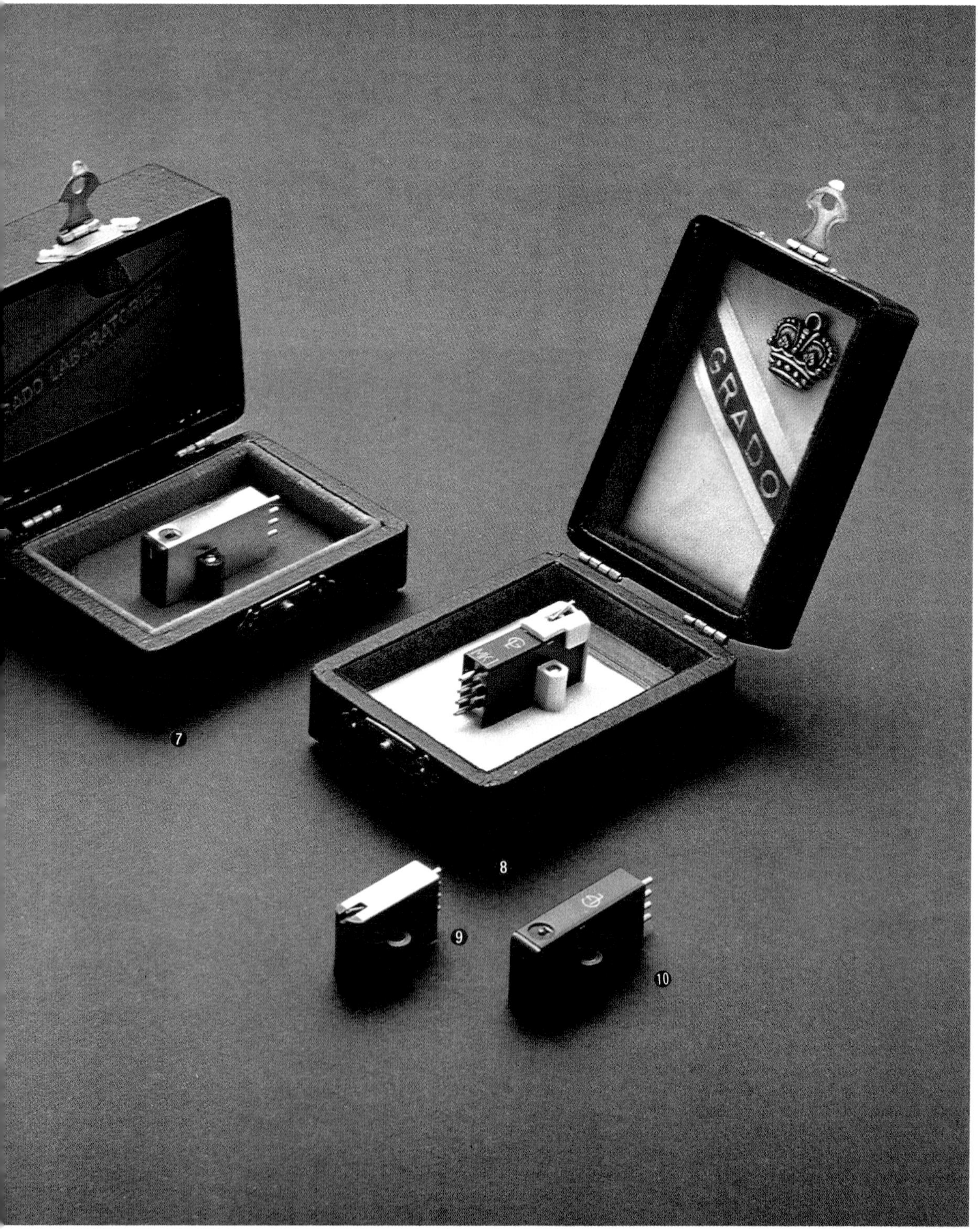

❼グラド LABORATORY
❽グラド MK I
❾グラド Model A
❿グラド EXPERIMENTAL

❶デッカ　C4E　❸デッカ　MarkII　❺オルトフォン　SPU-G(旧型)
❷デッカ　H4E　❹EMT　TSD15(旧型)　❻ESL　C99

❶ノイマン DST
❷ノイマン DST62
❸ノイマン PA2a インテグレート・ターンテーブル

オーディオの名器にみるクラフツマンシップの粋——(最終回)

フォノカートリッジの名門

鼎談＝井上卓也／長島達夫／山中敬三

山中 37号から7回に亘って、オーディオ・コンポーネントの中でクラフツマンシップの息づく非常に意義のある製品を取り上げ、いろいろお話ししてきましたが、いままで登場していなかったものに、カートリッジ、ピックアップ関係があります。カートリッジについては、本当はこのシリーズの最初に取り上げようと思っていたのですが、それがなぜ最終回になるまで登場しなかったか、ということを最初にお話ししておこうと思います。

いままでこのシリーズで取り上げた製品はすべて、現在では生産が中止されたものが中心になっていました。しかもそれが、現代でも十分に通用し、価値のある製品に限って的を絞ってきたつもりです。しかしカートリッジの場合は、最初期に作られ、いまでも現用機として通じる製品というのはほとんどないということもあって、このシリーズで取り上げるのに二の足を踏んでいたわけです。しかし、オルトフォンのSPUなど、ステレオLPのごく初期の時代に開発された製品が、今でも現用機として最高の評価を得ているという事実を頭において考えてみると、カートリッジの場合もこのシリーズで取り上げるべき意義のある製品が多いのではないかと思ったわけです。

しかも最近、カートリッジの世界でのひとつのブームとなっているのが、ムービングコイル・タイプいわゆるMC型のカートリッジの再評価ということです。ほとんどのピックアップ・メーカーから新製品としてMC型が発表されたり、あるいは現在製品化していないメーカーでも開発が進行中という状況です。これは数年前のことを考えると、想像できなかったような状況といっていいでしょう。そして、いま造られている最新のムービングコイル・カートリッジの構造を見てみると、オルトフォンを原型にした製品が非常に多いのです。基本的な構造・発電原理自体は、ずっと以前にオルトフォンのSPUで開発されたものとほとんど変っていないといっていいでしょう。そういう意味から逆にこのカートリッジが当時としてはいかに斬新な製品であったかもわかると思います。

もともとカートリッジという言葉ができたのは、LP時代になってからだと思いますが、当時の高級カートリッジはほとんどムービングコイル型でした。LP初期モノーラル時代からというと話がかなり古くなり、また内容も多くなりすぎると思いますので、今回は一応ステレオ時代となってから活躍したカートリッジ、それもMC型を中心にお話を進めていこうと思います。

ウェストレックス／10A
"ステレオディスク・リプロデューサー"

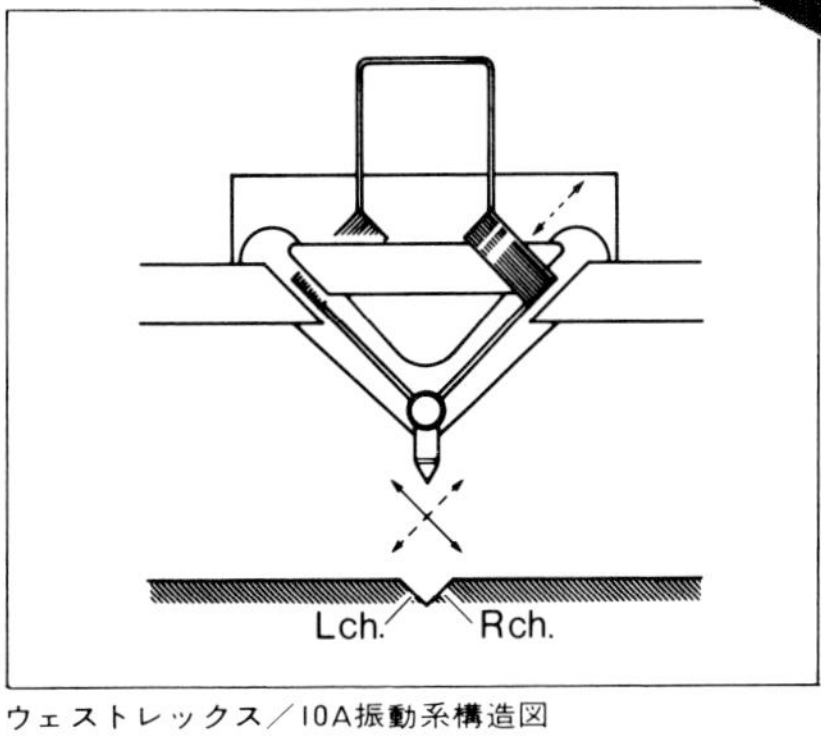

ウェストレックス／10A振動系構造図

ステレオディスク・リプロデューサー、ウエストレックス10A

山中 ステレオレコードが開発されたときに、いろいろなタイプのカートリッジーピックアップがそれに合わせて開発されましたが、当時ムービングコイル型のステレオカートリッジとして最初に話題になったのはウェストレックス10Aでしょう。

これは、ウェストレックスが開発した45／45方式のステレオディスク・システムのリプロデューサーとして開発されたものですから、ステレオカートリッジとしては最もオリジナルになるわけです。

長島 10Aはウェストレックスのカッ

ターヘッドのミニアチュア化というか、そのまま再生用にモディファイしたものでしょう。まず最初にステレオカートリッジを造ろうとした時、カッターヘッドをミニアチュア化するという考え方が一番自然な発想だったのでしょう。

井上　ウェストレックス１０Ａは純粋のムービングコイル型で、45／45度方向の振動をコイルがそのまま受ける構造です。針先からコイルに至る構造体は、一種のメカニカルリンクになっていて(図参照)、いまわれわれが普通カンチレバーといっているものとは少し性格が違います。

長島　メカニカルに振動を二方向に分けて、それぞれのコイルを動かしていますから、磁界に対するコイルの動き方としては一番能率のいい方法でしょう。要するに、コイルのリターンによるロスが全然ない。

ちょうどスピーカーの磁気回路が二つ、45／45度の方向にあって、それをリンクでつないだという形ですから、実際の構造面では造るのが大変だったでしょうが、カッターの動作の逆ということではごく自然な形だったわけです。

井上　メカニズムとして、トランスデューサーにおいては、インプットとアウトプット――この場合でいえばカッターヘッドとカートリッジ――の動作を逆にするというのが最もオーソドックスな考え方でしょうね。

山中　同社にはもともとモノーラル用のカートリッジ――たしか９Ａといいました――があって、その発電システムをメカニカルな形でステレオ化したわけでしょう。ウェストレックスはカッターヘッドも同じような方法で作っていますね。

長島　ステレオレコードは今でこそごくあたりまえになっていて、一本の音溝から左右の音が別々に取り出せることを誰も不思議とも何とも思いませんが、モノーラルからステレオに変った時、一番大きな変革をとげたのが当然ですがカートリッジなのです。それまでのモノーラル時代のように、横方向の振動だけをひろえばいいというわけにはいかない。二つの変換系を内蔵して、角度の変化でそれぞれ違った方向の振動を取り出そうというのですから、たいへんな苦労をしたわけです。

井上　初期のステレオカートリッジは、メカニズムで二つの振動系をつないだのは当然なことだし、ＭＣ型では、それしかできなかったというのが実情でしょう。

長島　右チャンネルと左チャンネルの発電機構がそれぞれセパレートしていたといったらわかりやすいでしょうか。今になってしまえば、ステレオというのは一種のマトリクスだというのはだれでも理解していることですが、当時はマトリクスという考え方がほとんどなくて、左右をどう分けようかと苦心していた。そのため現在のカートリッジのように、一つに見える振動系はほとんどなくて、左右がセパレートしていたのです。

ＭＣ型磁気回路の原形を確立したフェアチャイルド

山中　そういった発想に基づいて、ステレオ初期にはいろいろなカートリッジが発表されましたが、その後、画期的といってもよい製品が現われます。当時ＭＣ型カートリッジで世界をリードした存在としてフェアチャイルド社がありますが、同社からは、モノーラル時代は２１５、２２０とか２２５、幻の２３０というような有名な製品が出ていました。そのフェアチャイルド社からＸＰ４というエクスペリメンタル・モデルが発表されました。このＸＰ４の構造は当時としてはたいへん斬新で、いわゆるメカニカルリンク方式ではなくて、今のステレオカートリッジの基本になっている、カンチレバーの根元に二つのコイルをつけて、その動作方向でそれぞれのチャンネルを発電する方式を開発した。とにかく、一つの振動系の中に二つのコイルを作り込んでしまったという、最初のモデルでしょう。

長島　フェアチャイルドのＸＰ４で初めて、マトリクス的な考え方ができたわけでしょう。

山中　現時点で見るからマトリクスに思えるので、当時は絶対そういう発想ではなかったと思います。

井上　円形のコイルが円周方向に動く場合と、フラックスを切る方向に動く場合とでＬ、Ｒを分けていたわけですから、やはりメカニカルといった方がいいでしょうね。

山中　前後方向に磁極を持ってきて、発電コイルを一つにまとめたという、いわゆる現在のＭＣ型の磁気回路の原型がここにありますね。それまでのウェストレックスなどのＭＣ型は、磁界の横方向にコイルを出していたわけです。

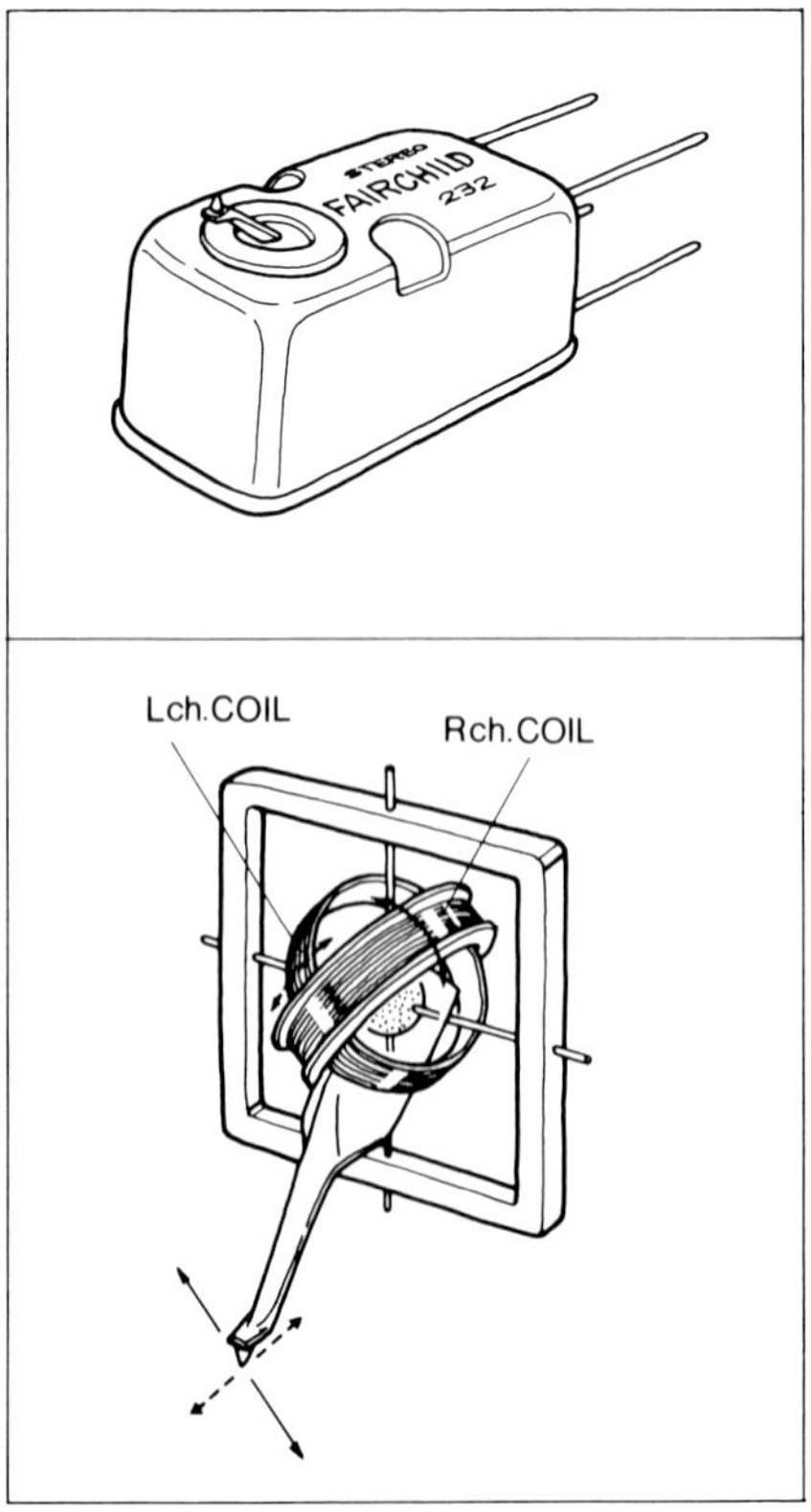

フェアチャイルド／232とその振動系：XP4の振動系も全く同じだ

からくり細工としかいいようのないESL／C100、C99

井上　当時のMC型カートリッジには、コイルを一つにまとめた方向としてフェアチャイルドのタイプがあり、セパレートしたコイルで製品化したものにESLがありますね。

山中　フェアチャイルドが発表されたわずか後に、ヨーロッパでは、やはりMC型カートリッジの一方の雄であったデンマークのオルトフォンからもMC型のステレオカートリッジが発表されました。オルトフォンは昔からオシラトリージェネレーターというタイプの、非常に効率の良いMC型のカートリッジをつくっていましたが、この方式で二つのコイルをメカニカルにリンクしてステレオ化したわけです。当時アメリカでは、オルトフォンはESLというブランド名で売られていましたが、ESL／C100というモデルがそれです。

この製品は、カートリッジの歴史が語られる時必ず登場する有名な製品ですが、メカニカルリンクの方式が、宝石ピボットを使ったユニバーサルジョイントで二つのコイルを結合し、それぞれを45／45度の方向に配して動作させる非常にユニークな構造でした。実際に製品として売られていたわけですから、ともかく音は出たのでしょうが、いま考えても、製品としての安定度を得る上では構造として非常に難しい方式だったと思います。

ESL／C99

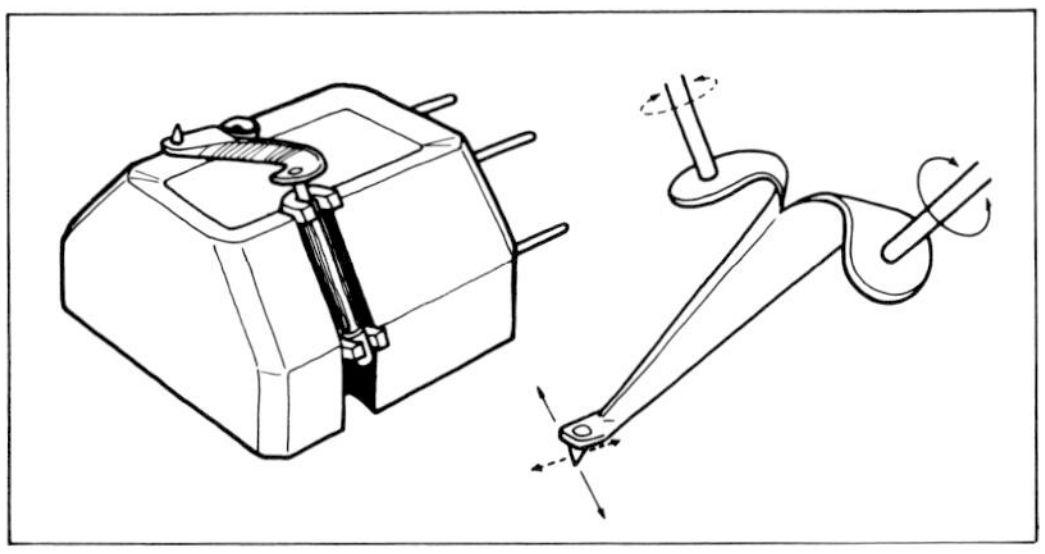

ESL／C99構造図と発電原理：C100では宝石ピボットのユニバーサルジョイントを使ったが、C99ではカンチレバー自体のねじれを利用してL、Rの信号を分けている。

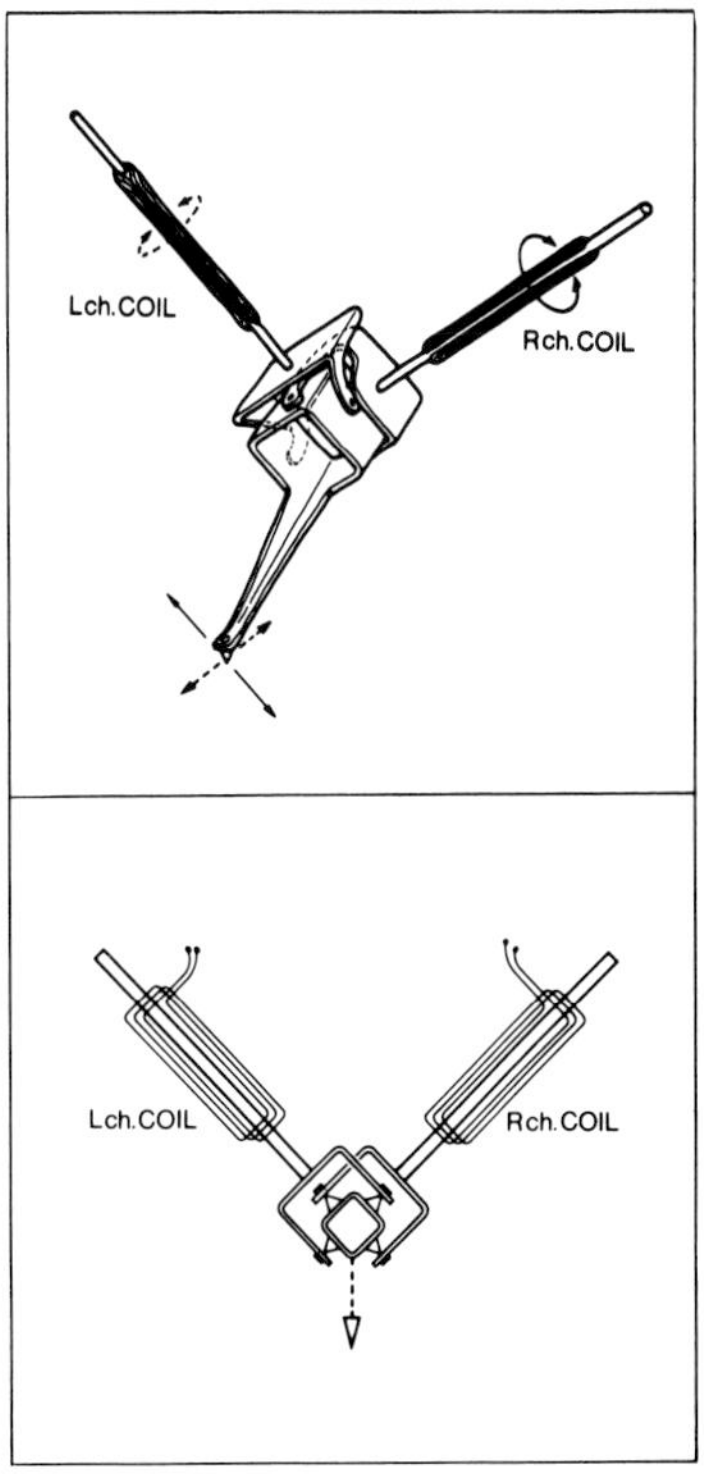

ESL／C100振動系構造図：断面図とよく見比べていただければ、右45度方向(実線)に針先が振られた時は右チャンネルコイルだけが発電し、逆方向の時は左チャンネルコイルだけが発電するのが理解できるだろう。

このモデルはその後発展してC99になります。基本的な構造は全く同じですが、宝石ピボットのメカニカルリンクをフリクションリンクに替えて、工作上や強度面の問題を解消しています。二つのセパレートした発電系を、メカニカルな方式で一つにまとめたMC型の典型といっていいでしょう。

井上　ESLのC100やC99の発電原理は、メーターの磁気回路を考えていただくと、わかりやすいでしょう。メーターの針の頭に直交してスタイラスをつけたと思えばいい。

長島　つまり、カンチレバーが動くとコイルが回転運動して発電するというタイプがオルトフォンのモノーラルのカートリッジですからね。これは今でもCG25Dとして、基本構造は全く同じものが作られています。

コロンブスの卵的発想から生まれたノイマンDST

長島　フェアチャイルドとオルトフォンの少し後、やはり非常にユニークであり有名な存在である独ノイマンのDSTカートリッジが現われます。

MC型カートリッジでは、変換系の構造がすべてを決定するようなところがあり、どのように巧みな構造をうまく実現させるか、それで最終的なクォリティが決ってくる。そして、この時代のカートリッジはそれぞれにユニークな構造を競い合っていたといってもいいでしょう。その中でもノイマンは、素晴らしいアイデアに満ちたカートリッジですね。

DSTをよく見ると、カンチレバーをはさんで垂直にコイルが二つ、ほぼ平行に並んでいて、その両側にポールピースがあります。針先を45／45度方向に振った時にセパレーションがとれなくてはステレオカートリッジになりませんが、コイルがほぼ平行して置かれているノイマンのカートリッジで、なぜステレオのセパレーションがとれるのか、この製品を初めて見た時は理解

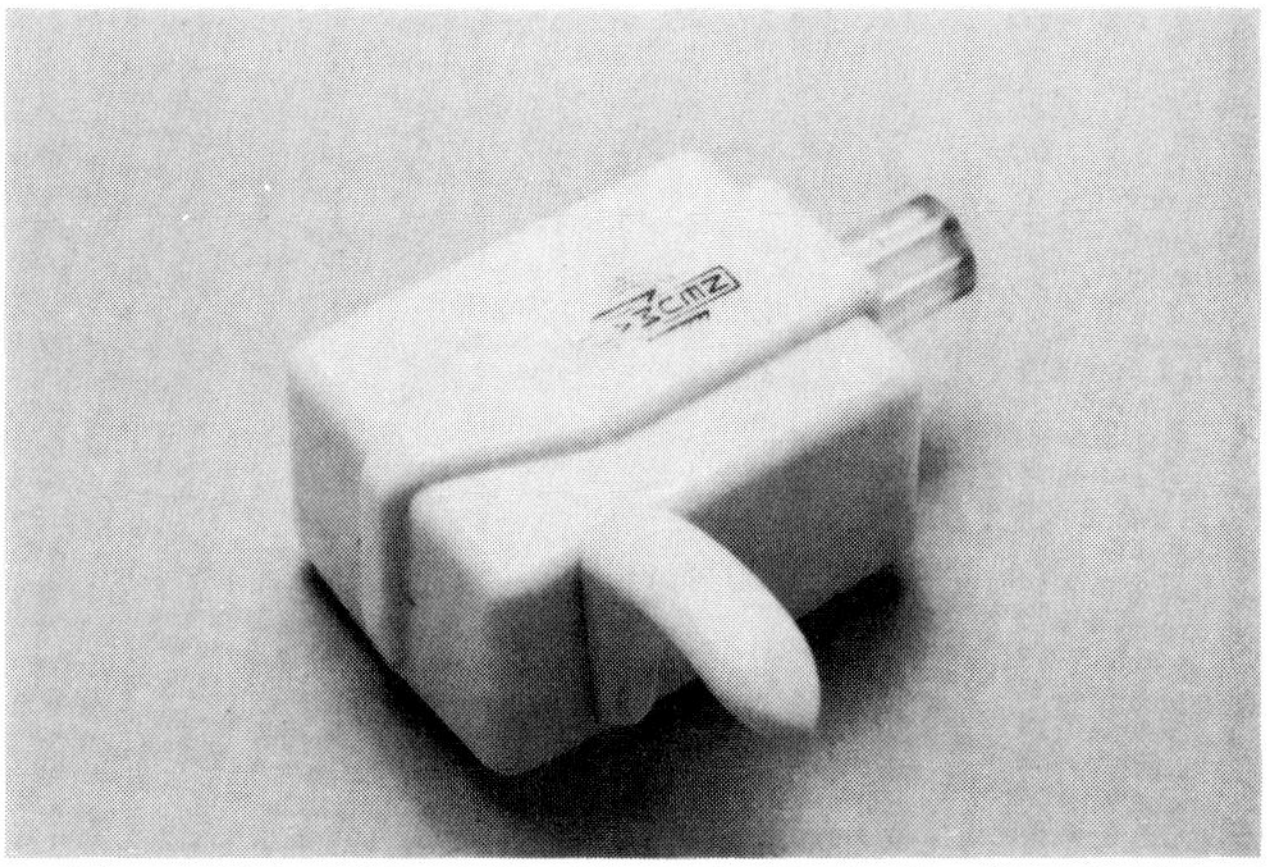

ノイマン／DST

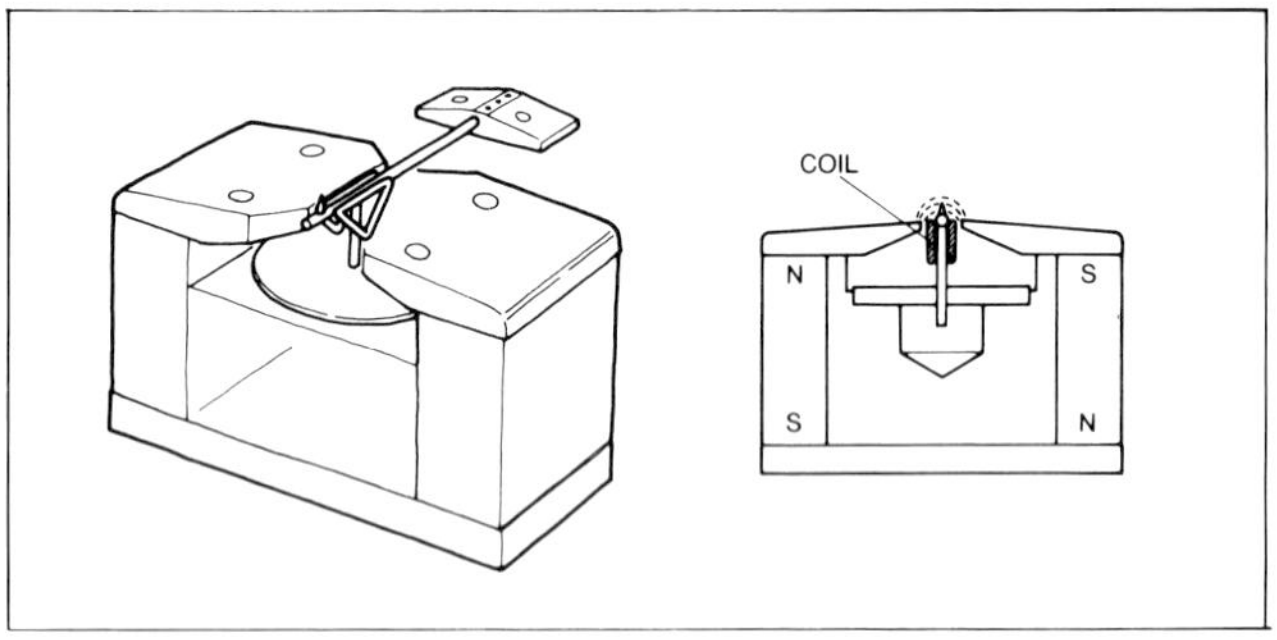

ノイマン／DSTの振動系構造図：ほぼ平行に置かれた２つのコイルに対し、フラックスが45度方向によぎるようになっていた。

できませんでした。ところがよく考えて観察してみると、お互いのコイルをよぎるフラックスが45／45度の傾きを持つように設計されていたわけです。

井上　逆に言えば、45／45度方向にフラックスがなるところにコイルを置く設計といったらいいのでしょうか。コロンブスの卵的発想ですね。

長島　コイルをよぎるフラックスが正確に45／45度になるように、ポールピースの形が考えられていた。いままでの話に出てきたカートリッジは、振動部分を45／45度に分離しようとしたものがほとんどですが、ノイマンはフラックスの方を45度にしてセパレーションがとれるようにしたわけです。大げさな言葉でいえば、人智の限りをつくしたといってもいいでしょう。

井上　このカートリッジはウェストレックスやオルトフォン＝ＥＳＬと違い、最初からステレオ用として開発された、初めてのＭＣ型ですね。

山中　ノイマンはモノーラル用のカートリッジは自社開発しておらず、ステレオになって初めてカートリッジを発表しましたね。このカートリッジを作った目的は、ノイマンのカッティング・システムのモニター用、つまり原盤検聴用でしょう。いわゆるプロ用のカートリッジで、これはちょうどウェストレックスの１０Ａに匹敵する製品です。現在主流になっているカートリッジから見ると、どちらも非常に針圧は重くて、大体６・５グラムくらいは必要です。そういう点は現代のカートリッジとはかなり性格が違います。

しかし、ウェストレックス、ノイマンの構造の違いは、後々までいろいろな意味ですべての点に比較対照が出てくると思います。ヨーロッパでのステレオディスクはもともとは英デッカのＶ／Ｌ（Vertical／Lateral）方式から発想されたふしがあります。そしてノイマンは、英デッカと組んでテルデックというブランドをつくり、英デッカのＶ／Ｌ方式にはかなり初期の開発段階から参画していたと思われます。ですからノイマンのカッターヘッドは初期の段階ではＶ／Ｌ方式から発想されていますね。それがある時期になってウェストレックスの45／45方式に変る。そしてＤＳＴは、完全に45／45方式のディスクを前提として作られています。

井上　ウェストレックスやノイマンのカートリッジは、それ自体にはダンパーとよばれるものがほとんどなくて、レコード側の弾性を見込んでそれをダンパーがわりに使っていますね。この点は、一般のコンシュマー用カートリッジと大きく違うところではないでしょうか。

山中　針圧を重くするというのが、完全にレコード側をダンパーがわりに使うという考え方に基づいていますね。

長島　あくまでも、レコードとカートリッジが一体になって、ワンピースに考えられている。それがこのダンパーレス・カートリッジの特徴でしょう。

山中　この考え方がコンシュマー用の製品に取り入れられた時、難しいのは、レコードの音溝を破壊する懸念があるわけです。

井上　ノイマンＤＳＴやウェストレックス１０Ａは、もともとがラッカー盤の検聴用ですから、基本的には繰り返し試聴はしないわけです。極端なことをいえば、一遍通ったら自分で溝を傷めてしまってもいい。それで目的を達するのですね。

長島 しかし実際にはそれほどひどくはないですね。取り扱いは現代カートリッジのように楽ではありませんが、針圧に注意し、組み合わせるアームに注意しさえすれば、一回かけただけで溝を傷めるというようなことはない。コンシュマー用に使っても十分実用になります。

井上 組み合わせるアームをちょっと間違えたりすると、変な共振が出たりして、カートリッジがリプロデューサーでなく、例えてみればカッターになってしまうわけです。特にノイマンのDSTは45度フラックスを使っていますから、針圧によってフラックスのちょうど45度になる点からコイルがずれると、もろに特性が変ってしまい、セパレーションがとれなくなってしまう。その面でも取り扱いには細心の注意が必要ですね。

山中 ノイマンのもう一つの重要な特徴として、コイルが針先のすぐ近くについていて、ダイレクトカップリングといってい い形になっている。カンチレバー状のものがついてはいますが、このカンチレバーは発電系にあまり影響していません。コイルを正規の位置に保持するための支持機構——サスペンションなのですね。現代のほとんどのカートリッジのように、カンチレバーの先端に針先がついていて、その反対側に発電部がついているものとは全然違う。

カンチレバーを使ったカートリッジは、かならず伝達系としてのカンチレバーに起因する問題が、最終的に得られる音のクォリティに影響してきますね。しかしダイレクトカップリングに近い形態をとれば、発電部までの伝達系の影響からは逃れられるわけで、実際に音を聴いてみるとそのよさを強く感じますね。特にダイレクトカットのレコードを聴いた時など、その差が非常にはっきり出るようです。

井上 レコードに針を降した時の感じからして違いますね。普通のカートリッジのようにボスンなどといわない。もっとカポッというような音がするでしょう。

長島 しかし、このカートリッジというか、この方式が後々までつづかなかったのは、やはりムービングマスを軽量化できなかったためでしょうね。

井上 その問題と、使用範囲つまり針圧の適正値が非常に狭くて使いにくかったためもあるように思います。たとえばの話ですが、シトロエンのサスペンションのセルフレベリング機構のようなものがこのカートリッジに組み込めて、余分な針圧がかかったりすると、自動的にコイルが適正位置に戻るようにでもなっていたら、いまだに最高のカートリッジのひとつといえるのですけれど……。

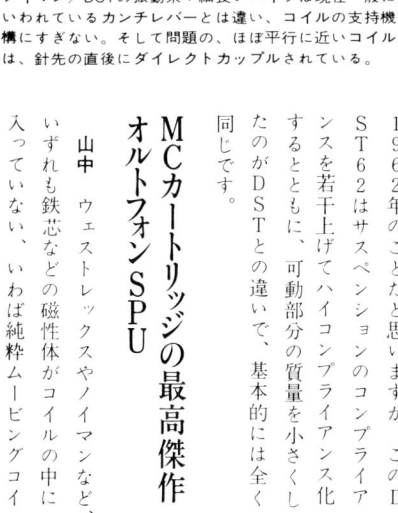

ノイマン／DSTの振動系：細長いパイプは現在一般にいわれているカンチレバーとは違い、コイルの支持機構にすぎない。そして問題の、ほぼ平行に近いコイルは、針先の直後にダイレクトカップルされている。

山中 DSTはその後小改良を行なって、DST62というモデルになります。62は1962年のことだと思いますが、このDST62はサスペンションのコンプライアンスを若干上げてハイコンプライアンス化するとともに、可動部分の質量を小さくしたのがDSTとの違いで、基本的には全く同じです。

ノイマン／DST62

MCカートリッジの最高傑作 オルトフォンSPU

山中 ウェストレックスやノイマンなど、いずれも鉄芯などの磁性体がコイルの中に入っていない、いわば純粋ムービングコイル型のカートリッジが登場した後数年の間に、MC型カートリッジの第二世代とでもいえる製品が現われてきます。

その中で最も重要な製品が、デンマーク・オルトフォンのSPUでしょう。これはホルガー・アレンツェンらが考案した構造で、現在のMC型カートリッジの99パーセント原形といっても過言ではないモデルでしょう。振動系をワンピース化して、しかもコイルの巻き枠に磁性体を使った。

長島 コイルの巻き枠に磁性体を使ったことについては、いまだに誤解があるようですね。磁性体を使ったのは発電効率を上げるためだけではなくて、オルトフォンSPUは鉄芯がなければ成り立たない構造なのです。

井上　磁極のNSの真ん中にオルトフォンのような折り返しコイルを巻いて動かしたとしても出力はキャンセルしてしまって、発電するとしても巻き枠の厚み部分だけが発電することになる。これでは効率が悪くて、使いものになりませんね。そこをオルトフォンは、ムービングコイルとバリアブルフラックスの中間的な働きをさせることによって非常に効率よく発電させている。

今でこそこうして発電原理を説明できますが、現物を見た当初はなぜこれで発電できるのか、さっぱりわかりませんでしたね。

山中　最初は、コイルが磁性体に巻いてあるのは、ただエフィシェンシーを上げるためだけなのだろうと思い、現在でもこのような説明がされていることもありますが、本当は他に大変重要な意味があったのですね。

井上　さらに現代の高性能カートリッジではごくオーソドックスになっている、ストリングを使ってカンチレバーを引っ張り振動系の位置決めをする片持ち方式のサスペンションを採用したのも、オルトフォンが最初でしょう。このサスペンション方式は、磁性体に巻いたコイルとともに、オルトフォンの画期的な発明でしょう。

長島　それらの特徴は、必ずしもオルトフォンが全く独自に開発したものばかりとはいえないでしょうが——たとえば磁気回路の方向とコイルの扱いはフェアチャイルドに原形をもとめてもいいと思います——それらの要素を非常に無理なくうまくまとめた。細かいことをいえば、純粋なムービングコイル型の中には入れられない面もありますが、コアを使ってフラックスの方向を規制したオルトフォンのやり方から、現在のMC型は一歩も抜け出していないようにも思えるのです。それほど偉大な存在だといえるでしょう。

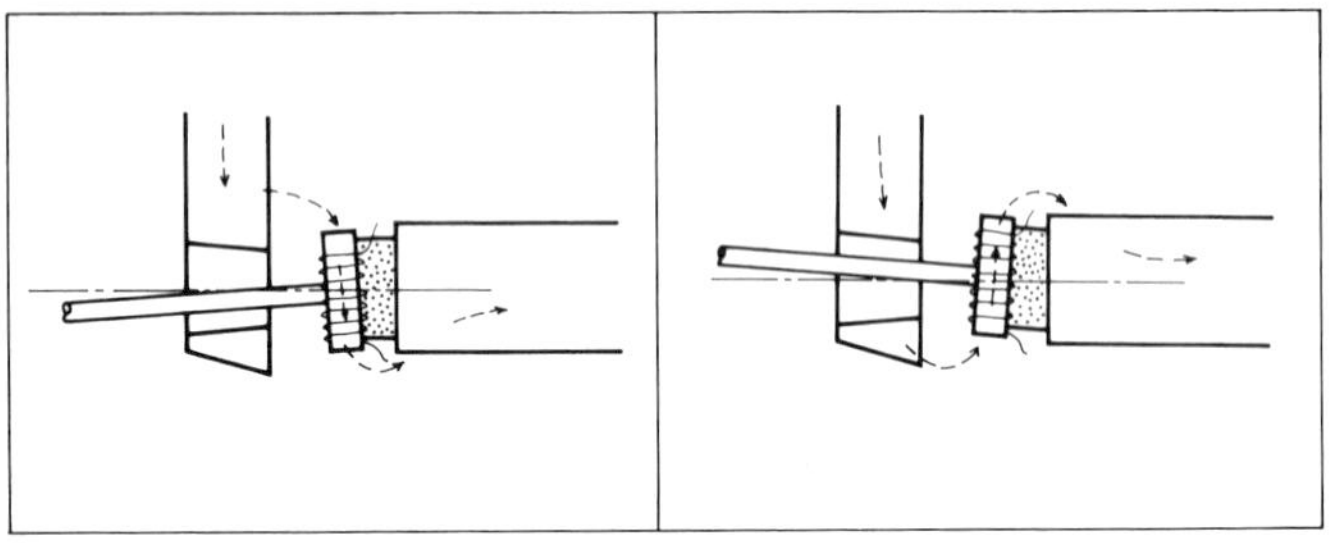

オルトフォン／SPU発電原理：針先の振動によりコイルを巻いた磁性体の中を通るフラックスの方向が変化して発電する。反対チャンネルについても同様にして発電するわけだ。

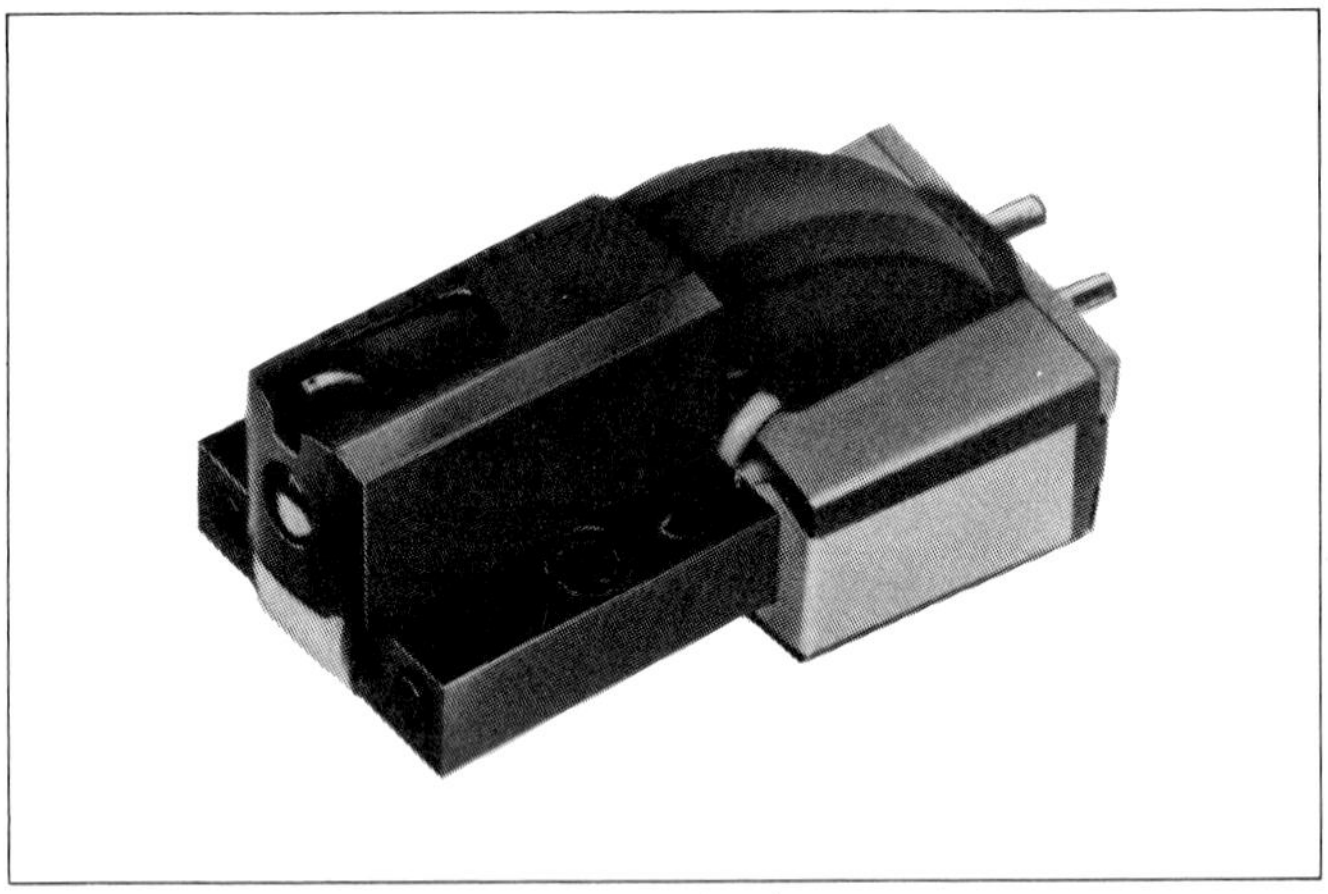

そのシェルの中には、もう見なれたSPUユニットと小型の昇圧トランスまで内蔵されていた。

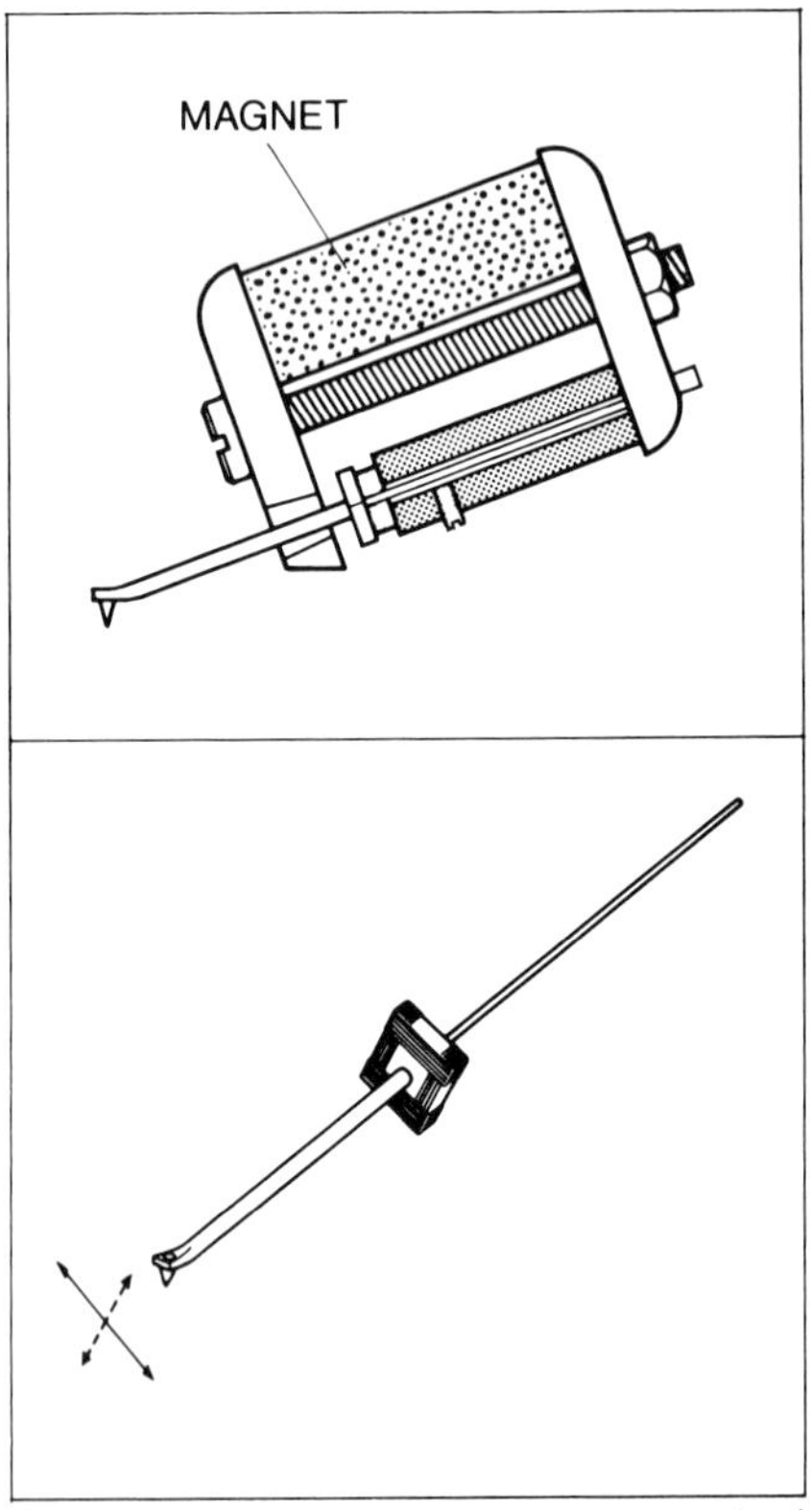

オルトフォンの断面図と、カンチレバー／コイル／ワイヤーストリングの拡大図

山中　振動系の実効質量を軽くできて、しかも発電効率が非常に高い形式としては、オルトフォンの方式にとどめを刺しますね。

長島　硬い巻き枠を使ったために、コイル自身が有害な自由振動をすることがないし、コイルのリードアウトも二枚のダンパーの間から線をダンプして出しているので、この部分で有害な発電をする心配もない。その上、カートリッジの出力端子までの距離も非常に短くしてある。

そしてなんといってもSPU最大の特徴は、発電エネルギーが非常に大きいということでしょう。ざっと計算しても、パワーでいくと普通のMM型カートリッジの百何十倍にあたるのです。一般にはカートリッジは出力電圧でしか考えられていませんが、それはカートリッジの一面しか見ていないことになる。

井上　カートリッジというのは一種の発電機ですから、高い電圧が取り出せればよいということではなくて、電圧×電流、つまり電力がどれだけ取り出せるかという観点から見ないといけませんね。

長島 その点SPUは出力電圧こそ低いのですが（約0・05mV、5cm／sec）取り出せる電力、つまりエネルギーは非常に大きい。トランスを介在させて昇圧しようとしたとき、電圧が低ければその分電流がないとトランスは働かないわけです。

井上 トランスというのは電力変換器なのであって、電圧変換器ではありませんからね。この辺を間違ってはいけない。ステップアップすれば電圧は上がりますが、その分電流は減るわけです。

長島 MC型カートリッジはユーティリティを広くしようとすると、どうしてもパワーを要求するのです。

山中 電圧としてではなくて、電力として十分なエネルギーが取り出せるというところに、MC型の良さの一つの秘密があるのではないでしょうか。

井上 インピーダンスが低いことと、電流が十分に流せることがMC型の大きな特徴でしょう。最近のMC型の中には、この辺のことが忘れられているような製品が散見されますね。

山中 カートリッジが電力としてどの程度発電しているかということはあまり話題になることがありませんが、実は非常に重要な問題でしょう。このところヘッドアンプもMC型カートリッジとならんで一種のブームになっているようですが、MC型のステップアップにはなぜトランスがいいか

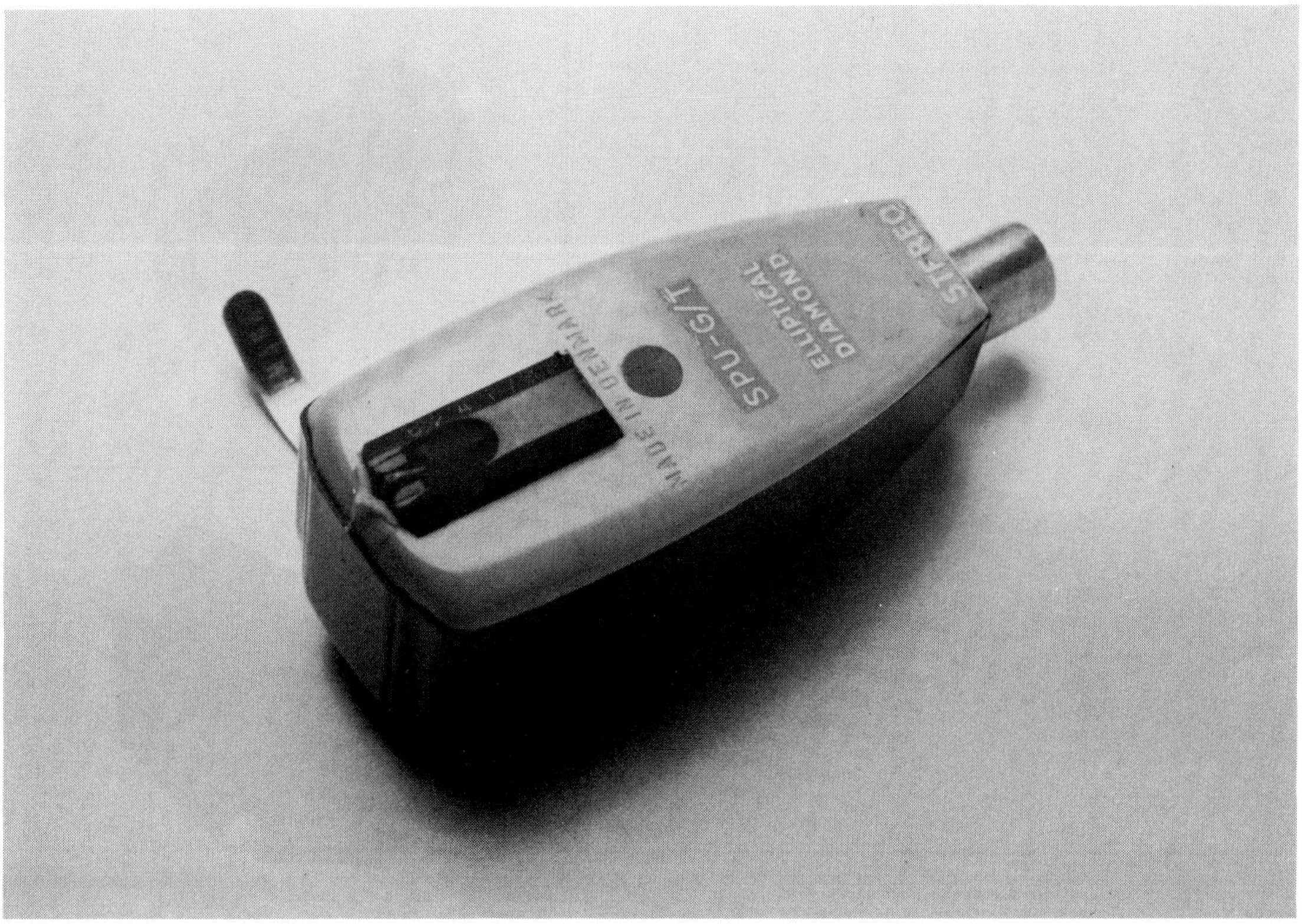

オルトフォン／SPU-GT／E：初期のSPU-Gはシェルがプラスチック製で、下面もこのようにカバーされていた。この他にもトランスなしのSPU-G／Eもあった。

という意味合いが忘れられているからではないでしょうか。電圧値だけを考えれば、たしかに電圧が低いのだから、ヘッドアンプで電圧増幅すればよいでしょうが、MCカートリッジは本来トランスが非常にうまく働く条件を備えているのです。

井上 交流の電力伝送に関して、トランス以上にいいものはあり得ませんね。発電所から一般家庭に電気を送る時のことを考えていただければよくわかるでしょう。

長島 MCカートリッジの昇圧トランスに関しては、どこまでローレベルの信号が変換できるかというところにかかってくるのですが、その時エネルギーがないと変換がうまくいかないのです。その点SPUなどは非常に有利になってきますね。電圧がいくら低くても、電流さえとれていれば、プリアンプで増幅するのに不都合のない適当な電圧値までステップアップするのは、トランスにとっては簡単なことなのです。

井上 その端的な例がリボン型カートリッジでしょう。電圧は極端に低いのですが、電流が十分に取り出せるので、トランスで昇圧することが可能なのです。

山中 オルトフォンはその後、SPUを基本とした改良型をいろいろと発表しています。すなわちSPUの次にS15というモデルがあり、その後SL15シリーズが長くつづき、SL20とほぼ同時に現在のMC20に至っている。これらのモデルも基本的には全くSPUと同じ構造で、ハイコンプライアンス化、ローマス化が進んだ

と見ていいでしょう。しかもその間もSPUは連綿と造りつづけられているわけです。私などはいろいろとMC型カートリッジを聴いてみても、オルトフォンタイプに関するかぎり、今でもSPUに戻ってしまいます。それだけ発電系のバランスが巧みにできた作品なのでしょう。

しかも最初に発表されたモデルと、現在作られているSPUとは、カンチレバーの長さや太さ、巻き枠の大きさやコイルの巻き数などほとんど変っていない。

長島　細部を克明に見ていくと細かな変遷はありますが、基本的には全く変っていません。全体のコンストラクションから変換系の構造まで、非常によく考えられたカートリッジですね。

井上　トランスデューサーとして、オルトフォンほど見事な設計は古今未曽有でしょう。現状でもオルトフォンより合理的な発電系は見当らないですね。

山中　現在はSPU同様に、EMTのTシリーズ・カートリッジが非常に評価されていますが、EMTはSPUを原形にモディファイした製品ですから、その点からもSPUがいかに基本的に優れたカートリッジかがわかりますね。

オルトフォンタイプから派生したEMT／Tシリーズ

山中　いま話が出ましたので、オルトフォンタイプの変形であるEMTのTシリーズについても触れておこうと思います。

上＝オルトフォン S15／下＝オルトフォン SL15

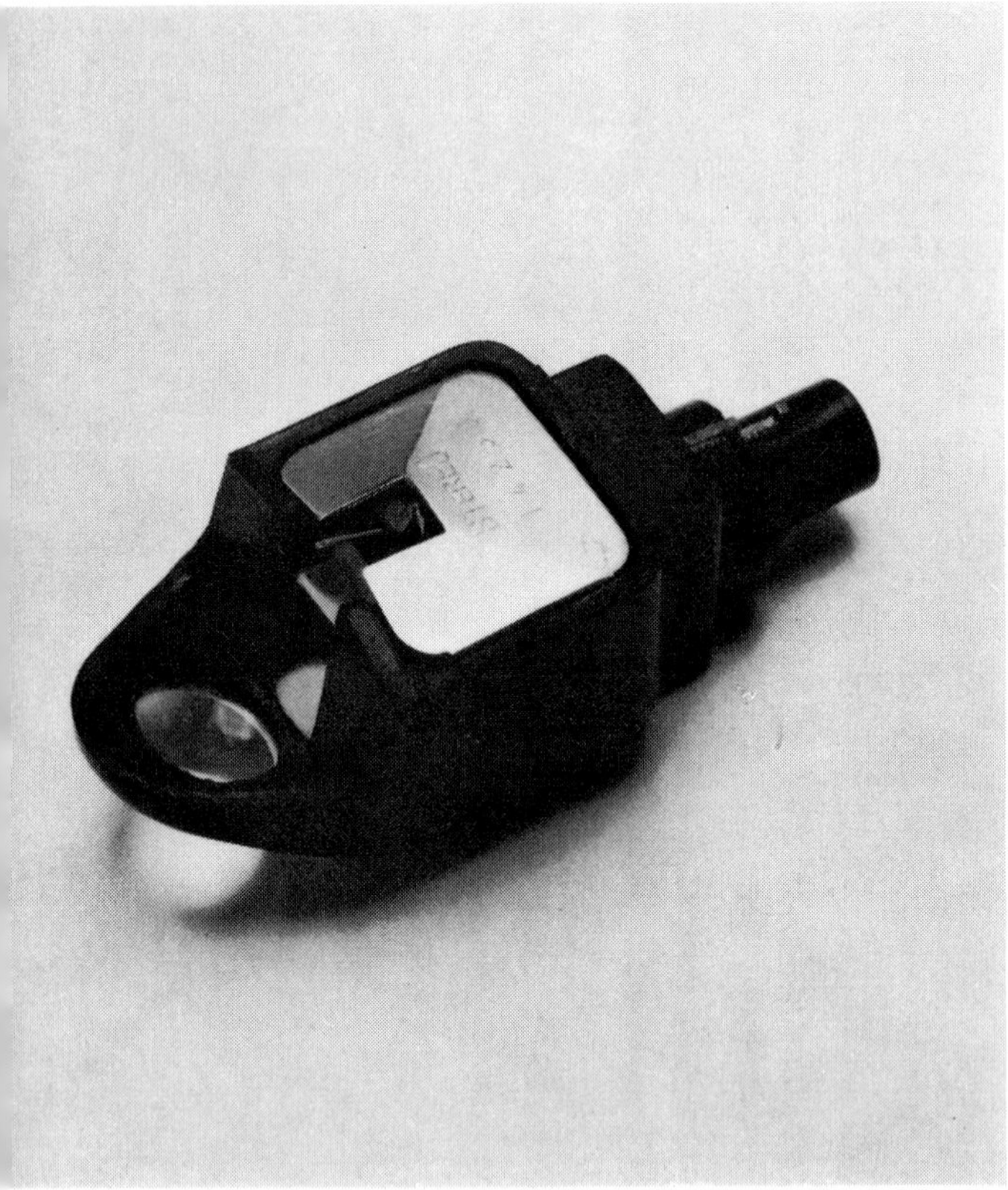

EMTのトランスクリプション・ターンテーブル・システムに最初の頃付いていたステレオ用のカートリッジは、オルトフォンのプロ用のブランド名として使われていたフォノフィルムの名のついたオルトフォン製だったのです。EMT自身が初めて作ったステレオ用カートリッジはTSD12といい、構造は完全にオルトフォンの発展型でした。

長島　オルトフォンを原盤検聴用にモディファイしたのがTSD12ですね。

山中　EMTはオルトフォンと比べると、まずカンチレバーが細くてかなり長くなっている。それからコンプライアンスが少し大きくなっていて、サスペンションシステムも、材質の違う二種類のダンパーを併用して、コンプライアンスの変化の範囲をリニアにしようとしています。コイルの巻数も少し増しているのでインピーダンスも違っていますが、基本的にはオルトフォンタイプといっていいでしょう。

その後すぐにTSD15になりますが、これは針先が変っただけです。そして、途中からボディが、現在のTSD15に使われているキュービックなデザインのものに変って、現在に至っています。

人間わざとは思えないミニチュアコイルを使ったグラド

山中　オルトフォンのSPUがあまりにも偉大な存在なのでその話ばかりになってしまいましたが、MC型カートリッジの第二世代として忘れてならないもののひとつに、グラドがありますね。構造的にはフェアチャイルドのＸＰ４やその後の２３２の系統をひくものといっていいでしょう。フェアチャイルドの振動系の構造をマイクロ化、精密化するとともになおかつ合理化しています。

このグラドのカートリッジでいまだに不思議なのは、コイルの製造方法をどうしていたのかということですね。空芯のコイルの中に小さな鉄芯が入っていて——これは実際問題としてほとんど効力はないと思うのですが——しかもそのコイルがものすごく細い線で非常に小さく巻かれている。その上にコイル部分を球形に完全にプラスチックで固めているのです。現在もジョセフ・グラド氏はＭＣ型ではありませんがカートリッジを作っているので、氏に会う機会があったらどうやってこの振動系を造ったのか聞いてみたいですね。

長島　ぼくはあのグラドの表面のプラスチックを溶かして中を見たことがありますが、明らかに一人の人間がコツコツと手作業で巻いているという作り方です。

ＭＣ型の構造上の魅力のひとつが、こういう人間わざとは思えないような細工にありますね。

山中　しかしグラドのカートリッジで一番の問題は、非常に断線しやすかったことでしたね。日本の湿気とか暖房などの問題だとは思うのですが、すぐに切れてしまう。

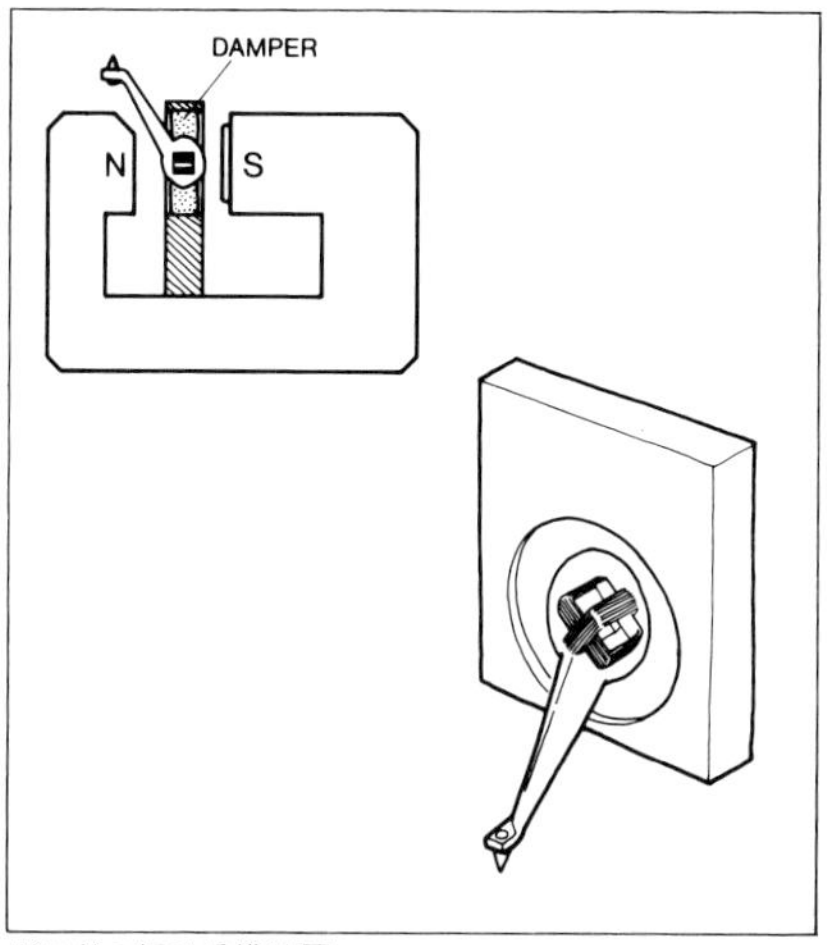

グラドの振動系構造図

グラド／エクスペリメンタルのボディカバーを外すと振動系／磁気回路の詳細がわかる。カンチレバーは金属ではなく、プラスチック系の成形品だ。

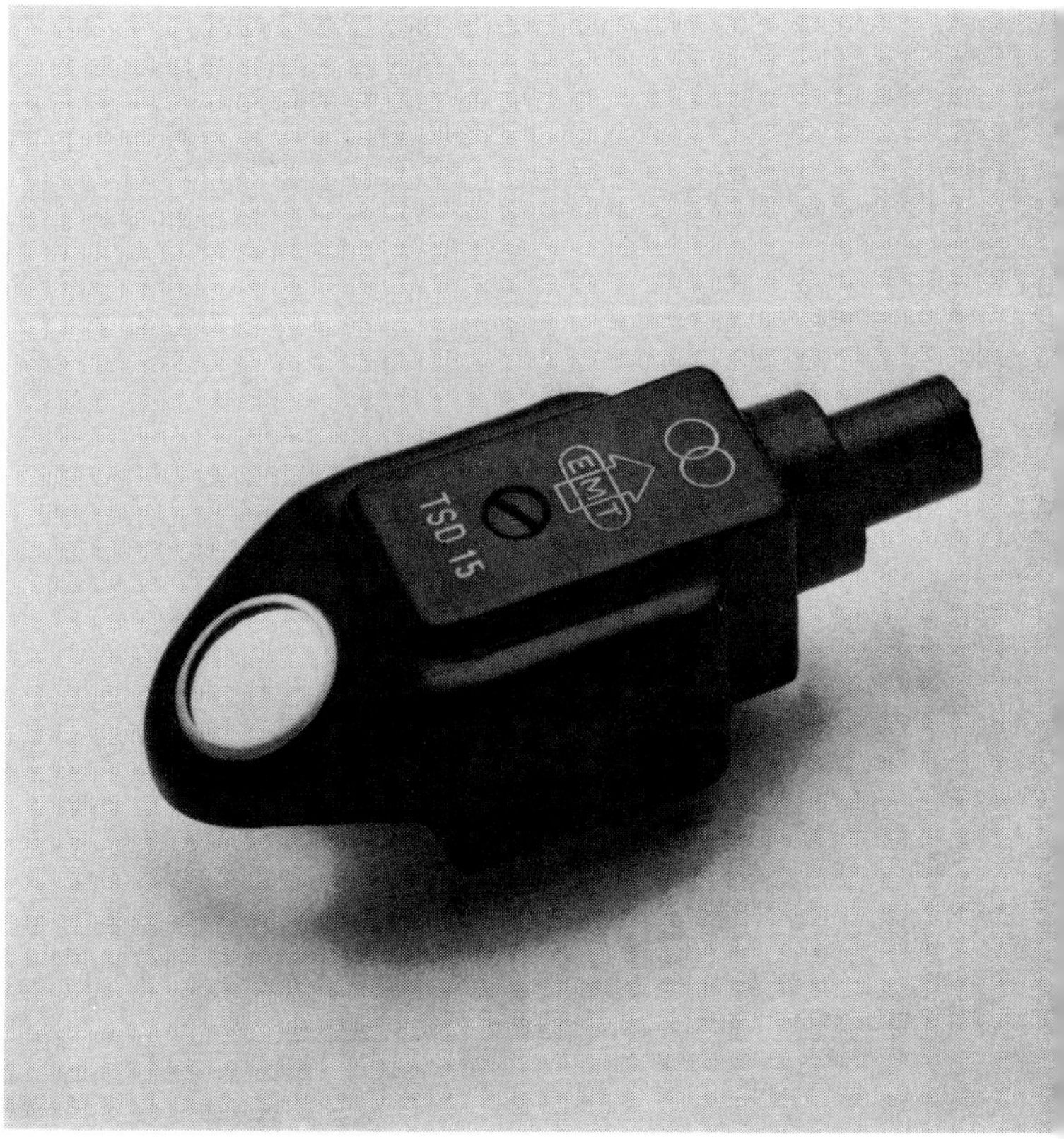

EMT／TSD15(旧型)

ＭＣカートリッジの火を絶やさず守りつづけた日本製品

井上　グラドが出たあたりで海外製品のＭＣ型には新しい動きが見られなくなりますね。オルトフォン／ＥＭＴ系だけが残って、他はノイマンもウェストレックスもグラドの系統も跡絶えてしまう。その後は日本製品が非常に活躍するわけです。

ノイマンの発電機構をコンシュマー用にアレンジしたともいえるのがグレースのＦ４５Ｈ／Ｄで、フェアチャイルドとグラドの影響を受けたのがデンオンのＰＵＣ７でしょう。オルトフォン系のＭＣ型は数知れないほどありましたし……デンオンのＤＬ１０３シリーズもオルトフォン系の発電機構の変形と見ることができますね。フィデリティリサーチのＦＲ１シリーズはグラド系統といっていいでしょう。ちょっと特異なのがサテン系でしょうか。

長島　サテンは強いていえばウェストレックスのモディファイといえないことはないですね。しかしずいぶん日本的な独創が入っています。話がちょっと外れるかもしれませんが、現在のところ発電効率の面から見るとサテン系が最高ですね。

ＭＣ型カートリッジというのは、何らかの形で発電ロスがあるのです。コイルは必ずリターンがあって、そのリターンの部分で発電方向が逆になり、相殺されてしまう部分がある。その点スピーカーのボイスコイル型の、ウェストレックスのような構造は一番合理的なのです。サテン系も同様にロスは極小ですね。

とにかくMC型のカートリッジが減っていく中で、日本製のカートリッジがMCの火を絶やさずに守ってきた。そしてこのところまたMCがブームになっていますが、この火つけ役はアメリカで、しかも日本製のカートリッジがアメリカのマニアの間で評価されたのがきっかけになっているのが面白いところです。

使いこなしのむずかしいMC型カートリッジ

長島　ところでこれはMC型カートリッジ一般にいえることですが、構造があまりにもデリケートなため、スタビリティとの兼ね合いをどうとるかが問題になってくる。これは昔からすべてのMC型カートリッジが苦労しているところですね。
MM型カートリッジにもクリチカルポイントはあるのですが、クォリティカーブが非常にブロードなためイージーユースができる。ところがMC型カートリッジはそうはいきません。ですから、MC型とMM型を同じように使ったのでは、MC型本来の良さは出てきませんね。
井上　MC型カートリッジをMM型と同じような扱いで使うのは、カメラでいえばピントを合わせないで写真を撮っているようなものでしょう。
山中　具体的にいうと、トーンアームとのマッチングが重要ですね。組み合わせる

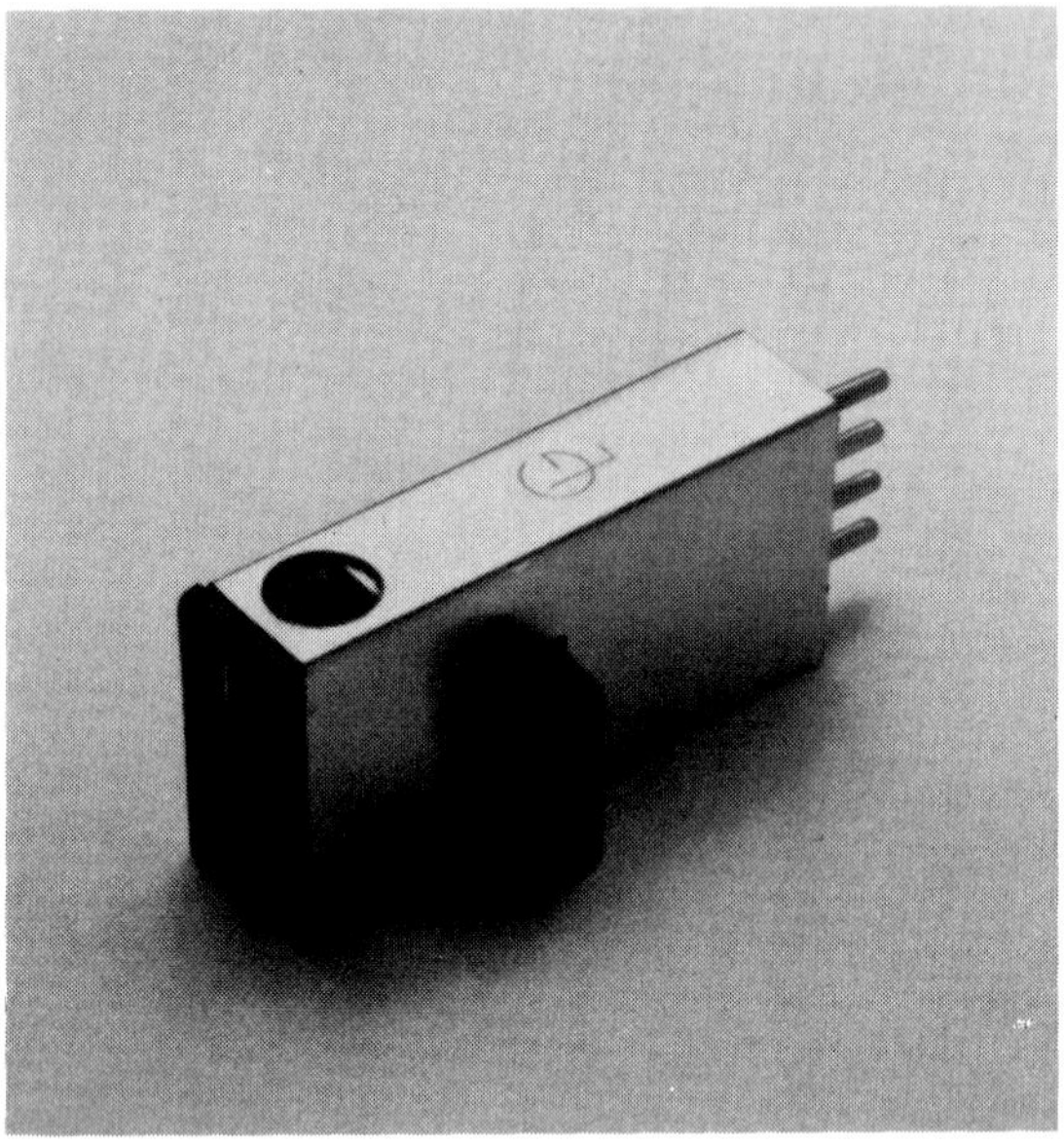
グラド／ラボラトリー

グラド／エクスペリメンタル

トーンアームやターンテーブル、そのベースなども含めて、プレーヤーシステム全体のマスバランスがとれていないと、完璧なトレースは期待できない。オルトフォンなどはそのいい例ですね。SPUを使ってやはり一番いい音がするのはオルトフォンのアーム、それも昔のRMA297やRMG309のようなタイプでしょう。
トーンアームのことがでたついでにお話ししておきたいのですが、現在日本で普及しているユニバーサルアームの4ピンコネクターはオルトフォン／SMEが採用した規格がそのまま踏襲されているのですが、その原形はヨーロッパのプロ用プレーヤーシステムのピックアップ・ヘッドの規格なのです。たとえばノイマンDSTやオルトフォンSPU―Aがそれです。コネクター内のピンの配置に関していえば、A型とB型があり、A型は4本のピンがダイヤ型に並ぶタイプで、B型は現在使われている4本のピンが平行に四角形に並ぶタイプです。A型というのが本当のプロ用規格で、ノイマンやEMTはすべてこのタイプに統一されています。オルトフォンも、現在のSPU―Aは一般的なタイプ(B型)になっていますが、一番最初のモデルではダイヤ型配置のA型でした。この規格では、シェルの根元から針先までの寸法や、全体の重量が厳密に決められていて、A型のコネクターを採用したトーンアームなら、各社のプロ用カートリッジが自由に付け替えでき、ゼロバランスや針圧値もすべてのカートリッ

ジに合うようになっていました。互換性があって非常に合理的な規格だったわけです。
井上 トーンアームのカウンターウェイトは、どこでバランスをとってもいいというものではないからですね。あるひとつのピックアップ系の設計においては、特定のバランスポイントがあるはずなのです。そこでバランスさせないと、トータルな特性、中でも特に低域再生に関しては大幅に変化してしまうのです。
山中 オルトフォンなどのプロ用のMC型カートリッジに関しては、組み合わせるトーンアームは質量的にある程度重くて、極端に高感度でないものがいい。
長島 トーンアームの感度の良し悪しは一概にいえない難しい問題で、ある程度使うカートリッジに見合った抵抗が必要なのです。しかもガタがあってはいけない。
針圧やトーンアームの高さの問題も重要ですね。MC型はアームの高さひとつでも音がずいぶん変わります。そしてもっとも重要なのはMC型カートリッジはオールウェザーではないということでしょう。MC型には使用適正温度があって、そこまでもっていかないとうまく鳴ってくれない。なぜかというと、MC型はコイル等があるため、どうしてもMM型より実効質量が大きくなり、コンプライアンスが低くなるのです。コンプライアンスが低くなるとダンパーに使うゴムの量も多くなり、振動系とダンパーの接する面積も増えます。すると、温度によって特性が大きく変わってしまうのです。その上ゴムというのは、振動させていると特性——弾性状態、粘性状態等——が変わってくるのです。つまり、MC型カートリッジに限ってはエージングが必要になってくる。
井上 その典型的なものがオルトフォンのSPUでしょう。買ってきてすぐの音はどうしようもなくて、こんなはずじゃなかったと思ったことが何度もありますが、ある程度の期間使っていると、針先がダメになる寸前に一番いい音がする。いい音が出るようになったら、もう次のスペアを考えておかなければいけないというのは、SPUを使う時の常識になっていますね。
長島 またそこまでしても使うだけの魅力をもっていることもたしかですね。
井上 現在数多く市場に出廻っているMC型カートリッジの中には、MM的にイージーユースのできるものもあり、それはそれでいいと思いますが、しかしクリチカルに追い込まなければ本領を発揮しないMC型があるということを、そしてそれがMC型本来の姿だということは知っておいてほしいですね。

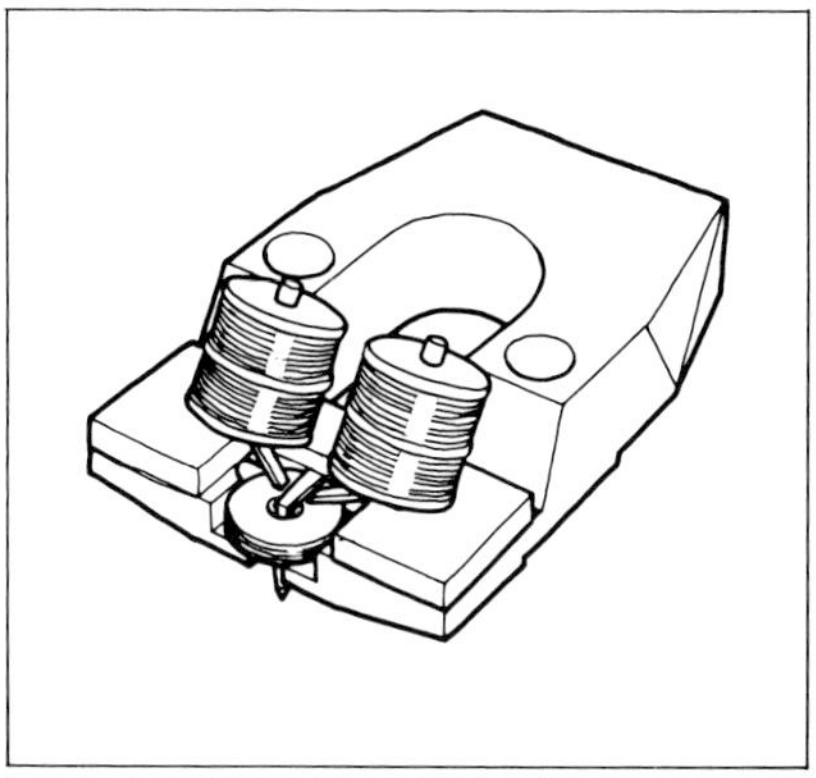
デッカ／C4E構造図：他のモデルも基本的には全く同じ構造だ。

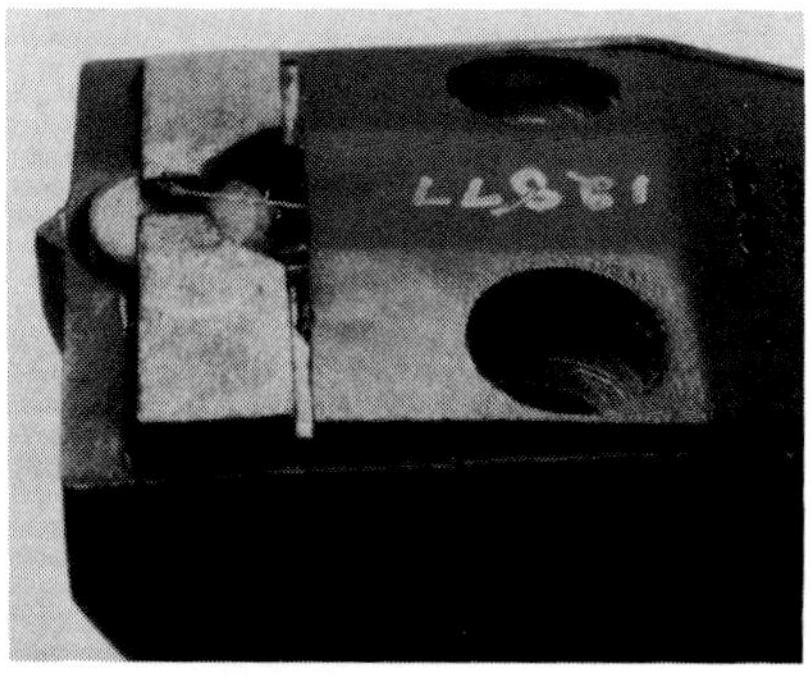
デッカ／C4Eの針先部分：ダクロンの糸でアーマチュアを後方に引っ張り位置規制をしている様子がわかる。

オルトフォン／SPU-A

山中 トーンアームと、針先のワンポイントでレコードをトレースしようというのですから、これほど不安定というか、調整がクリチカルなものはないでしょう。
長島 針先の振動が発電機構を動かした後、ダンパーだけで吸収されるはずがないのです。これはハイコンプライアンス・カートリッジについても同じです。針先に伝わった振動は片やトーンアームを伝わりプレーヤーベースに流れるし、片一方はレコード盤自体を振動させる。その振動は今度はターンテーブルが、そしてプレーヤーベースが受ける。つまり、カートリッジからトーンアーム、ターンテーブルまで全部含めた、一つの系ができているのです。その系全体のバランスをとっていかないといけませんから、MC型の使いこなしは非常に難しいわけです。

V/L方式ディスク用として開発されたデッカ・カートリッジ

山中 MC型ではありませんが、カートリッジの名作といった話の時に忘れてならない存在として、英デッカの一連の製品があります。
ステレオレコードの出現した初期には、

英デッカのV／L方式とウェストレックスの45／45方式が、それぞれ優位性を競っていたのですが、その後世界中のレコードのカッティング方式はウェストレックスの45／45方式に統一されます。そしてこの英デッカのV／L方式のディスク再生用として開発されたのが、MARKⅠから始まる一連のデッカのカートリッジなのです。オルトフォンのSPUとともに、初期に開発された方式がそのまま現在に引き継がれている珍しい例で、現在ではMARKⅤまで発展していますが、非常に寿命の長いカートリッジです。

長島　デッカの構造については、口で説明するのがなかなか難しいので図を参考にしていただきたいのですが、発電原理としてはムービングアイアン（MI）型なのです。このカートリッジもダンパーを全く持っていなくて、ごく短い縦方向のスリーブ、つまりアーマチュアの先に針が植っていて、そのアーマチュアは金属板のスプリングと下側はダクロンの糸でそれぞれ後ろ側に引っ張っている。そしてアーマチュアを取り囲んだ一つのコイルが横方向の出力を取り出し、上の方にある二つの大きなコイルが縦方向だけの出力を取り出している。このことからV／L（ヴァーチカル／ラテラル）方式と呼ばれているわけです。

井上　横（水平）方向は完全なムービングアイアン（可動鉄片）型であり、縦（垂直）方向はバリアブルリラクタンス型に近い。つまり縦方向と横方向が違う発電形態をとっているのがユニークですね。

デッカ／C4E

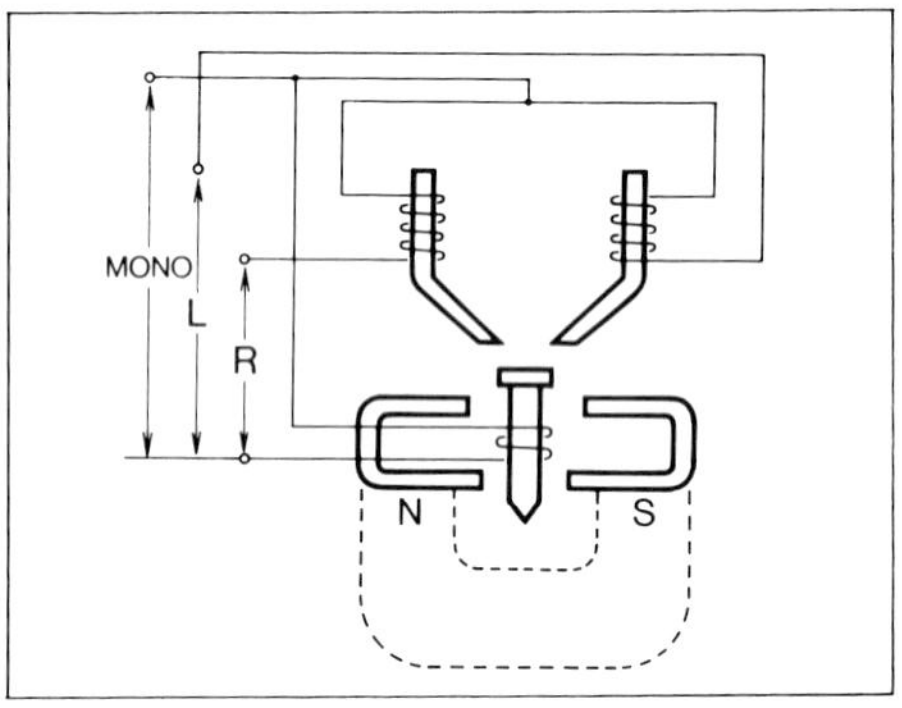

デッカを45／45方式で使う場合のコネクション：結線を変えることでV／L方式のディスクも再生できる。

長島　英デッカはバーチカル／ラテラル方式のステレオディスクを完成させたためにこのカートリッジを開発したのでしょうが、別の図のようにコイルの結線をマトリクスにすることによって、ウェストレックスの45／45方式のステレオディスクの再生用にも使えるようになっていたのが大きな特徴でしょう。

井上　V／L方式にしておきながら、マトリクスを通せば45／45方式にも使えるというのは、いかにもユニークな発想ですね。V／L方式のレコードを開発しておきながら、垂直系のコイルを二つに分けてマトリクスが可能にしておいたところを見ると、世の趨勢は45／45方式に傾くと思っていたのでしょう。たいした英智といわなければなりませんね。

山中　普通ならそこで、完全に45／45方式の結線に切り換えてしまうのでしょうが、常にV／L方式にも変換可能にしているところはイギリスの面目躍如たるところでしょう。

長島　このカートリッジも、ダンパーレスの、ダイレクトカップルに近い構造だったため、使い方が非常に難しくて、ずいぶん誤解されましたね。

山中　初期のMARKⅠから静的コンプライアンスが非常に大きかったので、組み合わせるトーンアームには苦労しました。本来はデッカのアームと組み合わせるインテグレートタイプだったのですが、SMEに取り付けられるアダプターが発売されていましたし、Ⅳになってからは EIA規格のシェルに取り付け可能なC4E、SC4Eタイプもあったので、SMEなどと組み合わせてみたのですが、トレースが非常に不安定になるのです。

井上　トレースも不安定になりますが、周波数特性上もおかしくなってくるのです。

長島　デッカのトーンアームには秘密があって、横方向の動きだけは少量のオイルでダンプしてあったのですね。そのために非常にトレースが安定していた。普通MI型カートリッジは比較的使いやすいのですが、その点デッカは、MC型並みの神経を要求されましたね。

井上　しかし、なんといっても素晴らしかったのは、ダンパーレスの強味で、温度の低いところでレコードをかけても全然ビリつかなかったことですね。ロンドンの初期のフェーズ4のレコードなど、冬になると普通のカートリッジではなかなかかからなかったのですが、さすがにデッカは問題なかった。しかしあまり温度が下がると、今度はレコードの方の弾性が低くなってしまうのでやはり駄目でしたね。

長島　トレーシング能力が高かった理由のひとつに、Ⅰ型の頃から実効質量が非常に小さかったこともあるでしょう。この点では時代を先取りしていたわけです。しかし、ダンパーレスで金属サスペンションを使っていたので、このカートリッジもエージングが必要でした。

井上　MARKⅠ、Ⅱ、Ⅲは針先が0・5ミル、0・6ミル、楕円と違うだけで、他はほとんど同じです。MARKⅣになって振動系の方向が少し変り、MARKⅤで全体をより小型化した。

山中　Ⅳになった時、それまで0度だったバーチカルアングルをちょっと変え、15度に近づけましたね。

とにかくデッカというのは面白い会社で、V／L方式用の発電系などという古きものを、現在のMARKⅤまで温存しておく一面があると思うと、新しいものはどんどん取り入れていく。楕円針が開発されればすぐ取り入れるし、ヴァーチカル・トラッキングアングルも世の流れに従って変えていくというように……。

井上　またそれらを取り入れるのが早いですね。

山中　同社の技術陣がこのカートリッジに対して非常に誇りを持っている現われなのでしょう。

井上　初期の製品を見ても、なまじのMM型カートリッジがつくれるというようなメーカーではできない構造であり加工でしたね。構造的に難しいせいか、世界的に見ても類似した製品が現われませんでした。デッカとウエストレックスくらいではないですか、イミテーションが現われなかったのは。

長島　なかなか真価のわかりにくいカートリッジですが、うまく使った時の音は素晴らしいですね。

デッカ／MARKⅡ

ひとりよがりでない独創的なカートリッジの出現を望む

長島　こうして改めて、いろいろな製品を見てきますと、カートリッジというトランスデューサーにかけた人々の情熱には、はかりしれないものがありますね。よりよい再生というひとつの目的のために、ありとあらゆる方向から追求していく姿が目に浮ぶようです。

井上　同じトランスデューサーでも、スピーカーと違い、カートリッジではあらゆる方法が試みられている。そして中でも個人のセンスが一番要求されるのがMC型カートリッジでしょうね。その人のセンスによってすべてが決まる、独断と偏見に満ちたものでしょう（笑い）。これほど個性的にならざるを得ないものは、オーディオ機器の中でもMC型カートリッジだけでしょう。

山中　エレクトロニクスがいくら発達したといったところで、カートリッジはいまでも――特にMC型はそうですが――メーカーの中でもある特定の技術者がいなかったら作ることができないというような状況ですからね。

長島　ある時期まで、大企業がカートリッジに手をつけられなかったのは、そういう難しさをもっていたからでしょう。

しかしMC型カートリッジにおいては、それだけ自由な発想が生かせるわけです。

山中　フラックスの切り方はいくらでも考えられますからね。それぞれが、それぞれの考え方で作る、そこがMC型にかぎらずカートリッジのいちばん面白いところでしょう。しかし現状は、まだ割と限定されたタイプのバリエーション的な製品が多いですね。

井上　新材質を使ったりしていても、つきつめるとオルトフォンタイプの変形というのが大半でしょう。根本的に新しい発電系が割合少ないように思うのです。

長島　たしかに、全く新しい発想のMC型はあまり出てきていませんね。しかし、カートリッジの設計者はイミテーションだけはしたくないと思っているでしょうから、オーディオマニアの一人として期待したいところです。

井上　構造的に個性というか、オリジナリティのないMC型カートリッジは、たとえ音がどれほど良くても、余り興味がわきませんね。MC型には一つのメカニズムに起因する音というものがあると思うのです。

長島　だからこそ、全く新しい発想の、いままでに見たこともないような構造の製品が出てきてほしいですね。

井上　新しい発想に基づいた構造であり、発電機として本当に正しく働くMC型カートリッジが、たくさん出現してほしい。

山中　原点から洗い直してみると、またいろいろと新しい発見があると思うのですが……。

（了）

Altec Lansing

A5

Loudspeaker System

コンシュマースピーカーの最高峰をめざして
エベレストへの道程
JBL DD55000 開発ストーリー

山中敬三

プロトタイプを越えた高い完成度を見せる製品第1号遂に登場。

前号で紹介したＪＢＬひさびさの大型フロアーシステム、プロジェクト・エベレストＤＤ５５０００の製品第一号がつい最近ようやく入荷した。前回のプロトタイプモデルに比べ、基本的な部分の変更は全くないが、細部では、いくつかの改良がなされ、完成度が一段と高まったことをまずご報告しておこう。

細部の変更箇所はまず、注目のディフアインド・カバレージ・ホーンはスロート受け板が強化され、ホーンのデッドニングもより効果的な処理が施こされた。ＨＦ（２４０５Ｈ）およびＭＦ（２４２５Ｈ）ユニットのレベルコントロールは、スライドタイプから、動作の確実なロータリータイプに改められているが、３ポジションの機能そのものに変化はない。その他、外観上はＪＢＬのロゴの位置が変ったり、塗装部分の色合いにいっそうデリケートなコントラストを加えており、全体に完成度が高まっている。

音質面でも、高域がさらにスムーズになり、全体のキメがよりつまった印象を受けた。

ところで、スピーカーシステム全般の傾向が、相変わらず小型化の方向を示している中で、ＪＢＬが同社本来の大型システム、しかも完全に新しい技術とコンセプトに裏付けられた本格的機種を新たに手掛けたことは、沈滞気味のオーディオ界に大きな刺

●許容入力：250W●インピーダンス：8Ω●クロスオーバー周波数：850Hz、7.5kHz●出力音圧レベル：100dB/W/m LFユニット(150-4H) ●口径：38cm●ボイスコイル口径：10cm銅リボンエッジワイズ巻き●マグネット重量：10.3kg●磁束密度：9,500ガウス●能率：100dB/W/m MFホーン／ドライバー(2346-1ホーン＋2425Hドライバー) ●ボイスコイル口径：45mmアルミリボンエッジワイズ巻き●マグネット重量：4.5kg●磁束密度：18,000ガウス●能率(ドライバー軸上)：110dB/W/m UHFユニット(2405H) ●ボイスコイル口径：45mmアルミリボンエッジワイズ巻き●マグネット重量：1.9kg●磁束密度：17,500ガウス●能率：105dB/W/m 総合 ●外形寸法：W92×H141×D51cm●重量：145kg

激となったことは確かである。仮にアンプなどのコンポーネントにいくら高度な性能の新しい製品が揃っても、肝心のスピーカーシステムがそれに見合うものでなければ、本来の能力を発揮できないことにもなりかねない。われわれオーディオファイルの夢を満たしてくれるようなスピーカーが少なくなっている現在だけに、このJBLの新製品にかける期待はきわめて大きいといえよう。

最近入手した資料によると、同社はこのプロジェクト・エベレスト開発のために3年以上の歳月を要している。これは最近の製品の中でも異例の長さといえるが、それだけに、この製品の開発の過程にはいろいろ興味深いストーリーが秘められていることが分った。そこで前号の製品の概要に続き、今号ではこのニューモデル誕生のいきさつを、少し詳しく紹介することとしよう。

JBLコンシュマーシリーズの伝統的ポリシーの再認識からプロジェクト・エベレストが

JBLが創業以来、もっとも力を注いできた製品のジャンルの一つは、いうまでもないが、コンシュマー用の高級スピーカーシステムである。もともと業務用を目的として開発されたコンプレッションドライバーや、強力なウーファーなど、高性能ユニットの豊富なラインナップが同社には揃っている。これらを自社の高度な木工技術により、優れたデザインで造り上げたエンクロージュアに納めた高級システムこそ、JBLのスピーカーの本命ともいうべきもので、初期のD31050にはじまり、D30085ハーツフィールド、D44000パラゴン、そしてD50S8Rオリンパスなどに代表される幾多の傑作を、その歴史の中で産みだしてきた。これらは私達日本のオーディオファイルにも、あこがれのスピーカーとして夢をかきたてる大きな存在であった。しかし一九七〇年前後を境として、アメリカのオーディオシーンは大きく変貌を遂げ、いわゆるコンシュマー用大型システムの需要は減少し、カタログから次次と姿を消していった。これはJBLのみの例でなく、アルテック、エレクトロボイスなど同じジャンルの製品を造ってきたメーカーのいずれもが同様であった。しかし、JBLでは、唯一パラゴンのみが、その命脈を今日まで保ち続けたのである。ちょうどその頃から、日本での需要が無視できない数に高まったという事情もあったことは確かではあるが、なによりもJBLの社内において、会社のポリシーを象徴するような、こうした高級システムの存在意義を、強く支持する人々の意向が反映したのも事実であった。

現在のJBLインターナショナルの社長であるブルース・スクローガン　Bruce

ブルース・スクローガン

古くからの本誌愛読者にはG．マルゴリスとともによく知られた存在。現在はJBLインターナショナルの社長を務め、プロジェクト・エベレストの推進者といえる。

JBL DD55000 ¥2,600,000（ステレオペア・予価）

DD55000/プロトタイプからの変更箇所

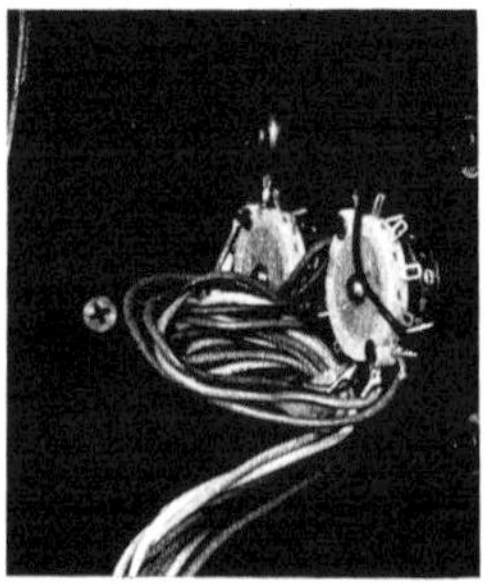

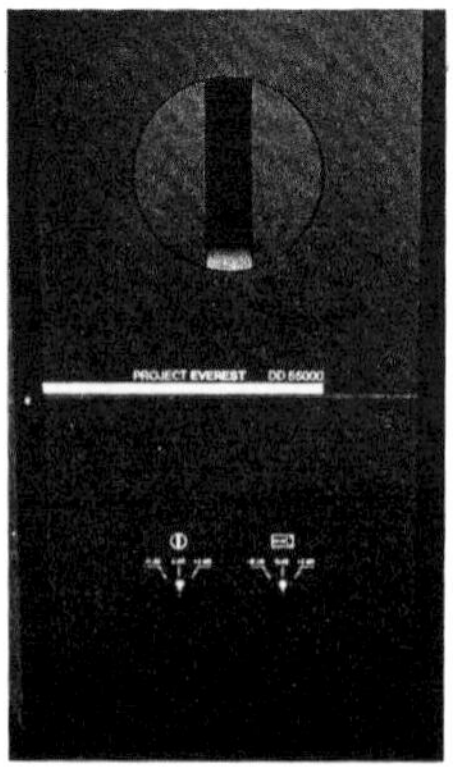

トゥイーターとミッドレンジのレベルコントロールは、スライドタイプから、動作も確実で扱い容量も大きいロータリータイプに改められた。

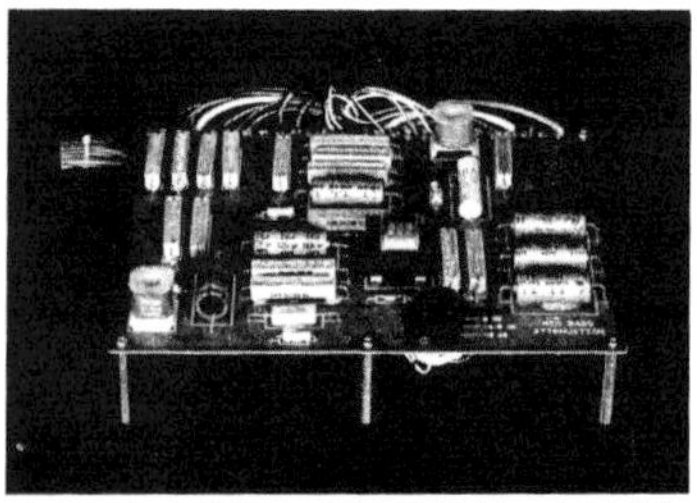

ネットワーク自体には大きな変更はないようだが、エンクロージュアへの取り付けがより確実に。

ホーンのスロート部の支持方法が変った。プロトタイプではホーンの部分を木製のスタンドで支えていたが、製品では鉄製のスタンドを使い、ホーンとドライバーの固定ネジと共締めするようになった。なお、エンクロージュア内の配線にはすべてモンスターケーブルが使われている。

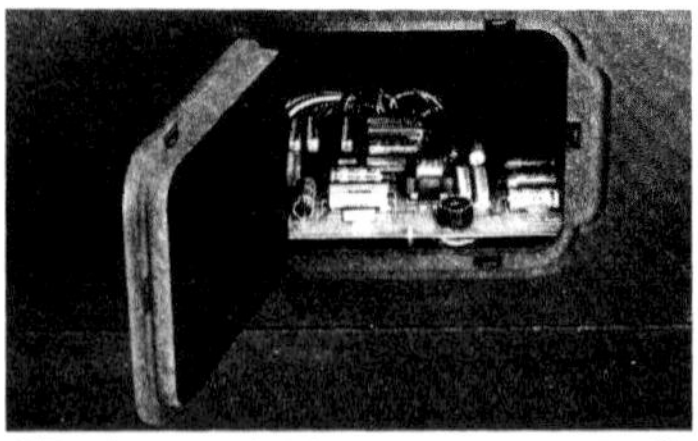

裏板に付けられた中低域のレベルコントローラー操作用のフタは、プロトタイプでは下ヒンジだったが、横ヒンジに改められ、切り抜き形状も若干変わった。

150-4Hウーファーは、プロトタイプではE145のネームプレートもそのままだったが、製品では正式な外観デザインに変更された。

JBLのロゴをあしらったバッチはプロトタイプではエンクロージュア下部につけられていたが、製品では上部に移動された。

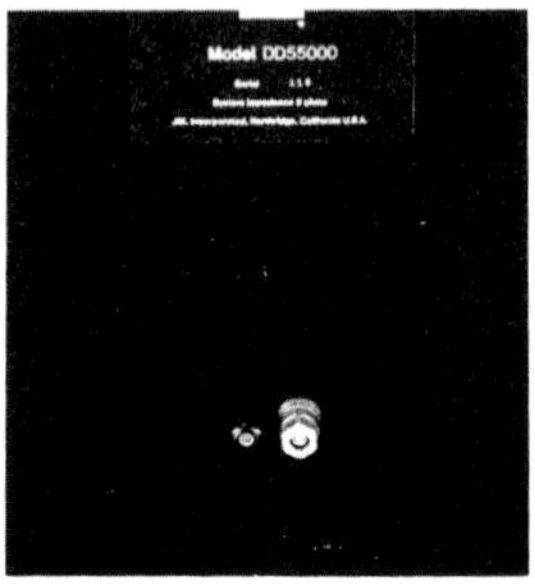

入力端子もネジ止め式の確実なものになった。ツインバナナでの使用も可能。

Scrogin もその一人といえよう。JBL生え抜きの長いキャリアを通じて、ステータス製品の重要性を深く認識し、常にパラゴンのような、その時点における最新技術を導入したトップモデルの開発が必要なことを頭に描き続けてきた人であり、後にプロジェクト・エベレストの開発推進の中心人物として重要な役割を果すことになる。

SR用のDDホーンが「ブルースカイ」構想を生み、コンシュマーのトップモデルの模索が始まった。

さて同社は、この頃からプロフェッショナル部門の拡大を目指し、まず従来から得意とするスタジオモニター機の分野の強化を図り、大きな成果をあげた。例えば当時としては類のない4ウエイ構成のワイドレンジモニター4343は、時代の傾向にマッチした新しいモニターとして大きなヒットとなり、特にわが国では、一般ユーザーの間にも広く受け入れられて、JBLのブランドイメージを一挙に高める役割を果した。同社の高級機設計技術はプロ機の分野に受継がれ、さらに育って行くことになったのである。

七〇年代後半になると、こうしたスタジオモニターシステムの実験を足掛りとして、シアターサプライや、サウンド・リインフォースメント（SR）の分野にも、本格的な進出を図る。技術スタッフに、エレクトロボイス社のコンスタント・ダイレクティビティ（CD）ホーンや、アルテック社のマンタレーホーンの開発者として著名な、

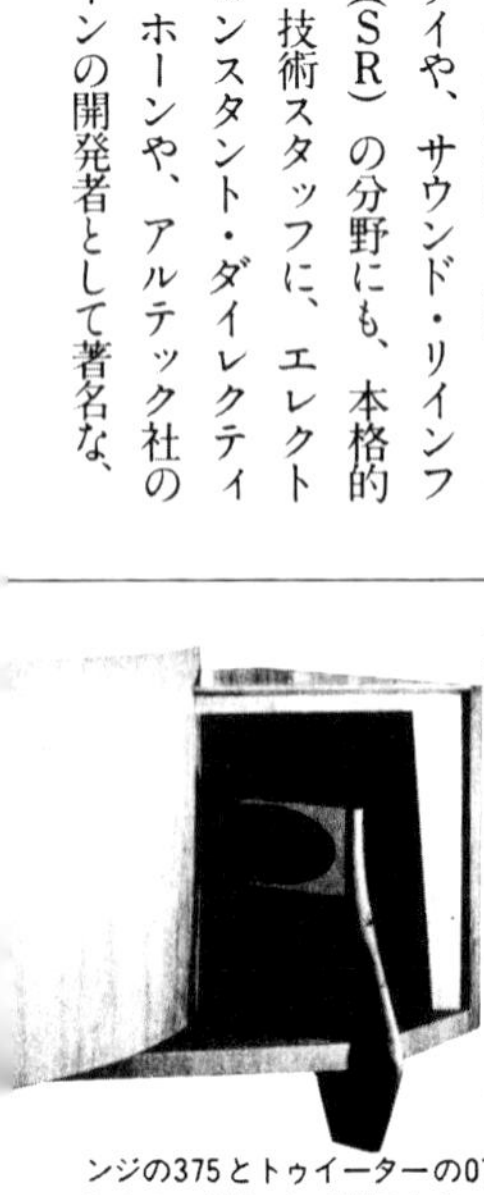

D44000
〝パラゴン〟

数多くの伝説につつまれた存在。最初期は150-4C、中期はLE15A、そして最近ではLE15Hと、ウーファーは時代により種種の変遷をとげたが、ミッドレンジの375とトゥイーターの075は不変。フロントロードホーンの開口とミッドレンジのリフレクターパネルが渾然一体となってかもし出す雰囲気はオーディオエクイップメントの最高峰として君臨するに相応しい。

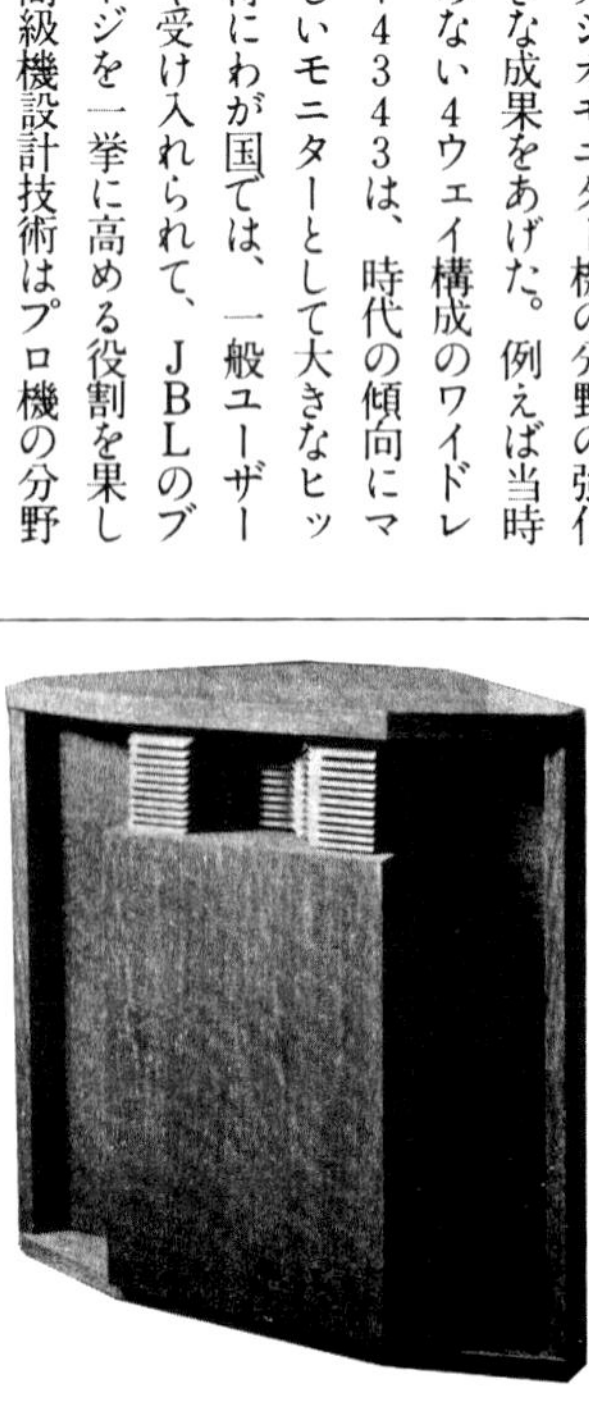

▶D31050

130B(38cm)ウーファー2本と175DLHホーン／ドライバーの組合せによる2ウェイシステム。フロントロードホーンとバスレフ方式を併用したエンクロージュアが特徴。

◀D30085
〝ハーツフィールド〟

あまりにも有名なJBL初期の傑作スピーカー。ユニットには種々のバリエーションがあるが、代表的なのは150-4C(38cm)ウーファーと375ドライバー+H5039ホーン／レンズの2ウェイ。エンクロージュアはクリプッシュの変形といえるフロントロードホーン型。（後期モデルは同じフロントロードでもW型ホーンに変更された）。

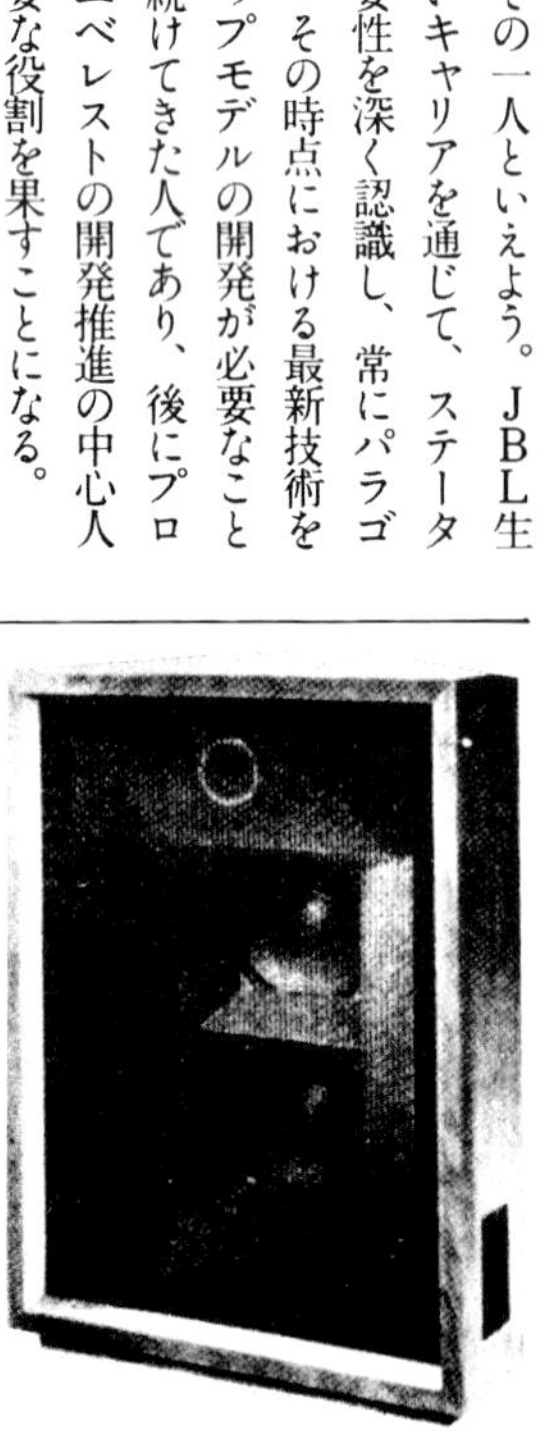

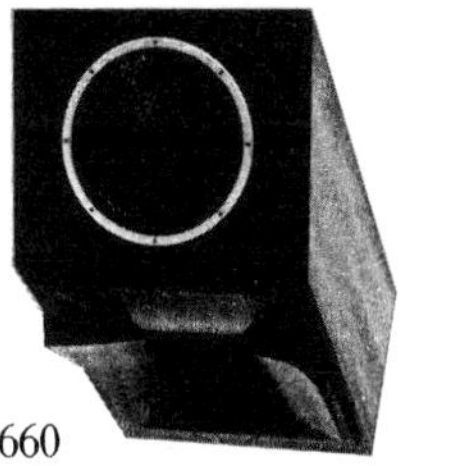

4660

天井からつるし、サービスエリア内に均一なエネルギーを分布させるＳＲ用システムとして開発されたが、このシステムに使われたＤＤ（ディファインド・ダイレクティビティ）ホーンが、スクローガンのアイデアによりコンシュマー用システムに応用され、やがてDD55000が誕生することになる。

4435

ドン・キールの設計によるバイラジアルホーンを採用した変則２ウェイシステム。ウーファー2234Hはスタガーして使用され、最低域は２本のウーファーで受け持つが、中低域以上はシングルウーファーの動作になり、ダブルウーファーとシングルウーファーのメリットを生かし、デメリットを避けた巧みな設計。

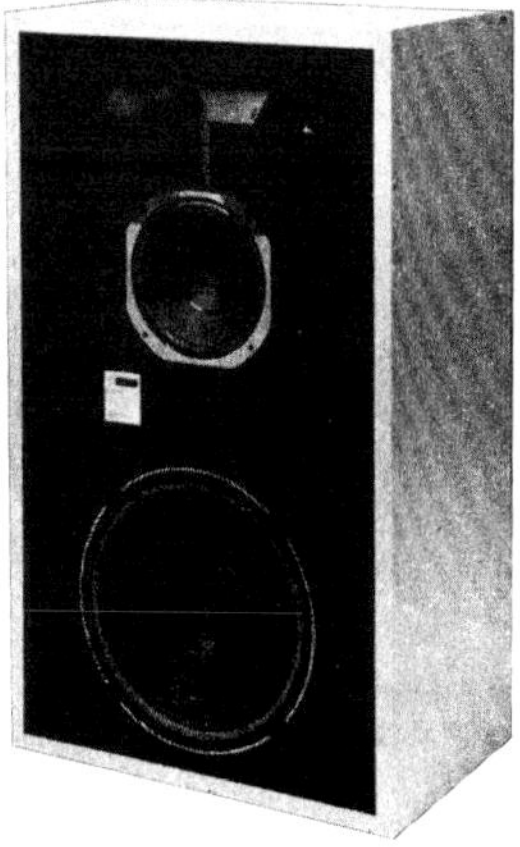

4343

日本のスピーカー界を席巻した傑作スピーカー。かつてなかったワイドレンジ・フラットレスポンスを実現した。原形となった4341からはじまり4343、4343B（ウーファーとミッドバスがフェライト化された）、4344へと進化した。38cmウーファー、25cmミッドバス、ホーン／レンズ付2421ドライバー、2405リングラジェーターの４ウェイ構成で、日本のスピーカーメーカーにも大きな影響を与えた。

ドン・キールD.B.Keeleが加わり、彼の手でコンピューター設計手法による新しいCDホーン＝バイラジアルホーンが完成し、同社のホーンデザインに画期的な影響をもたらすこととなった。その成果はSR用のみにとどまらず、スタジオモニターの分野にも及び、その最初のモデルとなったのが、ユニークな形状のバイラジアルホーンを搭載した4430と4435の2ウエイシステムである。

このバイラジアルホーンの成功は、さらに新しい機能を盛り込んだホーンの設計に発展し、コンスタント・ダイレクティビティからディファインド・ダイレクティビティ、つまり対称形の放射パターンを備える定指向性タイプから、変型の非対称パターンの限定指向性タイプのホーンの研究が始まった。八二年の終り頃、この新しいホーンのメソッドを活かした最初のシステム4660の開発がスタートした。特殊用途のSRシステム、つまり会議室など長方形の部屋の天井に設置して、最小限のシステムで均一な音響サービスを可能にするために、台形の放射パターンを有するHFホーンの開発が大きなテーマとなったのである。

八三年の初め、この4660システムの開発段階で、当時のインターナショナル・マーケティング担当副社長であったブルース・スクローガンは、この新しいホーンのユニークな効果に着目し、きわめて興味深い発想が頭にひらめいた。それはこのホーンの独特なパターン特性を、ミラーイメージに配することにより、これまで不可能とされたコンスタント・ステレオイメージを創り出す家庭用のシステムが実現できるのではないかという発想である。

このアイデアはさっそく、コンシュマープロダクト開発の責任者であったロン・クレイマーLon Kramerとプロ部門のプロダクトマネージャーのマーク・ガンダーMark R. Gander（現＝プロ・マーケティング担当副社長）とのプロダクト会議の席上で、スクローガンから提案され、ディスカッションの過程で、その新しいフィーチュアを活かし、一体型のパラゴンに勝るステレオシステムを含む、次代の家庭用高級システム「ブルースカイ」の構想が浮び上ってきた。

コンピューターエイジにこそ実現した新型ホーンがＪＢＬスタッフの夢を触発した。

プロジェクト・エベレストDD55000開発の出発点は、実にこの「ブルースカイ」プロダクト構想から始まったといえる。

社内の技術スタッフも、このアプローチを承認し、その年の五月、4660のプロトタイプ完成を待って、同機により試聴実験を繰り返した結果、このホーンを使ったステレオ・コンスタントイメージの効果が確認された。

かつてJBLの技術担当副社長を務め、その後も同社の技術コンサルタントとしてL250の開発に当った、高名な音響エンジニアのジョン・アーグルJohn Eargleも、このプロダクト構想に加わり、とりあえず新しいシステム用の特殊なホーン形状の研究が開始された。

筆者も、その年のシカゴCES（コンシュマー・エレクトロニクス・ショー）の帰途にたまたま同社を訪れ、この4660を使った新しいステレオ効果のデモに立合う機会があったが、あのショッキングともいえそうな4660のホーンの形状と、その効果の鮮烈なイメージは今でも頭に焼きつ

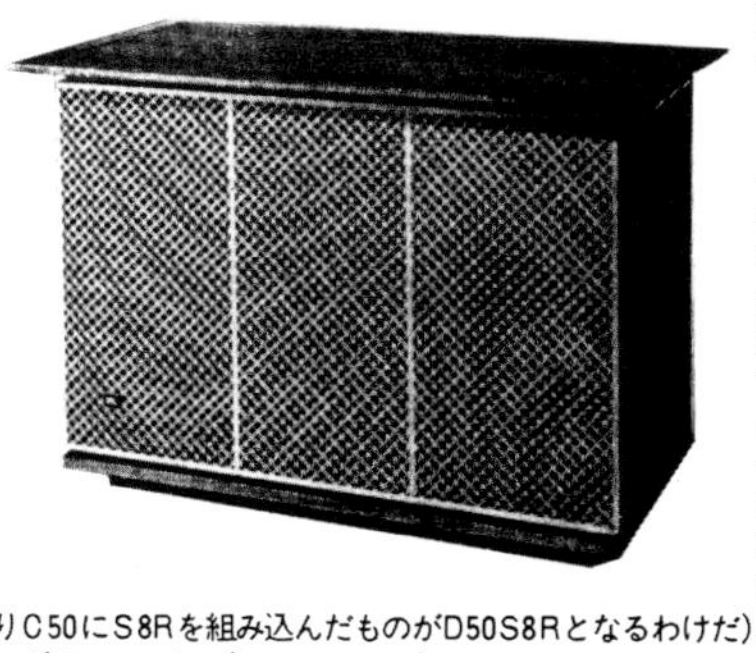

D50S8R

〝オリンパス〟

ＪＢＬが好きな古くからのオーディオマニアなら、誰でも一度は憧れたことのある存在。S8RはC50エンクロージュアに組み込まれるシステム名で（ＪＢＬ特有の表記法で、エンクロージュア単体はＣで始まる型名をもつが、これにユニットシステムが組み込まれスピーカーシステムとなると、エンクロージュアのＣがＤに変わり、ユニットシステムの型名と合成されたものがシステム名となる。つまりC50にS8Rを組み込んだものがD50S8Rとなるわけだ）、LE15Aウーファー、ＰＲ15パッシヴラジェーター（ドロンコーン）、375ドライバー、HL93ホーン／レンズ、075トゥイーターにLX5、N7000ネットワークの組合せ。組格子のフロントグリルは一世を風ビした。

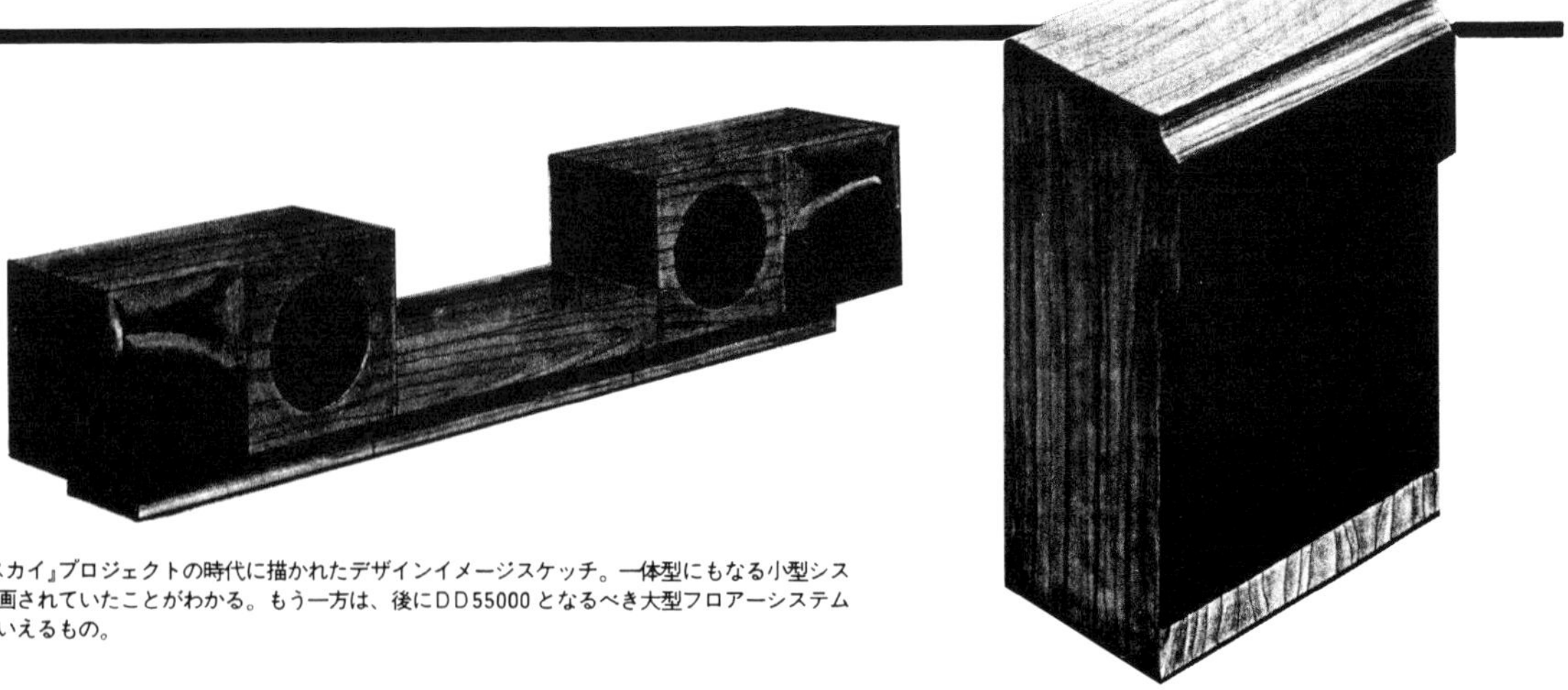

『ブルースカイ』プロジェクトの時代に描かれたデザインイメージスケッチ。一体型にもなる小型システムも企画されていたことがわかる。もう一方は、後にDD55000となるべき大型フロアーシステムの原案といえるもの。

いている。このハンドワークによる設計ではとうてい実現不可能なコンピューターエイジのホーン形状から、スクローガンをはじめとするJBLのスタッフが、新しい製品開発の夢を触発されたことは、まったく当然といえるかもしれない。

二ヵ月後の七月には、このプロジェクトのデザインイメージスケッチが完成する。パラゴンタイプの一体型とステレオペアの大型フロアータイプそしてコンパクトサイズのシステムという三つのプランができあがり、それぞれの可能性についていろいろな角度から検討されたが、主としてこの時点での技術的な制約から、結局大型フロアータイプのコンセプトを他に優先して推進することが決った。当面でのもっとも大きな需要先である日本にターゲットをしぼり、翌八四年秋の輸入オーディオショーに初デビューをめざして、このプロジェクトはいよいよ本格的にスタートしたのである。

4ウェイの第1号プロトタイプは、失敗に終わり、プロジェクトはふりだしに戻る。

ほぼ予定どおり八四年六月に入り、ようやくプロトタイプ第一号の完成にこぎつけ、早速テストが始まった。

このプロトタイプが写真のモデルだが、最初のデザインイメージスケッチに比べて、開発過程での技術的な必要性から、デザインでも大幅な修正がされていることが分る。システムは4ウエイで構成され、HFおよびUHF用には新しく設計されたディフアインド・カバレージ・ホーン（この頃から同社では新形状ホーンをこの名称で統一している）をカップルしたコンプレッションユニットが用いられ、MFおよびLF用にはそれぞれ20cmおよび38cmコーンユニットが使われている。このユニット構成から考えると、システム設計のベースとなっているのは明らかに4344などのスタジオモニターであり、これを新しいステレオエフェクトにマッチするレイアウトとしたものといえる。ユニットはすべてインライン配置とされ、ホーンスロートとコーンユニットは、いずれも30度内側に向けて取り付けてある。UHFユニットは明らかにこれまでリングラジエータータイプではなく、通常のドライバータイプと思われるが、詳しいことは不明だ。

この第一号プロトタイプは、しかし不満足な結果に終った。まず肝心の安定度の高いステレオイメージエフェクトが十全に得

プロトタイプ第1号は4ウェイ構成で、当時の開発陣にはジョン・アーグルがいたこともあり、ワイドレンジ志向だったことがうかがえる。ウーファーは2231系と思われる38センチ口径。ミッドバスはアーグルの開発になるL250と同系の108H相当の20センチ口径。HFにはDD55000に使われた2346より一まわり小型のDDホーンが、UHFには同じくDDホーンのトゥイーターが採用されていた。

られなかったことである。恐らくシステムサイズの制約から新ホーンを小型化したためホーンのカットオフ周波数が上ってクロスオーバーが高め（1・3～1・5kHz）となり、ステレオ音像定位にもっとも影響が大きいとされる700Hz以上の帯域をカバーしきれなかったのがその理由のようだ。音質的にも不満足な部分が多かったこともあり、このプロトタイプの開発を継続してゆくことは不適当と判断され、プロジェクトは再びふりだしに戻った。

「ブラックボックス」が、精密なユニットレイアウトのルーツこれまでにないステレオイメージはJBLの新しいプレゼンテーション。

プロジェクトそのものを中止するかどうか、最大の岐路にたたされたのはこの時期であったが、しかしスクローガン以下の推進スタッフはくじけなかった。

コンシユマー部門のエンジニアリング・マネージャーとして新しいTiシリーズや4425コンパクトモニターの開発を担当していたグレッグ・ティンバースGreg Tinbersが自らこのプロジェクトに加わって、アコースティックデザインの変更にたずさわることになり、原点に戻り再びリサーチが始まる。まず効果がすでに確認されている4660用ホーン2346を、小型ホーンに代りそのまま導入することとし、効果と音質検討のため、第一段階として構成ユニットをそれぞれ別のボックスに納め、相互の位置関係を自由にチェックできるコンセプトモデル〝ブラックボックス〟が急遽試作されることになったのである。

ブラックボックスは再び3ウエイに戻り、MF（ミッドレンジ）が2346ホーンに2425Hコンプレッションドライバー、HF（トゥイーター）が2405Hリングラジエーターとして、LF（ウーファー）に高域特性のよい楽器用E145というユニット構成がとられた。

これによる実験は大きな成果を収め、ボックス相互の位置関係を調整することで、ステレオイメージ・エフェクトが、ほぼ満足できる状態となること、また音質面も同じに大きな可能性を備えているのが確かめられたのである。

試作システムは、とりあえず同年一〇月の輸入オーディオショーに出品され、実際にデモも行われて、そのこれまでにないステレオイメージ・エフェクトが、JBLの新しいプレゼンテーションとして大きな話題となった。

ショーの終了後、ブラックボックスは再びユニット相互の精密な位置関係の決定のためのルーツとしての役割を務め、最終的にMFホーンとLFユニットの内向け角度が30度と決まり、HFユニットは角度を変えての指向パターンのプロットと試聴による効果テストの結果、内向け角度は60度が適当と判断された。同時にシステムの全高を抑えるためと、音像を小さく絞り込む目的で、HFユニットはMFホーンの水平軸上に近づけて配置するというデザインレイアウトが固まった。

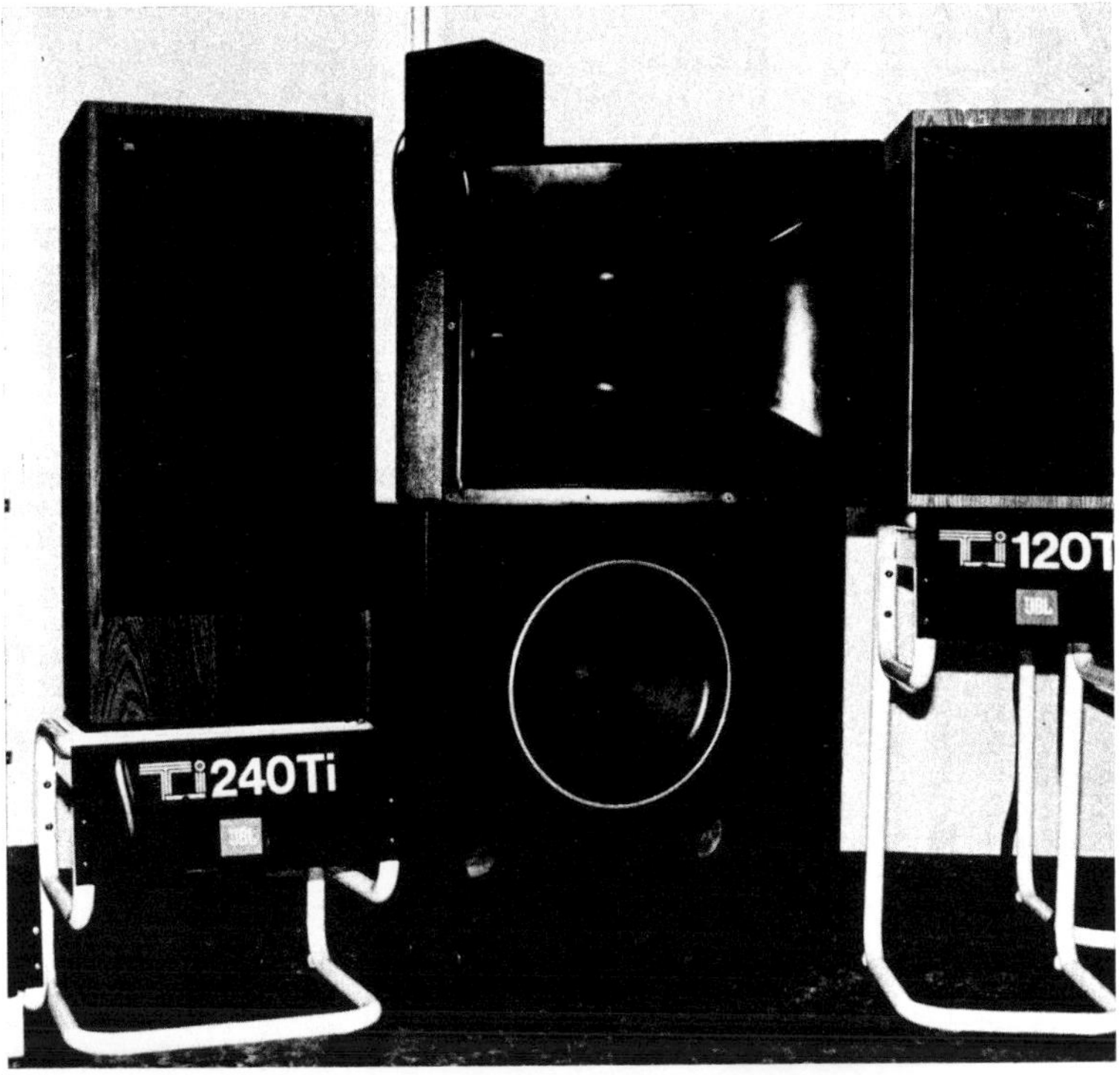

DD55000の直接のプロトタイプにあたるコンセプトモデル『ブラックボックス』。昨年（84年）の輸入オーディオショーに展示されたときの写真で、左右に240 Tiと120 Tiがありわかりにくいが、エンクロージュアは3ウェイのユニットごとに3分割されていて、ユニット相互の角度を自由に変えられるようになっている。ユニット構成は、ウーファーがE145（楽器用、バスレフ方式で使用）、ミッドレンジが2425Hドライバーに2346DDホーン、トゥイーターは2405Hである。

グレッグ・ティンバース

Tiシリーズや4425の開発を担当したことで知られる。プロジェクト・エベレストではDD55000のアコースティックデザインを担当。

銘ユニット150-4Cを受継ぐ新ウーファーはミッドバスユニットを不要にした反応の速い低音を実現。

JBLの親会社であるハーマン・インターナショナルの会長シドニー・ハーマン博士Dr.Sydney Harmanは、この研究開発を「プロジェクト・エベレスト」と名付け、改めてプロジェクトチームのメインスタッフとして、ブルース・スクローガン、ジョン・アーグル、グレック・ティンバースが選ばれ、優先プロジェクトとしての地位が社内的にも確立する形となる。

またこの段階で、社の外部からインダストリアル・デザイナーのダン・アシュクラフトDan Ashcraftを迎えて、新しいシステムの外装デザインを依頼することも決った。

翌八五年一月、アシュクラフトから二つのデザインが提示された。両者共ユニットレイアウトはまったく同じながらイメージがかなり異なり、イメージスケッチのように、一つが従来からのＪＢＬシステムの感じを継承したデザインであり、もう一つはがらりと雰囲気の異なるハイテックなデザインである。いずれが採用されたかは説明するまでもないが、最終製品とはほとんど変らぬことがよく分る。ただ一ヵ所異なる点は、内側の側壁部分にローラーグリップ状の機構が設けられており、これを廻すことによりＭＦホーン全体が動き、角度を調整できるよう考えられていたことである。これはなかなか興味深いアイデアであったが、結局実際の製品には採用されなかった。ホーンの取付強度上の難点、ユニット相互の微妙な取付角度が変ることなどが理由であり、実際この角度調整は、システム全体を動かすことで解決できたからだ。

確定デザインをもとに、プロジェクトチームのスタッフ達は、猛烈なピッチで実機のプロトタイプの製作に取組む。この年のオーディオショーに展示するというタイムリミットが設けられたからだ。既にブラックボックスを公開しているだけに、これ以上の遅れは許されなかった。

構成ユニットの内、ＬＦユニットのみはこの新システムのために、新しいモデルが開発されることとなり、これまでのＥ１４５のそれよりも、コーンアッセンブリーの質量が軽く、しかも剛性を高めた頂角の深いものが採用され、ＭＦホーンとのつながりをよりスムーズにするという配慮が払われた。新ウーファーはそのコンセプトの相似性から、かっての名ユニット名を受継ぎ１５０－４Ｈと名付けられる。ちなみにオリジナルの１５０－４Ｃウーファーはハーツフィールドや初期のパラゴンに搭載されて名声を博したユニットであるが、その後からＪＢＬの低域に対する設計ポリシーが大きく転換し始める。ＬＥシリーズに代表される新しいタイプ、すなわちコーン質量を大きくして、能率を多少犠牲にしても、低域のレスポンスを拡げるという技術であり、これによりエンクロージュアを小型化できるメリットも含め、現在世界中のスピーカーメーカーが採用するようになった方向だ。

しかし今回のプロジェクト・エベレストのアコースティック・デザインを担当したグレッグ・ティンバースは、ミッドバス帯域の音質改善を図るため、最低域のレスポンスをあえて犠牲にするという道を選んだのである。これだけの大型システムでこれは大きな賭ともいえるが、結果としては質感のきわめて優れた、反応の速い低音が実現しており、システムトータルの音質面で、かつてない改善が図られた意義は大きいといわねばならない。そのおかげで重い低域と反応の速いホーン帯域をスムーズにつなげるためのミッドバスユニットの必要性もなくなり、能率も１００dB／Ｗ／ｍという最近では例をみない高い値を得ることが可能になった。

このシステムはコンスタント・ステレオイメージという新しいフィーチュアを別としても、もっとも本質的な音質面でも高いグレードを備えることとなったのである。

JBLがDD55000の外観デザインを依頼したKMAデザイン社のD.アシュクラフトが提出した初期のデザインイメージスケッチ2点。一方は最終仕様のDD55000とほとんど変らない完成度を見せている。この時期は、まだ、MFホーンの角度を微調可能にする機構が検討されていたため、ホーン右側の下部にはそのためのヒンジが設けられている。

三年にわたる波瀾の時を経たＤＤ５５０００の完成も、このプロジェクトの第一幕の終わりにすぎない。

八五年六月、最終版のプロトタイプが完成、所定の特性をスムーズにクリアーし、後は音質上の細部のツメを残すのみとなり、製品化への準備と並行してボイシングが進められ、このシステムの型番も、パラゴンの後継機としての願いもこめてＤＤ５５０００と決められた。

ちょうどこの時期、同社は日本での販売態勢を改め、ハーマン・インターナショナルを通じ、ＪＢＬジャパンとして直接進出を意図し、この年の九月から活動を開始することとなった。

その再出発の門出を飾るように、このプロジェクト・エベレストＤＤ５５０００のプロトタイプは、輸入オーディオショーおよびオーディオフェアにおいて世界に先駆けて公開されたのである。

満三年にわたる波瀾に富んだこのプロジェクトは、こうして成功裡に一応の幕を閉じることになるのだが、これはあくまでも同プロジェクトの第一幕が終ったにすぎず、ＤＤ５５０００と共通のコンセプトに基づくバリエーション・システムが近い将来の同社の大きな柱となるであろうし、特にブルース・スクローガンの描く、パラゴンをあらゆる意味で凌ぐ一体型のステレオシステムのためにも、プロジェクト・エベレストの今後の活躍を期待したいものだ。

Marantz
Model 7
Stereo Console

Marantz
Model 9
Power Amplifiers

Electro Voice

徹底研究

山中敬三

エレクトロボイス
ジョージアンII

¥2,400,000(ペア)

- ●使用ユニット――――ウーファー／46cmコーン型（EVX180）
  - ミッドレンジ／30cmコーン型
  - トゥイーター／DH2305Aドライバー＋HT94ホーン
- ●クロスオーバー周波数―250/1500Hz
- ●出力音圧レベル―――95dB/W/m
- ●インピーダンス―――6Ω
- ●再生周波数帯域―――40～20,000Hz
- ●外形寸法―――――W642×H1,193×D450mm
- ●重量――――――63kg

屈指の歴史と伝統を誇るEV社は業務用スピーカーメーカーとしてJBLに拮抗する存在。

アメリカ・エレクトロボイス社の大型フロアータイプスピーカーシステム・ジョージアンの改良モデルとしてII型がいよいよ登場する運びとなった。ジョージアンが発表されたのは1985年末で、往時の超高級システムの復活版として話題を呼んだパトリシアンIIの好評に支えられ、その一年後にこれもかつての姉妹機の名前をそのまま継承し、新しいデビューを飾ったのだが、それ以来ちょうど満4年目を迎えて、今回のモデルチェンジとなったのである。

エレクトロボイス、というよりも最近はEVの略称のほうがよく知られるようになっているが、ミシガン湖東側のブキャナンに本拠を置く同社は、アメリカのオーディオメーカーの中でも長い歴史と伝統を誇る会社の一つで、スピーカーとマイクロフォンを創業以来一貫して作り続けている専門メーカーだ。特にスピーカーの分野では、アルテック、JBLなどのメーカーと並んで早くから頭角を現わして数々の名品を送り出し、米三大メーカーの一つに挙げられるようになった。最近の同社はMKⅣグループの主幹企業という立場にあって、その豊富な技術キャリアを活かし、SR（サウンドリインフォースメント）や音楽PA、スタジオなど、業務用スピーカーの分野を中心に業績を大々的に伸ばしており、中でもSRの分野で第一人者の評価を固めるに至っている。また数年前には、この分野で

のもう一方の雄であるアルテック社も、同グループの傘下に収めているので、業務用スピーカーのメーカーグループとしてはトップシェアを獲得し、ハーマン・インターナショナル・グループのJBLと拮抗する存在となった。

こうした業容拡大の裏付けとなっているのが、技術面における数多くの開発実績であり、例えば現代のSR用スピーカーでもっとも重要な技術的コンセプトとなっているコンスタントダイレクティビティ方式のホーンや、ティール&スモール理論による低域用エンクロージュアの設計など、現在の主流となりつつあるエンジニアリングの多くが、EV社のオリジナルといってよいものなのだ。また最近では、新しいネオディミウムマグネットを採用した強力コンプレッションドライバーN/DYM1の開発や、マルチユニットドライブの画期的方式といえるスーパーターボシステムなど、新しいSRシステムに要求される広帯域・高出力そして軽量化を実現するなど、先進技術によって意欲的にこの分野における地位の確立を目指している。

EVのコンシューマー用製品群はアメリカ本社のエンジニア中心に設計され、EVスイス社で製造が行なわれる多国籍スピーカーだ。

以上からも分かるように、EVの事業主体は業務用機器が中心となっており、特にアメリカ国内では、コンシューマー向け製品の展開は一切行っていないのが現状であるが、同社のヨーロッパにおける拠点となっているEVスイス社が、コンシューマー向けのスピーカーシステムの開発製造を担当しており、パトリシアンⅡやジョージアンはいずれも同社が企画したモデルである。もちろんスピーカーユニットそのものはすべてブキャナン本社で造られたアメリカ製で、システム設計も技術部長レイ・ニューマンをキャップとする本社エンジニア陣が中心となっており、スイス工場ではエンクロージュアの製造とアッセンブルを担当する形がとられている。したがって、わが国でも、これらの機種に関しては、同じEVでもすべてスイスから輸入されることになるわけだ。

EVスイス社の企画による
ヨーロピアンルックの
衣裳(エンクロージュア)をまとった、
きわめてユニークなコンセプトによる
3ウェイ機

エレクトロボイスの佇まい

音楽再生にきわめて重要なファンダメンタル帯域を1ユニットでカバーするユニークな3ウェイコンセプト。

ところでジョージアンはきわめてユニークなコンセプトに基づく3ウェイで構成されていることは御承知だと思う。すなわち、大口径の46cmユニットをウーファーに採用、ミッドレンジに30cmというこれも大型のユニットを配し、高域用としてCD（コンスタントダイレクティビティ）ホーンにコンプレッションドライバーを組み合せたもの。クロスオーバー周波数は250Hzと1・5kHzとなっているが、この構成から考えると、通常のシステムに比べて、30cmミッドレンジユニットの受け持ち帯域がかなり広くとられていることがわかる。

音楽再生にもっとも重要なファンダメンタル帯域を、一つのユニットで極力スムーズにカバーするためと、充分な音圧レベルを確保するために、大口径ユニットをこの帯域に採用したのは明らかだが、実はこのシステムの発想には原型があって、同社のモニターシステムとして好評を得ているセントリー500が、そのベースになっていると考えられる。つまり同機の高域をホーンドライバーに置き換え、最低域を46cmユニットで強化を図ったものなのだ。さらにこのシステムで重要な技術コンセプトとなっていたのが、広帯域にわたっての定指向性（CD）の確保と、ユニット間の位相特性を揃えるタイムコヒーレンスであったが、このテーマはジョージアンでもユニークな形状をしたエンクロージュアの開発により、見事に継承されており、パワーレスポンスをさらに強化した点と、高域にホーンドライバー採用による質感の向上とあわせ、高く評価されたのである。

II型への改良はユニットの更新。新ドライバーとEV初の4インチ・ボイスコイルの46cmウーファー採用。

さて今回のジョージアンIIであるが、その基本コンセプトはこれまでの同機とまったく同様で、外観もほとんど変わっていない。今回のモデルチェンジの主たるポイントはしたがって、外観にあまり関係のない構成ユニットの更新や、エンクロージュアの改良に絞られている。

先ずユニットの更新であるが、46cmウーファーユニットが旧型のDL18WからEVX180に変更された。このユニットは同社最新の強力SR用モデルで、カーボンファイバー混入コーンの新採用と、ロングストロークサスペンションにより、驚異的な高許容入力と、高能率、低歪率を実現し

Electro Voice

ジョージアンIIの構成ユニット。セントリー500などで使われ定評のある30cmコーン型ユニットを中心に、高域はDH2305AドライバーとHT94ホーンの組合せ、低域は46cm口径のEVX180ウーファーで構成された3ウェイシステム。国産メーカーの3ウェイ機とは全く異なる帯域分割法がEVならではの個性を物語る。

エンクロージュア背面下部に設けられたコントローラーと端子板。いちばん上は高域のロールオフコントロールで、フラットポジションからマイナス方向に3ステップ減衰可能。その下はバイアンプ駆動用の切替ターミナル。前作ジョージアンではソケットを使っての切替え方式だったが、ジョージアンIIではより確実なバリアターミナルを使ってのネジ止め式となった。いちばん下は入力端子。通常使用の場合は上下どちら側の+−を使ってもよいと指示されている。

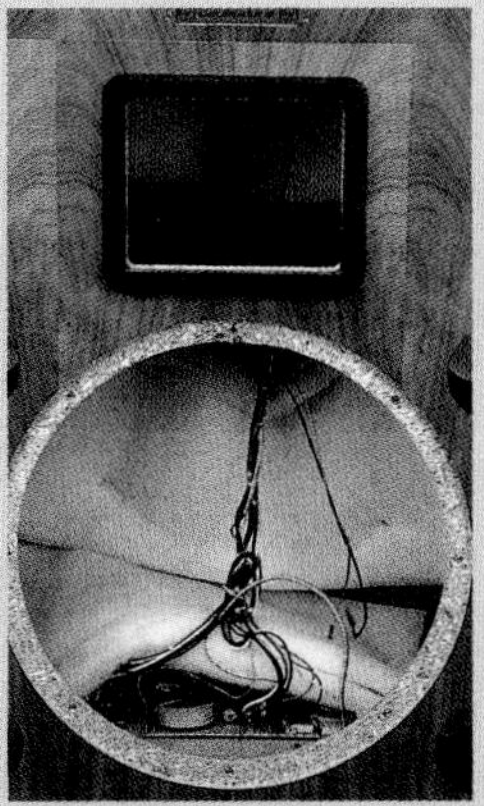

前作と比べ格段にグレードアップされたエンクロージュア。チップボード自体もより高密度なものが使われ、バッフル面にもツキ板仕上げが施され、仕上げが一段と高級になった。

たユニットであり、EVとしては初めての4インチボイスコイルを採用している点が注目される。また振動系の軽量化と磁気回路の強力化により、ミッドバス帯域の過渡特性が大幅に改善されたことが重要なメリットとなっている。

一方、250Hzから1・5kHzという重要な帯域を受け持つ30cmコーン型ユニット自体は変わっていない。軽量コーンによるワイドな周波数特性を備えていることで定評のあるユニットであり、本機を始めパトリシアンII、セントリー500など数多くのシステムに使用されているものだ。

高域用のコンプレッションドライバーユニットは、これまでのDH2305相当品から、最新のDH2305Aに変った。チタンダイアフラムASSYの改良による特性向上で、超高域特性改善と高能率、高耐入力を実現しており、さらにスムーズなハイエンドを可能にしている。ホーンは旧型と同じアルミダイキャスト製のHT94で水平90°、垂直40°の定指向性を誇るものだ。

このようなユニットの大幅な更新にともない、当然ネットワークも再設計が行われており、特性面での改善が図られていることはいうまでもないが、それにともなってリアバッフル面にある入力ターミナルボードも一新された。バイアンプ仕様のためのワイアリングは従来のソケットタイプからワイアーターミネートタイプに変更され信頼性を高めており、この部分が厚いブラス製パネル内に納められるようになっている。なおII型のインピーダンスは6Ω、能率は95dB/W/mと定格上の変更はない。

エンクロージュアは大幅なグレードアップ。新ウーファーとの組合せにより低域クォリティが圧倒的に向上。

もう一つの大きな改良点がエンクロージュアである。外観上での大きな変更としては、これまでベージュのネクステル塗装となっていたフロントバッフル面を含め、全体がウォルナットのツキ板仕上げとなったことだろう。二部構成のエンクロージュアの上部を30cmミッドレンジユニットのキャビティに使用し、下部をHFホーンと46cmウーファー用とし、上部前面をセットバックさせた独特なタイムコヒーレンスを考慮にいれたデザイン、そして46cm、30cmの両ユニット共に用いられているティール&スモール方式のヴェンテッドキャビネット構造など、まったくそのままに継承されており、全体のサイズも一切変わっていない。しかしエンクロージュアの出来は数段グレードアップされ、厚手のツキ板と各コーナー部を同じ無垢材でトリミングしたヨーロッパ調の高級仕上げとなっている。チップボード自体の材質も、より高密度のものが採用されているようで、全体の剛性が1ランク上り、叩いた時の響きもまるで異なって澄んだ印象を受けた。このことは当然ながら音質面に大きな影響をもたらすはずであり、新しいウーファーとの組合せによって、低域のクォリティ改善が期待される。

ジョージアンIIのモデルチェンジは旧型の発表から4年を経過した現在、その間に技術改良された新しいユニットへの更新にともなって、より本格派を目指した最高級システムとしてのブラッシュアップが施されたといえよう。

エレクトロボイスの響き

大口径ウーファーならではの
ゆとりのある再生能力。
響きに本当の厚みが感じられる。
SRテクノロジーが活かされた
音像定位の正確さも印象に残る。

ジョージアンⅡのもつ多彩なキャラクターを明確にするため3種のセパレートアンプを組み合せてみる。

●マークレビンソン
No.26L＋No.20.5L

**きわめて魅力的なサウンド。
反応の敏捷さが印象的。
ある種の凄味すら感じさせる。**

試聴に際して今回は3種の異なったアンプシステムを使用して行なった。本機のような本格的な大型システムでは、組み合せるアンプにより、このスピーカーのもつ多彩なキャラクターがより明確になるのと、旧型になかった新しい特質を見出せる可能性がこのⅡ型には感じられたからである。

まず第一がマークレビンソンNo.26Lコントロールアンプと No.20・5Lパワーアンプのシステム。同社のトップモデルとして定評のある機種であり、私自身も常用しているものだけにもっともなじみ深いアンプといえる。特にパワーアンプはNo.20・5Lになり、全体の品位がさらに向上し、スピーカーに対するドライバビリティも一段と強力になった感じがする。No.26Lはバランスライン入力カード付きのモデルで、これにスチューダーA730CDプレーヤーをつないだ。

この組合せでは旧ジョージアンも度々テストしているので、Ⅱ型との比較は専らこのシステムが中心となる。

ジョージアンⅡとマークレビンソンの組合せによるシステムから得られたサウンドは、きわめて魅力に富んだもので、旧ジョージアンをいろいろな面で確実に上回ったといえるパフォーマンスを示した。総体に過渡特性がよくなり、反応の敏捷さが何よりも印象的といえる新しい特質が備わった。低域の46cmユニット更新と、新しく剛性を高めたエンクロージュアのカップリングによって、ローエンドのダンピングが大幅に変り、低域の解像度が上がったのがトータルのサウンドに大きな影響を与えているようで、シンフォニーなど低弦がいっそう鮮明に切れ込み、深味が加わったため、響きに本当の厚みが感じられるのだ。

本誌の試聴室では旧型の場合、低域のエネルギーがしっかりと再現されにくいきらいがあって、本来の性能を出しきれない感じもあったのだが、このⅡ型ではその辺の不満はほとんどクリアーしている。やはり実エネルギーの向上がこの違いをもたらしているのだろう。ハイエンドもよりスムー

205 | 別冊・Keizo Yamanaka　　　　　　　　　　　　　　季刊『ステレオサウンド』No.92　1989 Autumn

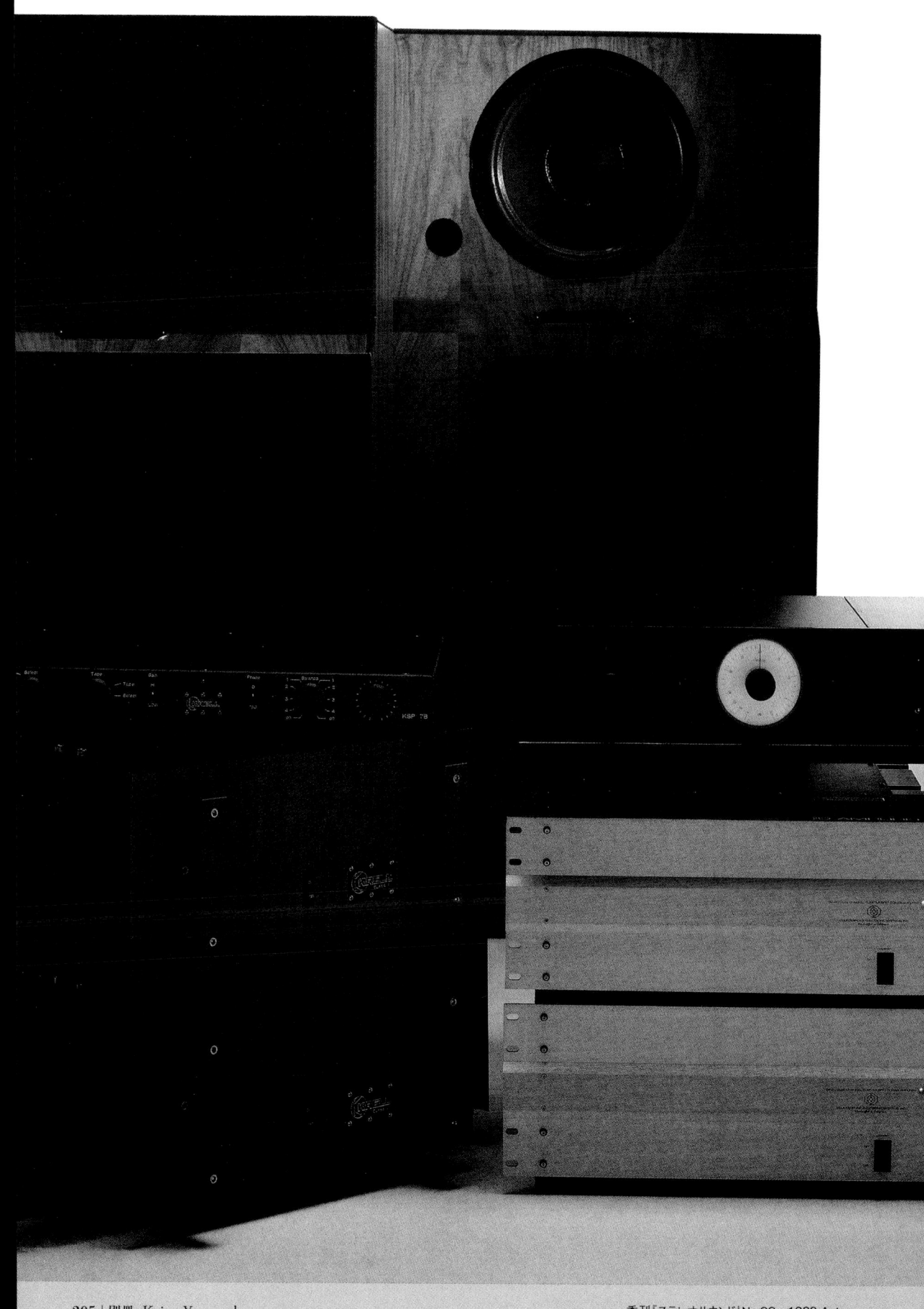

●パワーアンプ
クレル
KMA160—¥1,600,000(ペア)
●出力：160W(8Ω)、320W(4Ω)●入力感度/入力インピーダンス：1.5V/48kΩ●周波数特性：5Hz〜100kHz(±1dB以内)●SN比：100dB以上●消費電力：500W●寸法/重量：W58.5×H22.3×D53.8cm/37kg

●コントロールアンプ
マークレビンソン
No. 26L—¥1,070,000
●入力インピーダンス：14kΩ●出力電圧/出力インピーダンス：最大6V/10kΩ●寸法/重量：W44.5×H7.9×D33.3cm/4.5kg(本体)、W19.3×H7.9×D33.3cm(電源部)/ 3.6kg

●パワーアンプ
マークレビンソン
No. 20.5L—¥2,760,000(ペア)
●出力：100W(8Ω)、400W(2Ω)●入力感度/入力インピーダンス：141mV/50kΩ●消費電力：500W●寸法/重量：W44.5×H21.2×D56.0cm/40.9kg

ズとなり透明感が上がったため、ヴォーカルのしっとりした味わいが楽しめる。

　このアンプとの組合せの特徴として、全帯域での質感がそろい、フォーカスがぴしっと決まった、奥行感のよさが挙げられるように思う。よい意味での硬質なサウンドを裏付けにして、ある種の凄味につながるパフォーマンスを発揮させる点で、このアンプの右に出るものはないからだ。

●クレル
KSP7B＋KMA160

レビンソンに比べ、よりソフトな印象に。ソノリティのよさで音楽を楽しませる。

　第二のシステムはクレルのKSP7BプリとKMA160パワーの組合せだ。いずれも最新モデルで、KSP7Bは同社では初のXLRバランス出力が装備されている。KMA160はKSA80Bのモノーラルヴァージョンで、これも当然バランス入力付である。マークレビンソンと同じピュアA級アンプながら、得られる音の傾向は微妙に違う、まさに好対照のアンプといえるだろう。

　これも彫りが深く、しっかりした音像が得られたが、中域にふくらみが増し、音がよく混じり合った感じが強まるため、こちらに与える印象がずっとソフトになるのが、マークレビンソンとの組合せとの大きな違いといってよい。透明感はその分やや落ちるきらいがあるものの、ソノリティのよさで音楽を楽しませる点、これはまさにクレルならではのサウンドといえる。

　一方、ローエンドは予想に反してかなり締まり気味となり、やや抑えた感じの低域となっているので、音がぼやけたりはせず、総体の品位を保って、ビッグバンドジャズの迫力が見事に再現される。ヴォーカルも落ち着いたバランスのよさで楽しめ、その体温も高めとなってはりが感じられた。これらの点に関しては、クレルの旧モデルKSA80やKMA100を上回っているといえるだろう。

　EVのスピーカー最大の魅力ともいうべき、柔らかく滑らかな語り口が前面に出た形のサウンドが得られる意味できわめて説得力に富んだ組合せである。

●SME＋カウンターポイント
SPLIIHE＋SA20(×2)

リートの質感が素晴らしい。艶っぽく、弦のハーモニックスがきれいにのる。

　第三の組合せはSME／SPLIIHEプリとカウンターポイントSA20パワーという管球タイプを主としたシステムである。SA20は終段にMOS－FETを使用したハイブリッドアンプだが、音のキャラクターはほとんど管球タイプに近いといってよい。ここではブリッジ接続によるモノアンプとして2台使用した。これまでの経験でこの組合せのシステムは、数多いアンプの中でも際立って異なる音色を備えており、ソリッドステートアンプにないニュアンスのよさが感じられる場合が多かったが、このジョージアンIIではどのような感触が得られるのかが興味のポイントとなる。

●コントロールアンプ
SME
SPL II HE—¥685,000
●入力インピーダンス：38kΩ ●出力電圧/出力インピーダンス：最大20V/47kΩ ●ゲイン(1kHz)：12dB ●歪率(1kHz、1V)：0.04%以下●消費電力：50W●寸法/重量：W41.0×H11.0×D28.5cm/7kg

●パワーアンプ
カウンターポイント
SA20(モノ)—¥1,400,000(ペア)
●出力(ブリッジ接続)：600W(8Ω)、700W(4Ω)●入力インピーダンス：100kΩ ●ダンピングファクター：60●消費電力：260W(アイドリング時)●寸法/重量：W48.3×H17.0×D48.3cm/25kg

●コントロールアンプ
クレル
KSP7B—¥500,000
●入力インピーダンス：10kΩ ●出力インピーダンス：10Ω以下●寸法/重量：W46.7×H5.2×D33.5cm/7.8kg(本体)、W19.0×H5.8×D20.0cm/3.5kg(電源部)

このシステムでは、全体のイメージはかなり変わって、艶っぽく色乗りのたいへんよいサウンドが味わえる感じとなる。高域にわずかに残る金っぽさが完全になくなり、弦のハーモニックスがきれいにのる反面、低域のエネルギー感はやや控え気味に聴こえる。

その結果、ジョージアンIIがいかにもナチュラルで、自発性豊かな鳴りっぷりを見せるのが興味深い。中でもリートの質感が素晴らしく、人間の声の肉質の感じが見事に再現されて、最高の聴きものであった。伴奏との対比も鮮やかについて陰影豊かな響きが得られたのである。

もちろん大編成のシンフォニーの響きのみずみずしさも注目したいところだ。いずれにせよソリッドステートに対しての管球アンプのかけがえのない特色は確かにあって、こうして聴きくらべてみると、その存在意義はあいかわらず厳然とあるように感じられた。

低域の質感の大幅な向上が完成度を高め新しい資質をもたらした。音像定位の正確さにSRで培った実力が。

以上いずれの組合せの場合も、ジョージアンIIはそれぞれに魅力あふれる姿を見せてくれた。旧型の場合、ここまでヴァーサタイルな対応ぶりが得られず、部屋の状態や様々な条件次第で、クォリティそのものがかなり変ってしまうところがあったのだが、このニューモデルではそれぞれのアンプのキャラクターの違いを積極的に描き分けるだけの実力を備えている。セッティングの条件によって極端な差がでなくなったこと自体、スピーカーとしての完成度を確実に高めたなによりの証拠といえよう。

本機の場合、何といっても低域の質感の大幅な向上が、このような新しい資質をもたらした最大の理由であり、大口径ウーファーならではのゆとりのある再生能力を本格的に備えた、数少ない大型フロアーシステムとして貴重な製品が新たに誕生したといわねばならない。

もう一つぜひ付け加えておきたいのが、試聴を通して印象に残った本機の音像定位の正確さである。しかもその音像のサイズ感もきわめて適切で、この種の大型機にとってはかなり難しい問題を、技術的に見事に解決していることだ。つまりこれこそEVの得意とする定指向性コントロールとタイムコヒーレンスコントロールの成果であり、SRで培われたテクノロジーがここでも活かされているのである。

またこのシステムにはワイアリングの変更とエレクトロニッククロスオーバーの追加により、バイアンプドライブが可能となる。今回はこのテストを割愛したが、そのグレードアップ効果はかなり期待してよいはずなので、機会をみてぜひ一度試みてみたいものである。

Electro-Voice

Patrician 600

Loudspeaker System

感動の音

JBLプロジェクトK2徹底研究

山中敬三

JBL PROJECT K2

感動の音

JBLプロジェクトK2徹底研究

山中敬三

JBL Project K2 S9500

オーディオが私達に与えてくれる「音」と「音楽」を聴く喜び K2は、そんな感動を味わいたい人々のためのシステムである

CONCEPT

新大口径コンプレッションドライバーの完成が、K2開発のひきがねとなった

昨年秋に開催された輸入オーディオショウにおいて、ＪＢＬのプロジェクトＫ２スピーカーシステムが初めて公開され、会場の話題を独り占めにする形となった。その後本機の全貌が明らかとなるにつれて、その卓抜した性能ときわめて独創的な製品コンセプトが、ここのところやや停滞感の拭えなかったオーディオシーンに、久々の新風をそそぐ超弩級のコンポーネントとして注目の的となったのである。実際ＪＢＬの製品にとっても、同社のイメージの象徴ともいうべき家庭用の最高級システムとしては、１９８５年に発表されたプロジェクト・エヴェレストＤＤ５５０００以来のことであり、まさに満を持しての登場となったのである。

プロジェクトＫ２というネーミングから本機がエヴェレスト（ヒマラヤ最高峰－現在ではチョモランマと呼ぶことになりそうだが）に次ぐモデルという印象を受けるかもしれないが、しかしそれはあまり当を得ていないように思える……。つまりこのＫ２はエヴェレストとはまったく異なった開発コンセプトにより完成したものであるからだ。

私の想像を交えるならば、Ｋ２誕生のきっかけとなったのは業務用のコンプレッションドライバーユニット２４５０Ｊの完成である。一昨年末に発表されたこのユニットは、ネオジウムマグネットを初めて搭載した画期的な大型ドライバーとして注目を集めたが、同ユニット発表に際して、同時にコンシューマー用ドライバー４７５の構想も明らかにされた。当時ＪＢＬにはこのユニットのような4インチ（10cm口径）ダイアフラム・2インチ（５cm口径）スロートのドライバーを搭載した家庭用のシステムは皆無であり、当然同ユニットを軸にした新システムという含みがあったものと思われる。

後で詳しく触れるが、新４７５ユニットの大きな特徴は、大型ドライバーでありながら、この種の製品では困難視されていたワイドレンジ化（特に高域特性）を達成したことで、これによりシンプルな２ウェイで現代のワイドレンジ指向に充分対応できるシステムが実現可能な見通しが立つことになった。そして結果として低域ユニットを含め、全面的な見直しを行なう形で、このＫ２という超強力かつコンパクトなシステムの完成に結びついたのである。

一方エヴェレストの場合、その開発の最大のテーマとなっていたのは、安定度の高いステレオ音場の再現であり、当時完成した業務用のディファインドカバレージホーンの応用によって、最高度のステレオイメージングを実現することができたのだ。したがってあの大型サイズもシステム構成上必須の条件であり、ステレオペアで初めてその効果が得られる

JBL
PROJECT K2

¥4,400,000(ペア) ●型式:バスレフ・フロアー型●使用ユニット:ウーファー・14インチコーン型(1400Nd)×2、トゥイーター・4インチダイアフラム・2インチスロート・コンプレッションドライバー(475Nd) ●クロスオーバー周波数:650Hz●出力音圧レベル:97dB/2.83V/m●公称インピーダンス:3Ω●寸法/重量:W59×H137×D50cm/131kg●問合せ先:ハーマンインターナショナル☎0570-550-465

という、いわばかつてのレンジャーパラゴンD44000の現代版ともいうべきポジショニングにあるモデルなのだ。

K2の場合、これまでにない強力なドライバーの完成が大きなきっかけとなり、それがさらにこれに拮抗できる低域ユニットのチャレンジに結び付き、結果として当初のコンセプトをはるかに越えた、きわめて斬新なシステムの誕生となった感じさえ抱かせる。つまり開発の経緯とその狙いがかなり異なるわけで、それはモデルナンバーがDD55000からS9500と、まったく変ったことからも明らかであり、したがってこの両者のJBLにおける製品ポジションは、互いにアナザーピークと捉えるべきだと思うのである。

現在の工業製品の大半は、どのような高級機といえどもコスト面での制約を受けるのが半ば常識化しているのだが、ことこのK2に関しては、そうした制約に縛られた感じが希薄であり、開発スタッフが技術の想いのたけをこめ、燃えに燃えて創りあげたという印象を受ける。そしてそれがまた本機の魅力にいっそうの磨きをかける結果となったのだ。

JBLが創業当時のような高級機専門の小規模メーカーであった時代とは異なり、カーオーディオ用をはじめとする総合スピーカーメーカーに発展した現在の規模となると、K2のようなモデルを開発するにあたっては様々な困難が伴ったはずだが、それを越えて実現させた同社の伝統ある高級機復活にかける意気込みのほどが、このプロジェクトからも明確に感じとれるのである。

新スピーカー開発のテーマは コンプレッションドライバーを 活かしたシンプルな2ウェイ機

2450Jコンプレッションドライバーの発表後、その家庭用バージョン475の開発が決まった。当面の目標として、この475の登用を考えたのはエヴェレストDD55000のグレードアップ版で、新設計の2インチスロート・ディファインドカバレージホーン搭載によりいっそうの性能強化を図ろうというモデルであった。

この企画に関わったのはJBLインターナショナルのブルース・スクローガン社長、ポーター・スミス副社長、それに工場エンジニアリングサイド開発担当チーフエンジニアのグレッグ・ティンバースなど、いずれもエヴェレスト開発に携わったおなじみのスタッフである。しかしエヴェレストはそのサイズの大きさから使用上の制約もあるため、このプランはその次のプロジェクトとして後退し、高性能か

FRONT VIEW

フロントビュー。ホーンの上下を2つのウーファーで挟み込む、仮想同軸のユニット配置となっており、音場の再現性はきわめて素晴らしい。

つリーズナブルなサイズのシステムプランが急浮上する。475のワイドレンジ特性を十二分に活かす意味からも、シンプルな2ウェイ方式にターゲットが絞られ、この高域に対抗でき得る、強力な低域ユニットの選定が必須の条件となったのである。

ところが、同社の現用ユニットでこの条件を完全に満たすことは難しく、新ユニットの開発という方針が決まる。475とのクロスオーバー周波数近辺でエネルギーレスポンス的に、充分に太刀打ちできる高域特性を考慮に入れ、従来からの伝統的な15インチユニットに代えて14インチというサイズを検討することとしたのもその頃であった。幸い同社にはLE14ウーファーなどの、このサイズのフレームがストックされていたので、試作の条件には事欠かなかったのである。口径の小ささから低域不足の心配もあったが、これはダブルウーファー化でカバーできることもわかった。

問題はユニットのモーター部、つまり磁気回路を強力化する方法で、当初からネオジウムマグネットやアルニコマグネットが候補にあがってはいたが、特にネオジウムマグネットの場合、温度上昇に耐えられないというウーファー用として致命的な欠点があって、コストの問題を別にしても採用は難しい状況にあったのである。

ちょうどその頃、工場のR&D（リサーチ&デベロップメント）部門では、新しく加わった新進スピーカーエンジニアのダグ・バトンが、開発中の業務用ハイパワーウーファーに搭載するために、画期的なエアクーリング機構を備えた新型磁気回路を完成し、予想以上の成果をあげていた。

その新技術に飛びついたのがブルース・スクローガンやグレッグ・ティンバースなどの開発スタッフで、この機構をネオジウムマグネット磁気回路に応用することで難問を一挙に解決できることとなったのだ。

これを契機として新機種の構想が一気に進展しホーンのデザインが決まるとともに、システム全体のコンセプトが仮想同軸方式によるダブルウーファー構成、さらには画期的なモジュール方式と発展し、外装デザインやフィニッシュも急速に具体化された。新モデルの呼称もこの時点で正式にプロジェクトK2と決まり、早速エヴェレストの時と同様にブラックボックスによるプロトタイプの製作が急いで実施された。その結果予想を上回るパフォーマンスがスタッフ一同によって確認されたのが昨年7月初旬、東京で行なわれた輸入オーディオショウの3ヵ月前のことである。

APPEARANCE

ナチュラルな音場空間を再現する仮想同軸のユニット配置

プロジェクトK2はこれまでのどの機種にも見られなかったきわめて斬新なデザインコンセプトでま

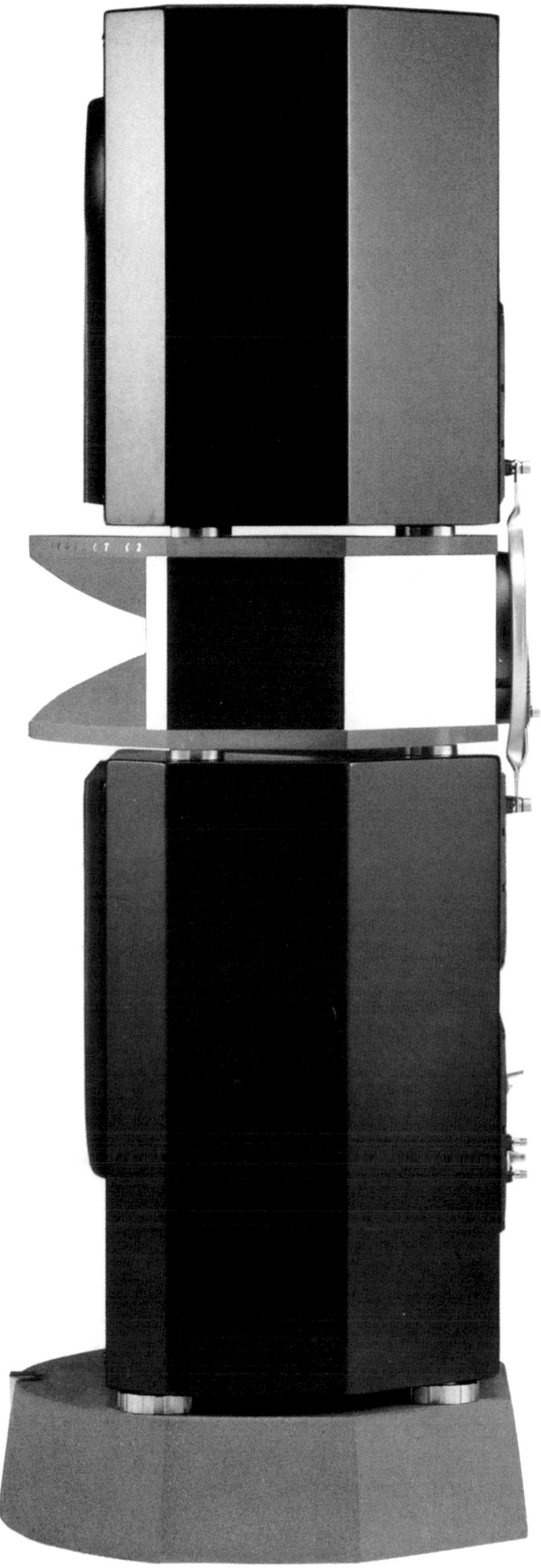

SIDE VIEW

サイドビュー。その雄大な再生音に比べ、ひじょうにコンパクトに仕上げられており、JBL／4344より奥行きが約6cm大きいだけで、幅は逆に約5cm小さい。

とめられたシステムである。先にも触れたように、システムの基本構成は高域にコンプレッションドライバーを採用したオーソドックスな2ウェイ方式であり、これはＪＢＬシステムのいわば原点ともいうべき方式だが、システムの基本構成部分をモジュール化することにより、システムヴァリエーションを可能としたコンポーネント方式を採用したのがこれまでに例のない特徴となっている。もちろんこうしたコンポーネントスピーカーというアイデアは、業務用、なかでもＳＲ（サウンド・リインフォースメント）用の分野で既に一般化している形式なのだが、本機のような純然たる家庭用のシステムに導入した点が目立ってユニークといえる。

　またこのシステムでは、高域モジュールを2個の低域モジュールで挟み込むという形態を、ダブルウーファーシステム時に採用しているのも大きな特徴となっている。いわゆる仮想同軸と呼ばれているこの方式は、スピーカーの放射パターンをポイントソース（点音源）化できるので、きわめてナチュラルな音場空間を再現できるのが魅力だ。しかしその反面、2個のウーファーの特性値を完全に一致させる必要があるため、現実には問題も生じやすいが、本機では高性能ユニットの採用とともに、モジュール構造に独自のアイデアを盛り込むことにより最大限に成果をあげている。

　しかも本機の場合、これらの特質をデザイン面でも見事に昇華させ、モジュールを組み上げた際のトータルなスタイリングが、家庭用にふさわしいきわめて洗練度の高い形にまとまるよう考えられているのが素晴らしい。

　ちなみに本機のデザインを担当したのは、エヴェレストやコントロールシリーズなど、最近のＪＢＬのニューモデルを一手に引き受け好評を博している、ダン・アッシュクラフトと彼のデザイン事務所のスタッフで、ここでも最先端を行くモダーンなイメージを見事に活かしたハイセンスなデザインでまとめ、魅力溢れる作品に仕上げている。またＪＢＬ側の、新しくスタッフに加わったブライアン・ラスティも素材の選定やフィニッシュに関してその豊富なキャリアを活かしている。

MODULES

K2を構成する4つのモジュール

　さて、プロジェクトK2は4つのモジュールで構成されている。すなわち３０００Ｍハイフレケンシーホーン・モジュール、４５００Ｍおよび２０００

REAR VIEW

リアビュー。2つのウーファーモジュール、ドライバーは、極太のバスバーで接続される。バスレフポートの位置は上下対称。かつてこれほど美しい後姿をもつスピーカーがあっただろうか。

Mのローフレケンシー・モジュールの2つ、そしてベース・モジュールの4モジュールユニットからなる。近日発売予定のシングルウーファーの2ウェイ2スピーカーシステムのS7500が、ベースモジュール／4500M／3000Mの3モジュール構成。そしてこの上部に2000Mを加えた4モジュール構成が、ダブルウーファーシステムのS9500だ。この2つのシステムは当然ながら相互互換性を備えているので、S7500を後日S9500にシステムアップすることは容易だ。

各モジュールは3000Mホーンモジュールの形に沿うように、変形8角柱状をしており、それぞれが4カ所に設けられた金属製ポイントベースによってしっかり音響的に結合される構造となっている。システムトータルのサイズは、大型のS9500の場合で、全高が1370㎜、幅が590㎜、奥行500㎜とコンパクトで、エヴェレストの半分以下の容積しかない。これだけの内容を備えるスピーカーとしては際だってスリムにまとめられていることに注目すべきで、設置スペースの制約が少ないというメリットはたいへん貴重であり、よりコンパクトなS7500を含めるとその利用範囲がきわめて広いことが分かる。

このモジュールに搭載されているユニットについては後の項で詳述することにして、まず各モジュールの概要に触れておこう。

アクリル削りだしホーンの3000Mモジュール

高域用の3000Mモジュールは、475コンプレッションドライバーユニットにマッチするホーンを収納している。というよりもそれ自体がホーンなのだが、最新のテクノロジーに基づく新設計の2インチスロート・バイラジアルホーンで、水平60度、垂直40度の比較的ナローな放射パターンを備えたもの。本機のようなHiFi専用という立場から考えると、指向特性をやたらに広くとらないほうが、高域ロスが少なくなり、バイラジアルホーンに必要なネットワークの高域補正回路がなくなるため、音質上より好ましい結果をもたらすことは確かだ。

ホーンの材質は上下の部分が無垢のアクリルブロックからの削りだし加工で、側板部分が高密度MDF材、表面を鏡面グレーアルマイトのアルミ板で仕上げ、非常に剛性の高いホーンを実現している。複雑な形状をしたスロート部分はアルミキャスト製、切削加工により必要部分が精密に仕上げられており、ホーン内面の精度を高めている。

材料的にきわめて高価なアクリルブロックをあえて採用したのは、音響特性のよさと、ホーンがそのままシステムそのもののデザインとなる点を考慮したためだが、結果として本機の高価格化の大きな理

プロジェクトK2・S9500は4つのモジュールによって構成されている。

由にもなっているようだ。そのため音響的に近似の性能が得られるセラミック樹脂材（システムキッチンの天板や浴槽等に利用され始めた硬質材、成型加工が可能）を採用したオプションモジュールも検討されている。なお、本モジュールの上下に設けられている4カ所のポイントベースは、1/2インチ径のステンレスロッドで上下連結されており、S9500システムの組み上げに際して、2つの低域モジュールが音響的にタイトなカップリングとなるよう配慮されている。

変8角形の低域モジュール 4500Mと2000M

4500Mおよび2000Mの低域モジュールは両者ともほぼ相似のデザインとなっているが、下側の4500Mのほうがわずかに背が高い。もちろんエンクロージュアとしての内容積は完全に揃えてあるが、デザイン上の見地からこのような形となったと考えられる。高密度MDF材が使用され、変8角形という複雑な加工が行なわれているが、そのおかげでエンクロージュア内部に定在波が発生しにくくなり、同時に剛性も高まるという副次メリットも大きいはずだ。エンクロージュア型式はポーテッドダクトバスレフ方式で、折り曲げ構造のパイプダクトを採用している。ユニット取付け部には、同社の最新機種XPLシリーズでも多用された、表面を硬質ゴム材で成型したサブバッフルがデザインと補強を兼ねて取り付けられ、このシステムに表情をつけるアクセントとなっている。

エンクロージュアの仕上げは、現在のところホワイトメープルおよびブラジリアンローズウッドのグロスクリアラッカーフィニッシュと、ブラックおよびメタリックグレーのグロスラッカーピアノフィニッシュの4種がスタンダードモデルとして用意される予定だ。昨年自社工場に設置したピアノフィニッシュ塗装設備をフルに利用してのカラーヴァリエーションだ。

高域・低域それぞれ独立したデバイディングネットワーク

デバイディングネットワークは、ローパスおよびハイパスともすべて独立した形をとっており、バイワイアリング接続にも対応できることはいうまでもない。4500Mモジュール内にはローパス、ハイパス両ネットワークが収納され、入力端子もこのモジュールに設けられている。また2000Mにはこれも専用のローパスネットワークを備えており、S9500システムではこれがパラレルに動くことになる。なお、S7500のシングルウーファー動作時には、ハイパスネットワークに⊖3dBのアッテネーターがスイッチで挿入され、高・低両ユニットのバランスを調整できるようになっている。さらに各ネットワークはスイッチでバイパスも可能で、エレクトロニッククロスオーバーを使用してのバイアン

JBL PROJECT K2 3000M Module

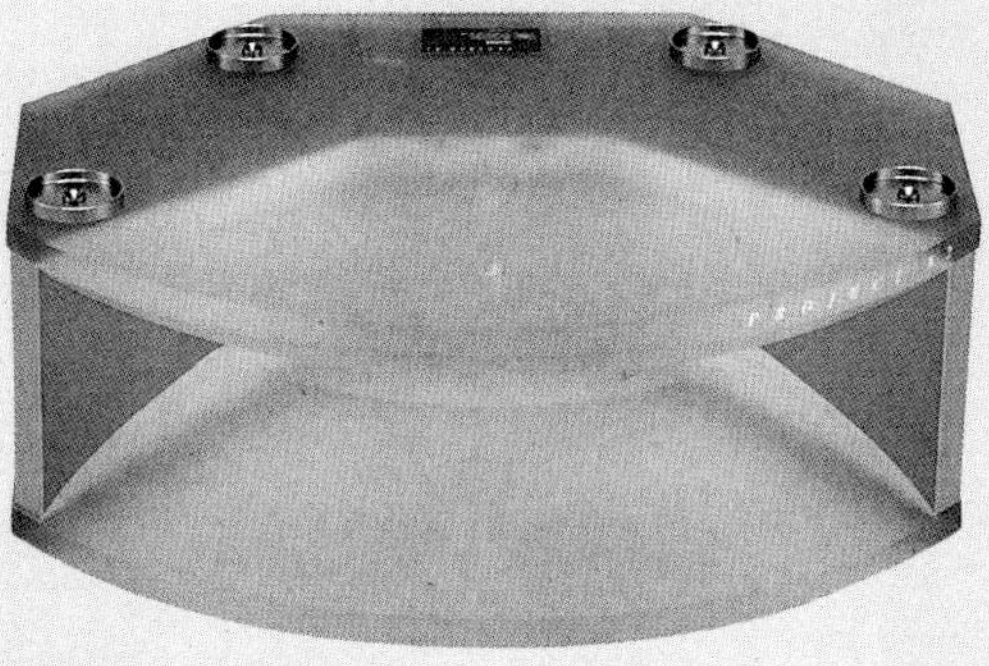

水平60°、垂直40°の指向特性をもつ、アクリル削り出しのバイラジアルホーン。ピンポイントの座金の下はボルトが貫通しており、上に乗せられるウーファーと、下にあるウーファーの振動モードを極力同一にすべく配慮されている。側板は鏡面仕上げ。ホーン単体のカットオフ周波数は約500Hz。

2インチ径のホーンスロート部。写真ではわかり難いが、ドライバーから発せられた音声は、この部分で上下方向に急激に絞り込まれてホーンに導かれる。

K2の大きな特徴である〝ピンディスク・センタリングシステム〟。各モジュールは4ヵ所、ピンポイントで接し、その荷重のかかる箇所は一直線上に並ぶ。この部分の精度はきわめて高い。

「475Nd」ドライバーのホーン実装状態。「2450J」との外観上の違いは、端子、塗色の違いくらいしかない。本誌No.91の表紙と比べられたし。

JBL PROJECT K2 Base Module

ベースモジュールのピンポイントの受けは、高さ調節が可能。これによりシステムの垂直を保つことができる。

コンクリート製のベースモジュール。裏面は研磨されており、とても滑らか。40kgをゆうに越す重量級なので、移動の際は2人掛かりが無難。

プ駆動も容易に可能だ。クロスオーバーは公称650Hzで、ツイン・ベッセルタイプのセカンドオーダー(12dB／oct)の基本カーブ特性となっているが、実際の構成はかなり複雑で、この辺は本機のシステムデザイナーであるグレッグ・ティンバースの腕の見せ所といえるだろう。

K2のエネルギーをしっかりと支えるベースモジュール

最後のベースモジュールはグレーのカラーコンクリートによる成型品。このシステムの強烈なエネルギーをしっかりと支える重要な役割を持っているだけに重量も約45kgとかなりかさむ。そしてこの台座の中央に唯一のJBLロゴマークが付く。

プロジェクトK2トータルの重量はS9500システムで約130kgと最大クラスに属するが、4つのモジュールに分割されているため搬入セッティングは少人数でも可能であり、この点もこれまでの大型機では考えられなかったモジュールシステムのメリットとなっている。

SPEAKER UNITS

現在最強のネオジウムマグネットを採用したスピーカーユニット

冒頭にも触れたようにプロジェクトK2の最大の特徴となっているのが、本機のために新しく開発されたユニットの高性能ぶりであろう。JBLが誇るこれまでの最高級高域ドライバーや、低域ドライバーを遥かに凌駕するユニットの開発を目指して、同社が蓄積した技術的キャリアやノウハウを投入し、今回の高性能ユニットの完成となったのだが、これらのユニットに盛り込まれた数多くの最新技術の中でも最も注目されるのが、新しいネオジウムマグネットの採用である。記号Ndで表示されるこの希土類元素を含む合金磁石は、現在入手できる永久磁石の中で最強の保磁力を有することで知られるが、開発されて未だ日が浅いこともあってきわめて高価であり、主としてコスト面の制約からスピーカーへの応用はトゥイーターなど一部に限られあまり進まない状況にあった。

しかしこのマグネットの採用は磁気回路そのものを大幅に小型軽量化できるため、使用条件に制約の多いSR用の分野での実用化を目指し、JBLでは一昨年業務用ドライバーとして2450Jのプロトタイプを公表した。そしてこれに対応するように、この分野での一方の雄であるEV社がいち早く同クラスのドライバーN／DYM1を製品化したため、この分野が一挙に活気づくという経緯があったのである。

以下プロジェクトK2に搭載されている各ユニットコンポーネントについて、個別にその内容を紹介することにしよう。

JBL PROJECT K2 4500M Module

下部ウーファーモジュール、4500M。定在波が発生し難い変形８角形で、バッフル板はMDF（ミディアム・デンシティ・ファイバーボード）、その他は高密度パーティクルボード製。下側の1/5の所に仕切りが入り、内容積は2000Mと同一(約57ℓ)。またその下側のデッドスペースで共振が起るようなことがないのは、言うまでもないことである。

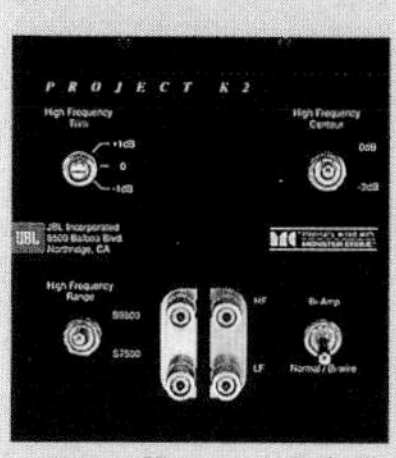

4500Mに設けられた入力端子と各種コントロールスイッチ。バイワイアリング／バイアンプ対応で、シングル／ダブルウーファー各システムに対応するドライバーのアッテネートスイッチも備える（0 dB、⊖3 dB)。HFトリム(ロータリSW）により、650Hzより高域を±1dBの範囲で調整でき、HFコントロール（トグルSW）では、5kHzより高域のロールオフ（⊖2dB／20kHz）調整ができる。

4500M内部。折り曲げられたバスレフダクト、高域用ネットワークが見える。配線材はモンスターケーブル社製

低域用ネットワークは左側板に取付けられる。ウーファーユニットとバッフル板との間には、硬質ゴムが挟み込まれている。

4500Mの〝出力〟端子及びバスレフポート。内側２つの端子はドライバーに、外側２つの端子は上部のウーファーにそれぞれ信号を送り出す。

高域用ネットワークは、入力端子板裏面に取り付けられ、ハイパスフィルター、位相補正、アッテネート等の役割を担う。

しなやかで表現力に富んだ475Ndコンプレッションドライバー

正式名称を475Ndというドライバーユニットは、業務用の2450JをベースとしてHiFi用にモディファイしたユニットで、ダン・アッシュクラフトによる外装デザインに大きな違いはないが、ネオジウムマグネット磁気回路が2450Jの外磁型から内磁型に変更されており、完全なクローズドサーキットを実現しているのが特徴で、マグネットボリユウムの関係から磁束密度はやや低めとなっている。

もう一つの重要な変更点は4インチダイアフラムアッセンブリーで、材質そのものは同じチタン合金が使われているが、2450Jで採用された放射状のリブパターンが本機では除かれ、フラットなドームにダイアモンドエッジサスペンションを組み合せたフォーミングに戻され、表面にごく少量の黒いアクアプラスが塗布されている。アクアプラスはJBL独自の振動板トリート剤で、同社のウーファーコーンに以前から塗布されてなじみ深いものだが、これをごく薄く均一にコーティングしており、同社ではこの新処理をフロステッドと呼んでいる。

リブパターン入りのダイアフラムはもともと大入力時の分割振動防止のため、振動系の高剛性化を図るのが狙いであり、475Ndのように小入力時のリニアリティを重視するドライバーの場合には、むしろデメリットが多いという判断に基づく改良で、製品化の最終段階にヒアリングを重ねながら採用に踏み切っている。

次は、475Nd／2450Jユニットに共通した第三の特徴であるが、フェイズプラグにサーペンタインフェイズプラグと称する、コヒーレントウェーヴ理論を導入した流体力学形状の新プラグを採用して、高域での位相干渉を抑え高域特性を大幅に改善している。

以上のような数々の新技術の採用により、475

JBL PROJECT K2 2000M Module

上部ウーファーモジュール、2000M。ユニットレイアウトや内部構造まで、4500Mとまったく上下対称構造となっている。なお、K2の仕上げは写真のブラックのほか、ホワイトメープル、ローズウッド、ガンメタリックの4種類が用意される予定である。

2000Mモジュールの端子板及びバスレフポート。入力端子の間にあるトグルスイッチは、バイアンプ駆動時に、内蔵ネットワークをパスさせるためのもの。

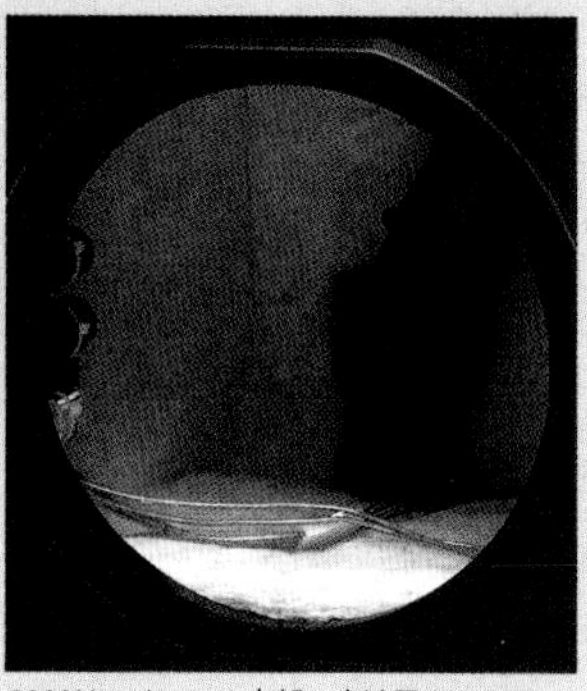

2000Mモジュール内部。高域用ネットワークが内蔵されないほかは、4500Mとまったく同一である。14インチ口径ウーファー用としては異例なほどコンパクトだ。

低域用ネットワーク。ローパスフィルター、インピーダンス補正等の役割を担う。2000M、4500M双方に内蔵されている。

背面にパンチングネットを貼ったグリルネット。ネットをつけたことによる音質の〝変化〟は認められるが、〝劣化〟はほとんど認められない。

K2を開発した人々

K2のデザインを担当した、ダン・アッシュクラフト(Dan Ashcraft)氏。コントロールシリーズやDD55000でもお馴染みであろう。

きわめて独創的な「1400Nd」ウーファーを完成させた、ダグ・バトン（Doug Button）氏。将来が嘱望される若き俊才である。

「475Nd」コンプレッションドライバーの開発者ファンチャー・マレイ（Fancher Murray）氏。2450J、2445J等も彼の作品である。

DD55000、最近作ではXPLシリーズも手掛けた、K2のシステムエンジニア、グレッグ・ティンバース(Greg Timbers）氏。

Ｎdは、従来の2インチスロートドライバーに比べて広帯域特性を実現したばかりでなく、音色面でも2450Jに比べてさらに表現力が豊かで、しなやかな味わいを感じさせるものとなって、このK2のコンセプトにふさわしいドライバーの誕生となったのである。

JBLの最新技術が投入された史上最強の1400Ndウーファー

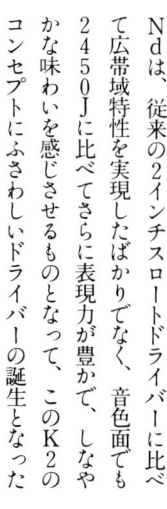

1400Nd。口径14インチ（35・5㎝）のこの新しいトランスデューサーは、プロジェクトK2実現の大きな原動力となったきわめて重要なユニットである。前項でも述べているように、1400Ndの注目ポイントは、何と言ってもネオジウムマグネット磁気回路を搭載した世界初の低域ユニットであることだ。これにより、従来のユニットでは達成不可能とされていた性能を実現できたのであるが、そのために多くの新技術が投入された。ネオジウムマグネットには、その突出した性能と裏腹に耐熱性に大きな欠陥があり、初期の製品に比べて大きく改善はされたものの、現在でも百数十度が、その類いまれな磁気性能を保つ実用リミットとなっている。一方大型の低域ユニットのヴォイスコイルには、大電力が投入されるため二百度以上に達することは珍しくないので、この条件がクリアーできない限り使用することが難しかったのである。

JBLは、この問題をユニークな磁気回路クーリングシステムの導入により一挙に解決した。考案者は若く気鋭の技術者ダグ・バトンで、彼は低域ユニットの開発に特別のキャリアを持っていたが、SR用のハイパワー15インチユニットの開発に際して一つの画期的な提案を行なった。すなわち、ヴォイスコイルを駆動する磁束ギャップ部分の3ヵ所に大きなホールを開け、コーンの作動によって生じた空気の流れをこのホールに導くことによって、ヴォイスコイル自体を直接強制冷却しようというアイデアだ。同社の低域ユニットは、以前から4インチの大口径ヴォイスコイルを採用しているのが大きな特徴で、この部分の背圧を抜くためポールピースにセンターホールが設けられていたのだが、新しい磁気回路ではこのセンターホールの代りに、クーリングベントと称する3つのホールを磁束ギャップ部に穿ったのである。大入力時にコーンの振幅が大きくなればなるほど冷却効果も高まるという、この巧妙きわまる

JBL PROJECT K2 475Nd Compression Driver

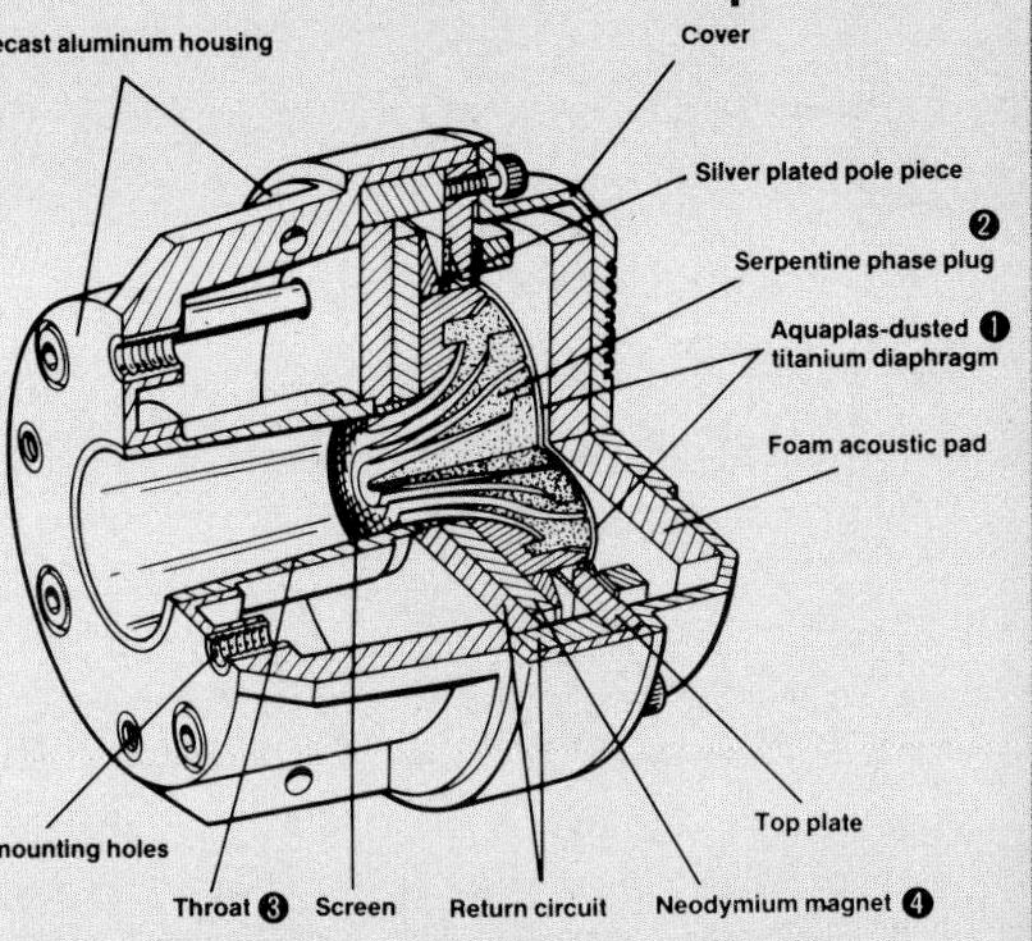

4インチ口径のダイアフラム❶から発せられた音声は、フェイズプラグ❷でグーッと圧縮（コンプレス）され、開口径2インチのスロート❸を通ってホーンに送り込まれる。フェイズプラグの音道はすべて同じ長さとなるように流体形で、位相特性の向上を図っている。内蔵されたネオジウムマグマット❹が、たいへんコンパクトであることに注目。ちなみに4344等に使用されているドライバーは2インチダイアフラム・1インチスロート。

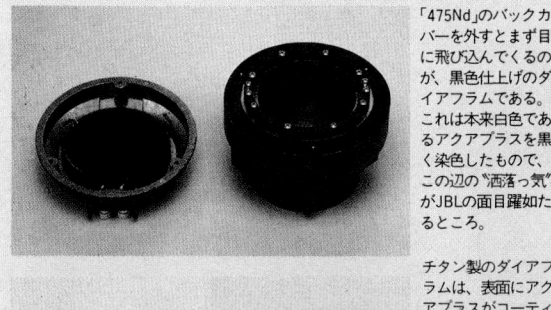

「475Nd」のバックカバーを外すとまず目に飛び込んでくるのが、黒色仕上げのダイアフラムである。これは本来白色であるアクアプラスを黒く染色したもので、この辺の〝洒落っ気〟がJBLの面目躍如たるところ。

チタン製のダイアフラムは、表面にアクアプラスがコーティングされ、不要な共振が起きないように配慮されている。エッジは高域特性のよいダイアモンドエッジ。「2450J」にあったリブによる補強は施されていない。

4インチ口径ダイアフラム、2インチ口径スロートのコンプレッションドライバー「475Nd」。磁気回路はネオジウム磁石を搭載した内磁型、ダイアフラムはチタン製である。また位相特性のよいサーペンタイン・フェイズプラグを採用している。

「475Nd」ドライバーに、スロートアダプターを取り付けた状態。

JBL PROJECT K2

1400Nd Low Frequency Driver

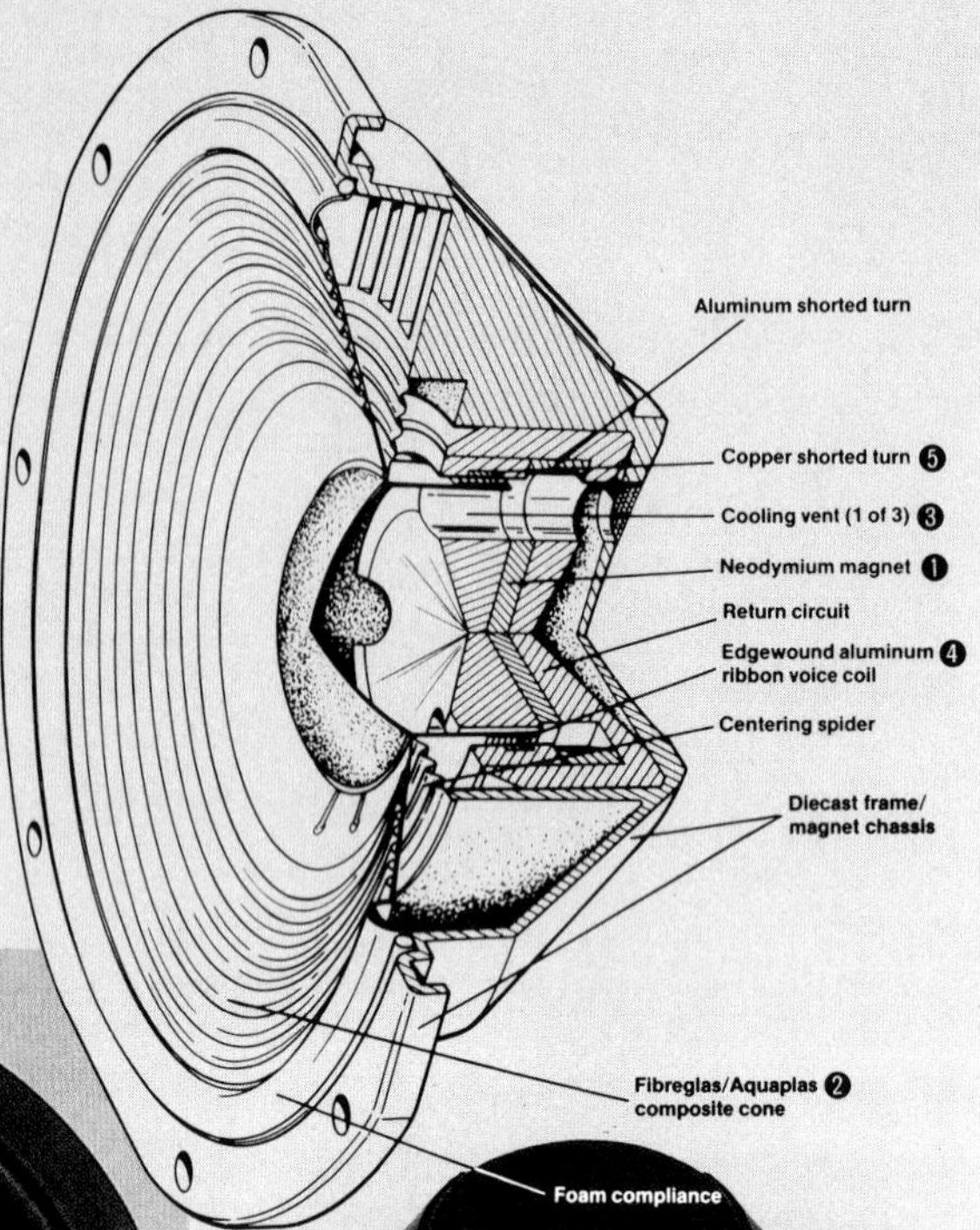

ネオジウムマグネット❶を搭載した内磁型の「1400Nd」はJBLの最新技術が投入されている。そのひとつがヴォイスコイルで発生する熱を放出し、磁気回路を冷却するエアクーリングシステム。コーン紙❷が前後に動くことによって発生する空気の流れを、磁気回路を貫通する3つの穴（クーリングベント❸）を通じて放出することで、冷却作用を行なう巧妙なシステムである。またJBL久々のショートヴォイスコイル❹であるが、この方式で発生しやすい第3次高調波歪をキャンセルするために、ポールピースに銅リング❺を嵌め込み、磁界を均一に保っている。なお、前号でヨークの厚さを34mmとお伝えしたが、これは1インチ（約25mm）の誤り。

「1400Nd」〝ローフレケンシードライバー〟。14インチ口径のコーン紙はパルプ／グラスファイバー／フェルトのコンポジットで、裏面にはアクアプラスが塗布されている。エッジはウレタン製ロールエッジ。コーン紙の頂角は浅く、メガホン効果を低減することにより、ヌケのよい低域が得られるという。

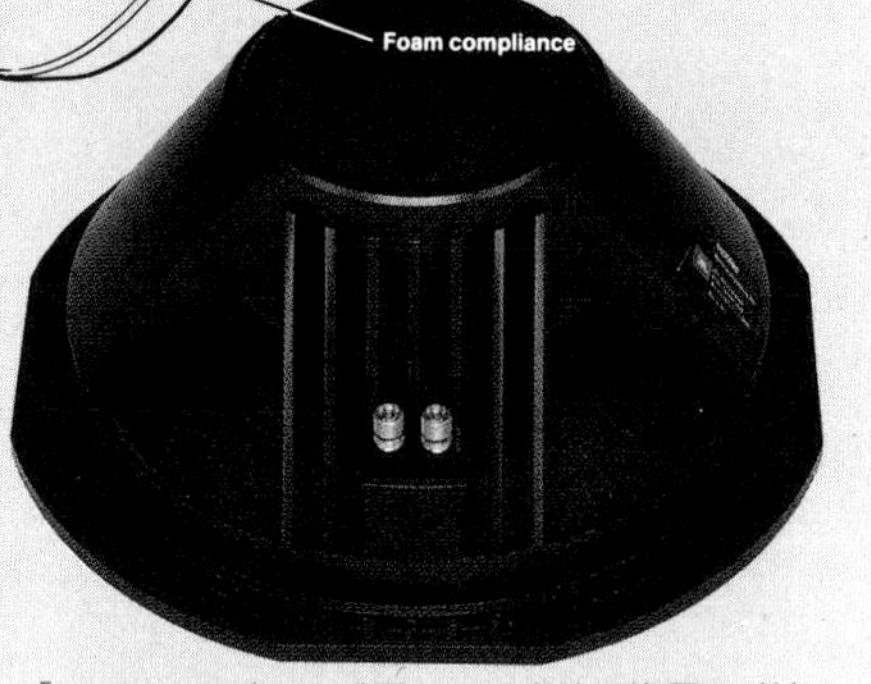

「1400Nd」リアビュー。背面の3つの穴が、磁気回路の放熱を行なうクーリングベント。高い剛性と美しさを両立させた、近来稀に見る見事な仕上りのウーファーである。

クーリングシステムの搭載によって、連続定格入力が実に600Wという画期的な業務用ウーファー2226Hが完成したのである。

1400Ndには、このクーリングシステムのアイデアがそのまま導入されており、磁気回路の温度上昇を抑えることにより、ネオジウムマグネット採用に踏み切ることが出来、これを高域用の475Ndと同様内磁型で実現した。さらに、このマグネットの持つ大きなエネルギー積を活かして、ショートヴォイスコイル方式を久しぶりに復活させていることも注目される。

アンダーハング・ヴォイスコイルとも呼ばれるこの方式は、ヴォイスコイルの巻幅が磁束ギャップのヨーク幅よりも狭くされ、ヴォイスコイルの一部しかギャップ内にないロングヴォイスコイル（オーバーハング・ヴォイスコイル）方式に比べ、リニアリティと能率の高さで、圧倒的に有利とされる。初期のJBLマキシマムエフィシェンシーシリーズ（150－4C、D130等）の全ユニットがこの方式を採用していたが、LEシリーズ（LE15A等）の登場とともに姿を消していた。それがこの1400Ndで蘇ったのである。

このユニットでは、ギャップのヨーク幅を25㎜というかつて類例のない厚さとし、ヴォイスコイルの充分な巻幅を確保しながら振幅の余裕も両立させている。これは、アルニコマグネットの磁気回路では実現は難しかったはずで、改めてネオジウムの凄さがわかる。またこのヨークの中央部には、ショーテッド・ターンと呼ばれる銅リングが挿入され、磁束分布をコントロールして3次高調波歪の発生を抑えている。ギャップの磁束密度はそれもあってやや低めとなっており、約8000ガウスという非公式のコメントがあるが、総磁束の圧倒的な大きさを考えるとこのモーターの馬力は強大で、史上最強のドライバーといって過言ではなさそうだ。

振動系は、コーン部がパルプ素材にファイバーグラスを混入したニュータイプのコンポジットコーンで、裏面にはアクアプラスが塗布されたものが新しく採用された。ヴォイスコイルは従来よりも扁平度を上げたアルミリボン線で、これをエッジワイズ巻きしたもの。線材の占有率を高めた高密度ヴォイスコイルとなっており、振動系トータルの軽量化を図っている。公称インピーダンスは8Ω。

シャーシフレームも完全に一新しており、磁気回路をフレーム内にビルトインさせて一体化を図った、複雑なフォルムのダイキャスト製で、剛性と放熱性を高めた斬新なデザインとなった。このデザインもK2本体や475Ndと同じくダン・アッシュクラフトの作品である。

HANDLING

インピーダンスはかなり低め パワーアンプには相当厳しい

このシステムのセッティングは、ユニークなモジュール化のおかげで大型機にもかかわらず容易に行なえる。セットアップはベースモジュールから順に各モジュールを積み上げていけばよい。そして、これもトータルデザインの一部として美しく仕上げられたバスバーによってモジュール間の結線を行なえば完成する。システムアップされた時の完成度の高いスタイリングも、本機のかけがえのない魅力となっている。4つのモジュールが完璧に一体となり、このシステムの備えるシャープな感性がイメージとして見事に表現されている。たとえば、リアサイドの配線を含めたデザインの処理の巧みさや、上下に分割されたスピーカーグリルが、センターの大きなホーン開口部の前面カーブに合わせてぴたっと決まるなど、一分の隙もない出来映えだ。

本機の基本セッティングは、壁面から適当な距離を置いた自由空間に置くことが望ましいが、部屋のアコースティックコンディションに応じて壁に接近させるか、あるいはコーナー配置とすることも可能であり、その場合低域レスポンスは当然ながら上昇する。いずれにしても、ホーンの垂直・水平の指向性は極端に拡げていないので、リスニング時のスイートスポットは探しやすいはずである。

S9500システムの場合、能率が97dBときわめて高いため、通常の条件での駆動アンプのパワーはそれほど必要ではないが、最大パワーハンドリングは400Wというとてつもない値となっている。ただ公表されたインピーダンスが3Ω、最低で2・7ΩとJBL社のシステムの中でも特に低いため、アンプの低インピーダンス負荷性能はかなり厳しく要求されそうであり、現在の国産パワーアンプでこの条件を満足させるものは少ないように思える。このスピーカーの強大なエネルギーレスポンスから考えても、アンプに対するリアクション（逆起電力）も大きく、それをしっかりとコントロールできるだけの能力がアンプ側にも要求されるわけだ。なおS7500システムはインピーダンスが6Ωとなって使用条件が楽になる反面、能率は3dB低下する。

もう一つこれも重要なことだが、システムの位相が本機の場合正相となった点だ。つまりプラスのシグナルを送り込んだ時にコーン紙が前方に動く結線となっており、他社のほとんどのスピーカーと同じ仕様になった。JBLの製品はこれまで特別の例を除き、逆相（プラスのシグナルを送ると、コーン紙が引っ込む）が標準仕様となっていたが、今回それが変更されているので留意する必要がある。

本誌試聴室で山中敬三氏（右）とK2について語り合う、開発ディレクターのブライアン・ラスティ（Brian S. Lusty、左）氏と、JBL社長のブルース・スクローガン（Bruce Scrogin、中）氏。

SOUND

実在感に溢れ、気品に満ちた 豊かな響きは、まさに〝感動の音〟

すでに本誌前号でもK2システムのサウンドについては述べたのだが、この記事をリポートする直前に試聴することのできた、最終生産モデルのそれは、完成度をさらに高めて、まさに感動的といえるものであった。エネルギーの凝縮した、しかも気品に満ちて豊かな響きは、これまでのJBLのどのシステムも凌ぐほどの実在感に溢れていたし、恐ろしくリアルで、迫力に富んだ音楽を眼前に展開して見せてくれたのである。

このような質感の確かさを最も端的に聴かせたのがピアノのソロである。フォルテッシモでの打鍵のトランジエント、和音の響きの厚みがライヴサイズのスケールで味わえたし、またペダルを離して音がふっと消える際のホールの余韻など、静寂感の鮮やかな再現能力が際立って印象に残った。ピアノと並んで再生が難しいソースは弦楽器といえるが、最新の生産モデルで最も改善されているのが、実はこの点なのである。ユニットの項で触れているように475Ndドライバーの、ニュータイプダイアフラムの採用によって、高域特性がさらに改善されており、よりスムーズでしなやかさを増したことが一聴して解る。高域に艶やかな表現力が加わったため、弦の音色に表現の豊かさが増した。

声の再現性の素晴らしさも注目しなければならない。ボディのしっかりした肉声の質感豊かな再生音は、あたかも眼前でシンガーが歌うリアルさが感じられる。特に声量が必要とされるリートやオペラのアリアでは、このスピーカーの備えるファンダメンタル帯域の密度の濃さと、卓越したリニアリティが

絶対的にものをいうことになるのだ。

管楽器やパーカッションの一種凄味さえ感じられる再生能力の高さは改めて述べるまでもなさそうだが、生産モデルではモジュール相互の結合度、特にポイントベースの剛性向上の効果がここでも歴然と現われ、一段とエネルギー感とリアリティに富むサウンドになった印象だ。

演奏の気配を濃厚に伝える
ズバ抜けたＳ／Ｎ感のよさ
2ウェイの魅力がここに開花

生の演奏の気配あるいは臨場感というものを、このくらい濃厚にイメージできるスピーカーはこれまでになかったように思えるが、これはスピーカー自体のＳ／Ｎが並外れて優れていることの証であり、しかも音楽にとって最も重要なファンダメンタル帯域がきわめて等質なクォリティで再生できる能力を備えているからにほかならない。つまりこのシンプルな２ウェイシステムに搭載された高・低域両ユニットの性能が互いに拮抗するまでになったともいえる。

高域用の４７５Ｎｄ大型コンプレッションドライバーは、その原型となった３７５、さらにはウェスターンの５９４まで遡れるほど歴史も古く定評があるが、これに対抗できる低域ユニットとなると、ホーンロードタイプが中心で、これはといえる製品は稀であった。今回の１４００Ｎｄはその意味で画期的なニューモデルであり、ダイレクトラジエータータイプとしてこれだけ反応の速い大口径ユニットはおそらく初めての登場といえるだろう。

両ユニットの力量が伯仲した結果として、２ウェイシステムが本質的に備える音質上の魅力をここで見事に実現した感じがあり、Ｓ９５００における仮想同軸レイアウトも、高性能低域ユニットのおかげで本来のメリットが活かされる形となった。実際Ｓ９５００の軸上エリアにおける音像定位と奥行感の豊かな音場の拡がりは素晴らしく、ポイントソースコンセプトならではの効果が味わえたのである。

なお、このシステムの試聴に用いたコンポーネントは、アンプがマークレビンソンNo.２６ＬおよびNo.２０・５Ｌと、オーディオデバイスの新しいＡＤ−Ｃ２ＮおよびＡＤ−Ｐ２に、ビクターのセパレートＣＤプレーヤーＸＬ−Ｚ１０００＋ＸＰ−ＤＡ１０００である。マークレビンソンのシステムでは、このアンプの備えるドライブ能力の際立った高さが最高度に発揮された感じで、特に瞬発力に溢れた生々しい中・低音の迫力は凄まじく、音楽の持つエネルギーがダイレクトに聴き手に迫る感じはかつて体験し得なかったものだ。このスピーカーの備える能力を最善に活用することのできるアンプであろう。

もう一方のオーディオデバイスもＫ２から別の隠された資質をたっぷりと引き出して見せる。中でも高域のしっとりとした品位の高い、そしてあくまで繊細な味わいを情感豊かに聴かせる。ただし、スケール感とダイナミックスはやや小振りになるのだが、その分ローレベルの領域を拡大してくれるところが魅力のポイントだろう。

プロジェクトＫ２の魅力のすべてを、この限られた誌面の中で語ることはとてもできそうもないし、それにはさらに長い時間をかけてやらねばならないが、今回の短い試聴を通じても、このスピーカーは非常に多様な表情と能力の大きさを垣間見せてくれた。近いうちに機会をみて別のアプローチ、たとえば色々なタイプのアンプによる試聴やマルチアンプドライブなどのリポートを試みたいと思っている。

JBL
SG520
Graphic Controller

JBL
SE400S
Power Amplifier

山中敬三

「鳥肌が立った」つぎの朝の失望、いつか「あの音」が消える瞬間に立会ってみたい。

使用オーディオ機器

スピーカーシステム
JBL **プロジェクトK2**
エレクトロボイス **パトリシアン600**

コントロールアンプ
マークレビンソン **No.26SL＋No.25L**
チェロ **アンコール1MΩ**
カウンターポイント **SA5000**

ミュージックレストアラー
チェロ **オーディオパレット**

パワーアンプ
ゴールドムンド **ミメイシス9.2**
マークレビンソン **No.20.5L**
ジェフ・ロゥランド・デザイン **モデル7F**
カウンターポイント **SA4**

CDプレーヤー
スチューダー **A730**
ビクター **XP-DA1000**
ゴールドムンド **ミメイシス10**

ADプレーヤー
EMT **927Dst**
EMT **TSD15SFL**
マイクロ **SX8000**II
SME **シリーズV**
オルトフォン **SPU-AEリファレンス**
他

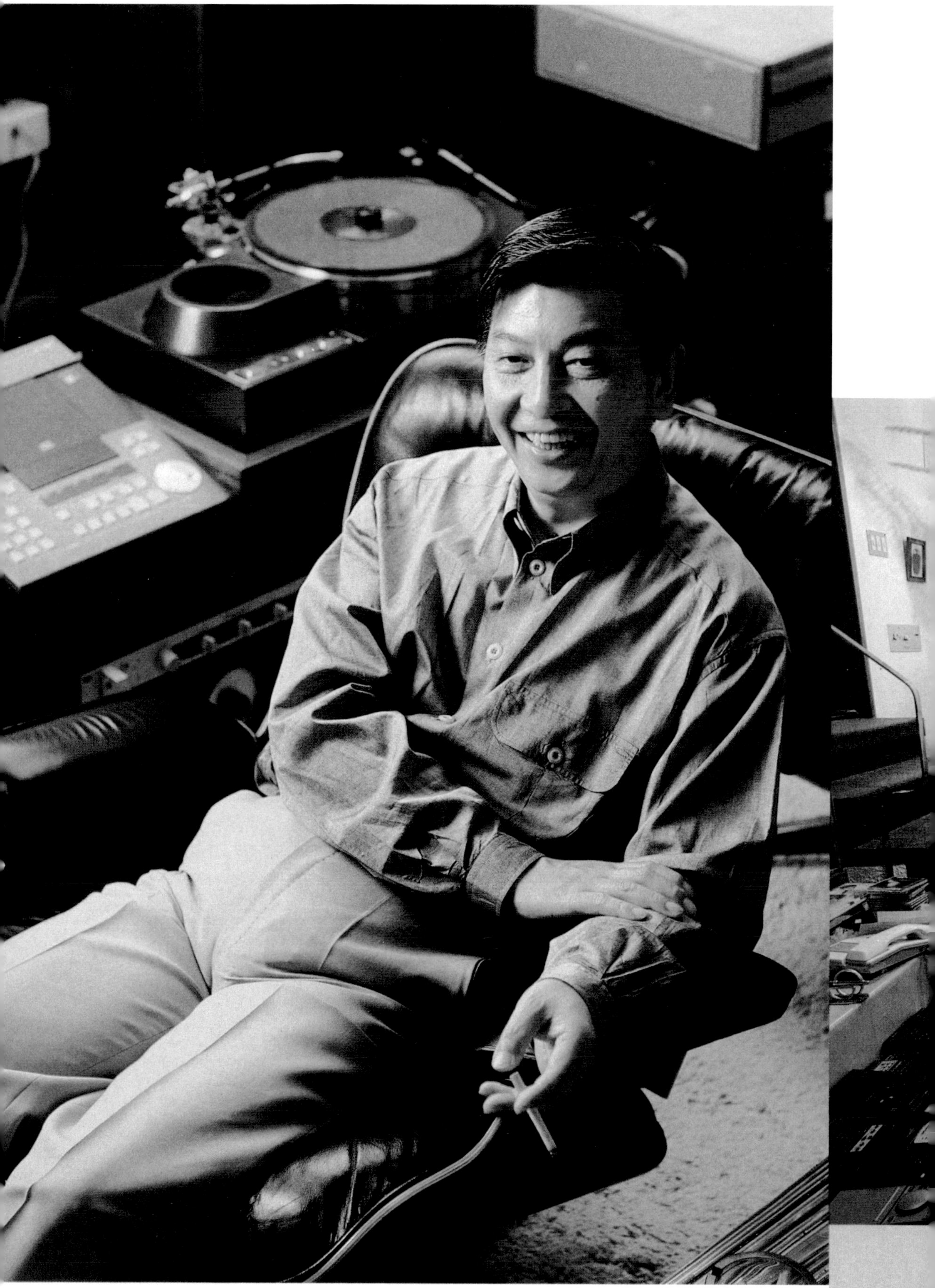

227 | 別冊・Keizo Yamanaka 季刊『ステレオサウンド』No.100 1991 Autumn

「究極」には2通りある。自分の好きな音楽をもっともインパクトをもって聴けるような装置の「究極」と純粋にオーディオコンポーネントそれ自身の魅力をつきつめていった「究極」と……僕のなかではそれらがひとつになることを常に望んでいるのだ。

すくなくとも僕にはオーディオ装置は音楽とのかかわり合いにおいてしか考えられないし、なにか現実にあるほかの音、たとえば驀進する機関車のドラフト音とかガラスの割れる音とか、そんなものをいくら生々しく出してくれても、僕にはまったく関係がない。

やはりウィーンフィルの音をほんとうにそれらしく響かせてほしい。またたとえば、開場当初に僕が聴いたロンドンのバービカンホールの現代的な響き、この間もそれを確認してきたが、ああいうより現代的な響きもやはり出てくれなければ困る。

長いことオーディオをやっているうちには、ある音を聴いて現実に「鳥肌が立つ」体験を味わったことが1度や2度ではない。僕のスピーカー遍歴のなかで最初の「鳥肌が立つ」体験はステレオになってアルテックのA5を入れたときだった。つぎはアンペックスのマスターテープで鳴らしたときの音だった。そしてハーツフィールド、それからいまのパトリシアン600だ。このスピーカーとの付き合いはかれこれ20年になるが、何度か僕にあの「鳥肌が立つ」体験をさせてくれた。しかし、またその体験はなぜかまたすぐどこかへ消えてしまう……。

スピーカーを替えるまえにまず1回「鳥肌が立つ」体験をして「こいつはいけるかな」と感じなければ、替えるきっかけにつながらない。K2を買うきっかけも、これまでにないほど、「鳥肌が立った」からだ。また、あたらしいスピーカーを入れたときに1回だけすぐにわりといい音で鳴ることがある。そのあとまたプッとそのいい音がどこかへいってしまう。

また、自分のつくったウェスタンのシステムも、「鳥肌が立つ」体験を何度もさせてくれた。そういう「鳥肌が立つ」レベルの音を経験したのは僕の場合はやっぱり大型システムだったが、その音が出たのはだいたい明け方の3時過ぎごろ、それから幸せに寝て、翌日聴くと、ぜんぜんちがってしまっていた。

そのときは、なにを鳴らしても、すべていままで聴いたことがないような音が出る。永遠にそれを続けたくなる……まあ、だけど寝てしまう……しかしあれは寝てしまってはいけないのだ。寝ているあいだに、消えてしまうのであるとするならば、その消えてしまう瞬間をいっぺん体験してみたい！

しかし「鳥肌が立つ」ような究極システムが実現したとして、それ以後も、その究極の装置を聴いて毎日鳥肌が立つのかといえば、そういうものでもない……。

現時点でエレクトロボイス600は純粋のオーディオ再生にももちろん使えるようになっているが、もっぱら映像システムとのコンビネーションで使っている。K2は音だけのソースが主体だ。いまのところその2つをちょうど部屋の対抗面にそれぞれ置いて、聴いている。

山中敬三

近未来のオーディオにあたらしい次元を開く期待と予感を孕んでいる。

むかしのいいスピーカーの持っている音はいま最新のモダーンなスピーカーにないような響きの美しさ、音の溶け合い、人間との触れ合いを持っていて、肌合いが非常に人間的である。一方いうにいえない微妙なところだが、いまのデジタルを中心にした新しいシステムは非常に精密な解像度、音楽の分析力を持つ。これはむかしのものが絶対かなわない面である。

自分自身の音楽を趣味の世界で聴こうとするとき、音楽は人間がつくり上げてきたものだし、人間が奏しているものなのだから、どうしても人間の肌合いが欲しい。そういうものをいまでも一番色濃く出してくれるのは、非常に限られた、ほんとによくつくられたスピーカーなのである。

特に、映像を組み合せた場合、映像ソースの中心はまず音楽で、あとは古い映画に結構好きなのがたくさんある。そうすると案外最新の非常に精度の高い音のシステムよりも、長い時間をかけて選び抜かれてきた伝統のあるスピーカーのほうが、もともとそういうものを再生するためにつくられたものだから、むかしの音とすごくよく結びつく。

古い映画の音のレンジはそんなに広くはない。だが出ている帯域ではそれなりのフィデリティを要求される。それがないと映画のよさがぜんぜん出ない。

音だけで音楽を楽しむ世界と絵がついた場合では大分変ってくると思う。絵がついていると、絵のほうでかなりいろいろカバーしてくれるから、音自体をあまり強調する必要はない。ところが音だけで音楽を楽しむ場合、なんらかの形で多少デフォルメする。実際にレコードにはそういう形で入っているし、実際につくる側の人たちに聞いても「CDとLDでは、つくるときに音の感じをなるべく変えたほうがいい」という……これは正しい。そういう意味で、映像向きのいい装置とそうでない装置とは、多少ちがいがあるのだ。

K2を入れたとき、ほんとは映像システム用のつもりだったが、とりあえず自分の音に慣らすのに時間がかかるので、オーディオ用に使って、音をチューニングしていくことにした。だから、やがてK2を逆に映像用に使うようになる可能性もある。

いま音楽ソースの主体になっているCDには１００％不満がある。もっともっとよくなるはずだ。いまちょうどデジタルエンジニアリングというあたらしいテクノロジーが入ってきて、オーディオ装置のなかに大きな位置を占めるようになりつつある。まだ発展途上だが、近い将来にかなり革命的に変っていくだろうという期待がある。

今後やりたいことは無限にあるが、やはりソースがよくならないとしょうがない。スーパーCD……これはおそらくいずれにしてもそういう形のものが出てくるだろう。

僕にとっては、映像が加わったのは、やっぱり一つの大きなエポックだった。

ピュアオーディオをやっている人が、映像は感覚を鈍らせるとか、いろんなことをいっているそうだが、それはおかしい。むしろ映像から来る情報はたくさんあるし、そのすべてを受け止めるには、いままでより鋭く感覚を研ぎ澄まさなければならないだろう。

演奏会で音楽を聴くときも、目をつぶって聴くことが多い。だから絵は要らないと主張する人もいるが、僕はちがうと思う。あれはやはり眼前にそれなりの具体的なイメージを持ったうえで目をつぶって聴いているのだ。音についての人間の体験はすべてなんらかの映像を伴っている。その人が演奏する姿を実際にコンサートで見て、好きだったら何度でも見る。経験を積むと、レコードを聴く場合も聴きかたの深さがまったくちがってくると思う。絵はやはりあったほうがいい。

これからのオーディオはますますおもしろくなると僕は思う。デジタルエンジニアリングは、好き嫌いを別にして、これからのオーディオの世界にとって、ものすごく大きなテクノロジーになってくると思う。それによって、これからのオーディオは変っていくだろう。ハイエンドの世界のオーディオもいままで日本が先行して、デジタルエンジニアリングは進んできたわけだが、ここでアメリカ、ヨーロッパでも、かなり本格的に参入してくるようになってきて、いままでとはかなりちがった次元の世界が展開する可能性もある。

これから10年ぐらいのあいだに、僕のシステムはまた、かなり大幅に変るのではないかという期待と予感を持っている。だから読者の方も、オーディオが好きな方だったら、この近未来は、かなり注目してよいのではないだろうか?

オーディオ・ブランド物語

アルテック論

特徴あるアルテック・サウンドと、その背景への考察

山中敬三

アルテック・コーポレーションの全容

アルテック・コーポレーションはアメリカの音響メーカーきっての伝統ある会社であり、オーディオの歴史にまぎれもない大きな足跡を残してきたビッグネームの一つである。

同社はしかも、私達オーディオファイルが対象となるいわゆるコンシュマー用オーディオ・コンポーネントのメーカーというよりも、更にオーディオそのものの根幹に深くかかわりをもつメーカーとして考えなければ、その全容が浮び上がってはこない。

かつて長期間にわたってアルテック・ランシングという名前で知られてきた同社は、現在正式にはアルテック・コーポレーションと名乗っており、かのＪＢＬ社とともにわかちあっていた一人の偉大なる男ジェームス・バロー・ランシングの名前は社名から消えた。これについては後に触れるとして、そのアルテック社の下にプロフェッショナルおよびコンシュマー用オーディオ機器を主体としたアルテック・サウンド・プロダクツ・ディビジョンがあり、その他いくつかのディビジョンを擁している。

カリフォルニア・ロスアンゼルス市の郊外アナハイムに、というよりもかの有名なディズニーランドのすぐ目と鼻の先にアルテック社は本拠を構える。

どちらかというと小規模な会社の多いアメリカのオーディオ・メーカーの中では、かなり大きなスケールをもったこのアナハイム・プラントには、同社のヘッドクォーターと開発研究エンジニアリング部門の他、サウンド・プロダクツ・ディビジョンがあり、スピーカー・コンポーネントやアンプなど主要な製品を製造しているが、もちろん同社が製造しているのは、これだけではない。

その製品の全容は同社の総合カタログを一覧するのが手っとりばやく理解できるが、この膨大なブックレット——かつて同社のカンパニーカラーであったグリーンを表紙にしたところから、グリーンブックと呼ばれ親しまれていたが、現在はライトブルーのブルーブックとなっている——を眺めると、その製品の種類の多さに驚かされてしまう。

一番なじみの深いスピーカーやアンプ関係が大きなウェイトを占めていることはもちろんだが、マイク、ミクシングコンソール機器、ＰＡシステムを始め、建物や屋外の広範囲な音響供給設備から各社のコミュニケーション関係機器に至るまで、およそ音響にかかわりのあるほとんどの機器におよび、わずかな例外としてあげられるのが、テープレコーダーやレコードプレイバックシステムの分野に手を染めていないという程度にしか過ぎない。しかもこの他に軍用の機器までも含めるとなると、これは大変に広範囲にわたる製品を生産しているメーカーであり、通常私達になじみのあるオーディオメーカーとは根本的に異なった性格をもっていることがはっきりするのである。私達が対象とするオーディオの分野から見たアルテックという会社の性格については、後で触れることにするが、その前提としてここに述べたような同社の全容を知ることが、アルテックの場合には、どうしても欠かせない点なのである。

その歴史的展望

アルテック・コーポレーションという会社のそもそものスタートは、１９２７年にウエスターン・エレクトリック（Ｗ・Ｅ）の子会社としてエレクトリカル・リサーチ・プロダクツ・インク（ＥＲＰＩ）が設立された時点に遡る。今から五十年前であるからオーディオメーカーとして、他に例のない長い歴史をもっているわけだ。ただしＥＲＰＩの仕事は劇場音響設備（ちようどこの年に映画のトーキー化が始まる）の契約・サービスであって現在のようなメーカーではなかったが、その後この会社を母体としてオールテクニカル・プロダクツ社となり、１９３７年に同社の名前をとったアルテック・サービス社が設立された。ここで初めて現在のアルテックの名前が世にでたのであるが、業務の内容は依然として、Ｗ・Ｅのサービス・メインテナンスが主体となっていた。アルテックがオーディオメーカーとして形を整えたのは、１９４１年ランシング・マニュファクチュアリング社を買収し、アルテック・サービス社の子会社としてアルテック・ランシング社が設立された時点からであり、現在私達が考えているアルテック社がここでスタートを切ったのである。買収されたランシング社も同じくＷ・Ｅの関連会社で、１９２７年以来スピーカー、とくに大型のシアター用スピーカーを製造しており、現在のコンプレッション・ドライバーの原型は殆どが同社の手になったといってよい。そしてこの設計者が、その後のオーディオの歴史に不朽の名を残したジェームス・バロー・ランシングその人なのである。

Ｊ・ランシングは新しいアルテック・ランシング社で、１９４６年まで技術担当の副社長をつとめたが、この間に現在のアルテックの代表的なスピーカーである６０４デュプレックス・ユニットや５１５ウーファー、２８８ドライバー、そしてこれらのユニットによる大型シアター・スピーカーシステム――ボイス・オブ・ザ・シアターの原型――を開発している。因みに現在の５１５Ｂウーファーには、彼の功績を記念するかのように、ただランシングとのみ記された製品ラベルが貼られているのである。４６年に退社したランシングはその後ＪＢＬ社を創立するのだが、こうして彼の名はアメリカの代表的なスピーカー・メーカーに発展した二つの会社にその名を残すことになったのだ。

さてアルテック・ランシング社は、この頃からコンシュマー・マーケットにも進出をはじめており、ハイファイ勃興期にスピーカーシステムやアンプなどで重要な足跡を残している。したがっていわゆるハイファイ・メーカーとしてみた場合でも同社は、その歴史からもきわめて数少ない部類に属するキャリア・メーカーといえるわけである。

そして現在のアルテックの多岐にわたる製品分野に発展した基点が、この時代にあるといえる。すなわちトランスで有名なピアレス社を買収し、後のコンソールシステムや、電話部門進出のきっかけとなったことや、Ｗ・Ｅのアンプ・スピーカーの製造をはじめ、シアター・サプライあるいはスタジオ向けシステムの最大手としての地位を確立したことなど、１９４６年から５０年にかけては、同社の歴史において非常に重要な時期だったといえよう。

これ以降の同社のめざましい発展ぶりは、すでによく知られており、ここで改めて触れるまでもないと思うが、いずれにしてもこのアルテックという会社のスターティング・ポイントはオーディオであり、それも特にシアター向けを中心としたスピーカーユニットおよびシステムがその基本となっているのである。

その意味からもアルテックについて、スピーカーを語ることが、同社の本質をつかむ最短の手がかりといってさしつかえないであろう。

最近、アルテックはスピーカーシステムを中心に意欲的な展開ぶりを示している。例えば６０４―８Ｇ新デュプレックスユニット、あるいは２８８―１６Ｇドライバーなどのような全面的なモデルチェンジ、更にはユニークなタンジェリン・ドライバーの開発（その原型はＷ・Ｅに遡るにしても）等、これまで同社が蓄えた技術的資産を土台に新しい世代の製品への足がかりが始まったといってよいかも知れぬ。同社の歴史にとって忘れ得

ぬランシングという名前が、社名から消えさったことも、おそらくそうした新世代への挑戦に対する一つの決意を示す現れなのではないだろうか。

アルテック・サウンドの特質とは

アルテックのスピーカーから得られる音に対する人々の意見は、大きく二つに分かれる傾向が見られる。一方の人は非常に好きな音だといい、他方の人は全く受け入れられない音だという。一般のスピーカーの場合、むしろ、きらいでもないが好きでもないといった、あまりはっきりとした反応を示さない人々が多いのに対し、アルテックではきわめて好ききらいが人によりはっきり出る。

これはおそらく、アルテックのスピーカーがもつ音の中に、人の心のなにかを刺激する要素が秘められていて、それがある人にとっては非常な感動を呼び起こすもととなり、またある人にとっては、逆にそれが心にそわぬといった気持を抱かせる原因になるのではないだろうか。いずれにしてもこのことは、他のスピーカーから得られるサウンドに比べ、アルテック・サウンドがより強烈なバックボーンを備えているということの、一つの裏づけになると思う。このバックボーン——個性といってもよいが——に共感をもつ人々にとって、アルテック・サウンドはまさに、心の琴線をふるわせてくれるものなのである。

アルテック・サウンドが、いずれにせよ心に強く訴えかける能力をもつということは、アルテック・サウンドの生い立ちと深いかかわりがある、と考えることができるのではないだろうか。というのも、アルテックは長年にわたって、トーキーシステムを主体とする広い意味での、今様にいえばＰＡシステムを多く手がけてきた。そしてそこには常に、多くの人々に対し何かをインフォメーションしなくてはならない、という大切な役割があったわけで、聴くものに強く訴えかけるというアルテック・サウンドの特質は、こうした役割を通じて培われてきたのではないかという気がするのである。

このことは、一般のコンシュマー用スピーカーにはあまり見られない問題なのだが、他の国においても、シアターサプライ・システムやＰＡシステムといったものを基盤にもつ製品では、イメージは異なっても本質的には共通の、強い訴えかけをもったサウンドを聴くことができる。もちろん、そうした種類のものの中では、アルテックが最も顕著に、しかも完成度の高い形でその特質を有していると私は思うのだが……。

では、このようなアルテック・サウンドの特質の秘密は一体どこにあるのだろうか。それを解くかぎとして「ボイス」すなわち人の声の再生能力ということが浮びあがってくる。

無声映画の時代からトーキー映画の時代に代った際、トーキー映画のメリットというのは、けっしてなにもバックグラウンドの音楽のためにあったのではなく、映画のストーリーにしたがって展開される台詞、それによって映画の内容の深みがより効果的に表現できるようになったということである。したがって、人々がトーキーのサウンド・システムに最も期待したのは声の再生に対するクォリティであったと思う。その結果、なによりもまず声の質をしっかりと再生するシステムが作られた。そして声の質をしっかりと再生するためには、中音域の充実が最も重要であったわけだ。

もちろん、アルテック・サウンドもその後、時代とともにだんだんハイ・ファイ化しＦレンジが拡がっていったわけだが、その状態においても当然ながらこの基本的なクォリティは保たれてきたのである。

ところで、実際のアルテックのシステムについて少しくわしくみてみると、充実した中音域を生み出すための最も重要な部分は、ハイ・フレケン

Lansing

シー・ドライバーのローエンドと、ウーファーのハイエンド、要するにクロスオーバー・ポイントを中心にした帯域であり、その部分の質を十分にそろえることであったと思う。当然のことながら、コーン型ウーファーの音質と、高域に使われるコンプレッション・ドライバーの音質は基本的にかなり異なる。この異質な二つの音を、クロスオーバー・ポイントで均一につなぐ技術、それをアルテックは長い歴史の中で手中にし、磨き上げてきたというべきだろう。

　どの場合にもアルテックのスピーカーは、基本としてまず中音域のクォリティを確保し、それからレンジを上下に広げてゆくというプロセスをとっている。これは、いままでのシステムのすべてが、共通してくり返していることなのである。

　スピーカーシステムにとって必要な帯域というのは、当然、人間の耳に聴こえる可聴帯域全体ということになるのだが、その中でもとくに大切な帯域――それが欠けると音楽や情報を伝える機能がなくなってしまうファンダメンタルな帯域――がまずあるはずだ。アルテックのサウンドに対するアプローチの方法は、最初から全帯域にわたって均等にエネルギーを振り分けるのではなく、この基本的な帯域をまず固め、それから少しづつ両帯域を広げていったわけである。

　また、アルテックがこうしたサウンド・アプローチの姿勢を基本としてもっているということは、アルテックという会社のオーディオに対する歴史の長さとも、深いかかわりをもっていると考えられる。というのも、オーディオの歴史そのものがまず中音域からスタートしたわけで、その時代には、録音・再生両方の意味から帯域の拡大は技術的に限界があった。これに対し、ハイファイ化の技術がある程度まで進んだ時点でスタートした他のコンシュマー用システムでは、はじめから全帯域を均等に再生しようとする考えでスタートしているため、そこには、とくに中音域を重視するといった考え方が見られないのも、当然といえよう。

　もちろん最新のアルテックシステムは、きわめてワイドレンジ化され、レンジの点で他のコンシュマー用システムと差をつけることはできない。しかし、それによっても肝心な帯域が薄まったという印象はなく、他社のスピーカーと一線を画する、伝統的ともいえるサウンドが色濃く残されていると思うのである。

スピーカー設計にみるその特徴

　アルテックの、このサウンド・アプローチの姿勢は、各スピーカー・ユニットやシステムの設計方針にも、一つの特徴となって現われているようだ。たとえば現在の代表的な４１６―８Ｂや５１５Ｂといったウーファーを見ても、依然として軽質量コーンをベースとした伝統的デザインを受継ぐものであり、いまはやりのコーン質量の大きい、いわゆるロングトラベル・タイプの鈍重なウーファーは、アルテックの代表機種には使われていない。このことも、アルテックが単に低域を伸ばすだけのことを考えているのではなく、ウーファーのアッパーレンジのサウンド・クォリティを非常に重視していることを物語っていると思う。

　要するに、帯域を伸ばすことの重要性と、帯域内のクォリティの重要性をはかりにかけたとき、アルテックはまずクォリティの重要性をとるわけである。

　このことは、またスピーカーシステムのマルチウェイ化に対する考え方にも見られる。アルテックのスピーカーシステムの一つのポリシーとして、マルチウェイ化に対する消極性があげられる。つまりアルテックでは現在でもほとんどのシステムが2ウェイ構成である。その点、他社のシステム

ALTEC
SOUND PRODUCTS DIVISION
MODEL 1505B HORN
SERIAL
MADE IN U.S.A

は早くから3ウェイ、4ウェイといった方法をとり、最近では5ウェイまで見られるように、どんどん各ユニットの受け持ち帯域をせばめて全体のFレンジを広くとる方法がとられている。

アルテックの場合には、同じレンジを確保するためにもユニットをふやすのではなく、ユニットのカバーする帯域を広げることによって、あくまでも2ウェイをまもる方針が貫かれてきた。これは、単にアルテックがトゥイーターを作れないからとか、超低域用ウーファーがないからではなく、あくまで確たるポリシーに基づくものと考えられる。

スピーカーのマルチウェイ化というのは、それぞれのユニットの受け持ち帯域をせばめ、専用ユニットをふやすという形で、クォリティを確保しやすいというメリットがあるのだが、反面、クロスオーバー・ポイントがふえるという問題が生じる。スピーカーシステムは一般に、どうしてもクロスオーバー・ポイントでクォリティを害する傾向があるため、それを極力減らすというのがアルテックの基本姿勢なのである。したがって、理想的にはフルレンジのシングル・ユニットなのだが、それで要求されるクォリティを得ることは現在の技術ではむずかしく、したがって帯域内のクォリティ劣化を最小限におさえ、かつ、必要なレンジを確保できるという、一番バランスのとれたものとして2ウェイが選ばれているわけである。

アルテックのスピーカーについて、もう一つぜひとも触れなくてはならない重要なポイントがある。それはパワーリニアリティに対する考え方だ。アルテックはもともと、トーキー用をはじめとした大音量での再生をめざした会社であるため、パワーリニアリティに対する考え方が、コンシュマー用に作られたものとは最初から全然異なることは間違いない。アルテックの場合には、大音量が出せるということは絶対的な条件であり、すぐれたパワーリニアリティを確保することが、設計の前提なのである。この設計ポリシーは結果的に、スピーカーユニットの持ち味を伸び伸びと生かす一つの方向となった。

一つの興味深い例として、アルテックと非常によく似た構造のプレッシャー・ユニットを使うJBLのスピーカーシステムと比べた場合、JBLがどちらかといえばシャープで切れ味本位の、また言葉をかえれば、各ユニットを強力に束縛して自由をおさえた設計をとっているのに対し、アルテックは同じようなユニットを自由に余裕をもって働かせている印象が強い。

これが実は、アルテック・サウンドを分析する場合の重要なファクターで、独特のあたたかみ、そして一種の開放感を生むもととなっている。したがってアルテックのスピーカーは、一歩使い方をあやまると、やたら百

別冊『世界のオーディオーALTEC』・1977

花斉放的な音にもなりかねないが、しかし、この性向をうまく活かして使った場合、たとえばオーケストラなどスケールの大きなダイナミックレンジの広い音の再生を際立たせることができる。また、充実した中音域によって、人の声、合唱、そうしたメンタルな要素の多いソースをすばらしく聴かせることも容易だ。

その反面、非常にデリケートな、あるいはシャープな音に対して、けっしてそれだけを目立たせて再生するタイプではない。細かく聴けばそうした音も欠けることなくきちんと再生しているのだが、あくまでも全体が一つの音の中に包み込まれるように、やや控え目ともいえる鳴り方をするのがアルテック・サウンドなのである。

こうしたキャラクターが結局、アルテックを好む人と好まない人に大きく分かれる一つの理由であると思う。

アルテック・コーポレーションの体質

アルテックという会社は、他のオーディオメーカーに比べてかなり違った性格をもった会社だということができると思う。というのは、多くのオーディオ・メーカーの場合、それぞれのパーソナリティというものが、かなりはっきり出ているのが普通であり、それはときに会社の創立者、あるいは有名なエンジニアといった人達によるキャラクターなりポリシーによって、会社全体が統一されているというイメージなのである。

とくにアメリカのオーディオ・メーカーのほとんどが、アメリカでいう大会社のスケールからはほど遠いものであり、そのことが一層、メーカーの一体感——そこで働く一人一人から得られる印象や会社内部の雰囲気、生み出される製品すべてに共通する一つのポリシー——を強めているのだろう。もちろんアルテックも会社の規模においては例外でなく、けっしてビッグカンパニーではない。しかも、アルテックから生み出される製品を考えると、そこにはむしろ他のメーカーのものより強烈といえるほどの、独得の音のイメージや一本筋の通った製品づくりがある。だが、会社自体のキャラクター、ある特定の個人を想わせるようなパーソナリティを感じとることが、アルテックの場合、なぜかできないのである。

これはおそらく、本来アルテックという会社がコンシュマーを相手にしたいわゆるオーディオ・メーカーではないということ、あくまでもプロフェッショナルな分野で発展し成長してきたメーカーであるため、そこからは趣味的なにおいが感じられない、ということではないだろうか。このような体質をもったメーカーは、ほかにも少数だが例をあげることができる。たとえばアンペックス。この場合にもメーカー自体は決して趣味の製品を作っているのではなく、あくまでもテープレコーダーというオーディオ機器を作っているのであって、道楽的な要素はそこには全くない。ところが同社の製品を見ると、アルテックの場合と同様に非常にはっきりとした主張があり、キャラクターが強烈に打ち出されている。しかも過去から現在までその点において一貫性が見られるのである。

私などはよく、すぐれた製品を生むメーカーは、その製品のイメージと会社のイメージが合致すると書いたり、また話したりしているのだが、ことアルテックやアンペックスに関しては、ややこの表現を変えなくてはならない。

もちろん私は現在のアルテック製品をプロフェッショナルな分野でのみ評価しているのではない。アルテックに見られる筋の通った製品づくりは、趣味としてのオーディオの中にもしっかりと根をおろしているし、高く評価もできる。

筋の通った製品づくりとは、いまさらいうまでもないが、音のイメージは前記した通りであり、そして製品自体は、あくまでも音本位で、小才がきいたり何事もスマートにこなすというタイプではない。むしろ武骨で生真面目でさえある。とすれば、そこに会社としての強烈な個性があっていいはずだ。会社の方針として、小才のきいたスマートな製品づくりを否定し、武骨で生真面目なエンジニア・タイプのキャラクターがそこにあってもいいと思う。だが、アルテックという会社自体から、特別にその印象を強く受けることはない。何度か同社を訪問した私の印象でも、それはビッグカンパニーから受ける、ある種の没個性に通じるものであった。

しかし見方を変えれば、一見没個性とさえ感じさせるこの体質こそ、アルテックのきわめて貴重な財産と考えることができるのではないだろうか。私はアルテックの製品から、音本位の武骨で生真面目な態度を感じとるが、社員の一人一人、というかアルテックという会社自体は、そうした製品づくりを特別に意識してはいないのである。おそらく同社があゆんできたプロフェッショナルなオーディオ・エクィプメントづくりの長い歴史を通して、意識として表面に現われる以前の部分に、そうしたキャラクターが深く根づいたのだろう。それはまさに会社そのものの体質であり、誰か特定の人間の指導的な意思によるものでもなく、また多くの人々の意見の中から抽出されたものでもない。アルテックにとって、それは全く自然なのだ。

たとえばアルテックの代表製品であるボイス・オブ・ザ・シアターの場合、外観の処理といったものは全く無神経といっていいほどである。しかも、最初にこのスピーカーを製品化した段階から現代までその点に関しては全く手が加えられず、営々と作りつづけられている。これが他のメーカーの場合なら、少しづつでも外観が美しくなり、やがて発売当初のものとは別人のようになる例が多い。ところがアルテックの場合には、そうしないことがむしろ誇りであるかのように、おそらくアルテックにその意識はないのだが、我々に感じさせるのである。現にアルテック製品のあのラフな外観は、製品の内容に対する信頼性を高める要素として働き、一種の風格として人々に受け取られている。

反面、このアルテックに根づいたキャラクターは、ときとしてマイナス要因となって作用することもある。アルテックは、何度もくり返すようにプロフェッショナルなオーディオ・エクィプメントの分野で発展してきたメーカーだが、一方、コンシュマーサイドのオーディオ製品に対しても、かなり早い時期から進出をはかっている。そして現在までにいろいろな製品を送り出しているのだが、この分野では、例のボイス・オブ・ザ・シアターのように寿命の長い製品が生み出せない。コンシュマー・ユースの製品では、どうしてもある程度まで小才のきいたスマートな製品づくりが要求され、言葉をかえれば、ユーザーにこびる面もなくては受け入れられにくいのである。製品の質としては高くとも、コンシュマーの分野ではそれが額面通りに受け取られなかったという印象を、これまでの製品の歴史から受けるわけだ。

これも、結局のところアルテックの前記したようなキャラクターの強さを示すものであって、しかもそのキャラクターが会社の歴史とともに身についた、いわば本質であるだけに簡単には変りそうもない気がする。

現代のオーディオ製品の多くは、コンシュマーの趣味性に迎合する方向を強め、美しく装ってユーザーの気をひくことに熱中している。そうした数多い製品の中にあって、依然として装われないアルテックのスピーカーが、趣味としてのオーディオ世界においても高い評価を維持しつづけているこの事実は、アルテックという会社の歴史と伝統に裏付けられた偉大な資質にほかならないと思うのである。

トーレンスの歴史物語

山中 敬三

THORENS
Today
and Yesterday

オルゴールの製造からスタートして今年で100年トーレンス社の歴史はプレーヤーの歴史そのものである。

Thorens Today

現在のトーレンス社を代表するベルトドライブ／フローティングサスペンション方式のプレーヤーシステム群

この他に前頁のリファレンスが日本に紹介されている

(1983年当時)

TD226

２本アームのプレーヤーシステム。この他にもSME3012R、TP929(S)、TP16MKIII等も取り付けられ、アームレス型のBCタイプもある。

TD127

TD226のシングルアーム仕様。写真のTP997Sをはじめとして、SME3012Rなどロングタイプのトーンアームが取り付け可能。アームレスタイプもある

TD126MKIIIC

トーレンスの中心機種。アームレスタイプもあり、内外の多くのトーンアームに対応可能。

TD147 〝ジュビリー〟

最近発売が開始されたTD147の特別仕様モデル。創業100周年を記念して発売された。各部にゴールドが使われ、ターンテーブルの仕上げやキャビネットの材質も異なる。

一世紀にわたり音楽再生のための機器を世に送りつづけてきたトーレンス社をたずねる

トーレンス社は、今年、創業百周年を迎える。一八八三年スイスのサントクロワで、ミュージックボックス（オルゴール）の製造をはじめて以来、朝顔ホーンのついた蓄音器から電気蓄音器まで次々と手掛け、やがてレコードプレーヤーの分野に的をしぼる形で、ちょうど一世紀にわたり、音楽再生のための機器を世に送り続けてきた。今日、世界の数多いオーディオメーカーの中でも、比べようのない長い歴史と伝統を有する貴重な存在といえよう。

現在のトーレンス社は、生れ故郷であるサントクロワから西独のラールに生産の拠点を移し、製品にはすべてメイド・イン・ウェストジャーマニーの表示があるが、ヘッドオフィスそのものはスイス・チューリヒ近郊のウェッティンゲンにおいているので、スイス国籍の会社であることに変りはない。このような国境にまたがる企業の形態は、EC化の進んだヨーロッパではごくあたりまえのこととなっている。

同社の主力製品は、もちろんいうまでもなくレコードプレーヤーであり、超高級モデルから普及モデルまで数多いバリエーションを揃えているが、これらの製品のほとんどがフローティングサスペンション機構によるベルトドライブ方式を採用しており、これがトーレンス・プレーヤーのもっとも大きな特徴となっている。特にベルトドラ

イブ方式は、同社がHiFi用ターンテーブルを手掛けて以来、一貫して採用しつづけた方式であり、同社のターンテーブルデザインの基本ポリシーともいえるものである。

10年ほど前にわが国でダイレクトドライブ方式（DD方式）のターンテーブルが実用化されるに及んで、この方式が急速に浸透し、ベルトドライブ方式は一時期苦境にたたされる結果となった。日本製のDD方式プレーヤーは世界を席巻し、昔からの伝統を誇ったプレーヤーの有名ブランドの多くを駆逐してしまったのだが、その中でトーレンスは老舗としてひとり健闘をつづけてきたのである。

最近になってその音のよさからベルトドライブ方式が再び脚光をあびるようになり、各国の新しいメーカーが次々と製品を発売するなど、活況を呈するようになった。トーレンスのプレーヤーはその本家本元として、ここのところヨーロッパ市場を中心にたいへん好評を呼び、オーディオ製品が全般に不振な状況にもかかわらず、著しく業績を伸ばしている。わが国でもベルトドライブ方式見直しの先べんをつける形で、トーレンスの愛用者が、高級品を中心に着実に増えつつあるのは注目してよい。

今年の三月、百周年を迎えるトーレンス社の招きを受け、三日間にわたり同社発祥の地であるサントクロワやラールの工場などを訪れるという、またとない機会が得られた。そこで、これまであまり紹介されていない同社の現在の姿と、一世紀にわたるその足跡に触れてみたいと思うが、その前にまずこの会社のアウトラインを述べておこう。

トーレンス、EMTの関係と、両者の製造部門を担当する別会社のラール精密工業のことなど

会社の正式な社名はトーレンス・フランツAGという、その名のとおりトーレンス創立者の三代目にあたるレミイ・A・トーレンスとEMTの創立者である故ウィルヘルム・フランツの未亡人ヒルデガルト・フランツとの共同出資になる会社で、その母体となったサントクロワのトーレンスSAからレコードプレーヤー、ターンテーブル部門を引継ぐ形で、一七年ほど前に設立された。

ちなみに、トーレンスの家業ともいえるミュージックボックスは、やはりその頃にレミイ・トーレンスの実兄のジャン＝ポール・トーレンスが設立したメロディSAが受け継ぎ、サントクロワ近くのローベルソンで生産を行なっているが、これについては後で触れることにしたい。

トーレンス・フランツＡＧ社長
レミイ・トーレンス

メロディＳＡ社長
ジャン＝ポール・トーレンス

ところでトーレンス・フランツ社だが、実際の経営は、レミイ・トーレンスが社長を務め、以下セールス担当のアーミン・グラフ、財務担当のハンス・ヘーグ、それに工場担当のヘルムート・ブランの四人のスタッフによって運営され、その他主要メンバーとしては技術部長のピーター・フレイ、研究開発部長のゲルハルト・メッツラーがおり、製品の技術面をになっている。

ウェッティンゲンにあるヘッドオフィスでは、主として営業、財務、広報、輸出の各業務と製品（一部）、補修パーツ類の在庫管理が行なわれ約20名近い社員がいる。

生産を担当しているラール工場は、ラール精密工業という別会社の形をとっているが、それはここが、トーレンスおよびEMT両社の製品の設計開発製造を行なうため、EMTフランツ社との共同出資による工場となっているからだ。したがってこの工場で造られた製品は、すべて両者いずれかの手を経て市場に送られる仕組みとなっている。もちろんこの二つの会社は営業の分野がコンシュマー用と業務用とにはっきり区分されているので、互いに競合したりする問題は生じないわけである。

ラール工場には約四五〇人の従業員が働いているが、前述のブラン工場長とメッツラー部長はラール精密工業に籍をおいており、したがってEMTフランツ社のスタッフも兼ねていることになる。最近開発されるトーレンスとEMTの新しい機種がある部分で共通しているのは、こうした事情も当然からんでおり、むしろ両社とも、その辺をきわめてフランクに処理しているようである。

ラール近くを通るアウトバーン沿いに、トーレンスの倉庫があり、工場で生産された製品のストックと出荷の業務が行なわれる他、製品のアフターサービス部門が置かれている。ラール工場は両者共同の工場なので、完成品の在庫はいっさいもたない形をとっているからである。

創業の地サントクロワのミュージアムと旧社屋、ローベルソンでオルゴールをつくりつづけるメロディSA

今回の旅行で最初に訪れたのは、トーレンス創業ゆかりの町サントクロワである。パリ・リヨン駅からミラノ行TEEに乗車して約3時間半、スイスとフランスを隔てるようによこたわるジュラ山脈を貫ぬく長いトンネルを抜けると国境の駅バルロブに到着する。ここで列車をおり、レミイ・トーレンス社長自らの出迎えを受ける。一年ぶりの再会を喜び、彼の車で山道を約40分登るともうサントクロワの町である。ジュラ山脈の中央部に位置する海抜約1000mの高地にあるこの町は、今年の暖冬にもかかわらず、あちこちに残雪がみられ、いかにも山間らしい静かなたたずまいを残していた。かつてスイス精密工業の中心の一つとされ、トーレンス以外にもムービーカメラで一世を風靡したボレックスのメーカーであるパイラール社もここを本拠と定め

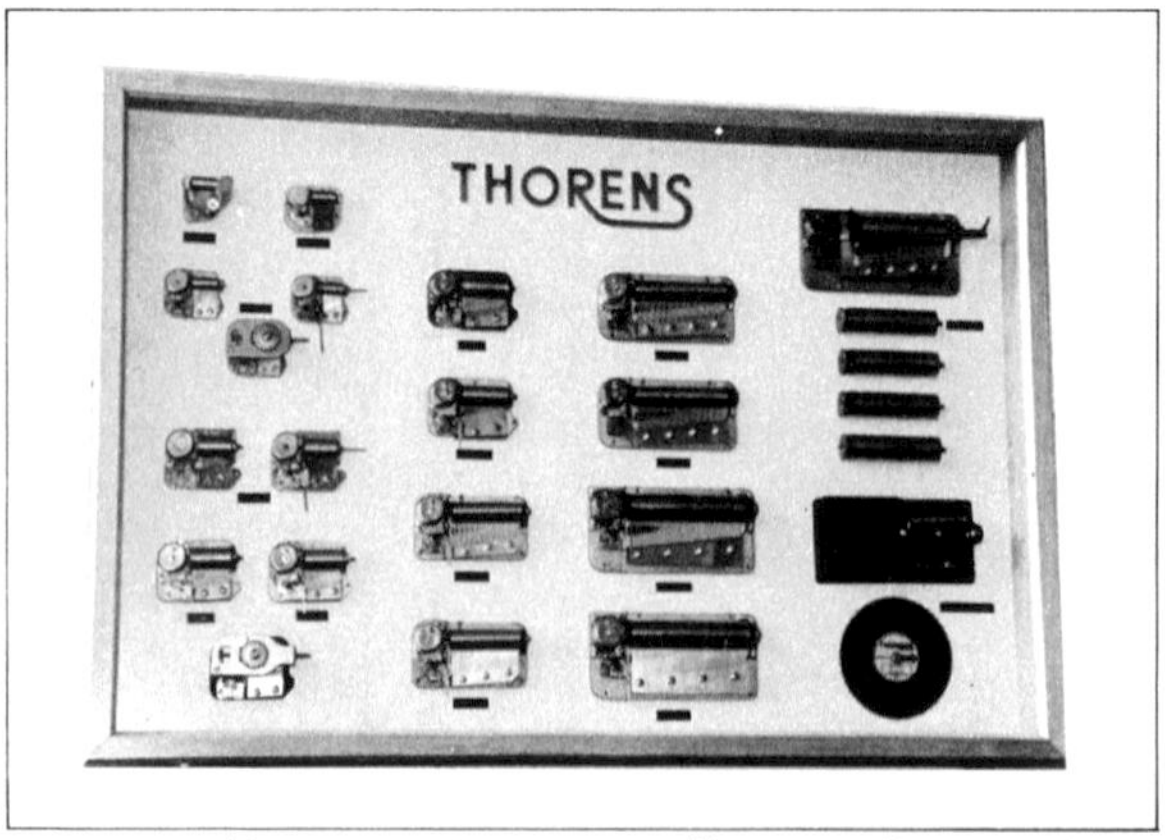

メロディＳＡで製造されるオルゴールユニットの全製品のディスプレイ。右下以外はすべてシリンダー・タイプ。その左は72弁の最高級ユニット。

サントクロワのサイエンス・アート・インダストリー・ミュージアムの内部。スイス精密機械の精髄が集められている。

トーレンス・オルゴールの最高級品、72弁タイプのユニット。

木工技術も見事なトーレンスのオルゴール。

オルゴールのシリンダーやディスクを作るマスターを手にするシャン＝ポール・トーレンス。

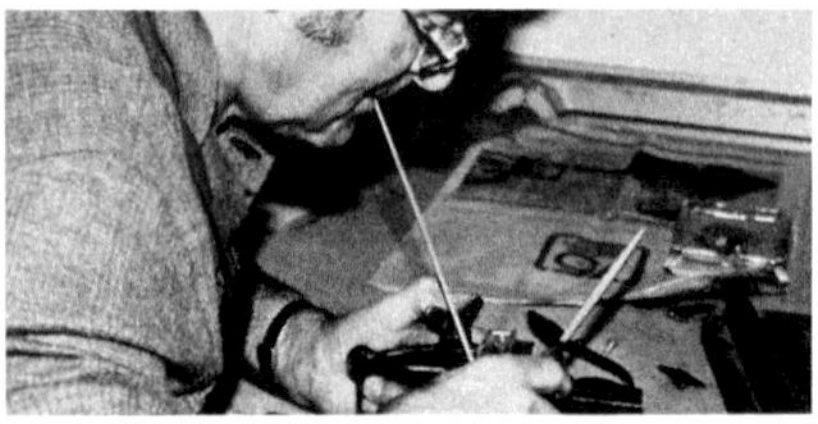

シリンダータイプのオルゴールの〝弁〟の調律風景。木の棒の片側を弁の根元にあて、もう一方を歯にはさんでチューニングをとっている。

メロディSAの工場内部。古くからの加工機械が伝統を物語る。

シリンダータイプのオルゴールのファイナルアッセンブリー。熟練工の手仕事によっている。

ディスクタイプのオルゴールのディスクの打抜き工程。

ていた由緒ある地域ながら、工場の移転や解散などで、現在は当時の面影を残しているだけになっている。しかし、町の中ほどにあるアート・サイエンス・インダストリー博物館を訪れると、トーレンスやパイラールをはじめ、この地で造りだされた精密工業の名品が数多く展示され、往時をしのぶことができる。

トーレンスSAのかつての社屋はアルプス通りに今でも当時そのままの形で残っている。一八九五年から一九六六年までこの場所で発展をつづけた同社の歴史を物語るように、増築に増築を重ねた三階建から五階建の大きな建物が、アルプス通りの両側にわたって10棟も立ちならぶ様はまさに壮観であった。一九四〇年から五〇年代にかけて、ここではそれこそいろんな製品、ミュージックボックス、レコードチェンジャー、カッティングマシーン、ラジオ、ハーモニカ、ライター、シェーバーなどが一二〇〇人に達した技術者・職工の手で造られていたのである。

サントクロワの町からさらに車で10分も走ると、ローベルソンという小さな村に入る。この村からすぐ先はもうフランス領となるのだが、ここにジャン＝ポール・トーレンスの経営するメロディSAがある。古いがっしりした三階建のこのファクトリーでは、トーレンス創業以来の製品であるオルゴール（ヨーロッパではカリヨンあるいはミュージックボックスと呼ばれる）の製造設備が、サントクロワからそっくり引き継がれ、昔ながらの手法で造り続けられている。

社長のジャン＝ポール・トーレンスは六○歳を超えた温厚そのものの紳士で、トーレンス家の当主として一九六四年までトーレンスSAの社長を務めたが、その後Hi Fi事業から離れ、自身のメロディSAでオルゴールの製造に専念している。

この会社が現在造っているモデルは、シリンダータイプとディスクタイプの二種類である。ディスクタイプは、ディスクの交換により曲目を自在に選択できるというメリットをもつが、オルゴールの魅惑的な音色では弁数を多くできるシリンダータイプに軍配があがるようだ。同社の高級モデルはいずれも当然ながらシリンダータイプで、中にはシリンダー交換が可能な機種まで揃っている。コンパクトなサイズということもトーレンスのオルゴールの大きな特徴だが、なんといっても圧巻は72弁の最高級モデルで、アンティークな大型シリンダーモデルにひけをとらない豊かな響きで音楽が奏でられる。

こうした高級モデルは完全な手造りで、創業当時とほとんど変らぬ構造を、昔ながらの製法により、ベテランの職人達が一つ一つ丹念に仕上げている。例えば音色の決め手となる特殊鋼製の弁は、素材から機械加工、熱処理の工程、さらに最後の調律まで熟練した職人の手が頼りとなっているし、シリンダーも曲目に応じたマスターをもとに金属の円筒に穴が開けられ、これにピアノ線を短かく切断したピンを一本一本手で植えるという根気のいる作業だ。そしてファイナルアッセンブリーも調整チェックの繰り返しとなる。専門の職人たちが、それぞれの個室で実際の音を聴きながら、このデリケートな工程を慎重に進めてゆくのである。もちろん一方では28弁以下の普及モデルが自家製の自動機械で量産されてはいるが、これとてもまさにスイスの機械に恥じない出来栄えである。

この会社のかけがえのない財産は、音楽ソースのマスターの膨大なストックである。弁数の多い高級モデルほど、そのマスター製作にはたいへんな手間がかかるのだが、古今の名曲を網羅したこのストックこそ、トーレンス百年の歴史の重みをなによりも雄弁にものがたっているといえよう。

リファレンスからMCHまで、トーレンス、EMTの全製品を製造する西独ラール工場

次の訪問先は現在のトーレンス製品が造り出されている西独のラール工場である。

サントクロワからジュラ山脈沿いのヌシャテル湖畔をとおってバーゼルに入ると、間もなく西独との国境である。ここからさらにライン川沿いに北上するとラールの町に着く、車で約3時間の道程だ。この町のすぐ東は深い山々が連なる、かの有名なシュバルツバルト（黒い森）である。

ラール工場は町はずれの住宅地の一角にある。広い敷地に三階建の事務所棟、そして平家建の工場棟がこれにつづく、総面積は約8500平米で、海外のオーディオ専門工場としてはかなりの規模といえる。モダーンで明るい事務所棟には、研究開発および技術部門のラボラトリーがあり、G・メッツラーや、P・フレイをリーダーとする同部門のスタッフ達が、トーレンスおよびEMT双方の開発や設計に従事している。

西ドイツにあるラール工場。正式名称をラール精密工業といい、EMTとトーレンス全製品の製造を担当している。

前述のように、ここはトーレンスとEMT両社の共同工場という形をとっているので、少なくとも工場内部では、同一のスタッフが両社の製品に関与している場合が多く、その点でもユニークな運営といえる。

この工場はEMTが先輩格にあたり、第二次大戦末期の一九四三年に、烈しくなった空襲から逃れるため、同社がその工場をベルリンから当地へ移転したのがはじまりであった。そして二十年後、新しい工場の適地を求めていたトーレンスが、敷地面でも充分余裕のあったEMTラール工場に生産の拠点をおくこととなり、両者の提携関係が生じたのである。

ラール工場内部の研究開発部門。新製品のプロトタイプなども見られる。

さてラール工場の内部は、大きく分けてマシーンショップ、原材料やパーツのストックルーム、それにアッセンブルラインからなる。マシーンショップは、ターンテーブル、モーターボードなどの機械加工、鈑金、それに付属するメッキ、塗装等の仕上げ工程が含まれており、トーレンスの量産機種の機構パーツは、最新の自動機械により、仕上げ処理までラインで一貫して製造される他、リファレンスやEMTの各機種は、少量ずつロット生産の形で造られている。

ストックルームはかなりのスペースが割かれており、マシーンショップで内製されたパーツ、エレクトロニクス部品やプレーヤーキャビネットなど外注パーツ類がコンピューター管理されている。

スペース的に一番大きいのはアッセンブ

研究開発部門のスタッフ。右からゲルハルト・メッツラー研究開発部長。ピーター・フレイ技術部長。一人おいてヘルムート・ブラン工場長。

リファレンスの金メッキは自社内で行なわれる。これはそのための特別設備。

フレーム関係の小物部品のプレス加工工程。

加工を終わったインナーターンテーブルがならべられている。

マシーンショップでインナーターンテーブルの切削加工が行なわれている。

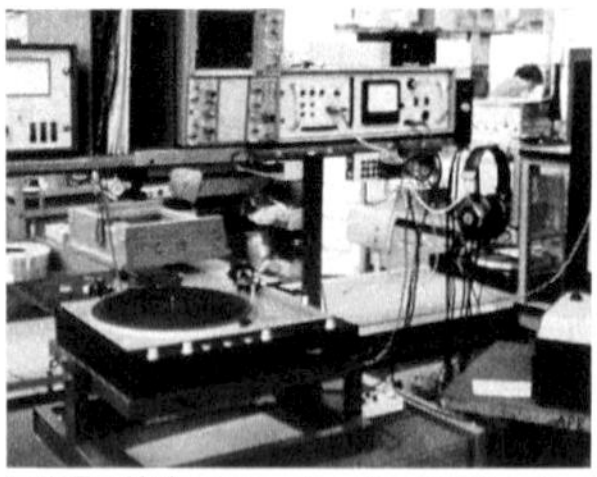

測定用の特殊インシュレーター上で最終チェックを受けるTD524DD方式プレーヤー。

TD147がほぼ完成に近づいている。組立てる女性のまなざしも真剣そのもの。

専用治具を使ってトーンアームが組立てられている。

こちらではEMT930stが組み立てられている。すべての工程を1人で担当しているため、さすがに女性の姿は見あたらない。

リファレンスは工場内に設けられた別室で数人がかりで組み立てられている。

トーレンス、EMTともにカートリッジは全数チェックされ、実測データが添付される。

MCカートリッジのコイルの巻線作業は熟練したごく少数の女性が担当している。

ラール工場のアッセンブルラインの全景。トーレンスとEMTの製品が並行して製作されている。

ルラインで、エレクトロニクス関係やアームなどプリアッセンブルラインとファイナルアッセンブルライン、それに完成品の調整チェックラインと梱包ラインからなる。一応流れ作業の形式を採用しているが、一人一人がかなりの作業工程を受けもつ方式で、アッセンブルから製品の完成検査まで数人の手を経るのみである。

調整チェックラインでは、すべての完成品を自社で特別に開発した防振台にのせて特性のチェックを行ない、品質管理の徹底をはかっている。この部屋の一区画はEMT製品のアッセンブルラインとなっており、ここではいっさいのアッセンブルを一人の人が担当する仕組みがとられていて、ちょうどわが国でもなじみ深い930スタジオプレーヤーの組み立てをかなりの数量で進めているところであったが、工場でもっとも古い製品であるこのプレーヤーの根強い需要にはまったく驚かされる。

カートリッジヘッドの製造ラインは、この部屋の奥まったスペースに分離して設けられ、トーレンスMCHやEMTのTシリーズ、OFシリーズなどのカートリッジが、10名ほどの人達の手で慎重に造られている。ムービングコイルの巻線からはじまって、完全にハンドメイドの作業なので、あまり数をこなすことは難しい感じであった。組み立てられたカートリッジは、事務棟にあるテストルームで一個一個特性のキャリブレーションが行なわれ、最後に実測データが作製される。

リファレンスなど受注生産モデルは、一般の生産ラインから完全に独立した部屋で、専任のチームによりアッセンブルされるが、ここでは新製品の試作なども行なわれる。

メロディ社の伝統をかたくなまでに守り続けようとする工場のイメージとはまったく対照的なのが、このラール工場で、いかにもドイツらしい合理的できちっとした近代的な生産ラインが印象的であった。

スイス・ウェッティンゲンのヘッドオフィスには補修パーツ庫も併設され、昔の名器が新たな生命を得ている

最後に訪れたのは、スイスのウェッティンゲンにあるトーレンス・フランツ社のヘ

ッドオフィスである。明るく静かで清潔なオフィスをとりしきっているのが、セールス・ディレクターのアーミン・グラフで、四十歳前後の働き盛り、いかにも有能なビジネスマンらしいきびきびした応対と誠実な人柄は、同社のオーナー、レミイ・トーレンス社長の、トーレンス家の御曹子らしい鷹揚で闊達な印象と、好ましいコンビに見受けられた。

ウェッティンゲンには本社機構の他に、営業用のショールームがあり、トーレンス全製品と、同社がスイス国内で取扱っているオーディオ製品が展示され、試聴が行なえるようになっている。ちなみに同社はSME社のスイス代理店となっており、自社のプレーヤーの標準装備アームの一つとしている。

アフターサービス用補修パーツのストック管理も、ここの重要な業務で、その膨大なストックパーツの中には一九五〇年代のモデルのものまで含まれているのには驚かされた。同社のパーツ保証は、一応10年間とうたっているが、実際には20年あるいはそれ以上前のパーツも保有し続けているわけで、トーレンス・ターンテーブルの名を世界に高めた名作TD124など旧モデルが、今なお現役として数多く愛用されている裏付けとなっている。信用を大切な資産とする老舗の誇りであり、トーレンス製品のユーザーにとって頼もしい限りだ。

スイス・ウェッティンゲンのヘッドオフィスに併設される旧製品の補修パーツのストックルームでCDシリーズのトーンアームを手にする同社セールス・ディレクターのアーミン・グラフ。

Thorens Yesterday

スイスの精密機械加工技術を活かし、オルゴールの製造からスタートして蓄音器へと発展

トーレンス社は百年という長い年月の間に、いったいどのような製品を世に送りだしたのであろうか、その歴史を辿ってみよう。

トーレンス社の創始者であるヘルマン・トーレンスがオルゴールの製造を始めることを決めたのは一九世紀の終り、彼が二十代の青年時代である。金属製の櫛状弁とシリンダーによるオルゴールは、パイプを使った簡単な自動オルガンとともに、人類にとって初めての機械による音楽再生の装置として、一九世紀初頭に出現し、大いにもてはやされた。中でもオルゴールは時代とともに洗練されて、小型化がはかられたり、より複雑な形へ進むようになって、ヨーロッパ各国において様々な機械が作られるようになったのだが、何れの場合も、その機械的精度が再生音のクォリティを決める重要なポイントであった。若きトーレンスは当時すでに時計工業の中心として、熟練したクラフトマンの宝庫であったスイスのジュラ山脈地方こそ、オルゴール製造に向くと考え、一八八三年サントクロワの地に会社を設立した。この時以来、オルゴールは同社の主要な製品として作りつづけられ、今日でもそれはメロディ社によって、当時そのままの形で生産され販売されている。

同社が創立される少し前に、トーマス・エジソンが円筒式蓄音器を発明し、その企業化が少しずつ進展をみせはじめた。ヘルマン・トーレンスはこれに誘発され、同社の機械技術を活かして蓄音器の製造に着手し、一九〇三年最初のエジソン式蓄音器を発表した。エミール・ベルリナーによるより優れた円盤レコード式の導入は一九〇六年からで、これを期に、トーレンス社の蓄音器とターンテーブル製造の長い歴史がスタートするのである。当時の代表的製品として挙げられるのは、一九一二年に発売した美しい朝顔型ホーンのついた蓄音器で、前に述べたサントクロワの博物館にも最上の保存状態で展示されている。

トーレンス社創始者
ヘルマン・トーレンス

この頃を境として、同社は急速に事業を拡大していった。音楽に関連した商品としては、ハーモニカ（マウスオルガン）の製造を一九一四年にスタートしており、一九五二年までつづけられた。他の分野の製品でもっとも大きな成功をおさめたのは、一九一三年から製造を始めたシガレットライターで、一九六四年まで数百万個におよぶ夥しい種類のライターを生産販売したのである。ずっと後年になってからの製品だが、一九五四年から一九六〇年まで作られたゼンマイ式のシェーバーもその発想のユニークさで忘れることのできないものといえよ

トーレンスは蓄音器ばかりでなくこんなものも作っていた。ハーモニカとゼンマイ式シェーバー、シガレットライター。このライターには超小型オルゴールが組み込まれている。

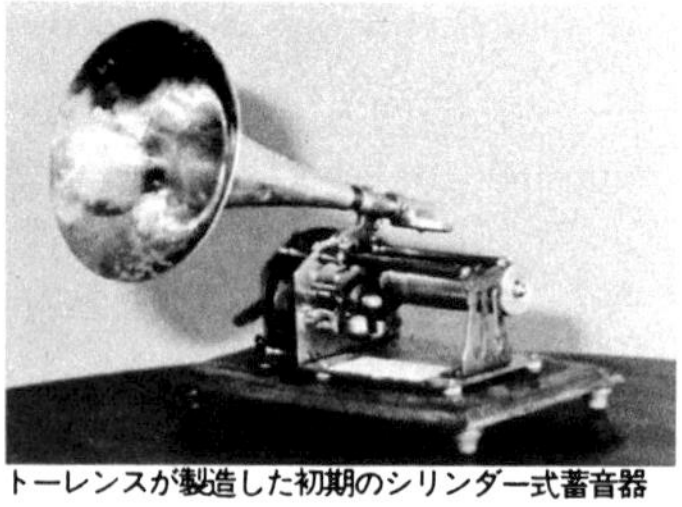

トーレンスが製造した初期のシリンダー式蓄音器

トーレンス初期の代表作。1912年発売の朝顔型ホーン付の蓄音器

CD"50シンフォニィ" 落下タイプのオートチェンジャーでレコードの両面演奏を可能にした世界最初の製品。

R12ポータブル型ディスク録音機。放送局等の録音用として開発された。

トーレンス社の規模の拡大にともない、工場も増築につぐ増築がつづいた。この図に示されている最古の工場は1895年、新しいのは1945年に建てられたものだ。

ＬＰレコードの登場とともに発表されたＣＤ43オートチェンジャー。

R25ディスク・カッティング・レース。2スピードのシンクロナス型ダイレクトドライブモーター使用。カッティングヘッドはG15型。左手前はピックアップのD25型。

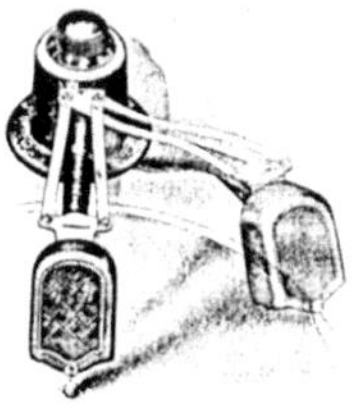

トーレンス社製の大型ラジオ。上部に載っているレシーバー部は取りはずして手元で操作することも可能だ。

アーム部分にパラレルリンク・メカニズムを使ったトラッキングエラーレス・ピックアップアーム（1931年製）。

う。いずれの製品をとっても、トーレンスの精密機械技術を活かすことにかけては共通していたわけで、生産品目と規模の拡大にともない、工場の増築につぐ増築がこの時期に行なわれたのである。

しかし、同社にとって主要な製品はあくまでオルゴールと蓄音器、そしてターンテーブルであったことに変りはなかった。

この頃から蓄音器産業自体も急速に発展し、もちろんトーレンス技術陣もそれに対応した。一九二三年には最初の蓄音器用電気モーターが開発され、同じく23年には早くもダイレクトドライブ方式モーターの特許を申請。一九三〇年には初の電磁型ピックアップを発表している。一九三一年、ピックアップ針先のトラッキングエラーをなくすために、パラレルリンク・メカニズムを使ったトラッキングエラーレス・ピックアップを初めて発表したが、これはピックアップアームの歴史で、その後、繰り返し挑戦がつづけられることになった画期的なアイデアであった。

その前年、最初の電気式レコードプレーヤーが発表され、以降、電気が蓄音器の世界に大きな役割りを占めてゆくことになる。一九三三年にはトーレンスのラジオ受信機も、製品ラインに加わり、やがて電気蓄音器に生産の主流が移っていった。

第二次大戦を機に業務用機器への進出をはかりDD方式のカッティングレースを開発する

第二次世界大戦の期間、レコード関連産業は全般に後退を余儀なくされたが、その中でもトーレンス社は活動を休まなかった。円盤録音機（ディスク・カッティング・レース）を中心とした業務用機器へ進出をはかったのもこの時期、一九四〇年からである。業務用の円盤録音システムは、レコード産業ばかりでなく、テープレコーダーが実用化する以前の放送局では、録音用として大きな需要があったのである。

この分野での代表的な製品としては、Ｒ１２ポータブル録音機があげられる。２スピード・シンクロナス・ダイレクトドライブモーターによる30cmターンテーブルに、Ｇ１５カッティングヘッド付レースを組み合わせたコンパクトなマシーンで、出張録音などに活躍した。Ｒ１２を大型化し据置用としたのがＲ２５で、同じ2スピード・ダイレクトドライブモーターを防振カップルを介して切離し、ランブルを減らし、さらにプレイバック用のトランスクリプション・ピックアップＤ２５を追加したシステムで、現在のノイマンのカッティングレースなどと基本構想が似かよった本格的マシーンであった。なおこのＤ２５ピックアップは、ヘッドが交換可能なエレクトロダイナミック型つまりＭＣ型で、針圧は25～50グラム

ポール・H・トーレンス。

TD124のベルト／アイドラードライブのメカニズム。４極インダクションモーターでプーリーをベルトドライブして一次減速するとともにモーターの振動をアイソレートし、アイドラーによりターンテーブルを強力にドライブする２段駆動方式。左のツマミは二重ターンテーブルを使ってのクイック・スタート／ストップのためのもの。

HiFiターンテーブルの名器TD124。1957年に発表され、途中ターンテーブルの材質を非磁性体にするなどの改良が加えられてII型に発展し、永らくHiFiマニア垂涎の的となった。

TD224オートチェンジャー。左側のレコードのストックヤードから中央の専用アームがレコードを１枚ずつターンテーブル上に運んで、演奏が終わると下側のストックヤードに戻してくれる。このメカニズムの駆動源は、ターンテーブルを回している小型モーター１個によっている。

TD124の普及タイプTD184。

BTD12Sダイナミックバランスアームを装備したTD135ターンテーブル。

と当時としては軽針圧化がはかられていた。また、R25をコンソールキャビネットに納めたモデルも用意され、R26と呼ばれた。

コンシュマー用の分野でも、大戦末期に重要なモデルを開発している。一九四三年に発表した最初のオートチェンジャープレーヤーCD30で、もちろんSPレコード専用ながら、積重ね落下方式のチェンジャー機構、レコードサイズ自動検出機構など、オートチェンジャーに必要な機能はすでに完成の域に達しており、技術水準の高さがうかがいしれるものだ。

そしてこの年、偉大な創業者ヘルマン・トーレンスが87歳の天寿を全うした。

会社の事業はそれより前に、息子のポール・H・トーレンスに受け継がれていたが、初代のヘルマンは80歳ぐらいまで実際の経営にタッチしていたといわれる。

チェンジャー機構を備えたレコードプレーヤーは、その後二十年近くにわたってトーレンス社の重要な製品となった。SP時代の最後を飾ったモデルとしてユニークな製品が「シンフォニィ」と名付けられたダブルサイド・ミックスド・レコードチェンジャーCD50である。落下タイプのチェンジャーで両面連続演奏を可能とした世界最初の製品で、上下独立したモーターにより、それぞれ正反対に回転するターンテーブルと、上向きにくるっと回転できるヘッド機構をもつピックアップにより、両面順次演奏と通常の片面連続演奏が自由に選択でき、しかもレコードサイズを自由にミックスできるという至れり尽くせりのスーパープレーヤーであり、しかもそのコンパクトさが注目されたのである。

LP時代の幕開けとともに登場したのがCD43チェンジャーであり、その後の長期間にわたる販売実績からみても、大きな成功をおさめたヒット作といえる。ギアトランスミッションによる3スピード切替えと、ガバナーコントロールを備えたセンタードライブ方式ターンテーブルが特徴で、まさにスイス精密機械の粋といえるものであった。この特徴を武器としてアメリカ市場への道が開かれ、一九五〇年には早くもこの最大のマーケットで大きなシェアを占めるに至ったのである。

一九五五年ポール・トーレンスは社長を退き、長男のジャン＝ポール・トーレンスが後継者として三代目社長に就任する。

名器TD124登場。バリエーションも拡充し、HiFiターンテーブルとしての名声を確立

HiFiターンテーブルメーカーとしてトーレンスの名声を決定的にしたのが、一九五七年に発表したTD124である。画期的なベルト／アイドラードライブ・メカニズムの開発、二重ターンテーブルによるクイックスタート機構、ほとんどの単体高性能トーンアームに対応できる交換可能なアームボードなど、このモデルに盛込まれたユニークな機能は、世界中のオーディオファイルから高い評価を受けたのである。

TD124の成功をきっかけとして、種々のバリエーションが誕生した。まずTD124に装備するプロフェッショナルアー

ムＢＴＤ１２Ｓであり、本格的なダイナミックバランス型でヘッドシェル交換方式（トーレンス専用）としたこのアームは、現在のＥＭＴターンテーブルに採用されているＥＭＴ９２９や９９７アームの原型となったモデルだ。

このＢＴＤ１２Ｓを固定装備し、ＴＤ１２４を多少簡略化したターンテーブルがＴＤ１３５、さらに普及タイプＴＤ１３４、１８４など、ＴＤシリーズのファミリー化が進み、トーレンスの名声はますます高まった。

しかしなんといっても傑作は、ＴＤ１２４をオートマチックチェンジャー化したＴＤ２２４であろう。一九六二年に発表されたこのモデルは、巧妙に設計されたレコード・フィードイン・アームの働きにより、ストックスペースにおかれたレコードを一枚ずつターンテーブルにのせ、演奏が終るとそのレコードをストックスペースの下側に戻し、また新しい一枚をターンテーブルに乗せるという作業を、きわめてエレガントに繰り返すことができた。つまりＴＤ１２４のクォリティを維持した上で、オートマチックプレイを可能としたのである。しかもこれだけ大がかりで複雑な動きをするメカニズムの駆動源を、ＴＤ１２４と同一のモーターのみでまかなうというスマートさが、スイス・クラフトマンシップを象徴するかのようであった。

ちょうどこの頃、トーレンス社はその歴史ではじめて経営上の大きな試練を経験している。詳しい事情は明らかではないが、スイスの誇る熟練工の賃金の高騰が、徐々に経営を圧迫しはじめてきており、サントクロワのもう一つの有力企業であったパイラール社（ボレックス・カメラのメーカー）も同様な事態にあったため、合理化と事態の改善をめざした両社は一九六三年に合併にふみきったのである。

ＴＤ１５０で欧米プレーヤーの主流となるベルトドライブ／フローティング方式の先鞭をつける

一九六五年、同社はＨｉＦｉプレーヤーの製造に的をしぼることを決め、ジャン＝ポール・トーレンスは社長を弟のレミイ・Ａ・トーレンスに譲り、自らはメロディ社を設立して家業のオルゴール製造部門を新会社に移し、これに専念することになった。

現在のトーレンスのプレーヤーの基礎を築くとともに、欧米のプレーヤーに大きな影響を与えたTD150。ベルトドライブ、フローティングサスペンション方式はこの機種で開発された。

ＥＭＴと提携後に開発されたTD125
現在 のTD126、127、226のラインの源流はこの TD125である。

新しい体制を整えたこの年、同社はプレーヤーのニューモデルとしてＴＤ１５０を発表している。普及機種をめざしたこのプレーヤーは、従来のＴＤシリーズと面目を一新し、内側ターンテーブルをベルトドライブする二重構造のターンテーブル、それをモーターから完全にアイソレートするためのフローティングサスペンション構造など、現在のトーレンスプレーヤーを特徴づけている方式を最初に採用した記念すべき機種である。

トーレンスがＴＤ１５０を発表したのとほぼ同じ時期に、プレーヤーシステムの開発を進めていたアメリカのＡＲ社も、トーレンスのフローティングサスペンションとほぼ同じ構造を実現化しており、両社は、奇しくも同時期に同じ方式の製品を発表したのである。そしてこの方式はその後の欧米のプレーヤー設計に大きな影響を与える結果となった。

一九六六年トーレンス社は、西独のフランツ社との提携によって工場を西独ラールに移転することを決め、本社もサントクロワからウェッティンゲンに移し、社名をトーレンス・フランツ社とした。パイラール社との関係はこの時点で終り、トーレンス社は再び新しいスタートをきったのである。

西独に移って最初に開発したのがＴＤ１２５である。ＴＤ１２４の後継機として、ＴＤ１５０の基本構想をさらに発展させ、構造を全面的に強化するとともに、モーターの速度コントロールにエレクトロニクス制御を最初に導入した新時代のモデルで、一九六八年に発表された。

四年後の一九七二年にはＴＤ１５０の改良型としてＴＤ１６０が登場、次いで斬新なストレートアームのアイソトラックが開発され、さらにＴＤ１２５の改良型ＴＤ１２６の発表など、現在の主力機種のオリジナルモデルが七〇年の中頃までに陣容を整えた。

一九七九年ラール工場のエンジニアリングスタッフが、各種の試作品のテストベッドとして一台のターンテーブルの製作を思いたった。過去長年にわたって蓄積したトーレンスとＥＭＴのノウハウを活かして完成したプロトタイプは、同社の技術力を示す参考モデルとして、その年のデュッセルドルフ・オーディオショウに出品することが決まり、仕上げに磨きをかけて、会場のブースに飾られたが、これが大変な話題と反響をよび、ついに受注生産の形で製品化されることになった。「リファレンス」の誕生である。一九八〇年に正式発表以来、すでに百台を越えるリファレンスが世界の熱心なオーディオファイルの手に渡っているが、この予想もしなかった成功は、高級モデルの開発に自信を得る結果となった。わが国でもすでに紹介されつつある、ＴＤ２２６やＴＤ１２７プレーヤーシステム、ＭＣＨシリーズのＭＣカートリッジ、ＴＰ９２９ＳおよびＴＰ９９７Ｓアームなど、その一端の現われであり、創業百周年にあたる本年は、さらに本格的な高級ニューモデルの開発が進行中だ。

高性能レコードプレーヤーの専門メーカーとしてトーレンス社は、いま活気に満ちあふれている。

H.M.V.

ブリティッシュ・サウンドのルーツは ヒズ・マスターズ・ヴォイスにあった

山中敬三

長い伝統に育まれた
ブリティッシュ・
サウンドは
いま、新しい
テクノロジーを背景として、
再び、大きな飛躍を
遂げようとしている。

最新の音響設計をとり入れ、その調整に1年の歳月を費やしたというロンドン、バービカン・センター大ホール。そこでの響きは、まさしく新しい世代のイギリスのスピーカーに共通するものだった

イギリスでは、十八世紀末頃からあらゆる音楽を受け入れる、幅のある聴衆が育つような環境が生き続けている

ロンドンのバービカン・センターの大ホールが、昨年の三月に落成オープンした。二千人収容のこのコンサートホールは、最新の音響設計をとり入れ、その調整に一年の歳月を費やしたという自慢の最新鋭ホールである。ちょうど三月のオープニング・ウィークのコンサートを聴く機会が得られたのだが、これまで何回かロンドンを訪れるたびに通っているロイヤル・フェスティバル・ホールとはかなり違った新しい体験を味わった。

ロイヤル・フェスティバル・ホールの軽やかな馴染みのよい木質の響きに対して、緻密でトータルなバランスの見事な響きに、微細な部分にまですばらしく鋭敏な反応を示すような、心持ち硬質なフレーバーが加わって、これまでにない新鮮な、いかにも新しい世代のホールらしい印象であった。

英国自慢の最新鋭ホール、バービカン・ホール

そしてそれは、ちょうど数週間前に訪れたメイダベールのBBCスタジオで、LS5／8モニターシステムから流れてきた音のイメージそのものとオーバーラップするとともに、さらにハーベス・モニターHL、KEF105・2、B&W801F、QUAD・ESL63、セレッションSL6などのサウンドにまで共通する、一つの輪に広がるものであった。そう、バービカン・センターの響きは、まさしく新しい世代のイギリスのスピーカーシステムの音、すなわちこの企画のテーマであるブリティッシュ・サウンドの新しい象徴である、といってもよいかもしれぬ。

イギリスは、アメリカと並んでレコードおよびオーディオの分野に、歴史的にも産業的にも大きな足跡を残してきている。わが国も後になってこれに加わったわけだが、いずれの場合にも、その背景としてレコードを通じて音楽を聴こうとする人々の層が厚いという事情があったはずだ。よくレコードやオーディオの盛んな国を指して、それらの国に偉大な作曲家（あるいは音楽家）が少ないという音楽的な成熟度の低さを関連づけようとする見方があるが、これは必ずしも当を得てはいない。もともと異文化圏にあった日本はその対象外として、アメリカは二百年余という歴史の若さが免責の理由になるし、E・ベルリナーがはじめてグラモフォンを発明した一八八七年には、ニューヨークはすでに音楽やその他の芸術の拠点として、世界中の演奏家や芸術家が欠かさず公演したり、あるいは移住するなどの基盤が整っていたのである。

イギリスの場合は、もちろん歴史がはるかに古い。十八世紀末頃から有名な作曲家や演奏家の楽旅の対象としてロンドンが必ずあげられていたし、世界中の富を一手に集めるようになったその力が、ヨーロッパ諸国の音楽家達をひきよせる力ともなっていた。イギリスは、成熟した聴き手としての条件を、いち早く整えたのである。つまり、ヨーロッパの諸国では、それぞれ自国の音楽を主体とした聴衆が背景となっていたのに対し、イギリスではあらゆるものを受け入れる、幅のある聴衆が育つような環境が、ごく自然に形成されていったのだろう。

そして、いまなおロンドンにはこうした環境が生き続けている。地理的条件も手伝って、ヨーロッパ各都市の中でも、世界中の音楽家達の演奏にこれほど数多く接する機会のある所は、他にはない。この聴き手が、レコードを通じて音楽を楽しもうとする聴き手として拡がっていったとしても、不思議ではないだろう。

英国蓄音器の最高峰、HMV model 202。No.5A サウンドボックスと全金属製リエントラント・ホーンの組合せにより、驚異的なフラットネスを得ている。金属部はゼブラ模様のメッキ、外装はオーク材で仕上げられている

イギリスのレコード産業で忘れてならないのは、歴史あるEMIとデッカの二大牙城だ

イギリス最初のレコード産業は、ベルリナーの発明から十年後の一八九七年の、グラモフォン・カンパニーの設立で始まる。この会社は、やがてヨーロッパ最大のレコード会社として君臨し、その商標に使われたHMV（ヒズ・マスターズ・ヴォイス）のマークは世界的に広まった。一九三一年にはイギリス・コロムビア社と合併し、ヨーロッパのレコード産業の大半を資本的に支配した巨大なオーガニゼーションに発展する。現在のEMI（エレクトリック・アンド・ミュージカル・インダストリーズ・リミテッド）社の誕生である。

もう一つ、イギリスのレコード会社で忘れてはならないのが、デッカ・レコード・カンパニーだ。この会社も一九二九年に創立されているから歴史は古く、後年特にオーディオとの係わりが深かった会社である。

レコード会社の歴史は、その資本関係が入り組み複雑怪奇でさえある。私など専門外のものにとって立ち入るすべもないが、ただ一つ確かなことは、離合集散の絶えまないこの業界で、イギリスのEMIが長年にわたってその牙城を堅持し続けたという事実だ。SPレコード全盛時代には、愛好家協会シリーズに象徴される世界最高の品質と内容を備えたレコードを作り、またそれをプレイバックする最高のアコースティック・グラモフォン、HMVクレデンザを世に送りだした。これは、ミドルセックス・ヘイズに本拠をかまえるグラモフォン・カンパニー（EMI本社）の栄光のモニュメントとなったのである。ブリティッシュ・サウンドのオリジンは、まさにここに発しているのであろう。

デッカ　プロフェッショナル・ステレオ・ピックアップ。同社のMK IIピックアップヘッドに最適な、精密でユニークなバランス調整機構を備えたアーム

デッカ　ステレオ・デコラ・セパレーツ。ガラード301ターンテーブル、デッカMK Iヘッド、12W＋12W出力のパワーアンプなどをウォールナット仕上げの豪華なキャビネットに納めた最高級ステレオ

二大レコード会社EMIとデッカは、音楽ソースの供給ばかりでなく、オーディオの発展にも大きな功績を残した

ハイ・フィデリティ——Hi—Fiという言葉がレコードファイルや一般の人々の間で知られるようになるのは、アメリカのCBS研究所で開発が進められていたマイクログルーブ方式のロング・プレイング・レコード(LP)が一九四八年にデビューし、この飛躍的に高性能化されたソースが普及へのスタートをきった時期からである。

イギリスのHi—Fiに対するアプローチは、かなり早い時期に、非常に幅広い形で展開していった。ヨーロッパ諸国に先がけて、技術面でも産業面でも、アメリカと並んでいちはやくリーダーシップをにぎったのだが、そのたどった道は、アメリカの場合とはかなり異なっていた。それは、まずレコード会社がオーディオの発展に果した功績である。レコードの電気吹込みにはじまって電気技術が再生側にも応用され、電気蓄音器いわゆる電蓄の時代が到来するとともに、それまでレコード会社がいわば表裏一体の形で再生側の面倒をみるというパターンから、再生側は次第に電機会社の手に委ねられるように変化し、レコード会社は音楽ソースの供給に専念する形がとられるようになってきた。特にアメリカではその傾向が顕著で、LPがデビューする前後からは再生装置の主導権は大手電機メーカーや専門メーカーの手に移行し、Hi—Fiへのイニシアティブも、それらの会社がとるようになっていった。

しかし、イギリスでは必ずしもそうではなかった。もちろん、専門メーカーも併行してたくさん育つようになったのだが、二大レコード会社のEMIとデッカは、あい変らず大きな影響力を持ち続けたのである。

デッカ社の貢献度は、中でも大きかったといわねばならない。もともとその前身が蓄音器会社であった事情も手伝ってか、同社は電機会社としても大きく発展し、第二次大戦中にはレーダーの開発や船舶、航空機用のナビゲーターシステムなど電子機器の分野でも大きくリードしたことは有名である。Hi—Fiオーディオの分野でも、第二次大戦終了後間もなくffrr(フル・フレケンシー・レンジ・レコーディング)というキャッチフレーズのもとに、広帯域録音によるSPレコードを発表し、大きな話題を呼んだ。ちなみにこのffrrは、いまなお英デッカのレーベルに生き続けている。この高性能レコードの再生用として、これに対応した装置なども早くから手がけていたようで、Hi—Fiの第一目標であった再生音の広帯域化への努力が、LP出現以前から現実に進められていたのである。

デッカ社のこうした技術の集積が大きな力となって発揮されたのが、LPのデビューから十年後のステレオLP開発に際してである。同社が研究を進めていたVL方式と、アメリ

デッカ　ステレオ・デコラ。伝統的な英国家具調の仕上げが施されたインテグレーテッド型。EMI製2ウェイ7スピーカー、15W＋15W出力のアンプから再生される音はいかにも英国的な深みがある

カ・ウェストレックスが開発した45／45方式との間で、方式選択に当っての華々しい技術競争が展開した話はよく知られている。結果的にウェストレックスの勝利に終ったのだが、VL方式の研究で培った技術を活用して、ステレオ初期からffrr（ステレオになってからかなりの期間ffss――フル・フレケンシー・ステレオ・サウンドのキャッチフレーズが使われた）の名に恥じないハイ・クォリティなレコードをいち早く発表した。また同じ時期にVL方式のプレイバック用に開発を進めていたピックアップを、45／45用にモデファイしたffssMKIアームとヘッドも発売されたが、きわめてユニークなモノーラルVLと45／45方式のコンバーチブル型ピックアップとして人気を集め、現在も生産が続けられている。ステレオの再生装置でも最高級コンソール、デコラなどはステレオ時代までHi―Fi機器の分野で大きな係わりあいを持ち続けた。また技術開発の面でも有名なロンドンのデッカハウスは、レコードの録音・再生に関する広い分野で、数多くのオーディオメーカーとの間の技術交流を通じて大きな影響を与えた。数年前にデッカレコード部門がポリグラム・グループに買収された際、このデッカハウスは閉鎖の憂き目にあった。イギリスのオーディオエンジニアの間では、今でもこれを惜しむ声はひじょうに多い。

EMIはどうか？　デッカほどの目立つ動きはないものの、録音関係のエンジニアリングでは優れた自社開発を行なっている。その中でもよく知られるのは業務用のテープレコーダーで、アメリカのアンペックス社が業務用レコーダーの実用化に成功した頃とほぼ同時期に、EMIは自社製のテープレコーダーを完成していた。LPレコードの発売はデッカに比べるとかなり遅れ、一九五二年に最初の新譜を発表している。しかしこれはなかなか見事な出来栄えで、往年のHMV盤のイメージを残した感じのデザインなどさすがであった。また、EMIのオーディオ部門は早くから設けられ、一九六〇年代の終り頃まで続いたが、もっとも力を入れたのはスピーカーの分野で、最盛期には同社のユニットは自社製システムのみならず、多くのスピーカーメーカーに採用されていた。前述のデッカ・デコラに使われていたスピーカーユニットもEMI製であった。その他にも、トロイダルトランスを使用した高級なセパレートタイプのアンプを一時期発表したり、バリアブルレラクタンス型のインテグレーテッドタイプ・ステレオピックアップEPU100などもあった。このピックアップはクラーク&スミス社製で、EMIレコード特有のコンサートホールプレゼンスを魅力的に再現するサウンドとすばらしいデザインとが、印象的であった。

もう一つ、現在のステレオレコードの存在に重要な係わりあいをEMIは残している。天才的エンジニアのA・D・ブラムラインが一九三一年にステレオ・カッティング方式を発明したことだ。彼はEMIで45／45、VL両方式の試作と実験を進めていたのである。

ハーベス　Monitor HL。1979年に同社の第1作スピーカーとして発表された2ウェイ機。20cmポリプロピレンコーン・ウーファーとソフトドーム型トゥイーターで構成される。寸法：W325×H640×D300mm。重量：13.5kg

BBCと民間企業との協力関係による相互発展は、多岐にわたる分野で一般の製品の進歩に大きな貢献をした

イギリスのオーディオの発展に影響力をおよぼしたのは、これまでに述べたレコード産業だけではない。というよりも、それ以上に大きな力となった存在があった。BBC——ブリティッシュ・ブロードキャスティング・コーポレーションである。

公共企業体として営利を目的としないその立場から、一九二二年の設立以来、放送に関するあらゆる分野にわたる研究開発活動が積極的に行なわれ、その範囲は、ラジオ放送の送信技術関係のみにとどまらず、録音やスタジオ関連の設備や機器全般におよぶ。理論研究から実際の機器開発にわたって、充分な時間と努力とが惜しみなくつぎ込まれたのである。

機器の開発に際しては、当然民間の企業の協力が必要となった。これは、それらの会社にとっても新しい技術の習得につながり、自社製品の改良にも大きな成果をあげることになった。民間企業とBBCとのこのような協力関係による相互発展は、かなり広い範囲で行なわれたため、多岐にわたる分野で、一般の製品の進歩に大きな貢献をしたことが特徴である。わが国におけるNHKの技術研究所は、それとちょうど同じような立場にあるわけだが、BBCの場合ほど幅広く民間の会社と密接な関係が持たれるまでには至らなかったように思える。

オーディオに関連する事項のみにしぼってBBCの足跡をたどってみると、第二次大戦後、BBCリサーチ・デパートメントの最初の活動は、主として磁気テープ録音の研究と実用化に集中した。放送用として、またレコード製作用として非常に大きいメリットをもたらすテープレコーダーは、一九四〇年代後半から五〇年代初めにかけて、各国が開発にしのぎをけずるターゲットとなっていたのだ。イギリスでは、BBCをはじめEMI、MSSそしてライト&ウェア（フェログラフ）などの各社が製品化に成功し、アメリカやドイツと並んでイニシアティブをつかんだのである。

KEF／BBC LS5/1A。1959年に開発された最初のLSナンバーのBBCスタジオモニター。38cm口径紙コーン使用ウーファー、セレッションHF1300ドーム型トゥイーター×2による2ウェイ。専用パワーアンプ付

常にその時代におけるオリジナルサウンドに最も近い音の厳密な基準としてのＢＢＣモニタースピーカーの存在

テープ録音と共にＢＢＣが力を注いだのが、スタジオやその他の目的で使用するためのモニター用スピーカーシステムの研究と開発であった。一九四〇年代の終り頃から優秀な研究スタッフを集めて、ＢＢＣ独自のモニターシステムの設計が本格化しはじめ、以来現在まで継続して数多くの機種の開発が進められた過程で、多数のオーディオメーカーがこれに協力し、その成果を自社の製品に反映させた。ちょうどＨｉ―Ｆｉが大きく伸びようとしていたこの時期に、ＢＢＣがイギリスのスピーカーの進歩発展に寄与した功績は、実にはかりしれないものであった。ＢＢＣモニタースピーカーシステムは、常にその時代におけるオリジナルサウンドにもっとも近い音の厳密な基準として、スピーカーメーカーの設計者にインスピレーションを与え、リファレンスとしての立場を貫いたのである。しかも、その音に対する終始一貫したポリシーが、メーカーエンジニアの感覚を鍛え、レベルアップに役立った結果、いわゆる「ブリティッシュ・サウンド」という言葉に総括されるイギリスの音質水準の高さの実現に結びついたのではないだろうか。優れたリファレンスの存在が、全体のレベルを高くする役割を果した、といってよいだろう。

この栄光に満ちた功績の立役者は、リサーチ・デパートメントのＤ・Ｅ・Ｌ・ショーター、およびそれを引き継いだＨ・Ｄ・ハーウッドである。この二人を中心としたスタッフによって、いわゆるＬＳナンバーのつくモニターシステムが産みだされた。

ＬＳナンバーのモニターシステムの系譜については、岡俊雄氏の別稿があるので、ここでは詳しく触れないことにするが、大別して二つの系列がある。第一がＬＳ５／の系列で、いわゆるスタジオモニターである。放送や録音スタジオでのモニター用に使用されるタイプとして充分な音圧レベルと広い再生帯域が条件となるため、もっとも大型なシステムとなっている。一九五九年にそれまでのＬＳＵタイプに代って開発された最初のＬＳタイプ、ＬＳ５／１Ａ（ＫＥＦ製）や、ロジャース社が製造を担当する最新のＬＳ５／８などが、わが国でもよく知られている。第二のグループは、ＬＳ３／の系列で、放送局の外や中継車内のコントロールルームなどのモニター用、その他特殊な用途に使われるアウトサイド・ブロードキャスト・タイプだ。スペースのない場所での使用を考慮にいれた、かなり小型のシステムで、用途に応じていろいろなモデルがあるが、その中でわれわれになじみ深いのはＬＳ３／６である。多くのメーカーからこのバリエーションが発売されたが、われわれにもっとも親しみ深いのがスペンドールＢＣＩだろう。オリジナルのＬＳ３／６にもっ

スペンドール　BC I。BBCモニター開発に携わったスタッフの1人、スペンサー・A・ヒューズが創立した同社の、BBC標準モニタースピーカーの中型機。民生用BC IIとほぼ同じ大きさ、ユニット構成がとられているが、諸特性は若干異なる

とも近い形で製品化されたものだ。これと同じコンセプトながら、ユニットを一新したのが現用のLS3／7で、一般用の製品としてはハーベスのHLモニターが有名である。興味ぶかいのは、ここにあげたメーカーは、いずれもBBCでモニタースピーカーの開発にたずさわったスタッフが独立して設立した会社であることだ。スペンドールはスペンサー・A・ヒューズが創立者だし、ハーベスはあのH・D・ハーウッドご本人の会社である。同じようなケースとして、現在はロジャース社に吸収されてしまったチャートウェル社がある。この会社を創ったD・ステビング、I・ロードスほかは、いずれもBBCスタッフとして活躍した人達だった。メーカーそのものがモニタースピーカーを核として発展したというようなケースは、おそらく、イギリスをおいて例のないことであろう。

BBCのスピーカーの中でも異色なのは、LS3／5Aであろう。各種の音響実験のモデリング用として特別に開発されたこのミニアチュア・スピーカーシステムは、コンパクトながら性能が高く、ビデオ部門で実用のモニターとして使用されたほか、数社のメーカーでライセンス生産され、一般用としても世界的に人気を集める製品となったのである。

BBCは、スピーカーユニットの研究でも大きな功績を残している。LSモニターシステムは、これまでずっと2ウェイ方式で一貫しているが、高域ユニットに関しては、メーカー既製のユニットから仕様に合致するものを採用する形をとってきているのに対し、低域ユニットについては一九六〇年代の半ばから自主開発に着手し、高分子系の素材をコーンに採用することにより、低域の特性を著しく向上させた。現在各社で使用されているベクストレン・コーンがそれである。さらにこの素材を上まわる材料として、その次に開発されたのがポリプロピレン製コーンで、LS5／8やLS3／7などの現用機種に採用された他、世界各国で用いられる例が多くなりつつある。

とにかく、BBCモニタースピーカーの強味は、こうした着実なしかも粘り強い、まさにイギリス的なアプローチによって、長い年月をかけて進歩改良を繰り返し、民間メーカーに対する規範的立場をとり続けたところにあるといえよう。

またBBCは、本来の業務である放送の質の向上にも努力を惜しまなかった。まず技術面では、音質の優れたFM放送を早い時期から実用化し、さらに独自の技術によるPCMリンクの全国ネットワークを世界に先がけて完成し、イギリス全土で同じクォリティの放送受信を可能とした。

内容面においても、質の高い音楽番組の提供に多くの時間をあてたのみではなく、音楽に対する多くのパトロン的活動が、一般の人人の音楽的な教養の水準を高めるのに大きな功績があったことは、論をまたない。音質のよさで世界的に定評を得ているBBCの音楽プログラムは、イギリスのHi―Fi普及に大き

ワーフデールの創立者ギルバート・A・ブリッグスと、砂入りバッフル採用コーナー型3ウェイ

タンノイの創立者ガイ・R・ファウンテンと、独特の複合2ウェイユニット採用のオートグラフ

な力となったのである。

これまでに述べてきたように、イギリスにおけるHi—Fiの導入部は、レコード産業やBBCの活躍に負うと考えられる部分が大きかったのであるが、これらは、いわばHi—Fiの発展の舞台でバックグラウンドの役割を果したわけだ。条件の揃った舞台で活躍した本当の主役は、レコード音楽の可能性を信じてこの分野に進んだ、先駆的なオーディオメーカーであった。

イギリスのオーディオメーカーは、いわばオーディオファイルのはしりともいうべき人々によって創られたところが特色

イギリスのオーディオメーカーは、一般的にその規模において、アメリカの場合とは比較にならないほど小さかったのだが、ほとんどの会社が、エンジニアであると同時に音楽的センスも持ちあわせたような、いわばオーディオファイルのはしりともいうべき人々によって創られているというところに特色があった。それが、趣味性に富んだ優れたオーディオ製品を産み出す土壌となったのである。

この時代を担ったメーカーの多くは、第二次大戦の前から活動を始めたという古い歴史をもっている。まず、当時デュアルコンセントリック・タイプの高性能ユニットを既に市場に送りだしていた、タンノイ社があげられよう。ガイ・R・ファウンテンが一九二六年に創立、一九五三年には早くもかの有名なオートグラフを発表し、超高級スピーカーシステムの名をほしいままにした。

数多くの著作を通じて、当時のオーディオファイルに名を知られたギルバート・A・ブリッグスは、いうまでもなく、ワーフデール・ワイヤレス・ワークス社の創立者で、一九三二年という早い時期に同社を創っている。Hi—Fi初期の代表作スーパー12／CS／ALフルレンジユニットをはじめ、砂入りバッフルをフィーチュアしたコーナー3ウエイとか、オープンバッフルタイプのSFB／3などユニークなシステムを多く発表していた。これらのシステムを使用して、ロンドンのロイヤル・フェスティバル・ホールで開かれたHi—Fiデモンストレーションは、生演奏とのすり替え実験のはしりともいうべき催しとして、ブリッグスの名をいやが上にも高めたのであった。

QUADの名で知られるアコースティカル・マニュファクチュアリング社は、ピーター・J・ウォーカーによって、一九三六年に創設されている。第一作のQA12／Pから始まって、QUADI／QUAD1、QUADII／QUAD2と続く同社のアンプは、レコード鑑賞のための良質な製品という基本ポリシーで一貫しているのが見事というほかない。一九五七年に発売したフルレンジのエレクトロスタティック・スピーカーシステムESLは、ピーター・ウォーカー不朽の傑作として歴史に残るものだ。

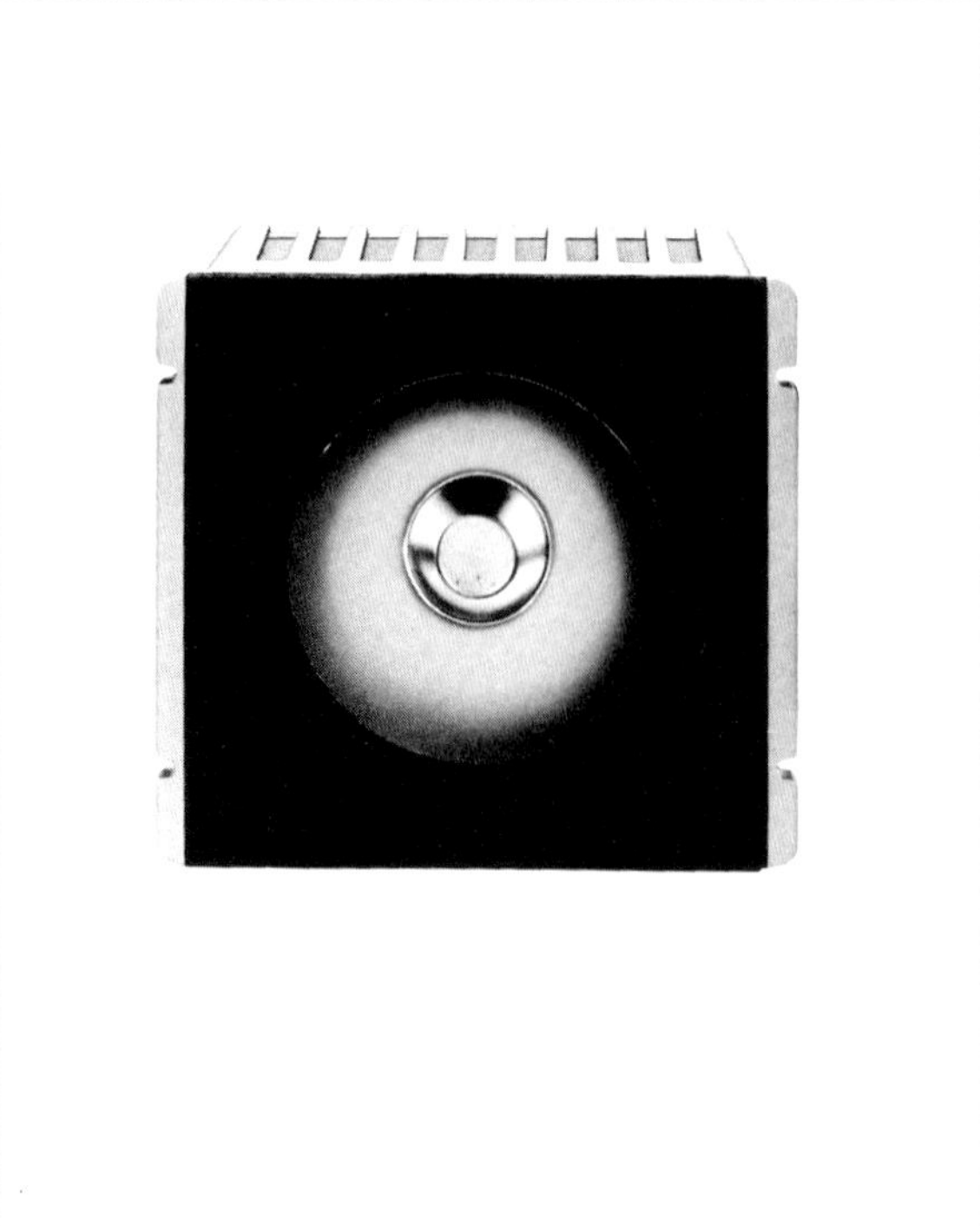

E・J・ジョーダンとL・ワッツによって開発されたジョーダンワッツ・モジュール・ユニット

QUADの創立者ピーター・J・ウォーカーと、1949年発売の第1作アンプQA12/P。出力12W

セレッション社も非常に長い歴史を誇っている。同社の前身であるハンプトン・ウィック・ラウドスピーカー・ワークス社が、C・フレンチによって創立されたのが一九二四年というから、もっとも古い会社かもしれない。LP登場直前の一九四八年に、以前から協力関係のあったブリティッシュ・ローラ社と合併し、ローラ・セレッション社が誕生。一九五六年に、BBCのLS5/1Aモニターに採用されて一躍有名になったHF1300トゥイーターを発表、間もなく同軸型フルレンジユニットCX2012を発表している。

H・J・リーク社も、当時のメーカーとして忘れてはならない存在である。著名なエンジニアであったH・J・リークが、会社を設立したのはいつごろか、はっきりしない。同社の名を一挙に高めたのはポイント・ワン・アンプリファイアーで、歪率が0・1%以下という、当時としては画期的なデータが大いに注目された。このアンプや前述のQUAD、さらにはラドフォード、パイ、サグデンなどのいわゆるHi―Fiアンプの登場が、それまでラジオや電蓄の付属物という感じにしかすぎなかったアンプを、完全に独立した形で認識させるきっかけとなったのである。リーク社は、その後スピーカー部門にも手を拡げ、サンドイッチコーン・スピーカーをフィーチュアした製品が、むしろ有名になっていった。

ターンテーブルのガラード社も古い会社だ。戦前から多極モーターによる速度連続可変型センタードライブ方式の優れた製品、201を発表しており、LP初期までこの改造型がそのまま使われていた。一世を風靡した301型は、その後のモデルである。

イギリスの数少ないカートリッジメーカーとして現在も活躍しているゴールドリング社は、一九三〇年代にシャープ兄弟がベルリンからロンドンに工場を移転した古い会社で、デッカ社とほぼ同じ頃にLP用マグネチックカートリッジを手掛けている。

コンシュマー用Hi―Fi機器とは別の分野で活躍したのが、一九三一年L・ヤングの創立したヴァイタヴォックス社である。トーキー用の、いわゆるシアターサプライを中心に、業務用を目的としたスピーカーユニットおよびシステム製作で、早くから知られていた。

ヴァイタヴォックスと同様に、シアターサプライのみに専念したのが、アメリカW・E社の子会社のロンドン・ウェストレックス社だ。本家のW・Eとは別のスピーカーユニットやシステムを、イギリスで製作していたが、いわゆるHi―Fi業界とはかなり縁の薄い存在であったようだ。

業務用のメーカーとしてA・R・サグデン社も有名である。レコードのカッティングマシーンやアンプをはじめ、コニサー・ブランドでコンシュマー用の高級ターンテーブルを手掛けている。

この他に、LP初期からHi―Fiの分野で活躍したメーカーとして忘れられない存在を何社か列挙すると、まずわが国でも有名なグッドマン社がある。AXIOM150に代表さ

KEF社の創立者レイモンド・E・クックと、最高級3ウェイスピーカーModel 105.2

B&W社の創立者の1人、ジョン・パワーズとその最高級3ウェイ・モニタースピーカー801F

れるフルレンジ・ダブルコーンユニットやE・J・ジョーダンが設計した24cmフリーサスペンション方式フルレンジユニットの傑作AXIOM80、さらにはミニサイズスピーカーシステムのはしりとなったマキシムなど、想い出に残る製品が多い。E・J・ジョーダンは、後に独立してL・ワッツと組み、ジョーダン・ワッツ・モジュール・ユニットを開発する。角フレームの10cmメタルコーン・フルレンジユニットは、AXIOM80のポリシーをさらにつきつめたものであった。16cmダブルコーンの強力ユニットを、バックロードホーン・エンクロージュアに組み込んだローサー社の製品や、布とペーパーを貼り合わせたコンポジットコーンを売り物としたホワイトリイ・エレクトリカル・ラジオ社のステントリアン・スピーカーユニットなども、きわめて特色ある製品として知られていた。

最近のイギリスのオーディオシーンはオーディオファイルに的を絞った高度な製品に、その主力を注ぎ始めた

一九六〇年代は、ステレオLPの本格化にともなって、オーディオメーカーも大きな変動期を迎える。特に影響の大きかったのはスピーカーメーカーで、ステレオペアという型式が必然的に要求されることになったため、従来の大型フロアータイプはスペース的に問題が生じた。いわゆるブックシェルフタイプのシステムが注目を集めはじめ、メーカー側も否応なしに新事態への対応をせまられることとなった。アンプの場合も同様で、ステレオ化と共にセパレート型からインテグレーテッド型に移行する傾向が強まり、さらにこれに拍車をかけるように、トランジスターアンプへの急速な転換がはじまった。オーディオ装置は、一部の人々の趣味的存在から一般大衆製品として裾野が拡がり、マーケットは大きくなる一方となる。LP初期の先駆的メーカーの一部は、こうしたマス・マーケットに参入して規模を拡大し、あるいはしようとして大資本のグループに入り、業界は大きく変貌していった。

すなわち、ワーフデールとH・J・リークがランク・オーガニゼーションに、グッドマンはソーン電機グループ、そしてガラードがプレッシィ・カンパニーと、それぞれ大企業の傘下におさまる。タンノイもまた、一時期アメリカ、ハーマン・グループの支配下に入るなど、いずれも創始者の手から離れることとなったのである。

しかしその一方で、オーディオへの意欲に燃えた新しいメーカーが、この時代に続々と誕生し成長して、現在のイギリス・オーディオ界で重要なポジションを占めるようになった。個別のメーカーについては別稿で詳しく触れているので、ここではその名前を列記するにとどめたい。まず、A・R・アイクマンの経営する精密モデルメーカーが、一九五九年に精巧なピックアップ・アームを発表して

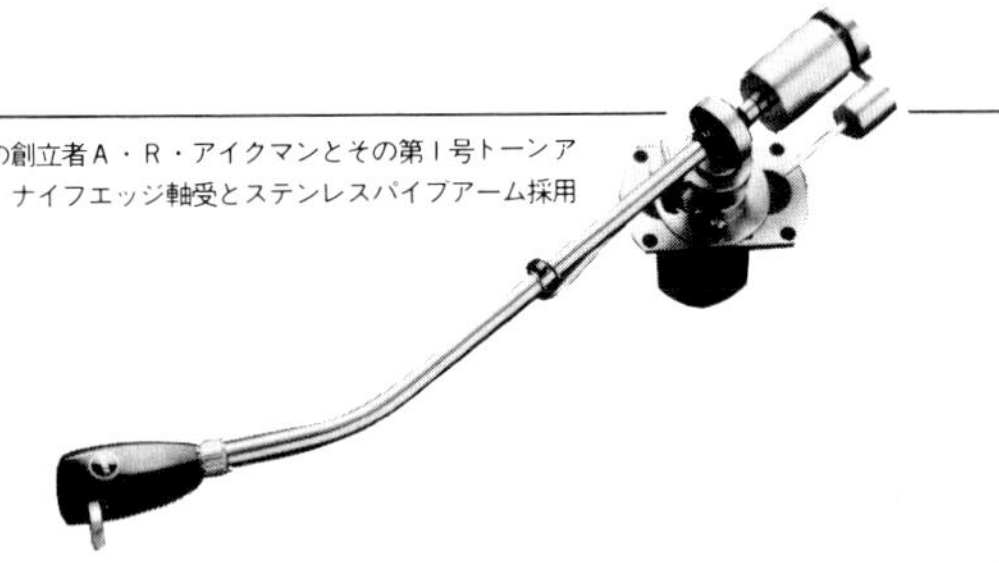

ＳＭＥ社の創立者Ａ・Ｒ・アイクマンとその第１号トーンアーム3012。ナイフエッジ軸受とステンレスパイプアーム採用

リン・プロダクツ社社長アイバー・ティフェンブルンと、33⅓回転オンリーという独特の仕様をもつベルトドライブ・ターンテーブルＬＰ12

話題をさらう。ＳＭＥの誕生だ。その数年後には、ワーフデール社のチーフエンジニアとしてすでに著名なＲ・Ｅ・クックが、自身の会社ＫＥＦエレクトロニクスを設立し、ＢＢＣのスピーカー研究部門との関係を密接にしてゆく。同様に、アンプメーカーとして知られたロジャースもスピーカーの分野に進出し、ＢＢＣのライセンス生産を開始する。一九六六年にはＪ・バワーズとＰ・ウィルキンスとがＢ&Ｗラウドスピーカーズを創立、活発な活動をはじめた。かなりおくれてＩ・ティフエンブルンが、リンのブランドでターンテーブルを発表、着々と名声を高めていった。

ここにあげた会社は、ＳＭＥやリンを除くと、いずれもスピーカーメーカーであり、イギリスのオーディオが、いかにスピーカー部門に傾斜していたかがわかる。アンプやカートリッジ、プレーヤーなどの部門は、アメリカや日本の大企業の攻勢が激しく、新規参入にメリットをみいだせなかったことは確かだが、スピーカーに関しては、蓄音器時代から永年にわたって培ってきた音に対するはっきりした指向、つまりブリティッシュ・サウンドのオリジンともいうべき音の好みが、他国の音、スピーカーを受け入れ難いものとしたのであろう。こうした傾向は、他の国にでも多かれ少なかれ根強くあったことは否定できない。オーディオ・コンポーネントの中でも、スピーカーがなかなか国際商品になりにくかったのは、そのためだ。ともかくイギリスは、自身の音——スピーカーに対して矜持を保った。前述したＢＢＣのモニタースピーカー開発に際しての真摯な研究が、これらの新興メーカーに大きな影響をおよぼしたことも幸いしたといえよう。

技術面でも、ＢＢＣの系統だった理論研究と開発努力に触発されるように、新進気鋭のエンジニア達の間で、スピーカーの新しい測定方法や解析法の研究が盛んになり、これにもとづく理論的な設計テクニックが脚光をあび、世界的な注目を集めた。その成果は、七〇年代の後半になって本格的に現われる。伝統あるメーカーも新しい手法の探求に加わるようになり、技術的な裏付けにしっかり固められた新しい世代のスピーカーが、次々と登場した。

マス・マーケットを狙った大量生産品と、熱心なオーディオファイルを対象とした専門的な製品と、オーディオ産業の二極分化はますます進みつつある。オイルショック以降の世界的な経済状態の不安定化は、オーディオメーカーにも大きな影響を与えたが、その苦しい経験を通じてイギリスのメーカーが選んだ道は、専門化であった。膨張しすぎた生産設備を整理し、技術開発部門を強化して、本当のオーディオファイルにターゲットを絞った高度な製品に、その主力を注ぎはじめたのである。老舗タンノイはイギリスの資本に戻り、かつての高級システムを凌ぐウェストミンスターやエジンバラの開発に努力を傾け、セレッションもまったく新しいテクノロジーによるＳＬ６を完成させた。ＫＥＦ１０５・２、Ｂ&Ｗ８０１Ｆ、ロジャースＬＳ５／８、さらにはＱＵＡＤのＥＳＬ６３など最近のイギリスのオーディオシーンは、一時の沈滞を打破するような活気をとり戻しつつある。それは、まるでHi—Fi黎明期の原点にかえったかのような、しかしもっと計画的で組織的な賢明さをもって新しい道を歩みはじめたといえよう。

長い伝統に育まれたブリティッシュ・サウンドは、新しいテクノロジーを背景として、今や、再び大きな飛躍を遂げようとしている。

JBL

D30085 Hartsfield

Loudspeaker System

TANNOY

デュアルコンセントリック・ユニットそのものが会社のイメージと直接結びついているという、稀有な例。

イギリスで最も権威ある歴史をもつタンノイ社は、長いキャリアの上に新しいテクノロジーを投入、新世代の高級オーディオメーカーとしての道を、確実に歩みはじめた。

タンノイの創立者、故ガイ・R・ファウンテン氏。右は氏が35才の頃、研究中のものである

スピーカーユニットと密接に結びついたタンノイ社のイメージ。

　タンノイは、おそらくイギリスの数多いオーディオ製品の中でも、わが国のオーディオおよびレコードファイルにもっともよく知られ、かつなじみの深いブランドの代表格といってよい存在だろう。

　タンノイがわが国のオーディオファイルの前にはじめて姿を現わしたのは、多分一九五〇年の半ば、つまり昭和三〇年頃のことだと思う。例のデュアルコンセントリック・スピーカーユニットの存在が、ごく限られた人々の間で話題にのぼるようになったのである。当時すでに、イギリスのスピーカーでは、グッドマンやワーフデールなどが先行して輸入されており、愛用者がふえてきつつあった時代であり、これらに対する評価の高さが、はるかに高価なタンノイのスピーカーに対して、まだ現物もみないうちからイメージをふくらませる結果となったのである。

　事実このユニット——たしかモニター15シルバーだった——にはじめて接した時の驚きは、今でも忘れられない。大型のマグネットアッセンブリー、頑丈そのもののフレーム、細部まで念入りに造られたコンストラクション、そして重厚な雰囲気感など、いずれをとっても従来のイギリス系ユニットの、ある種の軽快でスマートな外観とは一線を画したところを意識させる、音を聴く前から大きな魅力をはなった製品であったのである。

　爾来、今日に至る四半世紀以上もの長きにわたって、タンノイのイメージは、一貫してこのスピーカーユニットと密接に結びついた形で高められ、わが国で多くの愛用者を獲得してきたのである。このように、特定の製品が長い期間にわたって会社そのもののイメージに直接結びついた例は、まったく珍しいことというべきであろう。しかしきわめて興味深いことに、タンノイ社のもともとのオリジンは、スピーカーメーカーではなかったのである。

　この辺の事情は、本誌別冊、世界のオーディオ『タンノイ』号(一九七九年発行)に詳しく述べられているが、もう一度同社の歴史を簡単にふり返ってみよう。

タンノイ・ユニットの卓越した性能に、最初に目をつけたのはデッカだった。

タンノイの創立者であり、後年同社のスピーカーシステムにその名を遺すことになったガイ・R・ファウンテンは、一九〇〇年にヨークシャーで生まれ、二十二歳にして友人と共に、ロンドンでランカスター自動車会社というコーチワーカーを設立している。

ちょうどその頃から真空管の実用化を軸として、新しい電気通信、ラジオ、オーディオなどいわゆるエレクトロニクスという技術分野が誕生し、めざましい勢いで発展をはじめた。ファウンテンはこの新分野の将来性に着目し、電源を蓄電池に頼っていた当時の機器類を、一般の電灯用交流電源で使用可能にするための整流器の研究に熱中する。その結果、タンタル合金を主体とした電解整流器の開発に成功し、この商品化のために一九二六年ロンドンのウェスト・ノーウッドでガイ・R・ファウンテン社を設立、製品の商標をタンノイとした。ちなみにこの商標は、整流器に使用したタンタル合金 Tantalum Alloy からとられたものである。

同社はこの整流器の製造からはじまって、まもなくアンプやダイナミック型スピーカーの分野にも進出し、順調に発展してゆく。ファウンテンは新しい技術開

1926年ロンドン、ウェスト・ノーウッドにあるこの建物の2階の一室でガイ・R・ファウンテン社（後のタンノイ社）が呱々の声をあげる。タンタル合金を主成分とした電解整流器がその最初の製品だ。同社の商標の所以となる

1930年業務拡張のため工場を移転する。ガレージ2階の貸部屋は前と変らないが、一挙に3倍増の伸長ぶりである。電解整流器で家庭用ラジオから鉛バッテリーを追放できることが、いかに当時待望されていたかが、よく判る

1942年大戦中には、真空管を用いない戦車の緊急用通報器も開発した

1947年、家庭用最高級電蓄として発表されたモデル。オートチェンジャー付、開発されたばかりのデュアルコンセントリック・ユニットが搭載されている。フロントロードの小ホーンやコーナー型エンクロージュアなど、後に開発されるオートグラフを彷彿とさせる

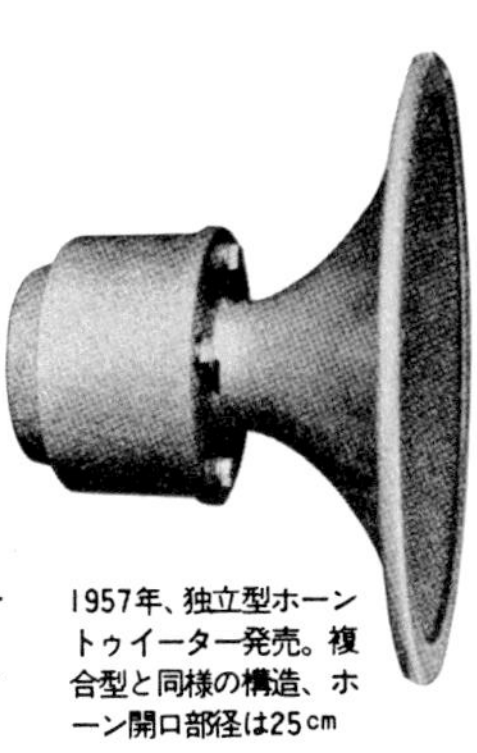

1957年、独立型ホーントゥイーター発売。複合型と同様の構造、ホーン開口部径は25cm

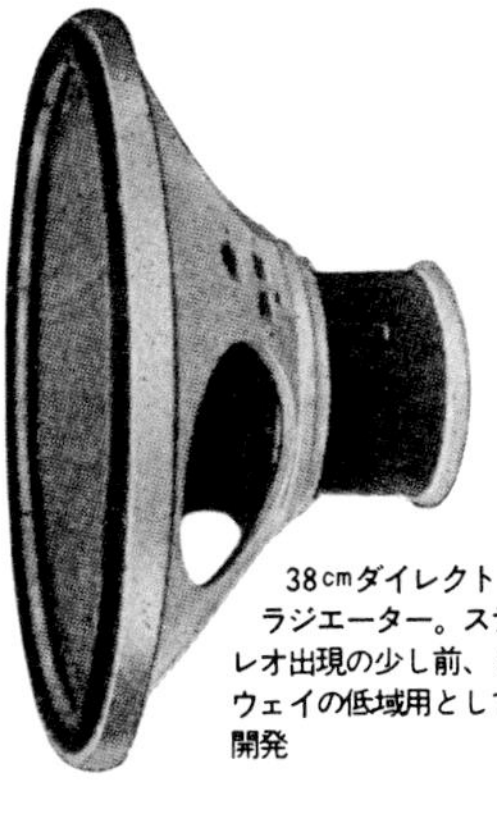

38cmダイレクト・ラジエーター。ステレオ出現の少し前、3ウェイの低域用として開発

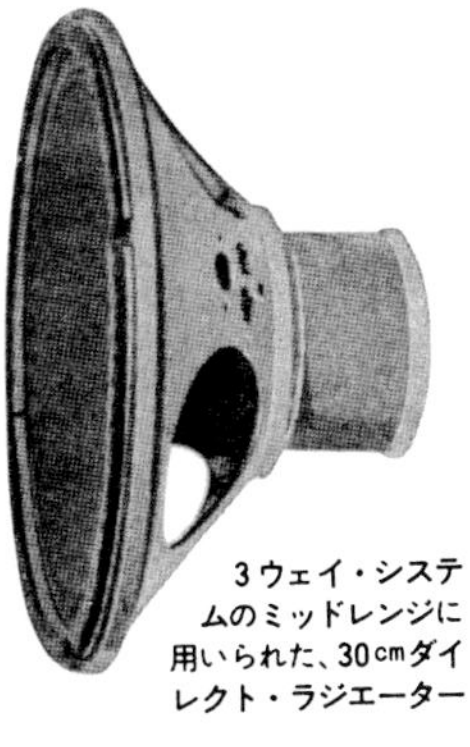

3ウェイ・システムのミッドレンジに用いられた、30cmダイレクト・ラジエーター

発にきわめて積極的で、これらの製品の製造に不可欠な測定器も自社で開発し、この分野でも大きな実績を残すようになる。また、高出力の音響機器つまりＰＡの分野も、同社の重要な部門に発展した。優秀なエンジニア達が技術開発に力を注いでいるこの会社に集まり、第二次大戦直前にはイギリス有数のオーディオメーカーとして基盤を確立するに至る。大戦中は、他の会社と同じようにその技術を活かした軍需会社として活動を続けたが、戦後まもなくタンノイ社本来の活動――オーディオおよび通信機器の生産が再開され、一方では新しい技術に向っての研究も意欲的に進められるようになった。

この頃新しく手がけた分野に、会議場のコミュニケーション設備や通訳装置がある。電気式霧笛信号機や、石油プラントのヘビーデューティな通報システムなどは、現在の同社の特機部門として重要な根幹を占めるようになっている。

もちろん、音響機器関係もひじょうに積極的な活動が行なわれていたことはいうまでもない。特に、高性能スピーカーの開発には意欲を燃やし、その成果が画期的なデュアルコンセントリック・ユニットの開発となったのである。ガイ・Ｒ・ファウンテン社のその後の歴史を決定づけることとなったこのスピーカーユニットは、一九四七年に誕生した。

同軸型スピーカーユニットといえば、タンノイの登場する四年前の一九四三年に、すでにアメリカのアルテック社が同軸型デュプレックスを造りあげていた。しかし、タンノイはまったく独自の発想にもとづいてこのユニットを完成させたらしい。ともかく、当時のスピーカーでは画期的といえる高出力、ワイドレンジ再生を一挙に達成して、大きな反響を呼んだことは想像にかたくないが、まず最初にこのユニットに目をつけたのがデッカ社であった。

その頃デッカ社は、ｆｆｒｒというキャッチフレーズをつけた高性能レコード（もちろんＳＰ）録音方式を開発し、このプレイバック用のシステムに使うスピーカーを物色していた最中であった。そこで、さっそくこのタンノイユニットを採用し、最高級電蓄デコラに組み込んで発売。その後、同社の録音スタジオ用のモニターシステムにも採用した。家庭用・業務用両面でこのユニットの可能性が、早くも約束されたのである。

正式の型式名をＬＳＵ／ＨＦ／１５Ｌと呼ぶデュアルコンセントリック・スピ

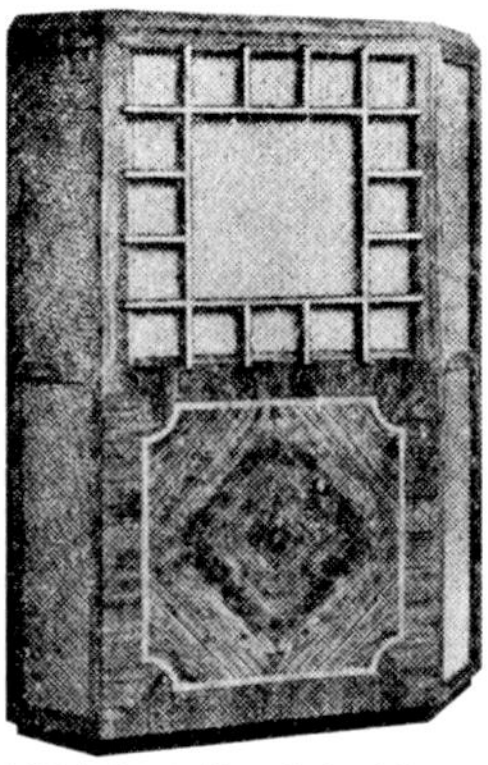

1953年オートグラフ発表。内蔵ユニットはモニターシルバー、後のモデルと構造は同一だが仕上げは異なる

ランズダウン 1953~4年、ヨークなどと共に発売された同社独特のデュアルスローテッド・ポート（バックロード・ホーン）を持つモデル。同軸ユニット内蔵

1947 TANNOY 1号機

デュアルコンセントリック・ユニット最初のモデルで、設計はロナルド・H・ラッカム。当時の製品としては驚異的なワイドレンジ特性を持つため、f.f.r.r.の開発をしていたデッカが早速モニターに採用した。チコナル系マグネットは2段スタックされ、高域フェーズプラグはすでに今日と同じマルチスロート型である。背面の箱はネットワーク

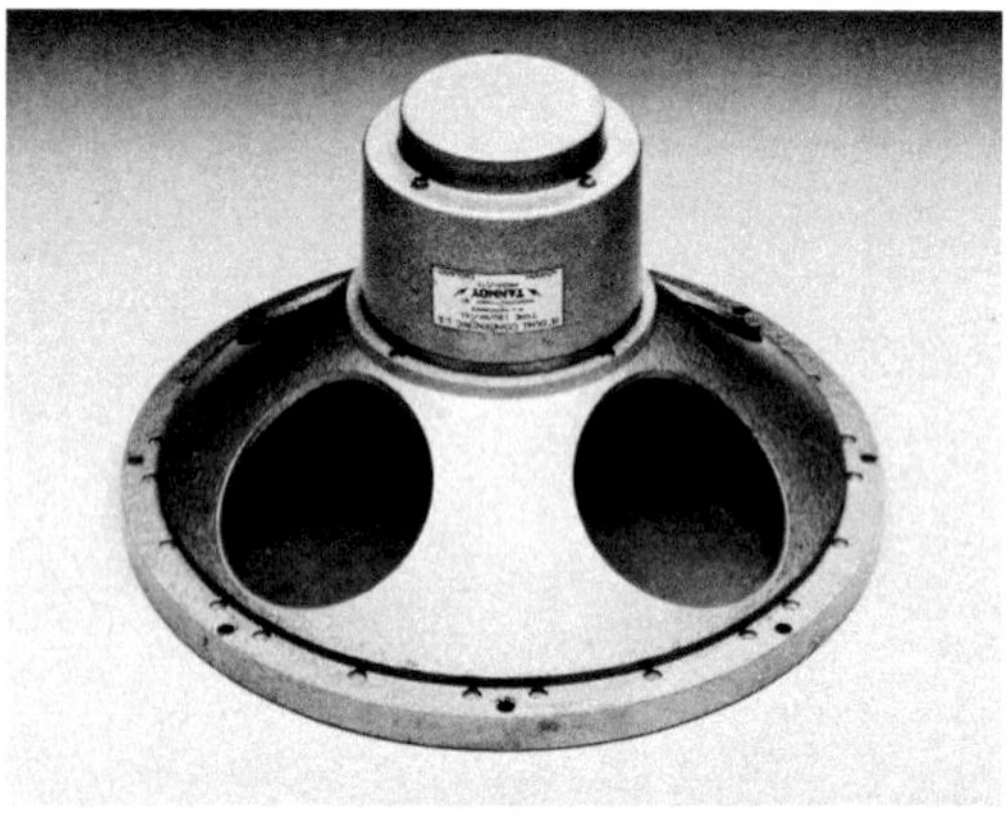

1953 Monitor Silver

基本構成は1号機とほとんど変りないが、フレームが近代的にリファインされ、むき出しだったマグネットにカバーが付けられた。また塗装の色も実用一点張りの黒から、美しい焼き付けのシルバー・ハンマートーンに変更された。ネットワークは別付けになり、小型化軽量化が図られている。これらの変更に伴い、許容入力も5W上っている

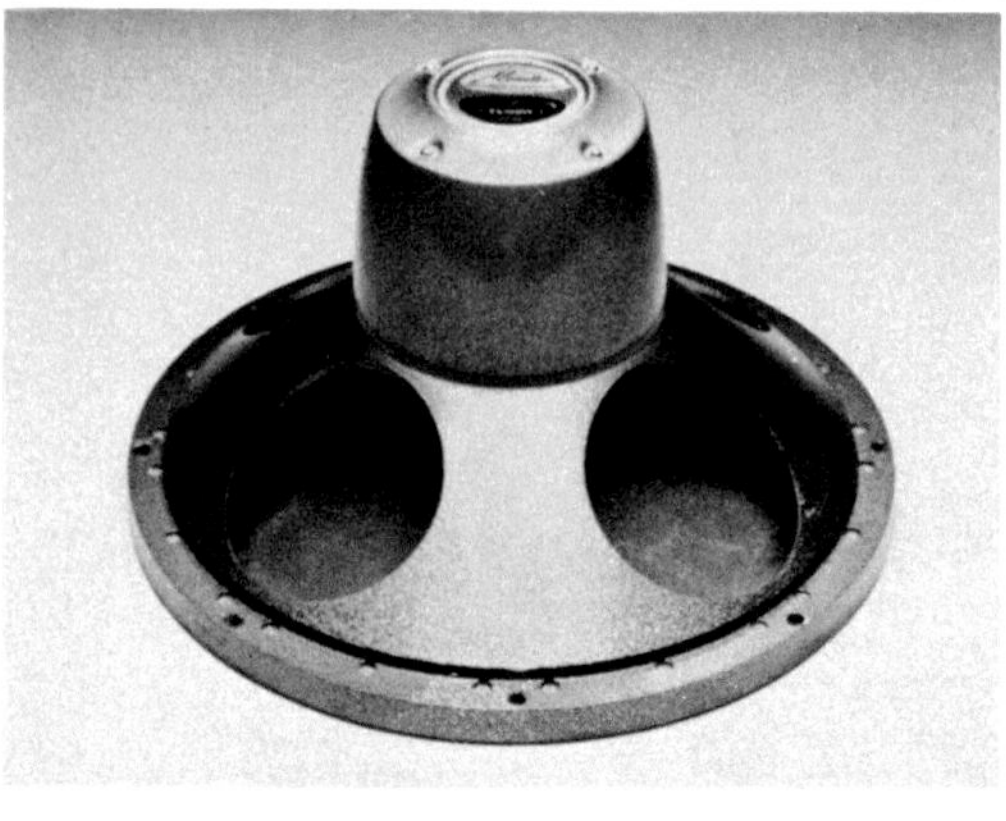

1957 Monitor Red

型名に「モニター」の名が付されるようになった最初のシリーズ。マグネットカバーがレッド系ハンマートーンであることからこの愛称がついた。ウーファー部の磁束密度が12000から13500ガウスに増加したこと、ボイスコイルの熱対策で耐入力が大幅に向上したことなど、総じてパワーリニアリティの上昇に意が払われた。同社の名声を決定づけた

ーカーユニットのきわだった特徴は、まず同軸2ウェイシステムのHFセクションが、38cm口径ウーファーの磁気回路を貫通して構成されたプレッシャータイプであることだ。磁気回路のセンターポールの内側がホーンのスロート部となり、開口部がそのままウーファーコーンのカーブにつながって、ホーンフレアー部の役割を果している。この構造は、ちょうど同じ頃にアメリカのジェンセン社が開発したG610トライアキシャル・ユニットとよく似ているが、タンノイのユニークな点は、HFユニットの磁気回路をウーファーのそれと共用しているところにある。外磁型のマグネットアッセンブリーの前後にマグネチックギャップを設けたきわめて巧妙なアイデアにより、とかくゴツい外観になりがちの本格的な同軸型をまったくスマートにまとめたあたり、まさにジョンブルならではの徹底した合理主義を感じさせるのである。ダイアフラムは5cm口径のアルミ合金系で、ロールタイプのエッジ部とアルミボイスコイルにより高域特性を飛躍的に伸ばしている。なお、つい最近までボイスコイル用アルミ線には、昔なつかしい絹巻線が使われていたのも興味深い。フェージング・プラグも独特なマルチホールタイプで、アメリカ系の同心円状マルチスリットタイプと好対照をなしている。以上述べたこのユニットの構造は、一九四七年のオリジナルモデルから36年が経過した現在の最新モデルまで、基本的にほとんど変更されていない。当初の設計が、いかに並はずれたものであったかがよくわかる。

もちろん、オリジナルモデルは最新モデルと比べて、外観上かなり異なっていたことは確かだ。みるからに頑丈そうなキャストフレーム、むきだしのマグネット・アッセンブリー（しかも最初はリングマグネットを二個スタックして使用していた）、フレームにとりつけられた大きなネットワーク、黒のストーブエナメル仕上げなど、昔風の雰囲気を濃厚に感じさせるものであった。

なおこのユニットは、単体で売られた他、コーナー型のバスレフタイプ・エンクロージュアに納めたシステムも用意されたようだが、詳しいことは残念ながら、あまりつまびらかではない。

1967
Monitor Gold

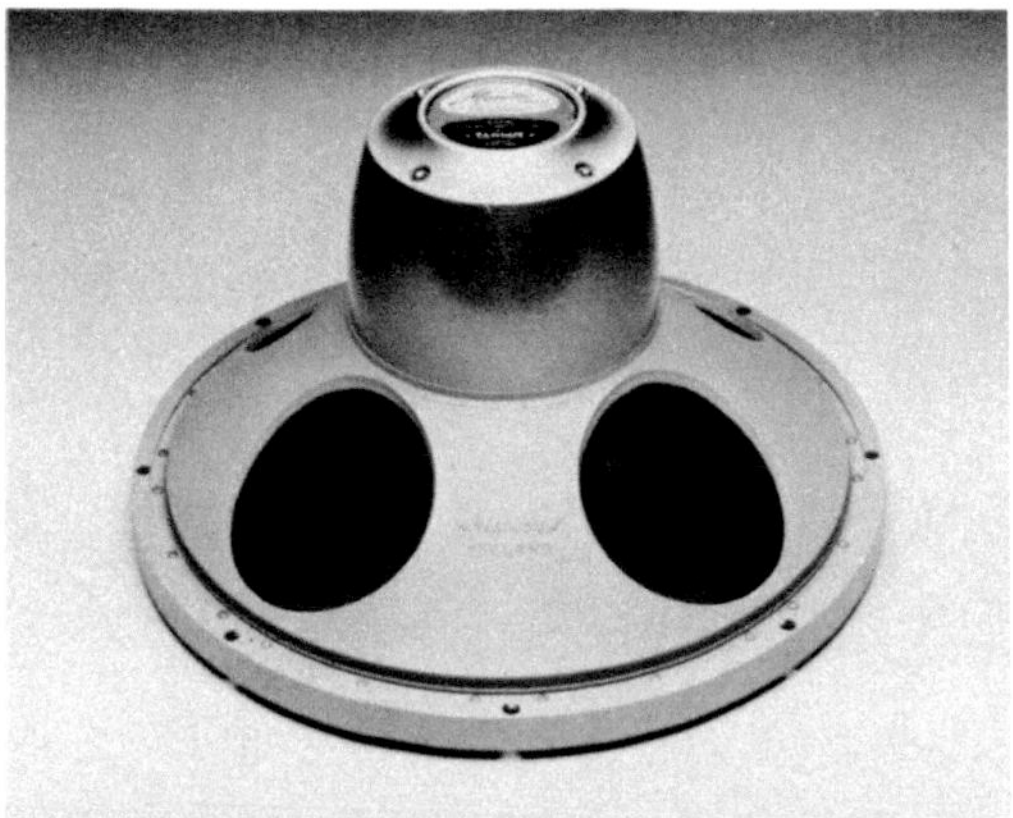

塗装がストーブエナメルのゴールドに改められたこのモデルから、外観の色をシリーズ名とする名付け方が正式採用された。アンプのトランジスター化に備えインピーダンスは8Ωに下げられた。ネットワークには高域の減衰量を調整するロールオフ(4ステップ)と中高域のレベルを調整するエナジー(5ステップ)の各コントロールが付属した

1974
HPD

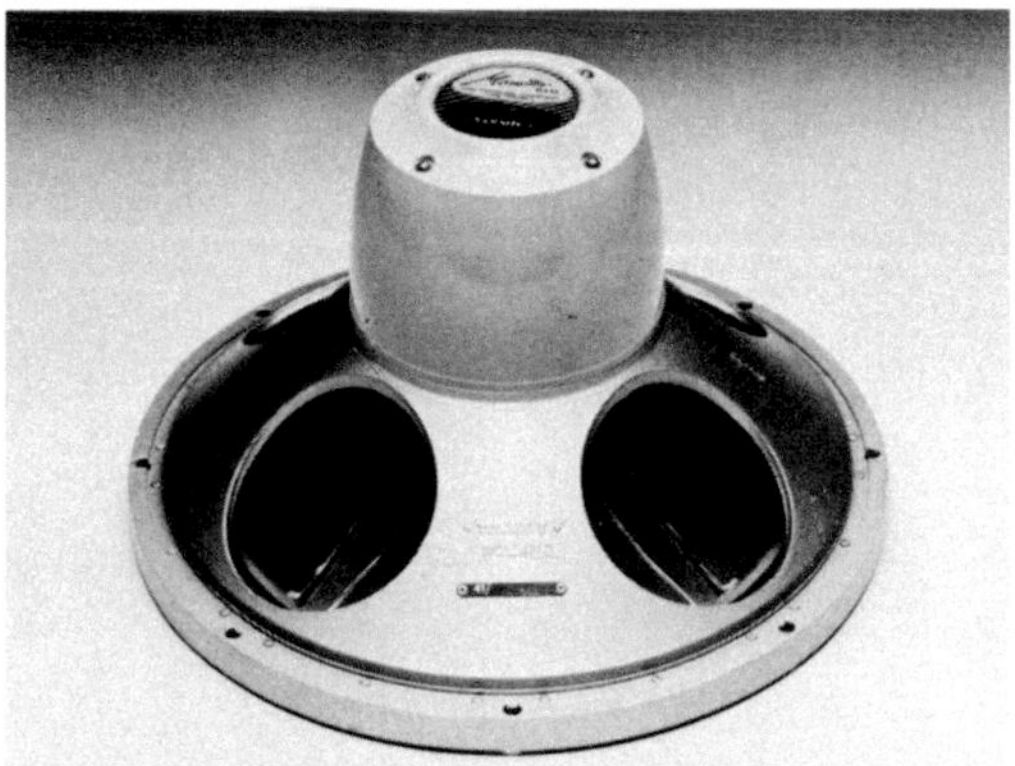

より一層の広帯域、低歪率、ハイパワー駆動を図って、磁気回路も含め振動系までリファインされたモデル。foが前モデルより6Hz下げられ20Hzに、耐入力も50Wから85Wと向上している。コーン紙の裏面には8本の補強リブが設けられ、ブレークアップ歪を減少させている。HPDとは、ハイ・パフォーマンス・デュアルコンセントリックの略だ

1979
DC386

HPDユニットを基本として、徹底したワイドレンジ化を狙ったモデル。低域特性を向上させるため、foを下げ、マグネットも一層強力なフェライト・マグネットに変更された。ウーファーのコーン紙には、強力なガード・アコースティック・リインフォースド・コーンを採用し、更に裏面にハイパワー駆動を可能にする8本の補強リブを付す

1979
K3808

モニターレッド、モニターゴールドの伝統をそのまま受け継いで、音楽を再生する場合に最も重要な、中域と低域の厚みや量感を重視して設計されたモデル。能率を高くし、あえて超広帯域化を回避したコンセプトを採る。長時間の酷使にも耐える特殊処理されたウーファーのエッジ、コーン紙の剛性も高いためホーンロード用にも適する

一九五〇年代に入って、タンノイは円熟期をむかえる。矢継ぎ早に新製品登場。

一九五〇年代に入ってオーディオの分野は、LPレコードの登場という画期的なできごとを契機として、いわゆるHi—Fiが一般の人々の興味をひきつける時代に入っていった。デュアルコンセントリック・スピーカーは、さらに多くの人の注目を集めはじめる。

ユニットの商品価値を高めるため、一九五三年に最初のモデルチェンジが行なわれた。フレームをよりスマートな形に一新し、磁気回路にカバーをつけ、シルバーハンマートーン塗装を施す。さらにネットワークを独立させるなど、すっかりみちがえるような形で、いわゆるモニターシルバーが登場する。防塵のため黒の布カバーが前面にかぶせられ、鉛で封印されるというのがこのモデルの泣かせどころであった。また、ほぼ同時期に姉妹機種としてモニター12が新しく発表された。口径30cmとなった以外はほとんど同一の設計で、ファミリー化を図ったものである。

一九五三年は、さらに別の意味でタンノイにとって忘れ得ぬ年となった。不朽の傑作オートグラフを、ニューヨークのオーディオフェアで発表したのである。モニター15シルバーを複雑なバックロード・コーナーホーンに納め、前面にショートホーンを設けた、きわめてぜいたくなシステムである。デュアルコンセントリック・ユニットは、このオートグラフでその至高の音を奏でるにいたったのだ。

その翌年、同じユニットをコーナー型バスレフ・エンクロージュアに納めたヨークが、一九五五年には、バックロード・コーナーホーン・タイプのGRFが発表され、タンノイの代表的なシステムがこの時点でほぼ出そろった感じとなった。

スピーカー以外の分野でも、同社はこの時期に優れた製品を発表している。高級なセパレートアンプは当時もっとも高価なモデルの一つであったし、バリラクタンスの商品名で発売されたバリレラ型のターンオーバータイプ・カートリッジ（LP／SP両用）は、その性能を買われて六〇年代の後半までBBCに採用され、ステレオ初期に発表したバリツイン・カートリッジよりも長い製品寿命を保った。

さて、一九五七年にはユニットの改良が再び行なわれる。磁気回路カバーがダークローズ系、フレームがダークシルバーのハンマートーンでそれぞれ仕上げられた美しいモニターレッドとなる。磁気回路の強化にともない耐入力が向上し、完成度を一段と高めた。

このモデルチェンジとほぼ同時期に、タンノイは興味ぶかいユニットを発表している。デュアルコンセントリックの2

タンノイの主力拠点であるスコットランド・グラスゴー郊外のコートブリッジ工場に、同社の新しい歩みをみる

▶タンノイ・コートブリッジ工場。広いスペースと近代設備が整う、ほとんどイギリス唯一のスピーカー量産ファクトリーだ

厳重に行なわれているネットワーク用コイルの検査工程

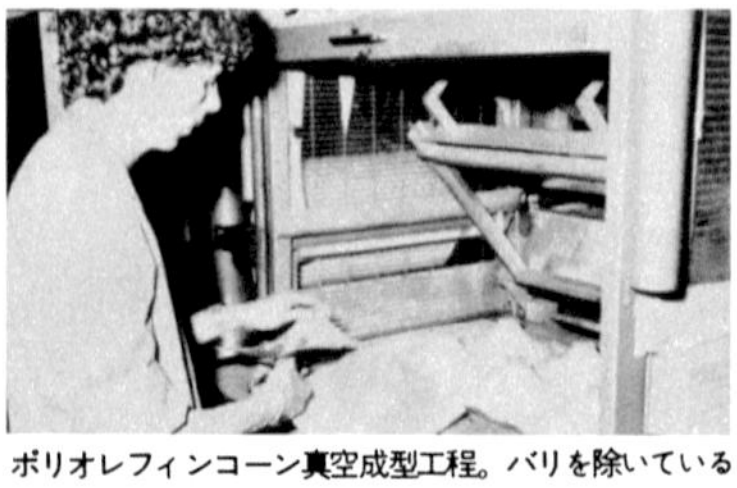

ポリオレフィンコーン真空成型工程。バリを除いている

トゥイーター・ダイアフラムのボイスコイル取付工程

▲コートブリッジ工場内の試聴室で、同社長クロッカー氏（左から4人目）、営業部長リビングストン氏（左から3人目）を囲む、新生タンノイのスタッフ

▶試聴室内で用いられていたタンノイ久々の本格派、ウェストミンスターの試作機。サイドグリルの枠を含め、現行製品とは仕様が一部異なっている

ウェイをそれぞれ独立させたホーントゥイーターとウーファーで、いずれもまったく同じ構造がとられていた。なんといっても変り種はトゥイーターである。ちょうどウーファーのコーンと同じ形状をしたキャスト製のホーンがカップルされ、開口部は約25cmという独特の外観がユニークであった。この二つのユニットに30cmのフルレンジ・ダイレクト・ラジエーターをミッドレンジとして加え、3ウェイシステムを構成させるアイデアなどが同社からサジェストされ、英本国ではかなり人気を集めたようである。

しかし、そのすぐ後のステレオLPの登場が、このシリーズを短命に終らせてしまう結果となった。デュアルコンセン

▲オートグラフの構造。20Hzから250Hzまで背面のフォールデッドホーン、250Hzから1kHzまで前面のショートホーン、1kHz以上をホーントゥイーターが各々受け持つオールホーン型

オートグラフ　タンノイの創立者ガイ・R・ファウンテンが自らの名を冠した不朽の名作。長大なバックロードホーンがもたらすスケールの大きい低域、独特の気品あふれる中高域が、比類ない臨場感をかもし出す。再生芸術の極致とまで言われ、いまだに根強い人気を保っている

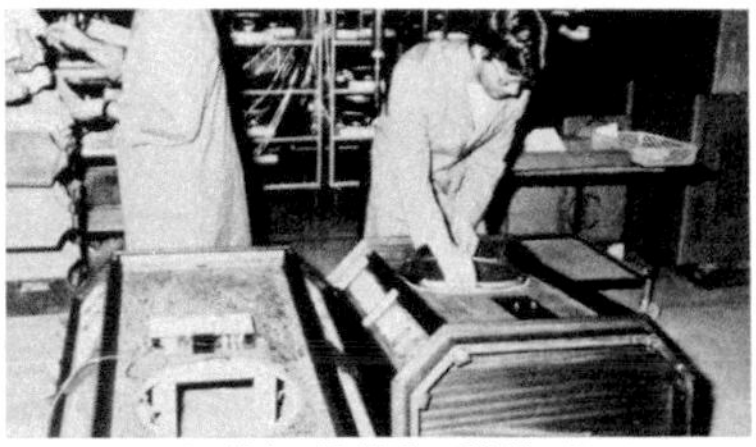

G.R.F.メモリー組立工程。慎重な手作業で行なわれる

信号をスイープし、異常音の発生がないか耳でチェック

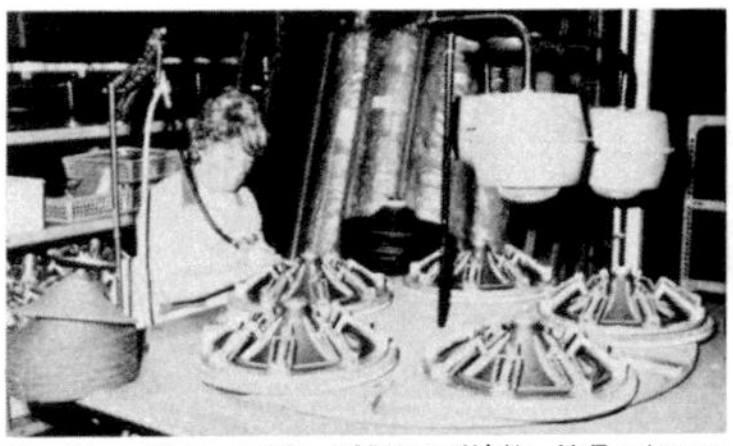

ウーファー用コーン紙への補強リブ接着。治具で押える

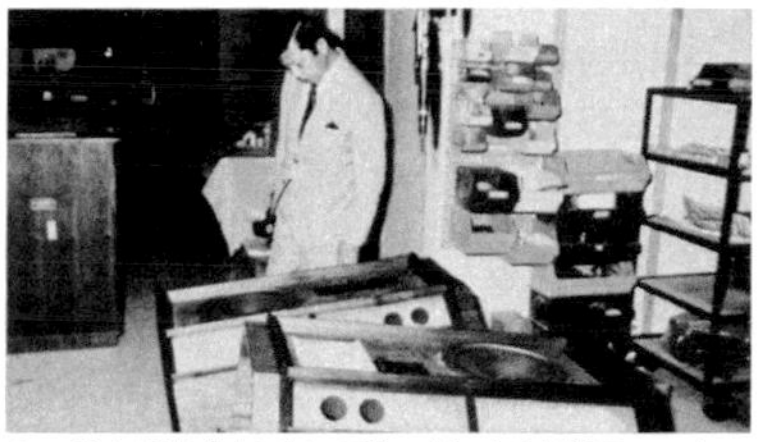

システムが完成するとヒアリングによる最終チェックへ

次いで電気特性の測定。標準カーブとの偏差が問題だ

ウーファーコーン紙に、ダンパーとボイスコイルを接着

アランデルの最終チェック。わずかな傷も見逃さない

ユニット組立完了。エンクロージュア組込を待つばかり

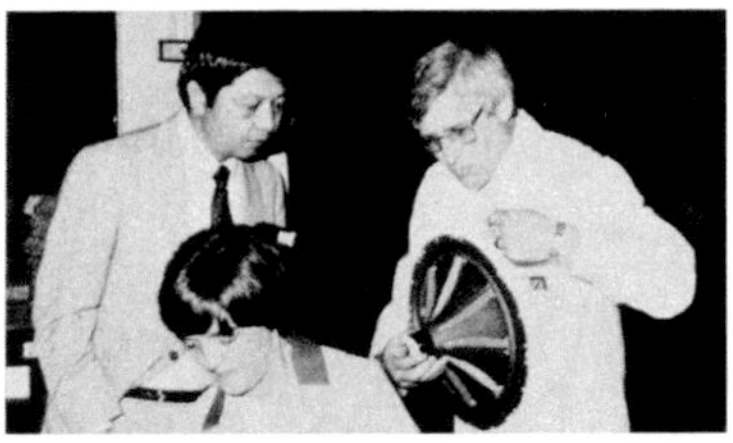

ウーファーコーンの高剛性化の利点について説明を聞く

トリック・タイプに比べるとどうしてもシステムが大型になる点が、ステレオ時代にマッチしなかったためである。

反面、本来の同軸型のほうは、ステレオ用として音像定位がよいという新しいメリットが加わり、モノーラル時代にもましてクローズアップされることになった。このため、ステレオ時代に対応するシステムが続々と登場する。

一九六一年には、システムのコンパクト化を狙って25cm口径のデュアルコンセントリックⅢLZ(LSU/HF/ⅢLZ)が新しくラインに加わり、これで3サイズのデュアルコンセントリック・シリーズが整うことになった。また同時に、これをシステム化したⅢLZインキャビネットも発売される。タンノイ初の密閉型ブックシェルフシステムである。

レクタンギュラー・ヨーク 38cmデュアルコンセントリック・ユニット内蔵の中型バスレフ・システム。タンノイの中では、比較的プログラムソースを選ばないので、ジャズファンにも愛用された。歯切れのよい低域と高貴な中高域がうまく溶けあった独特の魅力がある

さらに、ヨークをひとまわり小型にしたランカスター(30cmユニット搭載)が加わったが、コーナー型とフリースタンディング型が同時に用意されたのは、ステレオ対応のためであろう。ヨークやGRFなど主力高級システムにも、それぞれフリースタンディング型が追加され、レクタンギュラー〜と呼ばれるようになる。

アンプのトランジスター化が急速に進み、ソリッドステートアンプが主流となったのもこの頃のことである。タンノイもこれに対応して、ユニットのモデルチエンジを行なった。一九六七年に発表されたモニターゴールドである。ユニット全体がゴールド塗装となったところからこの名称がつけられているが、ソリッドステート時代に対応してボイスコイル・インピーダンスを従来の15Ωから8Ωに変更し、エンクロージュアの小型化が可能なようにウーファーのfoを大幅に下げた他、ネットワークにロールオフおよびエナジー・コントロールのつまみが設けられた。

ⅢLZ・インキャビネット 名器の誉れ高い25cm同軸型ユニットのⅢLZを、珍しく密閉型のエンクロージュアに納めたシステム。密度の高い樺材を用い、エンクロージュア自体にある程度のコンプライアンスを持たせ、不足気味の低音を補うという、いかにも英国人らしい英知を感じさせるシステムである。まとまりのよい弦の再生は絶品である

ガイ・R・ファウンテンの引退、工場の火災、名門タンノイに試練の時来る。

一九七四年、創立者として48年間にわたりタンノイ社の発展につくしたガイ・R・ファウンテンは、高齢のため引退を決意し、彼の持株をアメリカのハーマン・インターナショナルに譲渡した。当時JBL、ハーマン・カードン、オルトフォン、ダイナコなど、そうそうたる音響メーカーを傘下におさめていたハーマングループは、こうしてイギリスの名門タンノイを一員に加えることになった。

このような経営上の大きな変革に加え、生産サイドにも大きな試練があった。コーンアッセンブリー工場の火災によって、デュアルコンセントリック・ユニット用コーンの供給が不可能となり、伝統あるユニットの存続が悲観的になったのだ。

しかし、技術陣の努力によって新しいコーンの開発が成果をおさめ、再びデュアルコンセントリックは甦ったのである。

新しいコーンアッセンブリーは、コーンの裏側にガードアコースティックと称する補強リブが八本接着され、剛性を大幅に高めると共に、エッジをロールエッジに変更してコーンのfoをさらに下げ、大振幅に耐える構造をとった。このため、最大許容入力が飛躍的に増え、新しいソースのダイナミックレンジ拡大に対応したものとなった。ユニットの新生をきっ

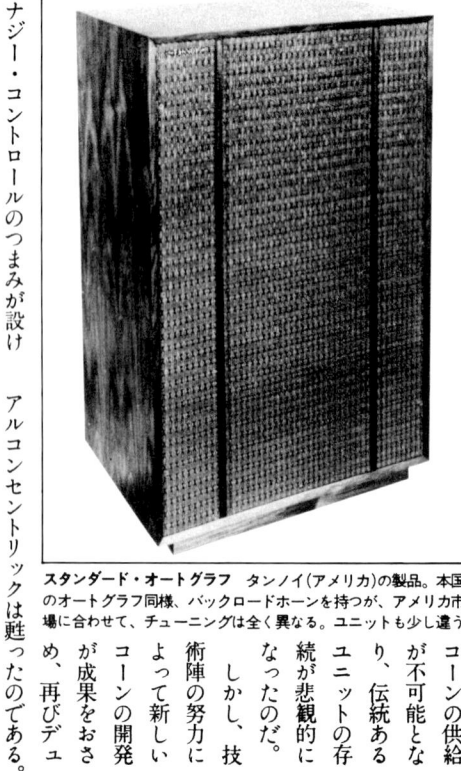

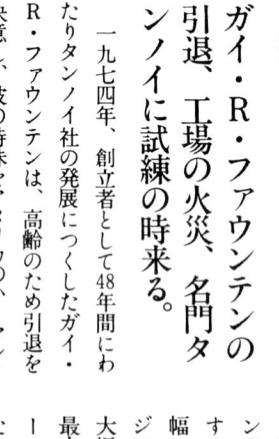

スタンダード・オートグラフ タンノイ(アメリカ)の製品。本国のオートグラフ同様、バックロードホーンを持つが、アメリカ市場に合わせて、チューニングは全く異なる。ユニットも少し違う

かけに、型式名も、これまでオリジナルモデルから一貫して使用していたＬＳＵを改め、ＨＰＤとしている。ハイ・パフォーマンス・デュアルコンセントリックの頭文字である。

新しいタンノイ社のスタートによって、製品系列にも大きな動きがあった。ハーマンの資本参加にともなって、一九五四年以来アメリカ市場向けに独自の製品を開発していたタンノイ（アメリカ）社が解散し、タンノイ本社自らアメリカ市場も意識した製品ラインを整えることになったのである。象徴的な存在であったオートグラフ、ＧＲＦ、ヨークなどは次々と姿を消し、アーデン、バークレイなど一連のアルファベット・シリーズに代る。

続いて新しいタンノイのコンセプトを盛り込んだ高級システム、バッキンガム、ウィンザーが一九七七年に発表される。新設計の小口径デュアルコンセントリック・ユニットにウーファーを組み合わせた３ウェイシステムという意欲作であったが、市場の評価はいまひとつ芳しくなかった。

ちょうどその年の暮、長い療養生活を続けていたガイ・Ｒ・ファウンテンが、その偉大な業績を遺して生涯を終える。享年七七歳であった。

一九七九年ＨＰＤユニットのマグネットシステムが、これまでのアルコマックスからフェライトに変更され、Ｋシリーズの型番号となった。同時に、システムとしてスーパーレッドモニターが発表された他、このＫシリーズ・ユニットを使った数種のシステムが製品化されている。この時期のタンノイ社はモデルチェンジをひんぱんに行ない、製品の狙いが流動的であった。経営ポリシーの変化が製品にも否応なしに及び、いわば苦難の時代を体験したのである。

バッキンガム・モニター
中高域用は同社独自の同軸型を採用、低域にハイパワー駆動ウーファーを２基追加したプロユース機。エンクロージュアは内部で完全に分離され、特に前面バッフルには25mm厚の樺材を選択使用するなど、タンノイらしい良心的な製品だ

クラシック・モニター
◀特にクラシック用と銘うって登場させた特異なシステム。内蔵ユニットは同社が長年手塩にかけて育ててきたデュアルコンセントリック型のK3838。スーパー・レッド・モニターと同じ高圧縮合板のエンクロージュアを採用、容積230ℓ、重量65kgとヘビー級だ

SRM12X
▶スーパー・レッド・モニターの小型版。耐入力特性に優れ、湿度の変化にも強い、いかにもプロ機らしい信頼性の高さが魅力。更に長時間使用にも適するようエッジの耐久性にも気を配っているのが美点

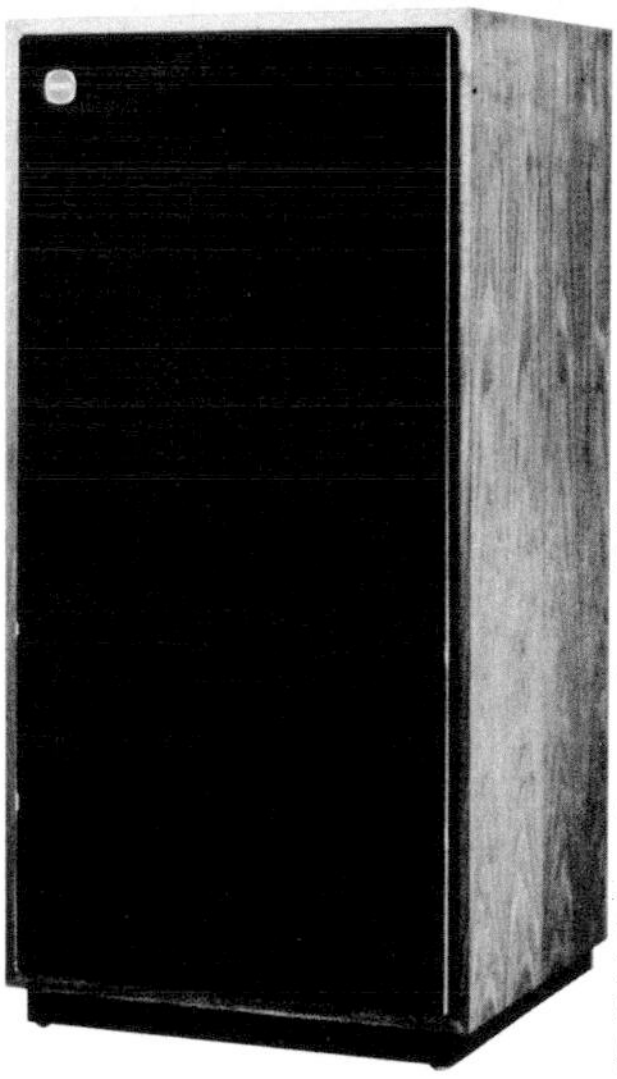

アランデル
全重量46kg、容積は180ℓと堂堂たるフロア型である。背が高く奥行も深くデザインされているのは、エンクロージュア内部での反射音の干渉を防ぐためである。ユニット位置がリスナーの高さと揃うため指向性が一段と改善された

バルモラル
アランデルを一まわり小さくしたエンクロージュア（重量37kg、容積125ℓ）に30cmユニット3128を搭載したバスレフ・システム。連続100W、ピーク350Wの驚くべき許容入力を誇る。30cmユニットならではのウェル・バランスが光る

エジンバラ
ウォールナットのムク材を惜し気もなく投入した容積200 ℓのエンクロージュアは、30cmユニットの可能性を極限までひき出すに至った。密閉型の解像力とバスレフ型の低域の伸びを併せもつ、タンノイ独自のディストリビューテッド・ポート型を採用している。中域の透明感、弱音部のリニアリティの高さは30cmユニット特有のもので、家庭用としては38cmユニット内蔵のシステムより使いやすい面がある

Mercury M20
▲タンノイの新しいブックシェルフ・システム。伝統あるブリティッシュ・サウンドを色濃くうけつぎながらも、多様化する現代の音楽シーンに対応、ポリオレフィン系20cmウーファーとポリアミド2.5cmソフトドーム・トゥイーターを採用した2ウェイ構成を採っている。コンパクトな外観に似合わぬ音楽性豊かでスケールの大きい再生音は、タンノイのテクノロジーの進歩を示してあまりある

Venus V30
▼タンノイが新しく開発したポリオレフィンコーンの20cmウーファーとポリアミド2.5cmドーム・トゥイーター搭載のコンパクトな2ウェイ・バスレフ・システム。フロントとリアバッフルには18mm厚パーチクルボードを採用。エンクロージュア内部5面には、不要共振をダンプし強度を高めるビチューメンパネルが貼られている。ソースを選ばずバランスのよい再生音は、タンノイの伝統を明らかに反映しており、ヨーロッパで好評をもって むかえられたのも、さもありなんと思わせる

一九八一年、社長のN・J・クロッカーを中心に、T・B・リビングストンなどの同社スタッフは、外部の投資グループの協力を得てハーマン社から株を買い戻し、タンノイ社は再びイギリス資本の会社として再々スタートをきった。経営スタッフがオーナーを兼ねた現在の同社は、かつての技術指向のクラフツマンシップにあふれたメーカーとしての体質を取り戻しつつあり、高級品を主体とした新時代の専門メーカーへの道を歩もうとしている。

長いキャリアに新しいテクノロジーを投入。新生タンノイの呱呱の声を聴く。

現在のタンノイ社は、二つの工場を持っている。本社機構と特機部門を担当するロンドンのウェスト・ノーウッド工場と、スコットランドの大都市グラスゴーの郊外、コートブリッジの工業団地にある工場である。スコットランドの工場は、スピーカーユニット、システムをはじめ、主要製品の生産を担当する主力拠点で、近代的設備を備えた美しいファクトリーだ。スピーカー関係のエンジニアリングスタッフも、ここで研究開発を行なっている。

新しいタンノイの意気込みがもっとも端的に現われたのが、一九八一年に発表したGRFメモリー・スピーカーシステムであろう。特別仕様の38cmデュアルコンセントリック・ユニットK3839Mをバスレフタイプのエンクロージュアに納めたこのシステムは、まずエンクロージュアの木工技術のすばらしさに驚かされる。伝統ファニチャーの仕上げのような美しさは、その音にも反映されている。かつてのヨークやGRFを想わせる気品の高い響きを備えており、まさにG・R・ファウンテンその人のメモリーにふさわしい雰囲気感のあるサウンドが久々に感じられたのである。

この好評に力を得たかのように、同社は壮大な夢の実現に取組む。かつての名作オートグラフの再現である。しかも、以前のモデルの単なる復元ではなく、現代版オートグラフと呼ぶにふさわしいフ

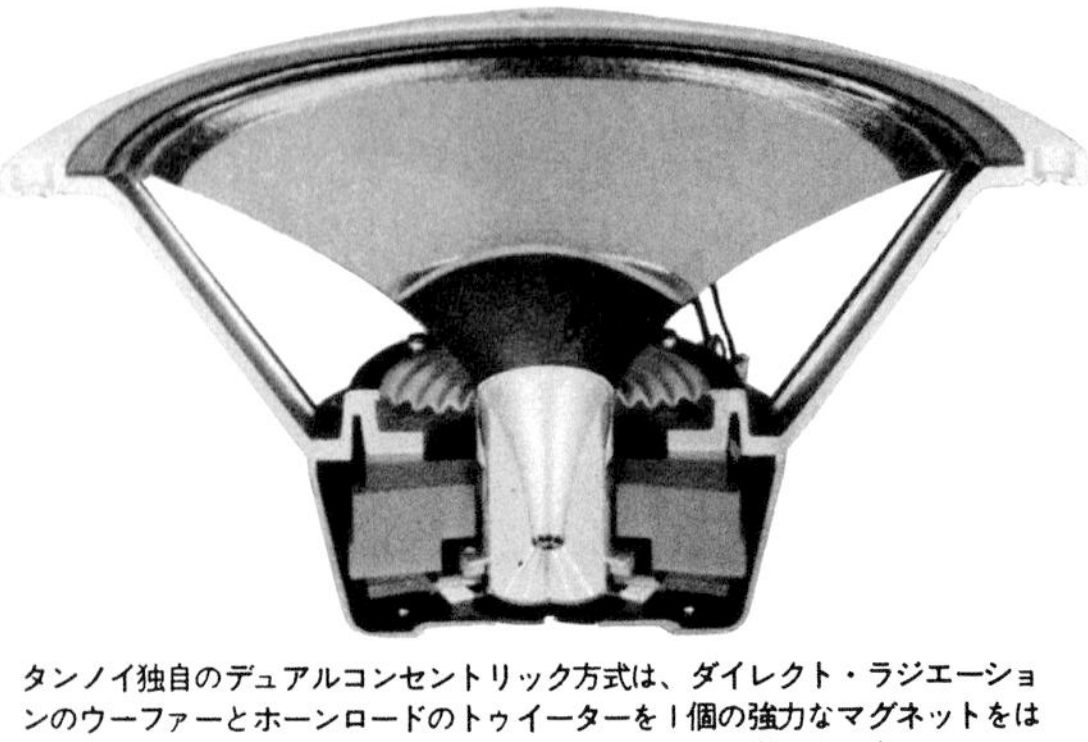

タンノイ独自のデュアルコンセントリック方式は、ダイレクト・ラジエーションのウーファーとホーンロードのトゥイーターを1個の強力なマグネットをはさんで同軸上に組み合わせたものだ。この基本構造は初期と全く変らない

ガイ・R・ファウンテン・メモリー

▶タンノイの創設者ガイ・R・ファウンテン氏のメモリアルモデル。ユニットはクラシック・モニター系統の3839Mを用い、全重量62kg、容積220ℓのエンクロージュアに収納したバスレフ・システムとなっている。コルクが貼られたバッフルボード、ロールオフ、エナジー両コントロールつまみも、ムク材から削り出すという凝りようだ。タンノイの故ファウンテン氏に対する敬愛の情の深さが推しはかれる佳作である

ウェストミンスター

◀壮大なスケール感、圧倒的なダイナミズムを表現するタンノイの最高級モデル。独自のデュアルコンセントリック・ユニットは徹底的に磨きこまれ、また一段と表現力を増した。フロントのショートホーン、背面のフォールデッド・ホーンが、まさに演奏会場そのものの雰囲気感をもりあげる。使用ユニットは3839W、トゥイーターのダイアフラムはマグネシウム合金に変更されている。その他銀メッキのハードワイアリング・ネットワークや金メッキ端子を使用

イーチュアを盛り込んだ新世代の最高級システムとして、開発を進めた。その成果が、ウエストミンスターと名付けられた最新の最高級システムとして結実した。

ウエストミンスターは、GRFメモリーをふたまわりも大きくしたようなフリースタンディング・デザインにより、かつてのオートグラフのようにコーナーセッティングの必要がなくなったことが大きな特徴になっている。新設計された複雑な構造のフォールデッドホーンの全長は3mに達し、ユニット前面のショートホーンも滑らかなカーブ付きの本格的なもの。硬質のパーチクルボードと樺桜合板で造られたこのシステムの総重量は115kgで、オートグラフの85kgをはるかにしのぐ。

ユニットおよびネットワークは、このモデル専用に設計された3839Wが使用されているが、トゥイーターのダイアフラムの素材として新しくマグネシウム合金が採用され、高域特性を一段と向上させている。ネットワークも損失の少ないヘビーデューティなものが使われるなど、プレスティッジ・モデルにふさわしい手のかけようである。

ウエストミンスターは、旧オートグラフの気品と響きの豊かさ、バランスのよさをそのまま受け継ぎながら、低域の質の格段な改善が実現し、しかも旧オートグラフに比べはるかに鮮明でアキュレートなサウンドが得られ、これまでにない新しい魅力を形成している。タンノイ社がその夢にそそいだ情熱は、みごとに現実のものとして実を結んだのである。

同時に発表された25cm同軸ユニット3149を使ったシステム、エジンバラも、スリットローディング方式による新しいエンクロージュアの質の確かさが、ユニットの潜在的な能力をひきだす結果となった。

イギリスでももっともオーソライズドされた歴史をもつオーディオメーカー、タンノイ社は、ガイ・R・ファウンテン社以来のキャリアの上に、新しいテクノロジーを投入し、新世代の高級オーディオメーカーとしての道を確実に歩みはじめた。同社のこれからの展開がますます楽しみになってきた。

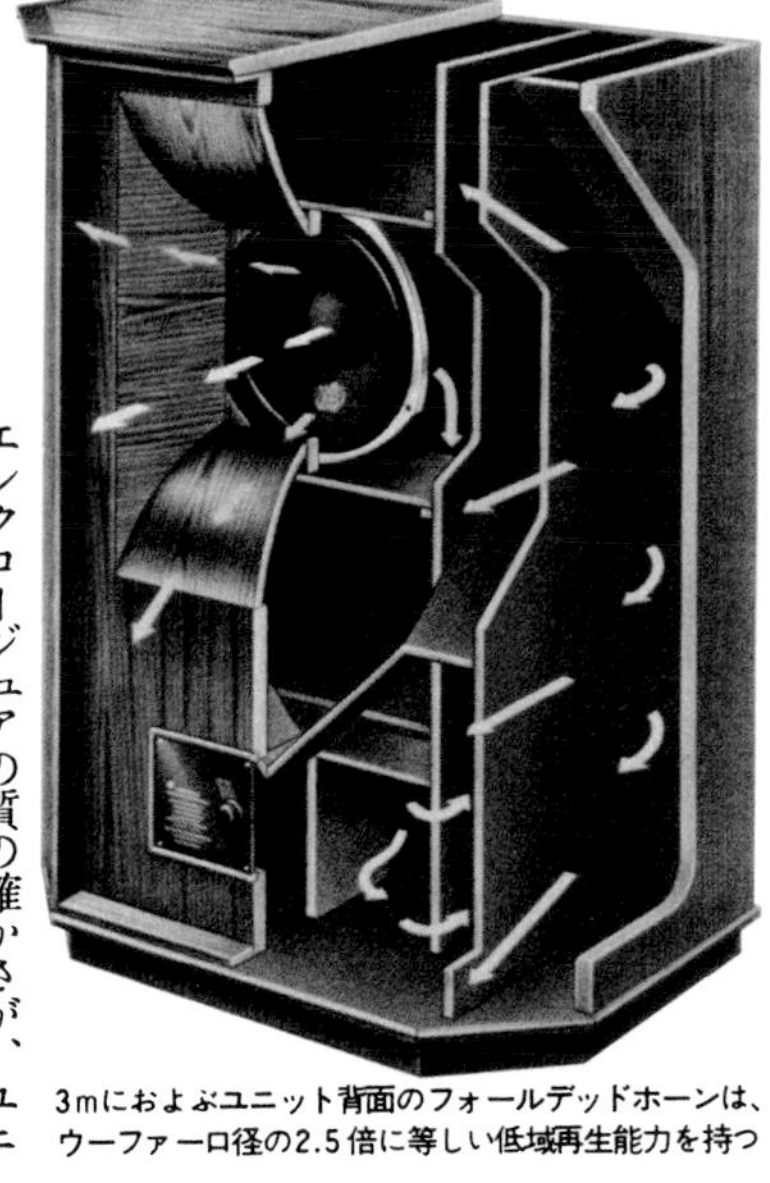

3mにおよぶユニット背面のフォールデッドホーンは、ウーファー口径の2.5倍に等しい低域再生能力を持つ

QUAD

創立以来、常に一貫した信念で製品を創り続けるという、オーディオ・ファクトリーの理想の形がここにある。

伝統的なクラフツマンシップを、最先端のエレクトロニクス技術と見事に結びつけたESL63を軸として、QUADのシステムは新しい時代に入った。

QUADはその本拠地を1941年以来ロンドン郊外のハンティンドンに置く

QUAD社は正式社名を元来The Acoustical Manufacturing Company Limitedと称したが、そのブランドがあまりにも有名になったため、現在では社名もQUAD Electroacoustics Limitedに改称した

エンジニアとしてもデザイナーとしても優れた才能を発揮するP・ウォーカー。

たいへん長い年月にわたってある会社が、そのステイタス・イメージを常にコンスタントに保ち続けた例は、きわめて稀といってよい。特に、まだ歴史の浅いオーディオ・ビジネスのように消長の激しい分野では、これは全く至難なことに思えるのだが、そのほとんど唯一の例外としてあげられるのがQUADであろう。

おそらく少しでもオーディオをかじったことのある人なら、QUADという名前を一度は聞いているであろうし、その人それぞれに、ある確定したイメージを想い浮べることができるはずだ。それというのも、この会社は創立以来常に一貫した信念をもって、製品を世に送り続けているからにほかならない。このQUA

いままでの静電型ユニットと異なり、フィルムのテンションはかなり強く、固定電極との距離も短かいのが特徴

QUADの最新鋭システム、ESL63のユニット組立工程。導電性をもたされた高分子フィルムを、フレームに均一に貼る

Dというブランドの由来であるQuality Unit Amplifier Domestic つまり、あくまで実用製品であり、しかも高性能な機器、という信念を頑固にまで守り続けている会社なのである。

ＱＵＡＤ社の正式名称は、ＱＵＡＤ・エレクトロアコースティックス・リミテッドである。もっともこの社名は、ＱＵＡＤのブランドがあまりにも有名になりすぎたため、つい最近改称されたものだ。もともとはアコースティカル・マニュファクチュアリング・カンパニー・リミテッドと呼ばれ、これが創立以来の社名である。オールドファンには、このほうが親しまれているはずだ。

同社は一九三六年ピーター・Ｊ・ウォーカーが創立した、イギリスでも有数の歴史を誇るオーディオメーカーである。同社は創業時ロンドンに工場をもっていたが、第二次大戦のロンドン空襲を期に、その本拠をハンティンドンに移した。一九四一年のことである。それ以来この地で操業し続け、発展してきたのである。

ハンティンドンはロンドンから真北に約90kmいったところに位置し、大学で有名なケンブリッジにもほど近い典型的な郊外タウンである。最近では、同地にブースロイド・スチュアートやミッションなどの新しいオーディオメーカーも進出してきている。

創立者のピーター・Ｊ・ウォーカーは、一九一六年ロンドンで生まれた。ＥＭＩとＧＥＣでの仕事にたずさわった後、弱冠十九歳でアコースティカル社を創立。爾来今日まで、実に四十七年間にわたって、数々のＱＵＡＤ製品を世に送り出し、着実に声価を高めてきた。

英オーディオ界の大立物として知られる創立者ピーター・J・ウォーカー氏は、自らエンジニア、デザイナーでもある。写真下右は経営面を担当する令息のロス・J・ウォーカー氏

ピーター・Ｊ・ウォーカーは第一級のエンジニアであると同時に、デザイナーとしても卓抜した資質の持ち主である。このことは、彼の手になった製品のどれもが、なによりも雄弁にものがたっている。そこに一貫しているポリシーは、まさに彼の人となりそのものといえよう。

今年六十七歳になるウォーカーは、マーケッティングを主に担当している令息のロス・Ｊ・ウォーカーと共に、エンジニアリングおよび経営全般にわたって第一線で活躍しているのみでなく、イギリス・オーディオ界における大立物の一人として、多くの人々に敬愛される存在となっている。

ＱＡ12／Ｐに始まり、Ｉ型、ＩＩ型、22型と続く管球アンプ不朽の傑作群。

ＱＵＡＤの製品を理解する上で、その辿った軌跡を知ることは、きわめて重要である。創業以来その社名どおり、マニュファクチュアラーとしての規模と、オーディオに対するアプローチの姿勢を終始不変に保ち続けた同社の全容が、製品の変遷を通じて明確になるからだ。

創業当初から戦後に至る間の同社の製品がいかなるものであったのか、資料も乏しく明らかではないが、おそらくオー

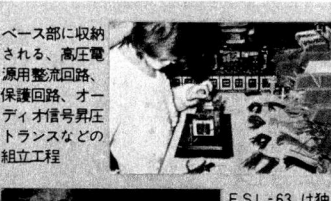

組み上がった電源部のベースへの取付も終り、最後の配線作業が行なわれている

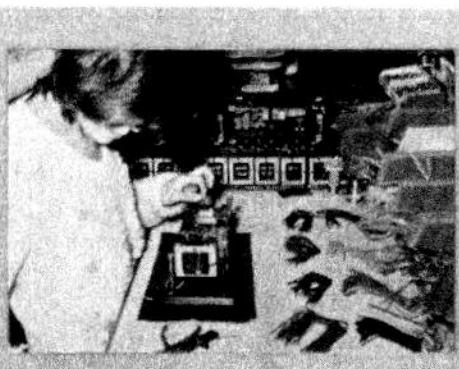

ベース部に収納される、高圧電源用整流回路、保護回路、オーディオ信号昇圧トランスなどの組立工程

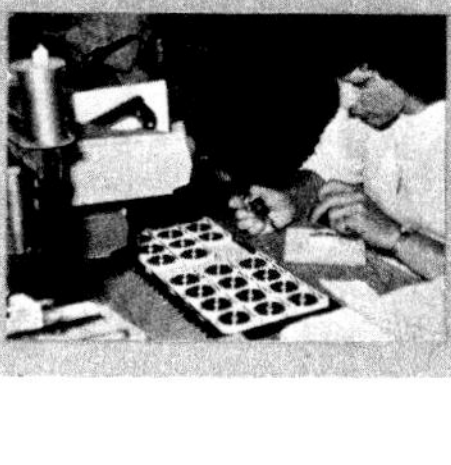

ESL-63は独自の遅延回路により球面波放射も可能にしているが、ここではそのディレイラインの空芯コイルが作られている

でき上がった振動板ユニットは、塵や湿気から守るため、ごく薄いプラスチックフィルムの貼られたフレームを付けられる

取付台周辺の重りでテンションを調整する。ダイアフラムに部分的なノビや凹凸が生じないように、慎重に配慮された作業ぶりだ

ダーメイドに近い形でアンプを製造するのが主な仕事であったと想像される。後年になってグラモフォン誌の広告に掲載された一九三八年製のアンプが、当時をものがたる唯一の製品で、大きなラックにマウントされたこのアンプの出力はたったの10Wであった。

戦後間もない頃は主にトランスの製造が主であり、それを使った特注のアンプなどを業務の主力としていたようだが、一般ユーザーへの本格的なアプローチは、一九四〇年代の半ば過ぎに発表したコンサート・ラビリンスIIスピーカーシステムからと考えられる。このスピーカーは、その頃から話題にのぼりはじめたスピーカー・エンクロージュアの方式の一つである音響迷路（アコースティック・ラビリンス）方式を採用したシステムで、ユニットにエアロードをかけてレスポンスを拡げようと考えられたもの。スピーカー前面には音の拡散と装飾を兼ねたディフューザーが設けられていた。

Hi—Fi用アンプとして本格的に商品化された最初の製品は、一九四八年に発表されたQA12／Pである。出力段にKT66PPを採用した出力12W、歪率0・1%という高性能機で、モデル番号のQAはクォリティ・アンプリファイアーを意味していた。パワー管やトランスが寸分のすきもなくぎりぎりのシャーシにおさめられた独特の形状は、その後のQUADアンプの原点になっている。そしてこのパワーアンプ部の左側に、別シャーシに収納されたトーンコントロールや入力切替など、いわゆるプリアンプ部にあたるユニットが密接して配置され、いわば一種のインテグレーテッドアンプを形成していた。QUADのアンプの回路の特徴ともなっている出力ステージのカソード・カップリング方式が、このアンプで採用されていたかどうかは不明だが、少なくとも外形上の特徴はすべてこのモデルで明らかとなっている感じだ。つまらぬことのようだが興味深いのは、このアンプに電解コンデンサーが採用されていることである。当時最新の部品を製品に導入する姿勢は、一見きわめて保守的な印象の強い同社が、実は技術的に新しいものに積極的なとりくみ方をしていることを示す好例で、以降の新製品開発に際しての先進的な態度がすでにみられるのである。ちなみに、管球アンプの最終モデルのII型では、オイルコンデンサーに戻っている。長期信頼性の点で、当時の電解コンデンサーはメリットがなかったからだ。

QA12／Pの翌年、H・J・リークが有名なポイント・ワン・アンプ、TL12を発表し、ステレオ初期までQUADの好ライバルとして互いに覇を競うことになる。同じ一九四九年に同社はコーナーリボン・ラウドスピーカーシステム

1938

◀QA12/Pの後方に1938年製ラックマウントタイプのQUAD最初期のアンプが見える。グラモフォン誌の広告

▶1940年代の半ば過ぎに登場したラビリンス型スピーカーのプロトタイプSL15

◀本格的に発売された初の製品ともいえるコンサート・ラビリンスII型

1948

▶QA12/P　QUADアンプの原点。出力段はKT66のPP、歪率0.1%で12Wの出力を得る

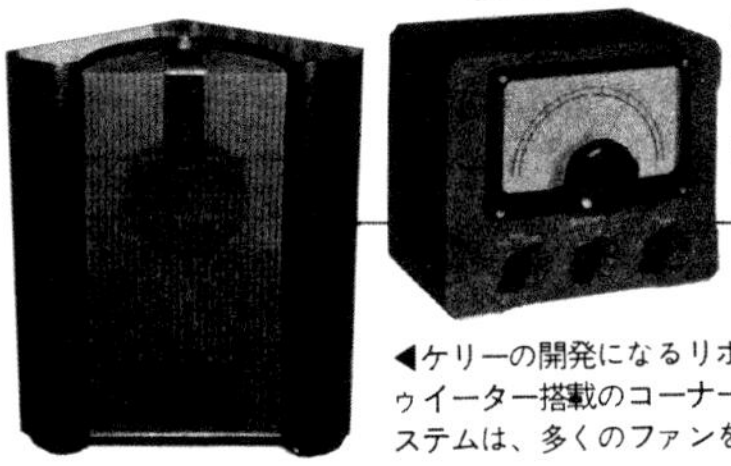

◀HR/1　QA12/Pにサイズを揃えたチューナーユニット

1949

◀ケリーの開発になるリボントゥイーター搭載のコーナー型システムは、多くのファンを獲得

ワイヤー・ハーネスは専任の女性が担当しているが、そのなれた手さばきにQUADならではの伝統がうかがえる

名称の由来ともいわれる63年以来開発されてきたESL-63の開発ノート。これはBook 2のイニシャルが見える

組立完了。開発に膨大な時間を費やしただけあって、完成度の高さは見事なものだ。静電型では稀有の力感ある再生音が魅力。

振動板本体部にエレクトロニクス部の取付も終り、整然と並べられているESL-63。6個並んだディレイラインの本体部がひときわ目につく

1950

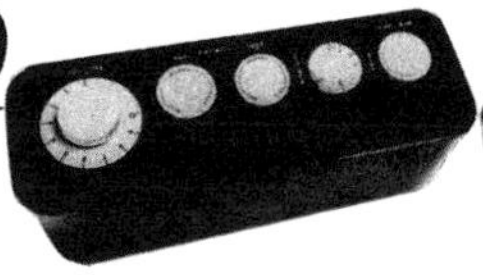

▲QUAD1コントロールアンプ 後年のスタイリングの原型を示す

▲QUADⅠ LP期に入り、QA12/Pをベースにデザインも一新されたパワーアンプとして登場

1953

◀QUADⅡ Ⅰをベースに徹底的にリファインされ、管球パワーアンプの不朽の名作としての地位を確保

◀フェランティの製造でQUADが販売したリボン型のピックアップはモノーラル期の群を抜く傑作だ

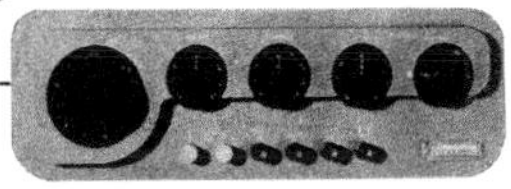

▲QUAD2 Ⅰ型を受継ぐコントロールアンプで、入力セレクターを充実。後の22のスタイリングが完成

1959

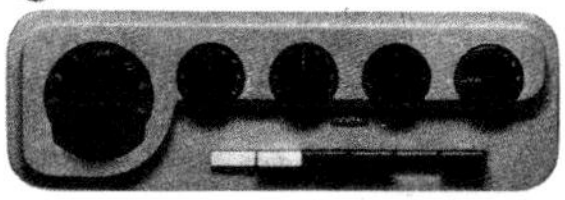

◀QUAD22 2型を受継ぎ、同一シャーシ寸法で見事にステレオ化に成功した

▶FMチューナーも後年のスタイリングの原型を示している。後にステレオ放送に対処しアダプターが発売された

◀AMⅡチューナー 3バンドのオールウェーブ型ヨーロッパモデル。他にオーバーシーズモデルも用意されていた

を発表し、オーディオ界にセンセーショナルな話題を提供する。その年ロンドンで開かれたオーディオショーで、このニューモデルが発表された。後年ディスク・クリーナーの分野で功績を残したセシル・E・ワッツの録音したガラスコップの割れる音を迫真的に再生した話はあまりにも有名である。このシステムの特徴は、なんといっても高域用に使われたリボントゥイーターで、他方式のスピーカーでは難しかったスムーズな高域特性を実現した。スタンリー・ケリーの開発になるこのトゥイーターは、後にケリーのリボン・トゥイーターとして今日に続いている。コーナーリボン・システムの低域は、グッドマンのAXIOM150フルレンジユニットをダブルアコースティックフィルター付のコーナー・エンクロージュアに納めたもの。そのバランスの上にスムーズなサウンドが、多くのファンを獲得した。

この年もう一つのあまり知られていないモデルが登場している。HR/1というチューナーで、QA12/Pにサイズを揃えた大きな半円状のダイアル付の製品である。

一九五〇年、イギリスで最初のLPレコードがデッカ社からデビューし、いよいよLP時代の幕開けを迎える。ちょうどこれと時を同じくして、アコースティカル社はこれまでのQA12/Pを一新したニューモデルQUADアンプとコントロールユニットを発表した。QA12/Pをベースとしたパワーアンプはよりリファインされると共に、新たにコントロールユニットがリモートセッティングが可能なように独立し、非常に実用性の高いハイカットフィルターとトーンコントロールを組み合わせた、あのQUAD特有の美しいスタイリングの原型がはじめて完成した。パワーアンプから電源の供給を受けるセパレートアンプ型式と、QUAD独自のカソードカップリング方式による巧妙なパワーステージサーキットも、この時点で確立している。また、QUADという名称がアコースティカル社の製品に登場したのも、実にこの機種からなのである。

デッカから二年おくれてEMI社もLPレコードを発表し、イギリスでもLPが本格化するとともに、Hi—Fiの分野も各メーカーの動向がようやく活発化する。それから毎月のようにスピーカーやアンプ、プレーヤーのニューモデルが発表され、日に日にオーディオ製品の高性能化が進むようになった。

同社はこうした時代の要求をすべて織り込んだ決定版ともいうべきQUADアンプの改良に着手し、一九五三年QUADⅡ型を発表した。Ⅱ型パワーアンプは、旧型の回路をほぼ踏襲するが、徹底的に再デザインされ、デザイン的にも磨きぬ

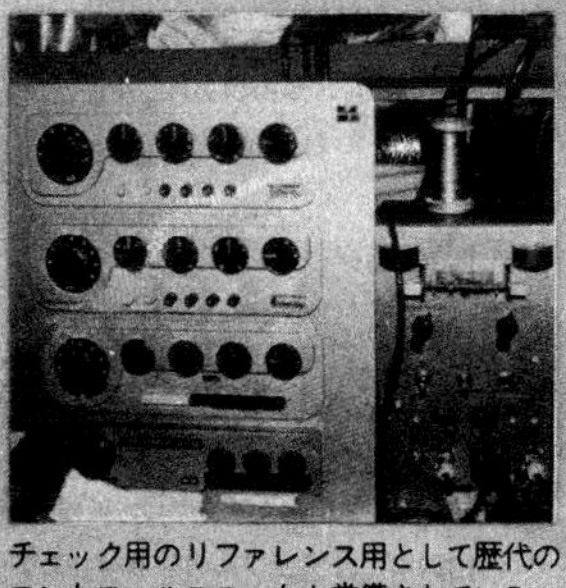

チェック用のリファレンス用として歴代のコントロールユニットも常備されている。上から2型、22型、33型の各アンプ

チェック用には、最近のディスプレイ付コンピューターシステムも活用されている

ロングランを続ける33コントロールユニット

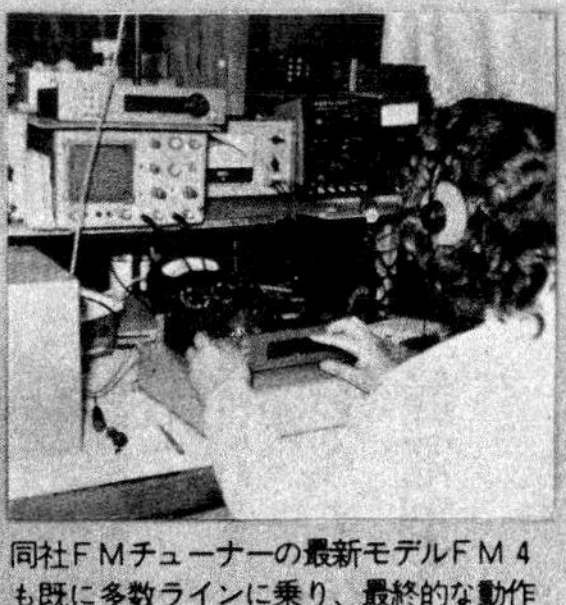

同社FMチューナーの最新モデルFM4も既に多数ラインに乗り、最終的な動作チェックが行なわれている

組み上がったプリント基板を慎重にチェックする

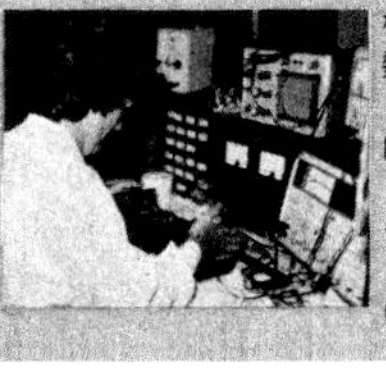

棚の中に多数ストックされている内部の完成した405。その1台、1台を厳重にチェック

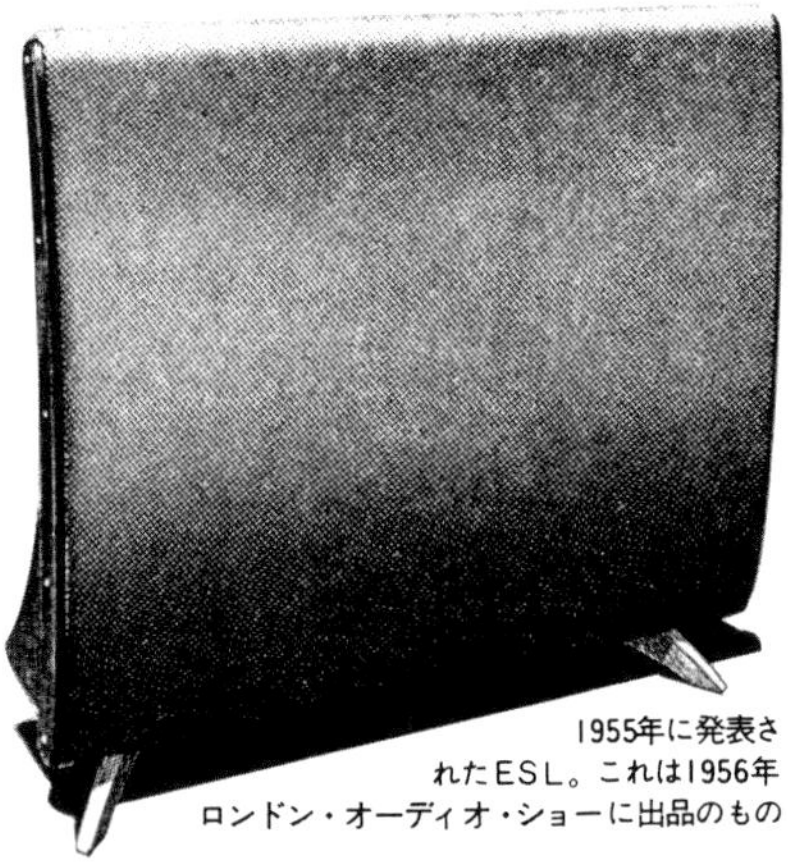
1955年に発表されたESL。これは1956年ロンドン・オーディオ・ショーに出品のもの

かれた管球アンプの不朽の傑作ともいうべきモデルに生れ変る。ドライバーステージにミニァチュア管が採用され、出力トランスも再設計されて、同じKT66PPながら定格出力は15Wに増加された（実測上では、このQUADⅡは軽く25Wの出力がとりだせた）。無駄のない凝縮度の固まりのようなこのアンプの外観は、工業デザインの立場からみても非の打ちどころのないものだ。たとえば、パワー管のKT66はサブシャーシを介し、一段落して取付けることにより放熱効果をあげ、またトランスと背丈を揃えるという、芸の細かいコンストラクションがとられていた。

2型コントロールユニットも、旧型に比べて入力セレクターが充実した。当時必須となっていたレコード会社ごとのイコライザーカーブの切替も、そのセレクターを巧妙に兼用して行なうなど、随所に非凡でスマートなセンスを覗かせた、魅力にあふれるモデルであった。そして、この決して大きすぎずしかも小さすぎないコントロールアンプのサイズは、その後のモデルに必ず受け継がれることになったのである。

QUADⅡはそれ以後、約十五年間にわたり主力製品としてロングランを続けることになる。その間、ステレオLP登場にともなって、一九五九年にコントロールユニットがステレオ化されQUAD2に替るが、オリジナルの機能をそっくり引き継ぎながら、まったく同じサイズのシャーシでみごとにステレオ化を果したことは、驚歎すべき技術として当時の注目を集めた。まさにQUADの心意気を象徴するような出来事であったのである。このステレオバージョンでは、パワーアンプをそのままもう一台追加するだけで済んだ。

50E　QUAD 最初のソリッドステートアンプとして1965年に登場。BBC の要請によって設計され、純粋のプロ仕様のモノーラルパワーアンプで出力は50Wである。回路は、ソリッドステート方式としては珍しいダブルエンデッド・プッシュプル、大型の出力トランスが搭載されている。真空管をそのままトランジスターに置きかえたようなこの構成は、万が一の場合でも音声の中断が許されない、放送局用としての極度の安定性を追求した結果、採用された

このシリーズにあわせて、チューナーも充実したラインナップとなった。AM用は3バンドのオールウェーブ型が、ヨーロッパモデルとオーバーシーズ・モデルの2機種用意され、FM用として専用モデルがあった。FMチューナーは、BBCのステレオ放送開始とともにマルチプレックス・デコーダーが別売の形で発売され、これに対応したのだが、このアダプターは同社がはじめてトランジスター化した製品ともなった。

QUADⅡが発表されて間もなく、同社からユニークなリボン・ピックアップが発表されて話題を呼んだ。スコットランドのフェランティ社の製品で、アコースティカル社を通じて発表する形をとったものであったが、構造の斬新さと形状のユニークさは、数あるモノーラル用ピックアップの中でも群を抜く存在といえる。Hi—Fiアンプの原器ともいうべきウィリアムソン・アンプの設計者としてあまりにも著名な、フェランティ社のD・T・ウィリアムソンと、ピーター・ウォーカーの二人が共同開発した傑作である。

ジョンブル魂がいかんなく発揮された、全帯域静電型スピーカーの開発。

ピーター・J・ウォーカーは、QUADⅡの開発と併行して、革命的なスピーカーシステムの研究に精力をそそいだ。従来のようなアッセンブルシステムではなく、完全に自身の手になるオリジナルなスピーカーシステム、すなわちエレクトロ・スタティック方式によるフルレンジスピーカーシステムの実現のためにで

1967年にはアンプ系のソリッドステート化が完了し、33、303にチューナーのFM3のラインが出揃った。ESLとともにこれらの製品は未だに現役だ

ESL
きわめてナチュラルな音質を得られるのが静電型スピーカーの特徴だが、QUAD・ESLは世界に先がけてフルレンジ型システムを実現（3ウェイ）したモデルだ。現在も生産は続行されており、完成度と製品ライフの長さは驚異的

である。

　一九五五年、世界ではじめてのフルレンジのエレクトロ・スタティック・ラウドスピーカーが産声をあげ、頭文字をとってESLと名付けられた。当時、技術的に高域用が限度とされていたこの静電方式スピーカーの、フルレンジ化を完成させた執念こそ、ジョンブル気質の賜物といってよいだろう。そのうえ、この3ウェイ構成のシステムは製品の完成度もきわめて高く、四半世紀をこえた現在に至るまでほとんど原型に手を加えることなく、他のコンポーネントの性能の進歩に伍して、その真価を次第に現わすという、実に信じ難いような能力を示す結果となった。

　事実、ESLの出現に勢いを得たかのように、静電方式のスピーカーシステムがいくつか登場してくるが、トータルな完成度でこのQUADの製品に太刀打ちできるものはなく、そのことを自ら示すように脱落していった。

　QUADの最初のソリッドステート・アンプとして登場したのが50Eである。一九六五年にBBCの要請によるモニター用アンプとして設計された、出力50Wのモノーラル・パワーアンプだ。ソリッドステートアンプとしては珍しく出力トランス付のPP回路構成がとられ、一般的なシングルエンド方式ではないのが興味深い。いわば、真空管をトランジスターに置き換えた形の回路構成であるが、これは恐らくスタジオ用として600Ωライン入出力も考慮したためのことと思われる。いずれにしても純粋なプロ用機であり、QUADの製品の中でも変ったモデルといえよう。

　すべてのQUADのアンプがソリッドステート化されたのは、さらに二年後の一九六七年で、303パワーアンプ、33コントロールユニット、FM3チューナーの3機種が同時に発表され、栄光あるIIおよび22型の歴史が終る。303は、チャンネル当り出力45W（8Ω）のステレオパワーアンプで、50Eの筐体をそのまま流用してステレオ化したモデルで、同社初のステレオ機である。

　33コントロールユニットは、これもQUAD初の電源内蔵型。トランジスターという新しいデバイスにあわせるかの

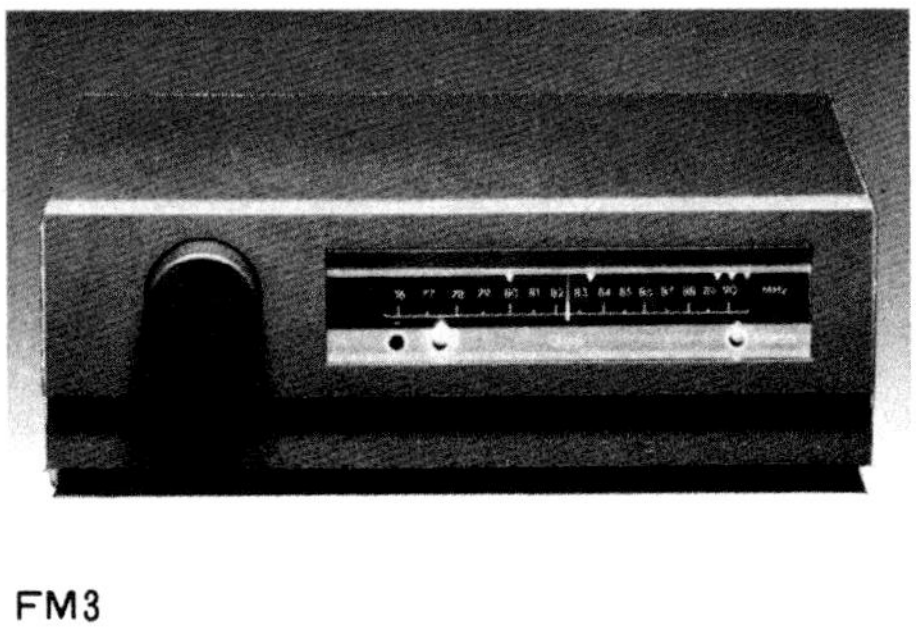

FM3
33とペアを組むソリッドステートのFMステレオチューナーで、33同様のキュービックなコンパクトサイズでまとめられている。2つのランプをシーソー式に点灯させる同調指示方式は前作を受継ぐ

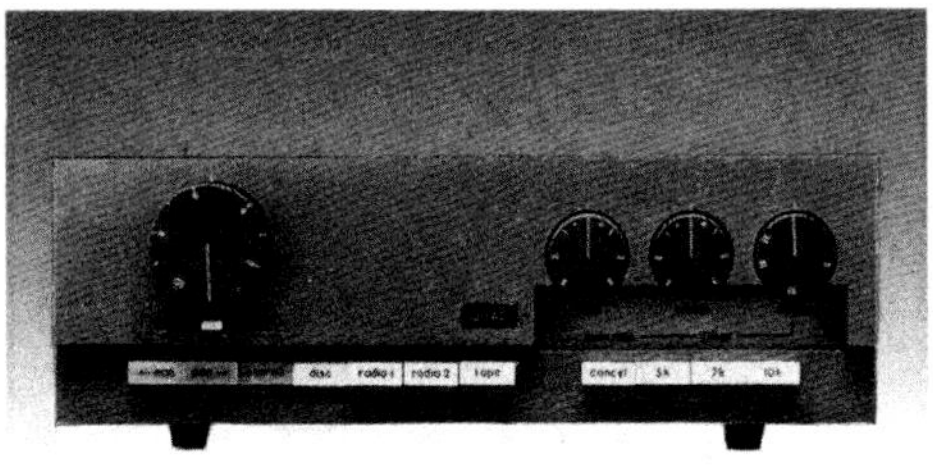

33
同社初のソリッドステート・コントロールアンプ。各種のカートリッジに適合すべく、差し込み式のディスク・アダプターボードが背面に装備されている。コントロール機能は多彩、電源も内蔵されている

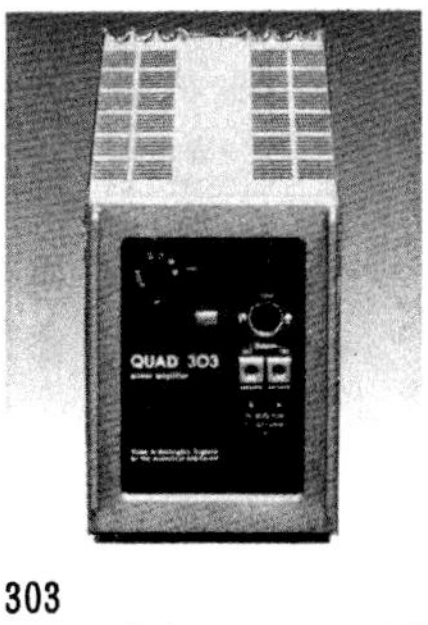

303
1967年に発表された303は、50Eと同サイズの筐体に、45W+45Wのステレオパワーアンプを組込む

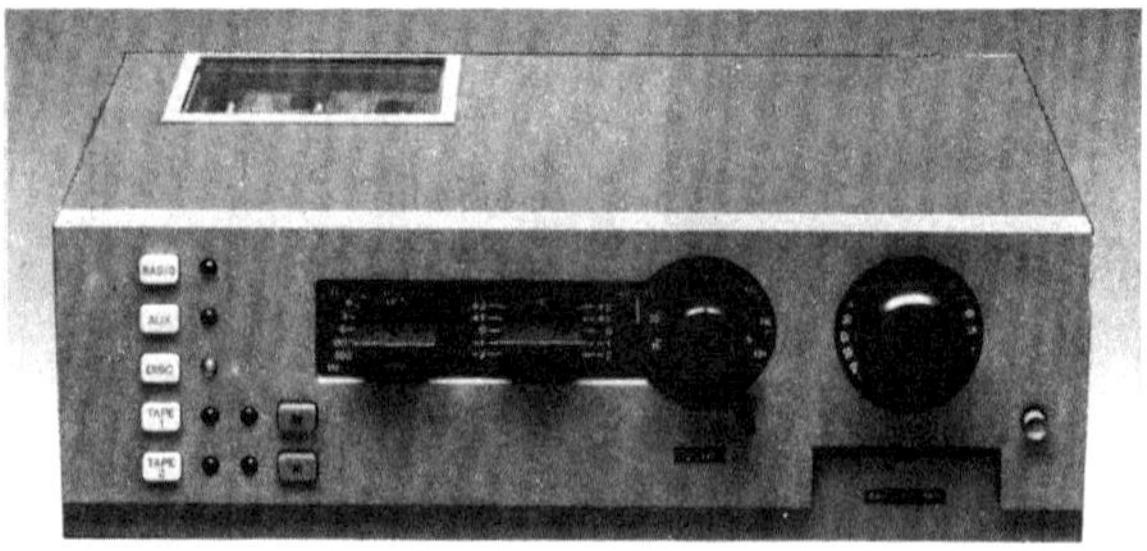

44
405の3年後に発表されたコントロールアンプで、多彩なコントロール機能は従来のQUADラインを受継ぐが、入力系は任意に差し換えられるユニークなモジュール形式を採用。新たに加えられたデバイスの電子式タッチスイッチによる入力切替も斬新だ

405
QUADの最新ラインとしては最も早い1976年に発表。カレントダンピングという高効率な出力ステージの開発により、303とほぼ同サイズながら、出力は100W＋100Wと倍増されている。前面パネルをヒートシンクとしたデザインもユニークだ

ように、外観は、キュービックを基調としたコンピューターエイジを想わせるような新感覚のデザインに一新されているが、サイズそのものにほとんど変りはなく、操作機能も22型をそっくり引き継いだ形となっている。FM3は、きわめてシンプルな操作性が特徴となっているソリッドステートFMステレオチューナーで、もちろん33コントロールユニットとマッチドペアのデザインだ。

以上が実際の製品からみた同社の発展と展開のプロセスである。QUADという名前に象徴される一貫した製品思想は、最初のモデルから新しいモデルへと変遷を重ねるにしたがってより鮮明となり、焦点をしぼり込んでいったことがはっきりとわかる。

ニューモデルは、常に従来のモデルのポリシーを色濃く受け継ぐとともに、そこに新しい技術をなんらかの必然性をもって巧みに取り込み、その主張を一段と明確にしてゆく……。こうしたパターンがこの会社ほどはっきりした形で現われている例は、ほとんど稀といってよい。そして、それがQUADのかけがえのない魅力に結びついているのである。

かつてないほどの充実したラインを揃える現行アンプ。球面波放射の最新ESL。

現在のQUADのラインアップは、かつてみられなかったほど充実している。

FM4
34と全く同サイズのシャーシにコンパクトにまとめられたFMステレオチューナーの最新モデル。アナログチューナーだが、7局のプリセット機能を備え、受信周波数はデジタル表示されるという新世代ラインにふさわしいモデルだ

34
昨年発表された最新のコントロールアンプで、44のデザインを継承するが、モジュールではなくワンボード構成とし、よりコンパクトにまとめられている。44の多機能性をよりシンプリファイドしたモデルとして、QUADファンの期待は大きい

つまり、最新世代のモデルにあわせて従来のモデルの一部がそのままラインに活き続けているからであるが、これはおそらくユーザーにほんのわずかながら選択の幅を与えようというQUADの新しいポリシーに基づくと考えられる。それほどオーディオファイルの層が厚くなり、国際的な規模となったわけだ。

まず、パワーアンプのメインモデルは405である。QUADの最新ラインの中では一番早い一九七六年に発表されている。在来の現行モデルでもある303とほぼ同容積ながら、出力を100W＋100Wに倍増したステレオモデルで、回路的にもカレントダンピング方式というユニークな高効率の出力ステージを開発して、この出力としてはもっともコンパクトなサイズのアンプである。この出力回路は、増幅ステージと電力供給ステージを分離した新しい発想に基づいており、その後各社からこれに類似したパワーアンプが登場するきっかけとなった。QUADシステムのみならず、アンプ単体としても愛用されている例である。

この405にマッチするコントロールアンプ44は三年後の一九七九年に発表された。機能面で従来のQUADのラインを受け継ぎながら、入力ステージをプロ用アンプのようなモジュールアンプ型式とし、ユーザーの用途に応じて自由な選択のできるバーサタイルなコントロールアンプとなった。デザイン的にも電子

ESL-63
その名称のように63年に開発が着手されたといわれる同社ESLの最新モデルで1981年に発表。最大の特徴は、従来のESLの平面波に対し、より完璧なステレオイメージの再現のために、球面波ラジエーションが得られるようにしたことだ

式のタッチスイッチをフィーチュアして、33系とは異なった新しいコンセプトが導入された。モジュール化により、QUADのお家芸となっていたフォノあるいはテープ入力の感度切替はよりスマートになり、MCカートリッジ用のハイゲインイコライザーモジュールもオプション化された。回路的にも最新のICオペアンプが多用されるなど、新世代のコントロールアンプにふさわしい内容だ。

44の多機能性を、よりシンプル化した新しいコントロールユニットが82年に発表された34で、これまでの33に代るニューモデルである。44と同じデザインを踏襲して互換性を保ちながら、モジュール方式ではなくワンボード構成とし、より薄型のコンパクトなスタイルとなっている。フォノ入力のみは小さなヘッドモジュールの差し換えによりMC用ハイゲインイコライザーにコンバートできるようになり、伝統ある高域フィルターは三つのプッシュボタンにより4種のカーブが選択できる新しいアイデアの方式である。

同時に発表されたFM4チューナーも七つのプリセット機能を備えた高性能機で、これら新世代のラインアップにふさわしいモデルとなった。

ESLの最新モデルとして一九八一年にデビューしたESL63は、QUADの栄光ある歴史の中でも、もっとも画期的な製品といってよいだろう。

正確なステレオイメージの再現には、音源は小さいほど効果があがる。面駆動方式のESLはその点に問題があったのだが、新しいESL63は固定電極側を同心円状に分割し、遅延回路を順次に通すことにより、フルレンジ型ESLの放射パターンを平面波から球面波状とすることに成功した。これにより、ピンポイントの音像定位とパースペクティブの優れた再現能力が得られるようになったのである。もちろん耐入力性も大幅に向上し、ソース側のダイナミックレンジ拡大にも充分対応するように改良されたことはいうまでもない。過大入力に対する保護システムもほぼ完璧である。

ピーター・J・ウォーカーがこの新方式ESLのアイデアの具体化について可能性を見いだしたのが一九六三年（この六三年がモデル名の由来となった）というから、完成まで実に十八年の歳月を費やしたことになる。まさにウォーカー一流の粘り強さが結実した作品といえよう。

ESL63を軸として、QUADのシステムは新しい時代に入った。アコースティカル・マニュファクチュアリング社以来の伝統的なクラフツマンシップを、最先端のエレクトロニクス技術と見事に結びつけた一連の新鋭モデルは、同社の将来の姿を示すものである。オーディオ・ファクトリーとして一つの理想の形がここにあるといえよう。

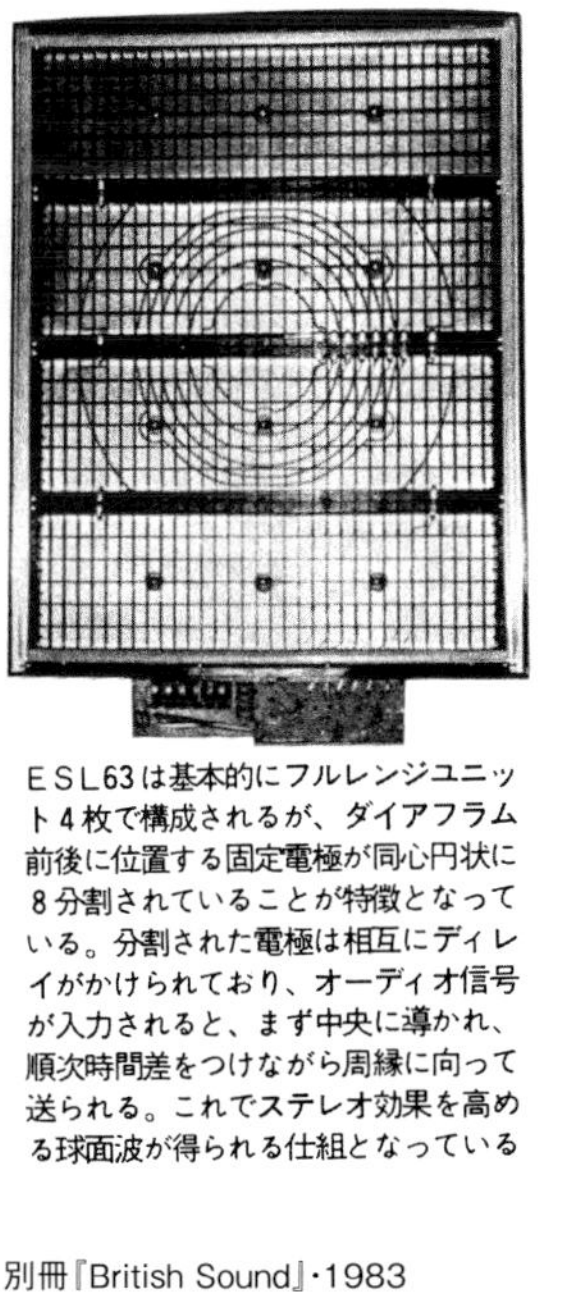

ESL63は基本的にフルレンジユニット4枚で構成されるが、ダイアフラム前後に位置する固定電極が同心円状に8分割されていることが特徴となっている。分割された電極は相互にディレイがかけられており、オーディオ信号が入力されると、まず中央に導かれ、順次時間差をつけながら周縁に向って送られる。これでステレオ効果を高める球面波が得られる仕組となっている

VITAVOX

一般的なホームユース・システムとは次元を異にする、ヴァイタヴォックスの躍動感あふれる音。

コーナーホーンの銘器CN191、バイトーンメイジャーなど、プロ用ユニットを使った家庭用システムにも抜群のセンスを発揮する。気品あるサウンドが最大の魅力。

シアターサプライ専門という、特異なキャリアを積むヴァイタヴォックス社。

ヴァイタヴォックス社は、数あるイギリスのオーディオメーカーの中でも創業は大変古く、一九三一年にレン・ヤングによって創立されている。当時はもちろん、イギリスといえどもオーディオは一般には遠い存在であったわけで、同社はしたがってトーキーの出現で急速な発展のきざしを見せていた映画産業に携わる企業としてスタートをきり、自社の開発・製造による映画劇場用スピーカーシステムが大変好評を得て、順調に発展した。最初の時点からヴァイタヴォックスは、他メーカーとまったく異なったキャリアを重ねてゆくこととなったのである。

この頃、タンノイ社も同じような立場にあったわけだが、こちらはいわゆるシアターサプライではなく、むしろ一般的なPAサプライを専門に手がけていたよ

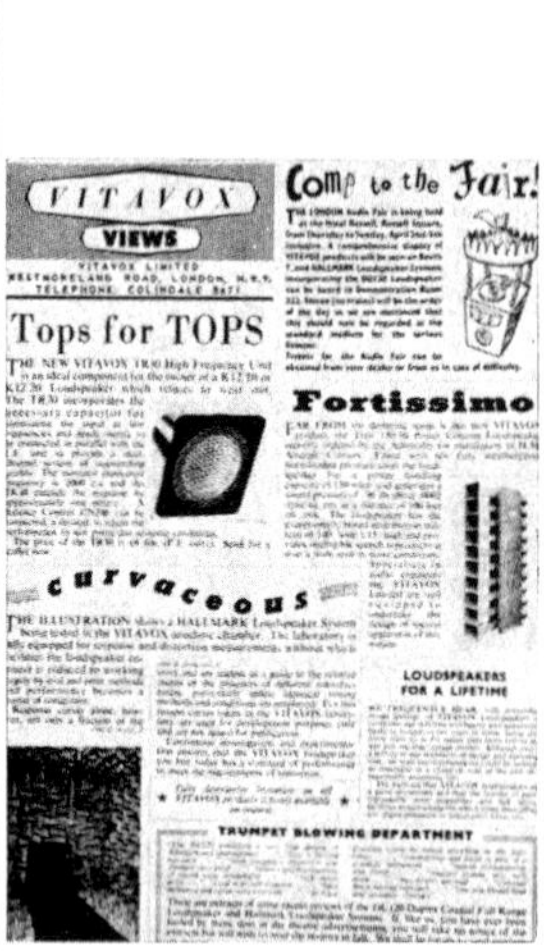

1959年の雑誌広告。新製品のTR30や150／10パワーコラムを紹介している

ヴァイタヴォックス社は創業以来の閑静な住宅地にあり、当時の姿を現在に伝えている。アット・ホームな雰囲気で有名

アッセンブルされる日を待つコーナー型フォールデッドホーン・エンクロージュア

うだ。もろろん、ヴァイタヴォックス社もタンノイと並んでＰＡシステムの分野に進出しており、ウェストミンスター寺院における国王ジョージ十六世の戴冠式などに同社のシステムが採用されている。

しかし、ヴァイタヴォックス社の主力は、あくまでも映画産業用の音響機器サプライヤーという点にあった。トーキー用設備の需要増に伴い、着実にその地歩を固めていったのである。当時、アメリカとドイツの巨大資本が協定を結んでおり、イギリスはＥＲＰＩ＝ウェスタン・エレクトリック社のテリトリーと決められてはいた。しかし、ヴァイタヴォックス社は、やがてクラングフィルム社の本拠地であるドイツにまで輸出するほどの発展を遂げるのである。

プロ用のヘビーデューティなユニットを、家庭用にコンバートした名作の数々。

一九四〇年から五〇年代に入るとＬＰレコードが登場し、Hi—Fi再生が一般の家庭にも普及しはじめる。ヴァイタヴォックス社も、これまで劇場用システムによって蓄積してきたノウハウを活かし、コンシュマー用の高級スピーカーシステムの分野に進出することを決める。もともとシアターサプライを目的としたメーカーだけに、ヴァイタヴォックス社で造られるユニットは、まさにヘビーデューティそのものであった。これらのハイパワーでリニアリティの高いユニットを核としてシステムを構成している点が、ヴァイタヴォックスの特徴といえる。

したがって同社の製品は、ホームユースとはいっても、もっぱら大型のフロアー型システムに限られていた。その家庭用システムの頂点ともいうべきモデルが、現在もなお造り続けられているＣＮ１９１コーナーホーンである。

このヴァイタヴォックス社と同じような位置にあったのが、アメリカＷ・Ｅ社の子会社のロンドン・ウェストレックス社であった。この会社も、ちょうどHi—Fiが盛んになった頃に家庭用システムを開発し、ヴァイタヴォックス社の製品とはりあうような形になったこともあるようだ。しかし、現在まで家庭用のシステムを造り続けているのは、ヴァイタヴォックス社のみとなっている。

ＣＮ１９１コーナーホーンは、アメリカのポール・クリプッシュが開発したコーナー型フォールデッドホーン（Ｋホーン）・エンクロージュアを採用した大型システムで、インテリア的に見ても高級機の名に恥じない見事な仕上げがなされている。ユニット構成は、同社を代表するシアターサプライ用のＳ２ドライバーと、Ｋ１５／４０相当のウーファー（38cm口径）による２ウェイ構成。Ｓ２ドライバーに組み合わせたＣＮ１５７ディスパーシブホーンは、特にこのシステムのために開発されたものである。発表当時この

工場の１階は全フロアがマシーンショップになっており、どちらかというと機械加工メーカーという印象を受ける

完成したホーンは無響室で測定

各種のホーンも自社で生産する

クラシカルなプレス機

完成したボイスコイルと捲線機

金属加工工程。フォークランド紛争のまっ最中だったため、軍需製品の生産に全力を傾注していた

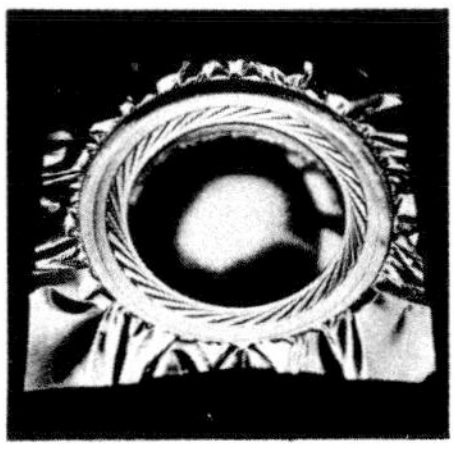

軍艦用スピーカーのダイアフラム

このマイクとスピーカーも海軍用だ

英国海軍の無線通信用マイクロフォン

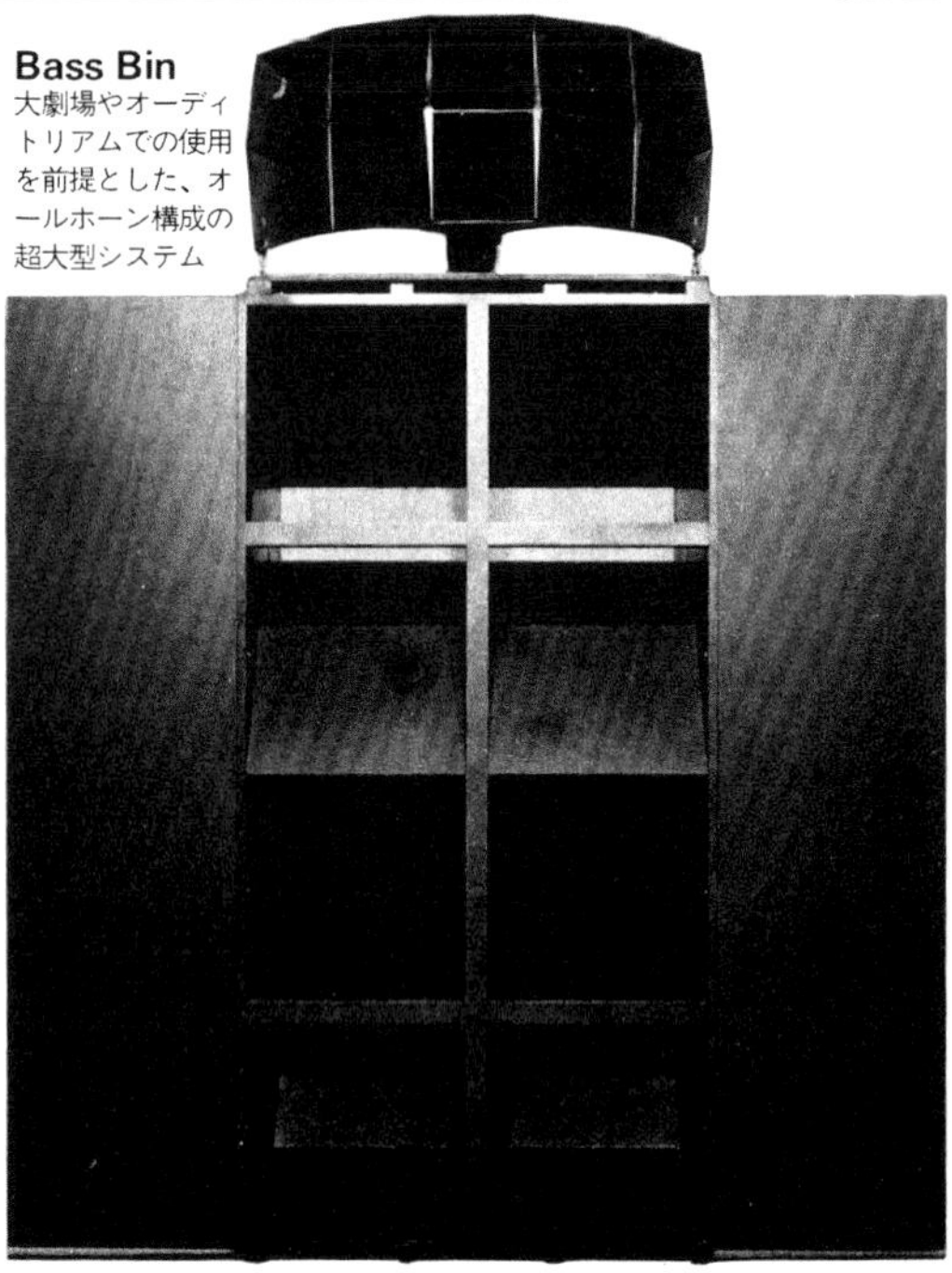

Bass Bin
大劇場やオーディトリアムでの使用を前提とした、オールホーン構成の超大型システム

システムは、ヴァイタヴォックス・クリプッシュホーン・リプロデューサーと呼ばれており、少し後に登場するタンノイのオートグラフとともに、家庭用最高級スピーカーシステムの双璧を成すことになる。

ヴァイタヴォックスはユニット単体としてもいろいろな製品を発表しているが、これらはいずれもプロ用機器に使われていたものとほぼ同様なものであった。同時期のイギリスのスピーカーユニットとしてはグッドマンやワーフデールの製品が有名であるが、コーン型トゥイーターが主体であって、ホーン型トゥイーターとしては、かなり小型の製品しか存在しなかった。そういった中にあって、アルテックを連想させるような本格的コンプレッションドライバーと大型ホーンを家庭用に持ち込んだ点で、ヴァイタヴォックス社は特筆されるべきだろう。

もちろん、そうしたヘビーデューティなユニットで構成されたシステムは、コーン型やドーム型トゥイーターを中心とした、一般のホームユース・システムのブリティッシュ・サウンドとは次元の異なる、魅力あるサウンドを奏でていた。その違いは、ヴァイタヴォックス社の製品が何よりもまずダイナミックスが充分に大きく、力強いサウンドを持っている点にあった。これは、現時点でCN191コーナーホーンを聴いてみても、はっきりとその差を認識することができるはずである。

同社のコンシュマー向けユニットとしては、38cm口径のAK155、S2コンプレッションドライバー、そして何種類かのホーンが代表としてあげられよう。これらのユニットはもともとシアターサプライ用を基にしたもので、当初から純粋に家庭用として開発されたユニットは非常に少ないが、その数少ないHi—FiユニットがDU121であった。これは、ウーファーの中央部にコーン型のトゥイーターを組み込んだ、いわゆるデュプレックス構造のモデルで、ちょうどタンノイにおけるデュアルコンセントリックのような存在であった。ヴァイタヴォックスは、これらのユニットを中心として、アメリカにおける当時のアルテックやJBLのように、数々のシステムを展開していったのである。DU121も、中型のバスレフ・エンクロージュアに納められ、SP121として発表された。

このように家庭用Hi—Fiの分野に乗り出してからも、ヴァイタヴォックス社の業務の主力は一貫してプロ用機器であり続け、絶え間ない研究開発が引き続いて行なわれていた。創業当初からのプロ用にウェイトを置くポリシーは、現在に至るまで変っていない。

ヴァイタヴォックス社の製品は、一九六九年からわが国にも輸入されている。CN191コーナーホーンやSP121などの家庭用システムだけでなく、汎用性を重視したプロ用システムとして開発されたバイトーン・メイジャーなども好評をもって迎えられた。このシステムは、ボイス・オブ・ザ・シアターとして名高いアルテックのA7によく似た2ウェイシステムで、家庭用としても充分通用するものであった。さらにはバイトーン・メイジャーを天地逆に二台スタックしたダブル・バイトーン・メイジャー、劇場用の超大型システムのバスビンなど、同社の主な製品がほぼすべてわが国に紹介されている。

初期のCN191構成ユニット。業務用そのもののAK155ウーファーとS2ドライバー、CN157ホーンはこのシステムのために開発された

DU-121 同社としては珍しい家庭用ユニット。30cmのデュプレックス型で、ネットワークを内蔵

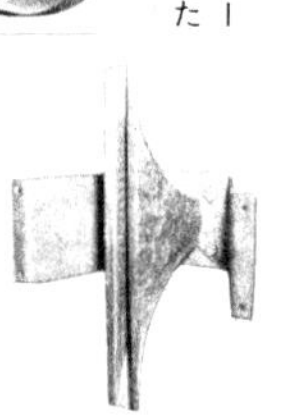

4 Kilo Hertz Horn カットオフ周波数は4kHz。水平150°、垂直30°とワイドな指向性を誇る

使用部品はすべて自社生産という、マニファクチュアの形態をとどめる工場。

▶**Double Bitone Major** より広い場所で使うために、バイトーン・メイジャーを2台スタックしている

◀**Bitone Major** アルテックのA7とよく似た2ウェイシステム。汎用性を重視して設計されており、業務用、モニター用、あるいは家庭用と広く使われている

CN-191 Corner Horn
1947年、当時チーフエンジニアを務めていたトム・モグリッジによって開発されたホームユースの最高級システム。その音質と見事な仕上げのエンクロージュアは、タンノイオートグラフと並び称されるもので、多くの音楽愛好家を魅了し続けている

Hi—Fiやプロ用音響機器以外に、ヴァイタヴォックス社の重要な分野になっているのが、軍需機器の生産である。特に英国海軍から注文を受けている船舶用PAシステムや通信システムに関する同社のシェアは大きく、一九三三年以来一貫して海軍に納入し続けている。

海軍用の機器は、苛酷な条件のもとで使用に耐え、満足に機能することが要求される。このようなノウハウを活かして造り出されている同社のマイクロフォンやスピーカーは、そのタフさが買われて港湾施設や製油所、鉱山などの産業用をはじめ、ポップ・ミュージックの世界でも広く活躍しているのである。

ヴァイタヴォックス社の現在の経営者は、創立者レン・ヤングの子息であるニール・ヤングとデヴィッド・ヤングという兄弟である。彼ら兄弟は、創業当時の工場規模をほとんどそのまま継承し、決して大規模な拡張を狙おうとせず、また、オーディオメーカーの多くがロンドンから脱出し、郊外へ移転しているのに対しても、ヴァイタヴォックスの工場はロンドン市内のウェストモーランドという閑静な住宅街から動こうとしていない。その工場は、会社設立以来つねにアットホームな雰囲気を保っていることにおいても有名である。同社のような受注生産を主体とする企業で、なにが重要かをよく知りぬいているからである。

ヴァイタヴォックス社は、製品を造り出すうえで必要な部分のほとんどを自社で生産している。たとえば、スピーカーユニットのフレームの機械加工やドライバーユニットのダイアフラム成型など、現代の常識から考えれば当然下請け生産に頼るであろう部分さえも、自社の工作機械によって造り上げているのである。

CN481
CN157を改良して造られた4セル・ディスパーシブホーン。現行のCN191はこのホーンを使用している

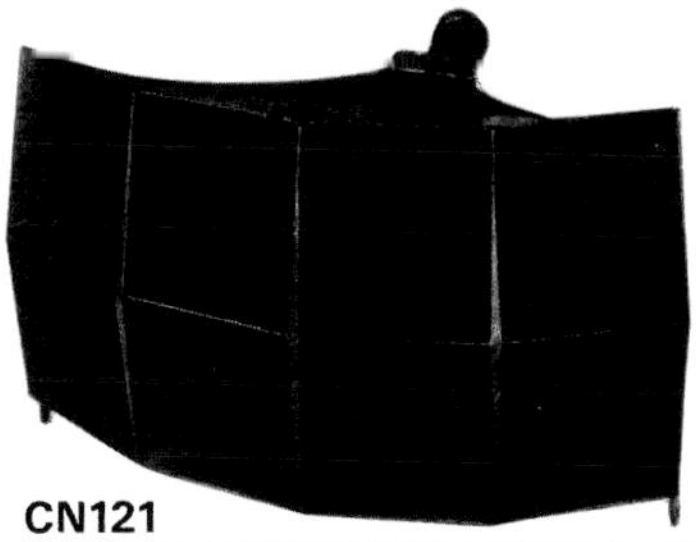

CN121
業務用の大出力再生用に設計された220Sシリーズの製品。CN191と組み合わせて使うこともできる

これは、同社の業務の主力が一般家庭用のHi—Fi製品ではないためだと考えられる。つまり、軍関係のPAや通信設備、そして民間用の大規模なPAシステムなど、いわゆる受注生産的な製品が主力になっているためで、仕様に変更があれば、その都度これに対応していかなければならないからだ。そうした状況から、ほとんどのパーツを自社で生産する体制を確立してはじめて、多様な注文に応えることができるのである。

ヴァイタヴォックス社を訪ねてみると、そうした事情がいっそうはっきりとする。スピーカーメーカーというよりは機械加工メーカーという感じが強く、ベルトコンベアなどはもちろんまったく見られない。一階は全フロアがマシーンショップになっており、何種類もの大きな工作機械がずらりと並んでいる。そこでは製品の一品一品を丹念に造り出していて、それがこの会社の独特な雰囲気を醸し出しているわけだ。

こうした同社の行き方は、おそらく今後も変ることはなさそうだ。したがって、Hi—Fi機器に関しても、プロ用と同等な厳しい規準で造り続けられていくことになろう。ヴァイタヴォックスは、真の意味でイギリスのマニファクチュアという雰囲気を濃厚に保っている数少ない会社といえよう。

CELESTION

ブックシェルフスピーカーの傑作を生み続ける、英国最大のスピーカー専門メーカー。

空前のヒット作となった「ディットン15」から「UL6」、そしてレーザー・コンピューター・システムを応用した最新版「SL6」。

英国最大の規模を誇るローラ・セレッションが、自社ブランド製品に進出を決意。

セレッション・インターナショナル社は、イギリスでも有数の規模と歴史を持つスピーカーおよびスピーカーシステムの専業メーカーである。ロンドンから北東へ約100kmの地点にあるイプスイッチという町に、同社は近代的な生産設備のスピーカー工場と研究開発部門および本社機構などを有する。

一九二四年の創業という古い歴史を誇る同社は、一貫してスピーカーメーカーという立場を守り続けてきたが、その間技術的にも、あるいは業界の形態についても大きな変化のあったこの分野において、同社も大きな変革を経験している。

セレッション・インターナショナル・リミテッドという社名は、昨年四月にローラ・セレッション・リミテッドから改称されたもので、永年にわたるローラの名前が遂に姿を消したわけだ。オールドファンにとってローラの名前はなつかしい想い出につながるかも知れないが、このローラとセレッションの結びつきについては、どうしてもこの会社の歴史的な事実として触れないわけにはいかないだろう。

最初に述べたように、一九二四年、セレッションというトレードマークはロン

セレッションの初期の製品、リートーン・デュアル(1932年製)。同一バッフルに大小のユニットを取りつけた2ウェイ方式。マグネットは早くもパーマネント型を採用している

同社はまた、製品を作るにあたって厳格な測定を施すとして昔から有名である。人物は当時のテクニカル・ディレクターのレス・ワード、後方に置かれている全金属製大型2ウェイ・ホーン・システムが珍しい

セレッションは、製品の幅広さでも定評がある。右は業務用46cm径ウーファー、左は6.5cm径ミニァチュア・スピーカーである。あらゆる需要に即応できる技術力の高さがベースとなっていることはいうまでもない

ドン郊外ハンプトン・ウィックのシリル・フレンチ社の製品にはじめて用いられた。当時の唯一の製品であったスピーカーは、

▶ブリティッシュ・ローラに買収（1947年）されるまでセレッションの本拠となっていたテムズ・キングストンの工場。1932年ごろから使われていた

▼ロンドン郊外イプスイッチにある現在のセレッション・インターナショナル本社。イギリスのスピーカー工場としては極めて大規模で、近代設備も整っている

▲ローラ・セレッションの発足地となったテムズ・ディットン工場。同社のヒット作、ディットン・シリーズはこの地にちなんだものである

美しいウォールナット・キャビネットにおさめられ、最高のスピーカーともてはやされる。もちろんまだダイナミック型ではなく、マグネチック型の時代である。

一九三〇年、これとは別にアメリカ・クリーブランドのスピーカーメーカーであるローラ・カンパニー（オールドファンになじみのローラ・スピーカーは、この本家の方である）が、その子会社としてブリティッシュ・ローラ・カンパニーを設立し、テムズ川上流のテムズ・ディットンにスピーカー工場をつくり操業をはじめる。

一九三九年第二次大戦の勃発によって、テムズ川のほぼ同じ地域にたまたま工場があったセレッションとローラ社は、それぞれ軍需用のＷタイプスピーカー（いわゆるトランペットスピーカー）の生産を分担して行なうが、この時点で両者になんらかの交流が次第に生じたとしても不思議ではないだろう。

一九四〇年アメリカのローラ社は、ブリティッシュ・ローラ社をイギリスのローラ・エアクラフト社に売却し、ローラ社は名実ともにイギリス資本の会社となった。余談だが、本家のアメリカ・ローラ社は後年エレクトロボイス社に買収され、その歴史を閉じている。

戦後の一九四七年ブリティッシュ・ローラ社はセレッション社を買収し、翌年にかけて両社の工場設備をテムズ・ディットンに統合するとともに、ローラ・セレッション・リミテッドを新社名とした。ここで現在のセレッション・インターナショナル社がスタートしたわけである。

翌年同社は、ＰＡ用スピーカーメーカーとしてよく知られるトゥルーボックス社を買収し、さらに規模を拡大した。この買収によって、同社はＰＡ関係に対するノウハウを手に入れることとなり、後年この分野に進出する際の重要なバックグラウンドを得たのである。

ちょうどこの頃から、家庭用の小型ラジオや新しいテレビセット向けのスピーカーユニット（イギリスでは普通スピーカーシャーシと呼ばれている）の需要が急速に増大する。そうしたセットメーカーに対するＯＥＭメーカーとして実績をもっていたローラ・セレッション社は、業務を大きく拡げ、イギリス最大のスピーカーシャーシ供給メーカーに成長した。

その製品はセットメーカー向きのローコスト品のみではなく、高性能なHi—Fi品にもおよんでいた。一九六〇年代に入って、ステレオレコードの浸透にしたがい、Hi—Fiが一部の愛好家から広く一般に普及するようになる頃、同社は自社ブランドによるHi—Fiスピーカーの分野に本格的な進出を決意し、コーリン・Ｊ・アルドリッチ社長のもと、事業の主体をこの分野に向けるべく力を注いだ。その結果、一九七〇年代の初めに工場の主力を現在のイプスイッチに移転した時期を境として、ローラ・セレッションは、大規模ＯＥＭメーカーから家庭用Hi—Fiスピーカーメーカーへの困難な脱皮を見事になし遂げたのである。そして販売ネットワークを強化するために、アメリカ、フランス、西ドイツと全額出資の子会社を順次設立して、世界的にそのネットワークを拡充していった。

スピーカー測定法について語る前テクニカル・ディレクターのレス・ワード

Hi—Fi部門と並んで同社の大きな柱となっているのは、ＳＲや電気楽器用スピーカーシステムの分野である。大音量を連続的に再生できる強力なドライバーの開発など、パワーレンジと名付けた一連のプロ用スピーカーシステムのラインを

確立して、イギリス国内をはじめヨーロッパの市場で大きなシェアを占めるにいたった。その性能の高さとリーズナブルな価格によって、従来伝統的にこの分野で強い影響力を持つアメリカ系のシステムに伍して、シェアを大きくのばしたのである。同社としてはこの分野のさらに一段の拡充が今後のテーマとなるだろうが、その将来性も高いことは確かであろう。

　以上の二大部門の他に、特別仕様によるスピーカーも同社の得意とする分野で、船舶用の防水スピーカー、化学工場向けの防錆処理や耐爆性スピーカー、さらには警察、消防、軍用の特殊用途スピーカーなど、他社にはみられぬ製品があることも知っておく必要がある。

ディットン15 20cmハイコンプライアンス・ウーファーとHF1300トゥイーターによる2ウェイ・システム。ウーファーに組合わされたABR（オーギジリアリ・バス・ラジエーター）の働きによりサイズからは想像もつかぬほどの圧倒的な低域再生を可能にした

定システムについての説明
レーザー光とコンピューターの組合せで振動板の動作を確認
代の担い手SL6を創った

ＳＬ６のトゥイーター。振動板は全メタル製、ボイスコイルは振動板にじかに巻かれている

技術部長のグラハム・バンク氏

BBCモニタースピーカーにも採用された名作HF1300トゥイーターの完成。

　Hi―Fiの分野に話をもどそう。前項で触れたように、セレッションがこの分野に参入したのはそう古いことではなく、一九六〇年代半ばになってからである。セレッションの名前がオーディオファイルの間に一躍クローズアップされるようになったのは、それより以前、一九五六年に発表されたHF１３００ハイノート・ユニット（トゥイーター）によってであろう。

　これは、３・８cm口径のアルミ合金製タンジェンシャルエッジ・ダイアフラムに、音響負荷を兼ねたディフューザーを組み合わせることにより、ダイアフラムのファンダメンタル・レゾナンスをダンプすると共に、高域の指向特性の改善をはかった一種のコンプレッション方式のユニットで、イギリスはもちろん世界的にもあまり類例のないユニークな型式であった。

　興味深いのはこのトゥイーターは、もとはといえばイギリスのゼネラル・エレクトリック社（G・E・C）が、当時Hi―Fi用として発表していたユニークなメタルコーン・フルレンジスピーカーに、高域特性を改善するためにアドオンするプレゼンスユニット（トゥイーター）として、OEM専門であったセレッション

展示用のガラス箱におさめられ工場内に置かれていた同社のごく初期のスピーカー。マグネチック型で、ちょうど日本の提燈を輪切りにしたような構造の振動板を持っている

社が開発したものであったことである。

ちょうどその頃、ＢＢＣの研究開発部門でＤ・Ｅ・Ｌ・ショーターを中心としたモニタースピーカー開発プロジェクトチームが、次期スタジオモニター・システムの研究に没頭しており、セレッションの開発したこのハイクォリティ・トゥイーターに目をつけ、別仕様による採用を決めた。このユニットを使用したシステムは、最初のＬＳナンバー付きのスタジオモニターＬＳ５／１で、一九五八年に誕生している。

セレッション社もこのユニットを自社ブランドによって発表することとなり、こうしてＨＦ１３００がデビューすることになった。ＢＢＣはＬＳ５／１の完成後、各種の目的に応じたモニターシステムの開発を精力的にこなしたが、一九七〇年代初めのＬＳ３／６にいたるまでの主要なモニターＬＳ３／１、ＬＳ３／４Ｃなどの高域用としてＨＦ１３００を使用し、このユニットの磁気回路を強化したＨＦ１４００がＬＳ５／１の後継機となったＬＳ５／５に採用されている。

このようなＢＢＣモニターシステムへの全面採用は、一般用スピーカーメーカーにも影響をおよぼした。スペンドールやロジャースなどの製品に次々と使用され、イギリスでもっともよく知られたトゥイーターとしてロングセラーを続けるヒット作となった。

もちろん、セレッション社自体でもこれを放っておくわけはない。一九六三年にはＨＦ１３００にマッチする低域用30cmユニットＧ４４を発表した他、翌年には同じく30cmの同軸型スピーカーユニットＣＸ１５１２とＣＸ２０１２をスタジオシリーズとして発表し、好評を得た。このうち、スタンダードタイプのＣＸ１５１２の高域用がＨＦ１３００相当のユニットとなっていたが、これらが一般向けHi—Fi製品の実質的な第一作ともなった。

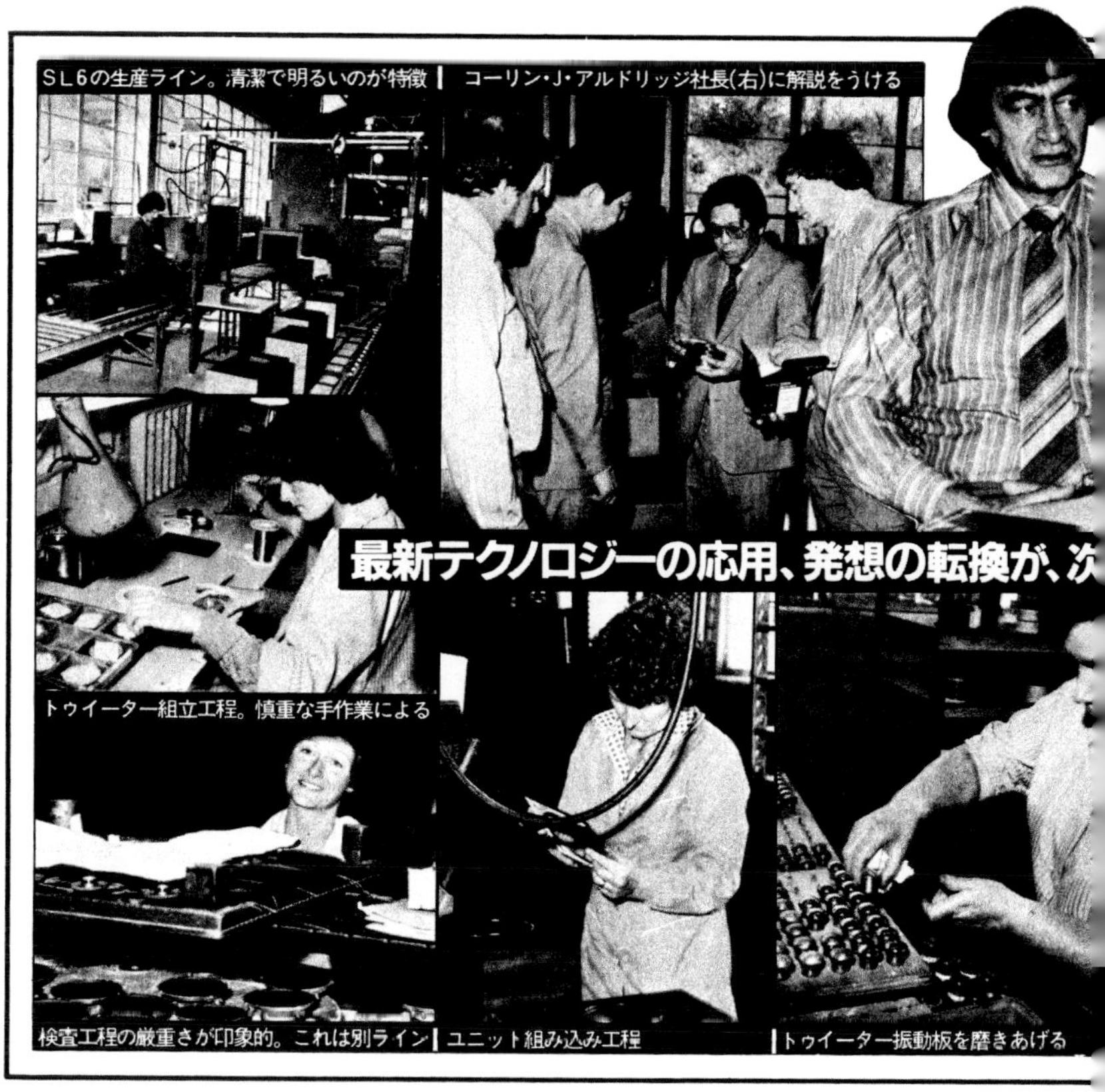

最新テクノロジーの応用、発想の転換が、次

ＳＬ６の生産ライン。清潔で明るいのが特徴

コーリン・Ｊ・アルドリッジ社長（右）に解説をうける

トゥイーター組立工程。慎重な手作業による

検査工程の厳重さが印象的。これは別ライン

ユニット組み込み工程

トゥイーター振動板を磨きあげる

ブックシェルフ・スピーカー全盛時代を迎えて大ヒットした「ディットン１５」。

ステレオの普及と共に、Hi—Fiスピーカーの主流は次第に小型なブックシェルフサイズに移行し、スピーカーユニット単体でのニーズは、特別な場合に限られるようになりつつあった。セレッションはこうした状況に対応するためスピーカーシステムの開発を進め、一九六五年に最初のシステムモデル、ディットン１０を発表した。テムズ・ディットン工場にちなんだディットンの名前は、その後のシステムにも継承され、ディットン・シリーズとして大きく成長してゆくことになる。この記念すべき最初のディットン・モデルは、当時大流行していたいわゆるコンパクトサイズの小型システムで、12・５cm径のバスユニットをアコースティックサスペンション・タイプのキャビネットに納め、高域にＨＦ１３００を使用した2ウェイシステムであった。

ディットン・シリーズ最高のヒット作となったディットン１５が発表されたのは、一九六七年である。やや小ぶりなブックシェルフサイズというこのシステムは、20cmハイコンプライアンス・バスユニットにＨＦ１３００トゥイーターを組み合わせた2ウェイ構成だが、低域レスポンスの拡大のために新しく開発したオーギジリアリ・バス・ラジエーター（ＡＢＲ）を加えているのが最大の特徴となっ

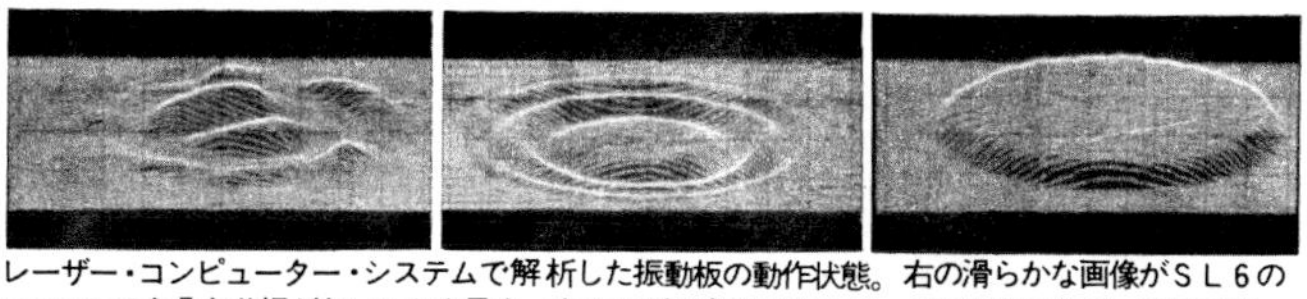

レーザー・コンピューター・システムで解析した振動板の動作状態。右の滑らかな画像がＳＬ６のユニットで余分な共振がないことを示す。左２つが旧来製法のユニットで強度の差が一目瞭然だ

UL6　ソフトドーム・トゥイーターHD1000と16cm径ウーファーPL6による2ウェイ・コンパクト・システム。低域の能率を高め歪み率を下げ、レスポンスを更に拡大するために、A.B.R.が用いられている。スケールが大きく音楽性豊かな再生音で、わが国でも絶大な人気があった

ていた。ABRは、要するにJBLのシステムに好んで用いられたパッシヴ・ラジエーターと同じ働きをするドロンコーン方式の一種だが、ディットンの場合、ウーファーとラジエーターとのレゾナンスをスタガーさせることにより、いわゆるドロンコーン臭さのない魅力的な低音が得られる特色があった。ディットン15は、わが国でもきわめて高い評価を受け、ベストセラー商品になる。これと共に、セレッションのブランドがいっぺんに知れわたることとなった。

この成功を契機として、同社はディットン・シリーズの重点的拡充をはかることとなり、一九六八年にこのシリーズ初のトールボーイ型フリースタンディングモデル、ディットン25（3ウエイシステム）を完成。ABR方式を大型システムにはじめて導入し、新しいHF2000スーパートゥイーターがフィーチュアされた。

その後、密閉型3ウエイシステムのディットン44、スコーカーに5cm径の新型ドームユニットMD500を使った大型ABR方式フロアシステムのディットン66などが次々と発表され、シリーズのフルラインが出そろった。

ディットン・シリーズにつぐものとして「UL6」の存在は忘れられない。

ディットン・シリーズとは別に、よりインターナショナルなマーケットを意識したULシリーズが一九七五年に紹介された。このシリーズでは、コンパクトなABR付2ウエイシステムの従来の伝統的なブリティッシュ・サウンドから大きく飛躍した、新世代のニューサウンドを備えたシステムとして高く評価された。

一九七七年ディットン・シリーズのメモリアル的な超高級システム、デッドハムが限定生産され、大きな話題を呼ぶ。別製のディットン66を、コンスターブルのクラシック家具工房の名工に製作させたオーク製エンクロージュアに組み込んだもので、重厚なクラシック家具そのままの風格ある仕上げは、異例の魅力を感じさせるに充分だったし、その音色もまた見事な出来栄えとなった。

四、五年前、ディットン・シリーズは、442、551、662などの3桁ナンバーに衣替えした。また、新ラインの130、150、200、300などのモデルも一時加わった。これらはいずれもULシリーズでフィーチュアされた新しいサウンドを加味した、リフレッシュ・モデルである。

革新的スピーカーシステム「SL6」の登場で、更に大きな飛躍を期す。

そして昨年のはじめ、新社名となったセレッション・インターナショナルの未来へのステップを約束するかのように、革新的なスピーカーシステムSL6がベールをぬいだ。在来のモデルとはまったく異なった新しいコンセプトにより、スピーカーの基本部分から再開発を行なったオリジナリティに富むシステムで、発表以来内外で大きな反響を巻きおこしている。

Ditton 551

セレッション初めてのバスレフ・システム。クラシックからポピュラーまで音楽のジャンルを選ばない特徴をもつ。センスのよいグリルファブリックが部屋の雰囲気を一段ともりあげる

Ditton 442

完全密閉型3ウェイ・システム。スコーカーとトゥイーターはミラーイメージ・ペアになるように配置されている。エンクロージュアはスコーカー部を隔離した二重密閉式になっている

本機の開発にあたって、同社は在来の伝統的な設計手法とは別に、同社の技術部長グラハム・バンクをリーダーとして数年前から実用化に取り組んでいたレーザー光線とコンピューターの結合によるスピーカーの振動モードの動的な測定分析技術を設計に導入し、スピーカーコーンの形状・素材等について徹底的な研究を進めた。その成果から、ユニットの構成、エンクロージュアの形状・寸法などを決定するという、従来の設計とはまったく手順を異にする方法をとった。その結果が、一見したところなんの変哲もないコンパクトでシンプルな2ウェイシステムとなったのであるが、このサイズ自体、最初からあらかじめ設定したものではなく、要求した性能から逆に割りだされたものだということが興味深い。

口径15cmのバスユニットは高分子系重合材をコーンとし、トゥイーターは銅合金製ボイスコイル・ボビンと一体構造になったドームタイプで、いずれも在来のセレッション・ユニットとはまったく関連のないオリジナル・ユニットで構成されている。小型にもかかわらず最大入力２００Ｗという並はずれた能力は、まさに現代のスピーカーシステムというにふさわしく、サイズをとうてい想像できないスケールの大きさと、きわめてアキュレートなパフォーマンスをあわせ備えたクオリティの高さは、一聴に値する。

このＳＬ６のファイナルな意匠デザインを担当したのは、工業デザイナーとして知られるアレン・ブースロイド（ブースロイド・スチュアート社の創立メンバー）である。彼は、同時に新しい社名にともなうマークやレタリングのデザインも行なっている。

ディットン１０でHi―Fiスピーカーシステムのスタートをきったセレッションは、それから十七年後の今日、新たな飛躍を期してＳＬ６を開発した。この記念すべき新旧二つのモデルが、偶然とはいえほぼ同じサイズのコンパクトな２ウェイシステムとなったことは、まったく奇しき因縁ではないだろうか。

SL 6

レーザー光線とコンピューターを駆使してデザインされたコンパクトな２ウェイ・システム。金属ドーム振動板に直接巻かれたボイスコイルを持つトゥイーター、ダストキャップのないワンピースコーン採用のウーファーが、比類のないパフォーマンスを実現した

Dedham

アンティーク家具と同じ、オークのワックス仕上げによるキャビネットを持つメモリアル・モデル。熟練した名工の手により丹念に製作される。注文主の名前を彫刻したパネルのサービス付

Ditton 662

A.B.R.付属の３ウェイ・システム。各ユニットの干渉をより少なくするべく、３次のバターワース・フィルターが用いられている。クロスオーバー周波数は700Hzと4.5kHzに採られている

WHARFEDALE

大の音楽ファン、G・A・ブリッグスが設立した、英国の最も古くからあるスピーカー専門メーカーの一つ。

スーパー12CS/AL、砂入りバッフルのコーナー型3ウェイシステム、エアデールなど、オーディオファイルが胸を熱くした典型的な英国調の、重厚なサウンド。

BOOKS by G.A. BRIGGS

1 *Loudspeakers* (1948)
2 *Sound Reproduction* (1949)
3 *Pianos, Pianists & Sonics* (1951)
4 *Amplifiers* (1952)
5 *High Fidelity* (1956)
6 *Stereo Handbook* (1959)
7 *A to Z in Audio* (1960)
8 *Audio Biographies* (1961)
9 *Cabinet Handbook* (1962)
10 *More Loudspeakers* (1963)
11 *Audio & Acoustics* (1963)

故ギルバート・A・ブリッグス氏は、大の音楽ファンであると同時に、オーディオに関する数多くの著作で知られる

ワーフデールは、イギリスで最も歴史の古いスピーカーメーカーの一つで、一九三二年にギルバート・A・ブリッグスによって設立された。当時の正式な社名は、ワーフデール・ワイヤレス・ワークスという。

ブリッグスは、後年オーディオに関する数多くの著作や、Hi—Fi再生を広く認識させるために各地で行なった大がかりなデモンストレーション——ナマとのすりかえ公開実験などの業績によって、オーディオ界に名を残した人物である。もともと彼は、根っからのエンジニアではなかった。大の音楽ファンで、レコードや放送をよりよい音で聴きたいがために、趣味としてオーディオの研究に熱中していたのだが、その熱が嵩じて、ついにはスピーカーの製造にまで乗り出すことになった。ちなみに、ブリッグスはワーフデールを創立した後で、ブラッドフォード工大教授について、個人授業を受けたという。

ヨークシャーのブラッドフォードに工場を構えた当初は苦難の道をたどったが、一九三九〜四〇年頃になってその品質が認められはじめ、事業は次第に軌道にのってゆく。ワーフデールの製品がHi—Fiの世界に本格的に登場するのは、LPが出現した一九四〇年代の終り頃からで、きわめて高性能なスピーカーユニットを発表して、一躍世界的に有名な存在となった。

同社の製品は、わが国には戦後間もなく輸入されており、同じイギリスのグッ

◀ワーフデールの傑作として歴史に名をとどめるコーナー型砂入りバッフルシステム。38cmウーファーが組み込まれたエンクロージュアの上に、ユニットを上向きにマウントした中高域エンクロージュアが乗せられている。音場再生型システムのはしりといえる構造

▶スーパー12CS/AL　戦後間もなく輸入されファンの渇望を癒した30cmフルレンジユニットの傑作。クロス製エッジやアルミワイヤー使用のボイスコイルなど、先進性がキラリと光る

TSR 112.2/TSR 110.2/TSR 108.2（左より）
現在のワーフデールの主力となるのがＴＳＲシリーズで、レーザー、コンピューター及び３次元アナライザーを駆使した技術データを元に設計されている。いずれもポリプロピレン系の20㎝ウーファーとソフトドームのトゥイーターを組み合わせた構成で、上級2機種はウーファーをスタガーさせて中音用にも使い、112.2はダブルウーファー駆動

ドマンと並び、親しまれ、愛用者も多かった。

当時のワーフデールのスピーカーは、一貫してコーン型ユニットで押し通した点に特徴がある。そのユニットには、クロス製のエッジやアルミワイヤーを使用したボイスコイル、強力なマグネットサーキットなど、現在のHi—Fiユニットの基礎となっている技術がすでに盛り込まれており、スピーカーに対するブリッグスの確固たるポリシーが色濃く反映されたものであった。

その頃の製品として忘れられないのは、スーパー12CS／ALと呼ばれる30㎝フルレンジユニット、砂入りバッフルをフィーチュアした無指向性のコーナー型3ウェイシステム、ついたて状のオープンバッフル（後面開放）型3ウェイ構成のSFB／3などである。さらに一九六〇年代に入ってからは、コーナー型3ウェイシステムの発展型であるエアデールなどが傑作として名高い。

ワーフデール社の特色は、時代の変化とともに新技術を投入し、新たなニーズに製品を適応させる努力を続けてきたことにある。一九六〇年代に入ってステレオの時代が到来すると、スペースファクターとの兼ね合いもあって、いわゆるブックシェルフタイプのスピーカーシステムが一世を風靡することになる。こうした情勢に対応して、同社はイギリスで最も早くブックシェルフ型のシステムを手がけ、本国ならびにアメリカ市場で好評を得たのである。

これより少し前の一九五八年に、ブリッグスはワーフデール・ワイヤレス・ワークスをランク・オーガニゼーションに売却し、総支配人として名をとどめていたが、六〇年代の後半にリタイアし、悠悠自適の生活に入る。そして、一九七八年にその生涯の幕を閉じた。

ランク・ワーフデール・リミテッドとして再スタートした同社は、これまでのブリッグスの経験と勘による独特のユニ

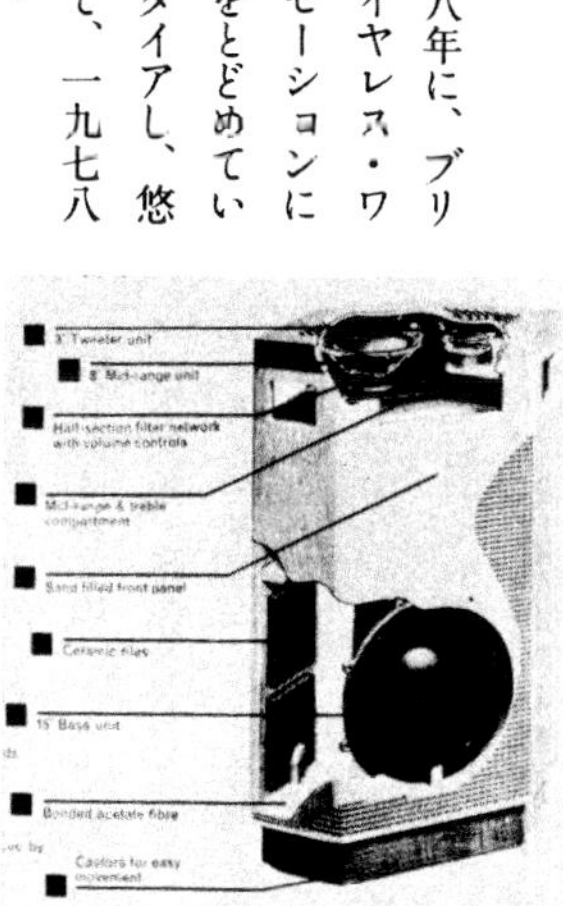

▶**エアデール**
1950年に登場した砂入りバッフルの発展型と考えられる３ウェイ・システム。バッフル面は旧作と同様砂入り、エンクロージュア内部には共振防止用セラミックが取りつけてある。中高域はエンクロージュア上面のスリットから放射される音場再生型の構造だ

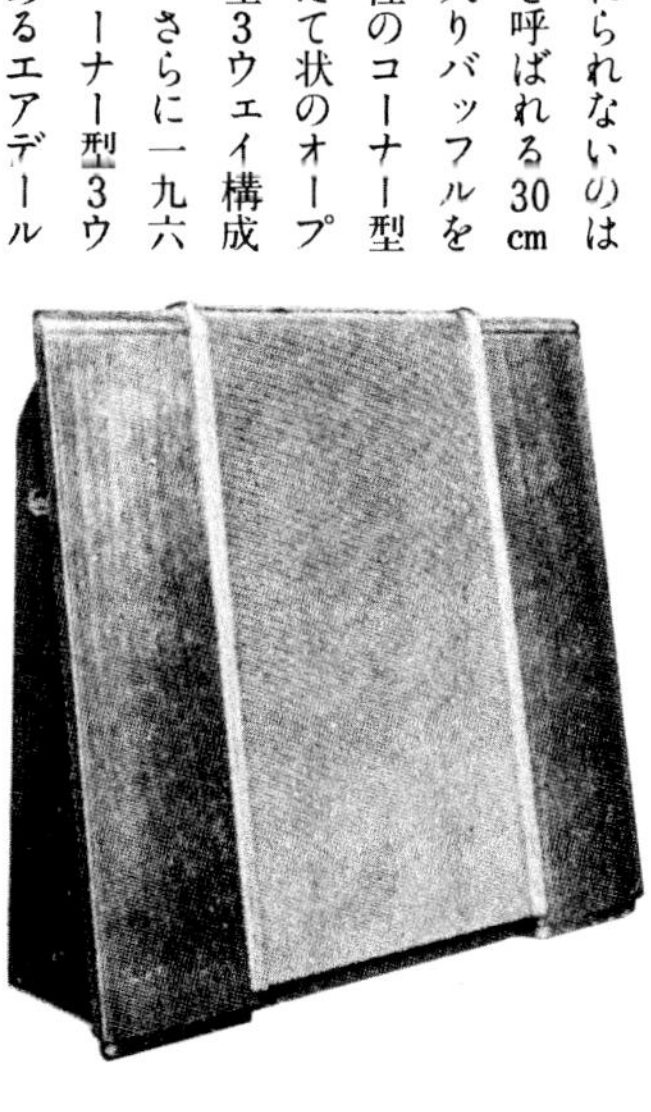

▶**SFB/3**　3ウェイ・スピーカー組み込みの砂入りオープンバッフル・システム。外装はウォールナット、オーク、マホガニーの３種を選ぶことができた。重量は30㎏にも及ぶ

◀▲LASER 120/LASER 60/LASER 100/LASER 80/LASER 40(左より)
レーザーホログラフィによる開発にちなんで、レーザーシリーズと名付けられた、ローコストの密閉ブックシェルフ型のシリーズ。全機種ともアルミ・ボイスコイルを採用し、許容入力の向上が図られている。60、100、120は高域ユニットにフェロ流体注入のドーム型を採用。いずれもポリプロピレン系のウーファーを採用するが、トップモデルの120はTSRシリーズ同様、メタル充填ホモポリマー製コーンとなっている

▶E90/E90 PRO(左より)
高能率、高性能、高耐入力をテーマとして設計されたEシリーズは、計6種類のうち、トップモデルのE90、そのプロ仕様E90PROのみがわが国でリリースされている。ともに25cmウーファーと10cmスコーカーを各々2本ずつ、ホーン型トゥイーターを1本使用した、3ウェイ5スピーカーシステムになっている。ネットワークは14エレメント構成の6dB/12dBハイブリッド型である

ットシステムの開発という手法から、より近代的なスピーカーメーカーへの脱皮を図る。技術的にもレーザーホログラフィやコンピューターによるユニットおよびエンクロージュアの振動モード解析など、最新の計測テクノロジーを駆使した設計法を積極的に導入し、イギリスではB&WやKEFと並び称される、有数のスピーカー研究施設をもつ会社の一つへと変貌を遂げたのである。

現在の同社工場は、今でもブラッドフォードの地で操業を続けており、製品のほとんどの部品がここで生産されている。現行の製品は3シリーズ13機種であるが、この中で主力を形成しているのは、TSRと名付けられた製品群である。TSRシリーズは3機種で構成されており、マイナーチェンジによりマーク2が最新機種となっている。TSR112・2は3ウェイ4スピーカー構成、2ウェイ3スピーカーのTSR110・2の両モデルは密閉型。2ウェイのTSR108・2のみバスレフ型である。このシリーズの構成ユニットは、ポリプロピレン系の20cmウーファーとソフトドーム・トゥイーターの2種類で全機種共通。上位2モデルは、このウーファーをスタガーして中域用としている。トップ機種TSR112・2はダブルウーファー仕様。

6機種からなるEシリーズは、特に若いロックファンにターゲットを絞って設計・開発されたハイパワーの再生可能なシステムだ。

20/40/60/80/100/120の6機種は、レーザーホログラフィによる開発にちなんでレーザーシリーズと名付けられた、ローコストの密閉・ブックシェルフ型である。

DECCA

SP時代末期に完成させたffrr録音方式が、デッカの技術力の優秀さを明らかに証明する。

幻の電気蓄音器「デコラ」をはじめユニークなffssカートリッジ、ケリー・リボントゥイーターなど、卓越したハードウェア開発力を、最高のオーディオ再生に向けて発揮させるメーカー。

デッカ・レコードは、イギリスの二大レコード会社の一つとして、五十有余年にわたりレコードの発展に寄与してきた。もう一方の雄であるEMIと比べると、デッカはハードウェアの開発にも特に熱心で、SP時代の末期（一九四五年）に実用化したffrr（フル・フレケンシー・レンジ・レコーディング）という広帯域録音方式によるレコードは、画期的な録音として決定的な名声を得たし、一九五七年には独自のV—L方式によるステレオディスクを他に先駆けて開発し、ステレオ録音の方式をめぐってアメリカ、ウェストレックス社の45／45方式と競い合った話は有名である。この技術がffss（フル・フレケンシー・ステレオフォニック・サウンド）ピックアップを生み出すことになり、現在のMKVカートリッジにまで発展した一連の製品に活かされているのだが、ステレオ初期に開発されたこのピックアップの方式の完成度は高く、それが今日でも通用しているのは、オルトフォンのSPUなどと並んで非常に珍しい例といえよう。

こうしたデッカの技術志向は、他の分野においてもいかんなく発揮されてきた。第二次大戦中に設立されたデッカ・レーダー、デッカ・ナビゲーターの両社は、発明されたばかりのレーダーや航海システムの設計・製作を通じて連合軍の勝利に大いに貢献したし、これらのレーダーやラジオ航海システムは今日でももちろん、更に自動操縦システムなどが民間の船舶や航空機にも広く使われ、高い信頼

Mark Ⅱ　デッカが提唱したV－L方式ステレオディスク用のカートリッジを45／45方式にコンバートした製品。イニシャルモデルMK Ⅰに対し、左右方向のステレオ感を増強した改良型がMK Ⅱである。この改良で構造上優れていたステレオ再現能力がますます高まり、デッカ・カートリッジの名声を決定づけるモデルとなった。分解能が高く華麗な音色がこのカートリッジの魅力

C4E(手前)／**SC4E**(奥)　このモデルから通常のアームにも取りつけ可能となった。振動系は軽量化が図られ、バーチカルアングルも当時の標準の15°に改められた。厳選されたスペシャルモデルにはSが付される

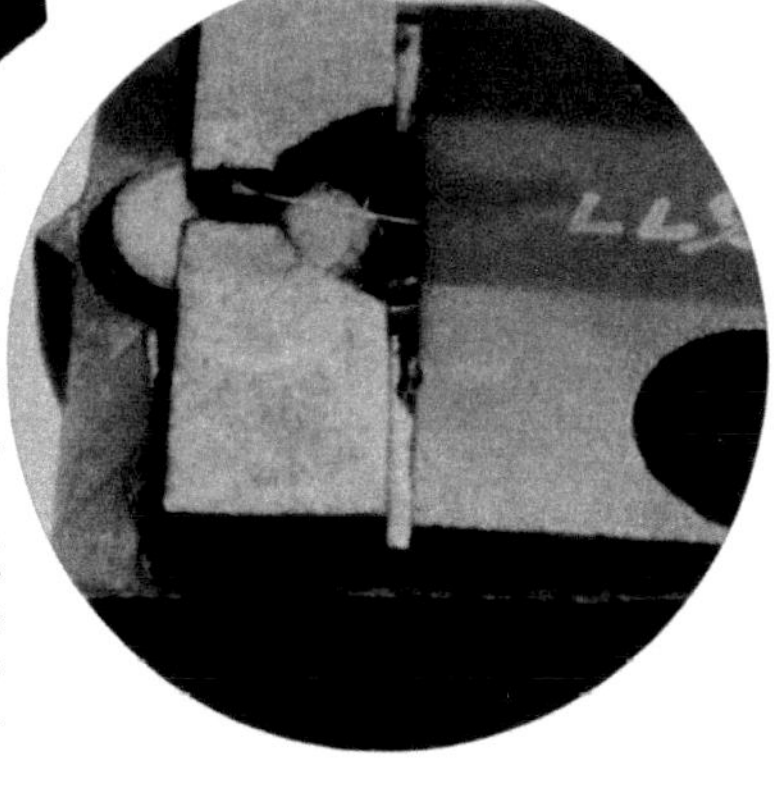

デッカのバリレラ型カートリッジ発電の原理は、アーマチュア(鉄片)の振動で空隙の磁気抵抗を変化させ、ヨークに流れる交流磁束をコイルで取りだすというものだ。通常のカートリッジのようなカンチレバーは使用せず、スタイラスチップはアーマチュアにダイレクト・カップリングされている。このアーマチュアはレコード面に対してほぼ垂直に取りつけられているため、横方向のコンプライアンスは比較的大きくとれるが縦方向に関してはかなりの困難を伴う構造である。アーマチュアの下に見えるのが水平方向用のコイルだ

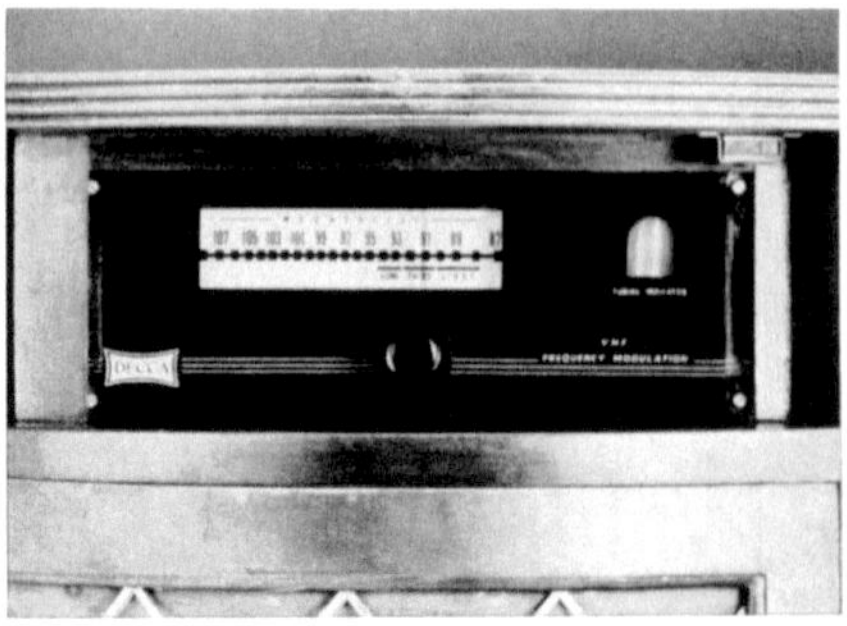

デコラのチューナー部。向って左上部の扉を開けると出現するダイアル面の数字が通常とは逆になっていることに注意。管球式ＩＦ２段というきわめてプリミティブなＦＭ専用チューナーだ

デッカ・スペシャル・プロダクツ限定生産の電気蓄音器ステレオ・デコラ。気品に満ちた再生音は並ぶものの存在を許さない。片チャンネルあたり６個用いられたコーン型トゥイーターの取りつけ角度がきわめてユニーク。楕円ウーファーはスロープ型バスレフ・ボックスに納められ、キャビネットからフローティングされている

をかち得ている。

したがってオーディオの分野でも同社は常に意欲的で、ＳＰ当時からデコラと呼ばれる高性能電蓄を製造しており、自社のレコードと合わせて忠実な再生を目指してきたのである。ステレオ時代の初めに、デッカ・ラジオ＆テレビジョン・カンパニーの一部門としてデッカ・スペシャル・プロダクツが創設され、デコラもこの会社で製造されるようになる。パット・クーパーがマネージャーを務める同部門は、最高の音響再生を第一の使命に掲げ、よりよいレコード製法と再生装置に関する研究を続けていた。デッカ・ブランドのオーディオコンポーネントは、ライバル製品に設計面で先行し、少なくとも五年間のライフスパンをもつことというポリシーのもとに、この部門から生み出されたのである。

デッカ・スペシャル・プロダクツは、ステレオＬＰの出現と同時に最初の製品として、プラグイン方式のＭＫＩピックアップヘッドと専用アームからなるｆｆｓｓピックアップを発表した。ＭＫＩヘッドは横振動をピックアップするコイル一個と縦振動用の二個のコイルによりマトリックス回路を形成し、45／45方式のステレオ信号を取り出す独特な発電構造を採用していた。このユニークな方式は、もともと同社が推進したＶ—Ｌ方式ディスクの再生用として開発されたものであるが、結線のわずかな変更により45／45方式用にコンバートしたものだ。いわゆるカンチレバーを用いずスタイラスが直接アーマチュアに取りつけられたダイレクトカップリング方式の発電系、オイルやゴム系のダンパーに一切頼らない支持方式、実用上０度に近いバーチカル・トラッキングアングルなど、構造上のユニークさが随所に見られる。ｆｆｓｓピックアップは、華麗な音色、大振幅時のトレーシング能力のよさと優れた分解能によって、きわめて高い評価を得たのである。

イニシャルモデルＭＫＩの音色をそのまま受け継ぎ、左右方向のステレオ感を増

Mark I（**スーパー**）同社のＭＫＩ～Ｈ４Ｅカートリッジの専用アーム。スタティック・バランス型で針圧は固定式というシンプルさである。極めてデリケートな扱いを要求される、デッカのカートリッジの性能を十二分に発揮させられるように、ラテラル方向のベアリングにはオイルダンプが施されているのが特徴だ

Mark V／E

軽針圧動作への配慮が徹底され、ボディ形状も一新して登場したオリジナルMark Vと同等のスペックをもつ製品。スタイラスは楕円タイプで、適正針圧は3g、出力電圧は7.5mVと高めだ

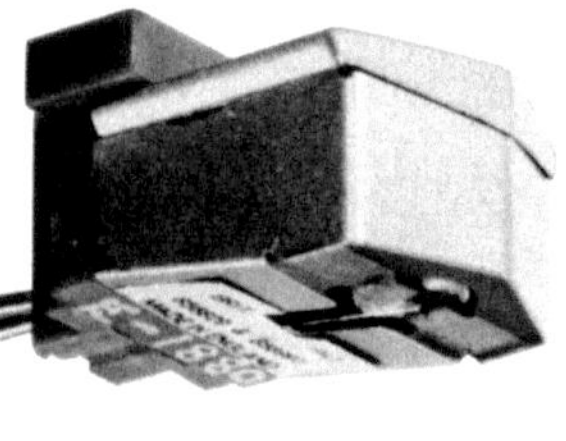

Mark V／EE

シリーズ中のトップ機種。アーマチュアの肉厚を薄くすることなどによってハイコンプライアンス化が図られたモデルで、ラインコンタクト針の採用とあいまって、高域の周波数特性を一段と改善している。ボディカラーはゴールド

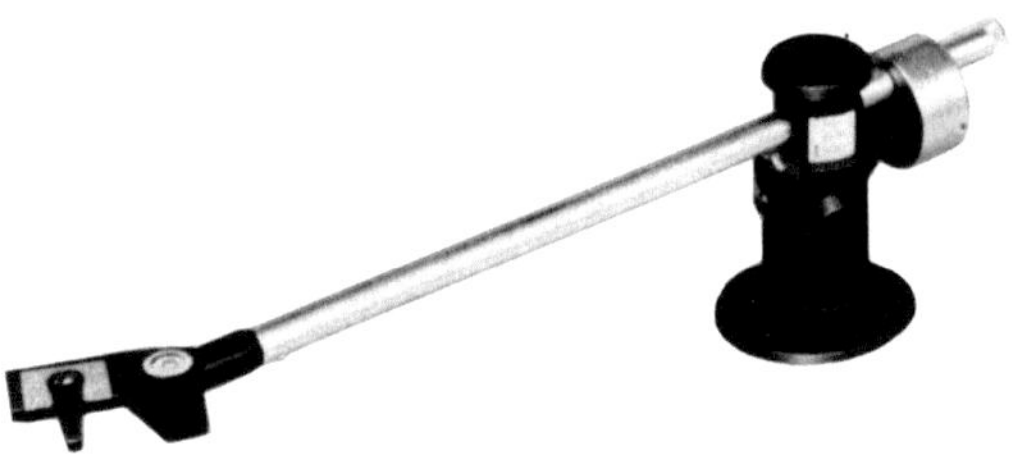

International

宝石入りユニ・ピボット方式の高感度オイルダンプ・アーム。ベースに取りつけられた３個のマグネットの反発力で、アーム自身をフローティングさせるユニークな構造である。インサイドフォース・キャンセラーもマグネット反発式。ヘッドシェルに水準器が内蔵されている

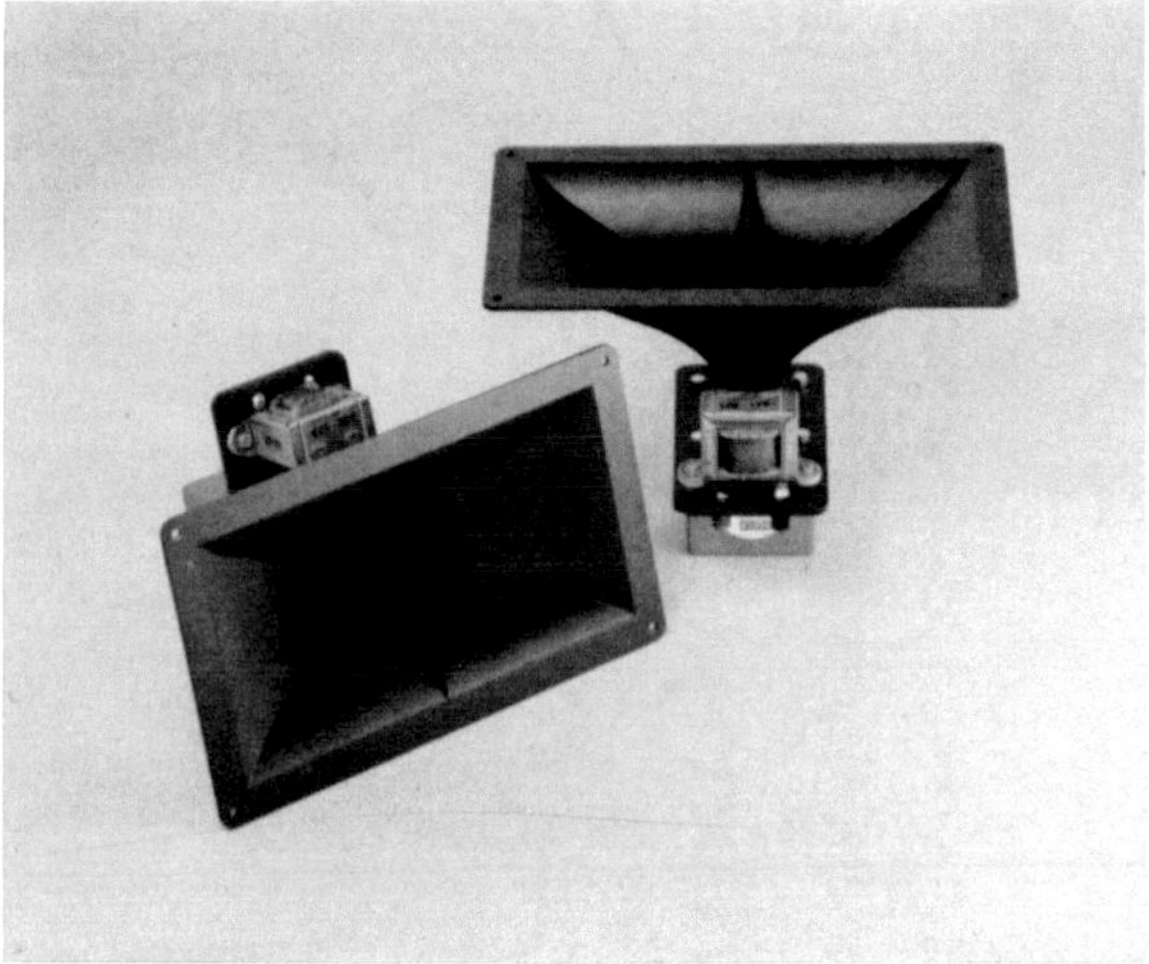

London Ribbon
ＤＫ30をベースとして、中音域までカバーできるように大型のホーンを組み合わせた製品。クロスオーバー周波数は1kHzに下げられ、マッチングトランスも大型化されている

DK30
現存する最も古いリボン型トゥイーター。ホーンロードをかけて能率の低さをカバーしているが、オプションの音響レンズを装着することにより高域指向特性の改善も可能だ

強したMKⅡ、従来のコニカル針から楕円針に換装し、軽質量化したモデルがMKⅢである。四番目のC4Eは、スタイラスをより小型にして軽針圧化が進められ、磁気回路を変更してバーチカルアングルを当時の標準的な15度とした。外観も一新され、通常のアームにも使用可能なカートリッジタイプとなったが、従来のモデルと同じく専用アームにプラグインするH4Eも残された。なお、両モデルともに型番の頭にSのついた製品は、特に厳選されたスペシャルモデルである。

一九七一年に発表され現在も現役として活躍しているMKⅤは、MK4をさらに小型化して自重を軽減し、より軽針圧動作への配慮が徹底した形となっている。

このユニークな構造のヘッド／カートリッジは、非常にデリケートな取り扱いが要求されたし、アームの選択が重要であった。そのため、MKⅠ〜Ⅲ、そしてH4Eプラグインヘッドには、専用のMKⅠスーパー、およびプロフェッショナルアーム、C4EとMKⅤのためには、セミインテグラルのユニバーサル型、インターナショナルアームが用意されていた。各れもこのピックアップヘッドの性能を最大限に発揮できるよう、特にラテラル方向を適度にダンプしたユニークなアームである。

London Enclosure
London Ribbon と新開発ウーファーによる、比較的コンパクトな２ウェイモデル

このピックアップと並んでデッカの名を高めた製品は、リボントゥイーターである。これはスタンリー・ケリーという優秀なエンジニアの設計になるユニットで、最初のモデルはQUADのコーナーリボン・スピーカーシステムに採用されて、センセーショナルな話題を呼んだ。

その後、このユニットは何社かの手で製品化されているが、結局デッカのブランドに落ちつく。リボン型スピーカーは、可動部分のマスが極小であることから諸特性の優れた方式として認められているが、能率が低く、構造上の難しさから実用化されている例は大変少ない。デッカ＝ケリーのトゥイーターでは、アルミリボンのダイアフラムアッセンブリーをホーンロードで動作させることにより、能率の低さをカバーしている。このユニットもいろいろ改良の手が加えられて現在に至っているわけだが、最近ではより高域のレンジを伸ばしたスーパートゥイーターも発表されている。

なお、デッカ・レコードがポリグラムに買収された一九八〇年に、デッカ・スペシャル・プロダクツは同社の手を離れ、レイカル・グループというコングロマリットの一員となったが、カートリッジやスピーカーユニットはひきつづき意欲的に生産が続けられ、近々ニューモデルの登場も予定されている。

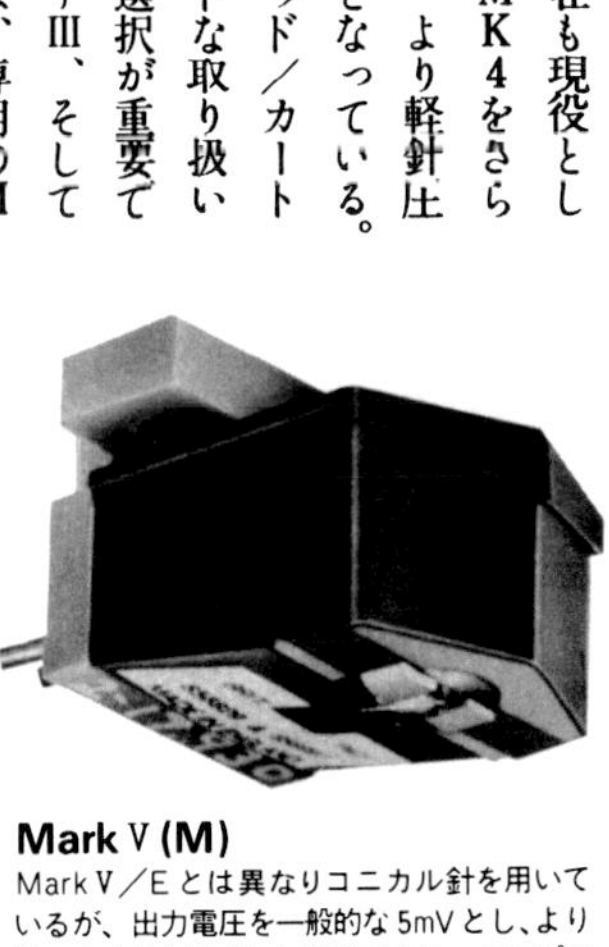

Mark Ⅴ (M)
Mark Ⅴ／Ｅとは異なりコニカル針を用いているが、出力電圧を一般的な5mVとし、より使いやすさを追求した製品である。コンプライアンスや針圧は、Ｅ型とＥＥ型の中間に設定されている。ボディの塗装は小豆色

SME

ザ・ベスト・アーム・イン・ザ・ワールド。このキャッチフレーズに、SMEの限りない自信をみる。

A・ロバートソン＝アイクマンの完璧主義が貫かれたSME3012トーンアームは、彗星のように現われ、世界中のオーディオファイルを魅了しつくした。

ユニバーサル・トーンアームのオリジンとなった、ナイフエッジ軸受のSME。

ザ・ベスト・アーム・イン・ザ・ワールドという言葉は、SMEが自社の精密トーンアームに対して最初から一貫して使い続けてきた有名なキャッチフレーズである。事実、SMEのアームは、本格的ユニバーサルアームのオリジンともいうべき製品であるのみならず、常に時代のトップに位置して、その王座を保ち続けていることに異論をはさむ人はいないであろう。

SMEのトーンアームを特色づけているのは、なんといっても垂直軸受にナイフエッジを導入したことである。もともと精密天秤などに用いられているこの構造の採用により、アームは必然的にスタティックバランス方式となり、同時に水平軸方向に対してもバランスをとることが必須条件となったが、結果的にアームの全方向にきわめて安定したバランスが得られることになり、使用するカートリッジに対して調整さえ正しく行なえば、もっともスムーズにレコードのグルーブをトレースできるのである。

英国には現在もウィングローヴのような模型造りの名人がいるが、これはSME製。もちろんハンドメイドの一品生産だ

LP以降、軽針圧トレースが当り前となるにつれて、当時のHi－Fiの先進国であったアメリカやイギリスでは、それこそ色々なデザインや工夫をこらしたトーンアームが登場しているが、このSMEほどロジカルな発想でデザインされた製品はそれまでになく、結局このアームがそれ以降のアームデザインに決定的な影響を与えたのであった。

SMEアームの特徴は、ナイフエッジばかりではない。アーム部に実用性が高く合理的なパイプ材と、簡単に着脱できるヘッドシェル方式を採用したこと、スライドベース方式により各種のカートリッジに対して正しいトラッキングアングルの調整を可能にしたこと、ハイドロ・メカニカル式フォーリング&ライジング・コントロールをビルトインして軽針圧時のリードイン・アウトを容易にしたこと等々、現在のユニバーサルアームのほとんどがベーシックに備えるようになった機能が、ここですべて実現していることも特筆に値する。

中でも注目すべきは、ヘッドシェルのプラグインコネクターシステムである。

アイクマン邸を訪ねて

アラステア・ロバートソン＝アイクマン

デンマーク・オルトフォン社が古くから用い、ヨーロッパのプロ用としてかなり一般化していたコネクター規格をSMEも採用したことが、その後のユニバーサルアームの標準化に大きく寄与する結果となった。

この頃のオルトフォン社は、アメリカESL社（当時のオルトフォンのアメリカ代理店）向けを考慮に入れ、新しくGタイプというステレオカートリッジ用のヘッドシェル規格を開発しているが、SMEはこのGシェルをそのまま導入したのである。ちなみにGシェルは、もともとオルトフォンが使用していたAタイプのシェルを長くしたもので、規格のまちまちな各社のカートリッジに対応できるサイズとしたものであった。実際、発売当初のSMEアームには、オルトフォン製のGシェルが、ネームプレートのみ入れ替えてそのまま使われていたのである。

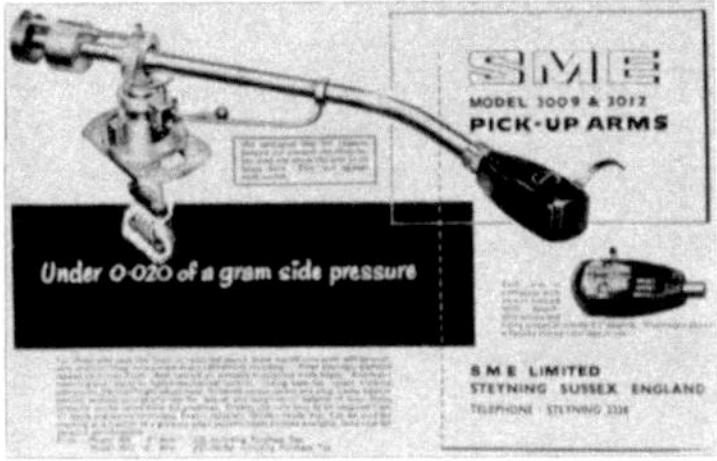

▲「グラモフォン」誌（1959年9月号）に掲載されたSMEトーンアームの訂正文つき初出広告。価格は3009が25ポンド、3012が27ポンド10ペンスと発表されている

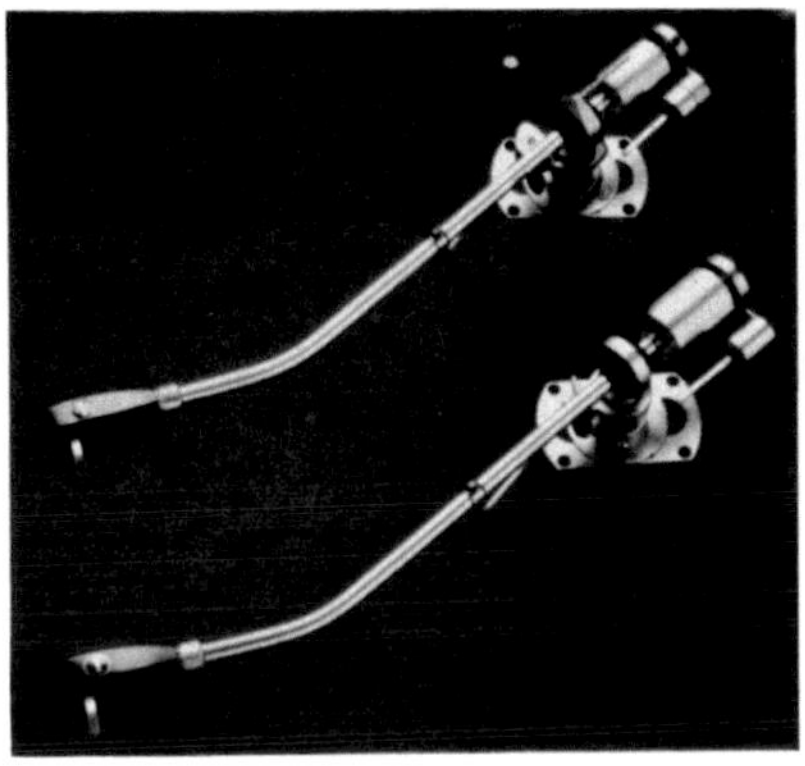
◀初期の3012（手前）はインサイドフォースキャンセラーを備えておらず、軸受ハウジングやライダーウェイト、アームリフターの形状など、細部が異なっている

最初のモデル3012は彗星のように出現、世界中のオーディオファイルを魅了。

SMEが最初のトーンアーム、モデル3012を発表したのは一九五九年であった。ちょうどステレオLPがデビューしたての頃であり、これにタイミングをあわせたかのように彗星のごとく出現したこのアームは、またたく間に世界中のオーディオファイルを魅了し、注目されるところとなった。

その中でも、Hi―Fiが盛んになりはじめていたわが国での反響は大きかった。特にピックアップメーカーに対して、このアームは衝撃的ともいえるインパクトを与えたのである。ほとんどのメーカーがパイプアームにラテラルバランサー、そして針圧直読機構を採用するようになる。さらにプラグインコネクターについては、まるで申しあわせたかのように、オルトフォン＝SME式を標準仕様とした。仕組まずしてヘッドシェルの規格標準化がスムーズに進行し、これにつれてカートリッジの取付寸法の標準化も一般的になっていった。SMEの功績は、これ一つをとってもはかりしれないものといえよう。

SME創立は一九四六年、スケールモデルの会社として発足した。

SMEリミテッドは、アラステア・ロバートソン＝アイクマンによって一九四六年ブライトン市に程近い古い歴史を誇る町スティニングに設立された会社である。創立当初はスケールモデル・イクィプメント・カンパニー・リミテッドという名称で、スケールモデルと模型技術業界の小型部品の製作をすることが仕事となっていた。掲載の写真は当時の同社の作品で、船の発注主に対する贈呈用や博物館向けのスケールモデル製作が主な業務となっていたようだ。

一九五〇年代に入ると、仕事の重点が模型製作から精密機械加工へと移り、主

スタックしたQUAD ESLに、スーパーウーファーを追加

こちらのキャビネットにはテープ関係の機材が

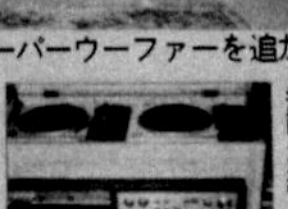
白木のキャビネットに2系統の装置が納まる

リスニングルームにて。アイクマン愛用の装置に関して質問を重ねる山中氏

レンガ造りのアイクマン邸。広大な庭とプール、噴水つきの豪壮なものである

として航空計器や事務器用部品の製作が主体になってゆく。

一九五九年に創立者であり社長のA・ロバートソン＝アイクマンは、彼の趣味であったHi―Fi再生装置に使用するために、これまでにないような精密級ピックアップ・アームを得意の精密加工を利用して造ることを思いたち、試験的なモデルが製作された。これが趣味を通じて知り合ったオーディオ業界の友人達の間で非常な好評を呼び、それをきっかけとして商業生産にふみきることとなった。

かくして最初のSMEプレシジョン・アーム、モデル3012が、同年の九月に陽の目をみることとなったのである。この3012は、ステンレスパイプにオルトフォンGタイプヘッドシェルを装着し、ナイフエッジ垂直軸受に、精密級ボールベアリングを使った水平軸受を組み合わせ、メインウエイトとラテラルバランサーを兼ねた針圧印加用サブウエイトとにより、完全なスタティックバランスがとれる設計になっていた。さらにハイドロダンパー付のアームリフターや、針先オーバーハング調整用のスライドベースなどSMEアームを特徴づける構造は、すべてこの最初のモデルですでに備えられていたのである。しかも、精密機械加工によるハンドメイドの素晴らしい出来栄えは、在来のアームとはまったく一線を画したものであり、驚きと賞讃とを一手に集めたとしても不思議ではなかった。

発売当初のＳＭＥアームには、オルトフォン製のＧシェル（プラスチック製）を採用していた

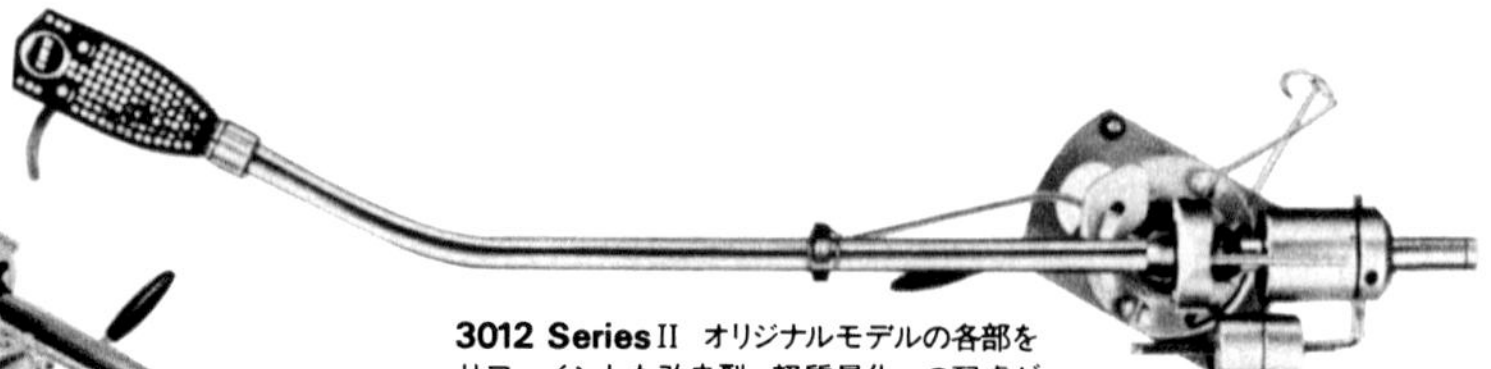

3012 SeriesⅡ　オリジナルモデルの各部をリファインした改良型。軽質量化への配慮がなされた結果、軽針圧時の一段と精密な調整が可能になった。発表は1961年。1972年に製造が中止されるまでの10年間で世界中を席捲

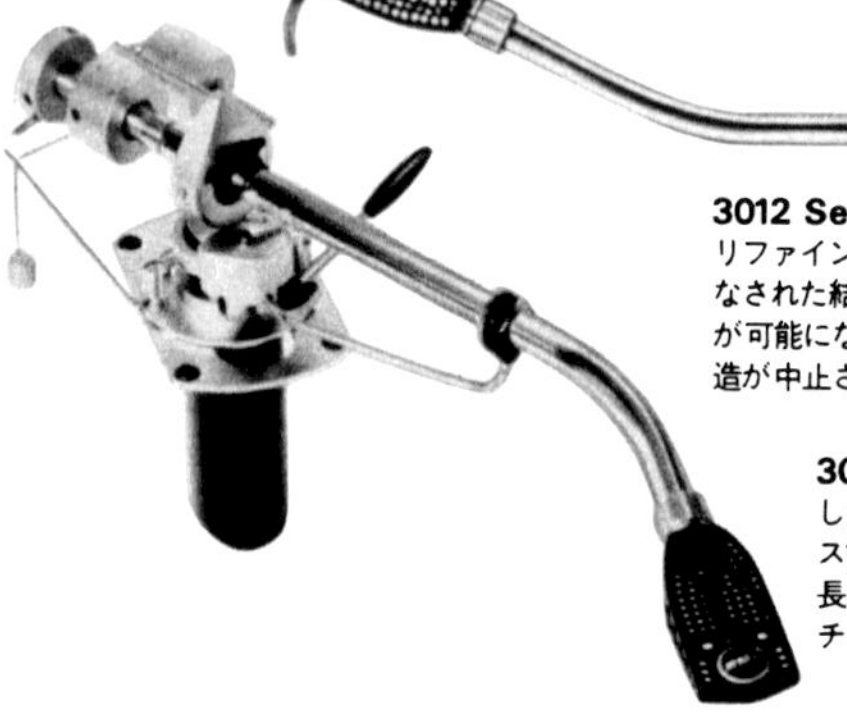

3009　アイクマンが自分の理想を託して製作した3012は、従来になく精密で抜群のトレース能力を誇った。3009はその短縮版で、実効長が3012の12インチ≒305㎜に対して９インチ≒228㎜と短いほか、機構面での差はない

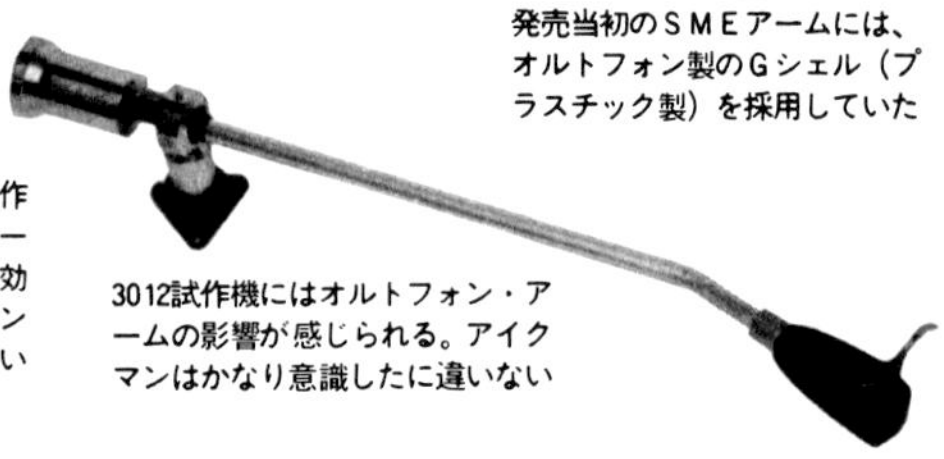

3012試作機にはオルトフォン・アームの影響が感じられる。アイクマンはかなり意識したに違いない

発売当初の生産規模は週5本のペースだったようで、このアームを手に入れることはなかなか容易ではなかったようである。この時点で、ロバートソン＝アイクマンはアームの製造を専業とすることを決意し、新しい仕事にあわせて会社名を現在のSMEリミテッドと変更した。旧社名の頭文字からとったものである。同時に、ステイニングのミル・ロードに新しい工場設備が稼働し、本格的な生産が始まる。ショートタイプのモデル3009も発売され、併行して製造されるようになる。

これは余談であるが、イギリスのグラモフォン誌の一九五九年九月号に、SME最初の広告が掲載された。そして、この広告にちょっとしたアクシデントが起きているのである。すなわち、広告面のコピーがモデル3012のそれなのに、どういうわけか写真のほうが3012とは異なるプロトタイプモデルのアームが載ってしまい、その写真が間違っている旨の訂正コピーが囲みで印刷されるというおまけまでついていた。この幻ともいうべきアームの写真をご覧いただくとわかるのだが、軸受け部がナイフエッジではなくピボット方式となっており、バランスウエイトの上部に針圧印加用のコイルスプリングが見えている。これは明らかにダイナミックバランス・タイプのアームであり、オルトフォンが以前から採用している方式だ。ヘッドシェルといい、

SME社を訪問する

組立工程を見学している山中氏

世界中のピックアップに測り知れない影響を及ぼしたSMEアームと、生みの親のアイクマン社長

イギリス南部のサセックス、ステイニングのミル・ロードに本拠を置く

SMEが最初のアームデザインをまとめるにあたって、相当オルトフォンを意識していたことをなによりも示すものとして大いに興味深い。

オルトフォンのGタイプ・ヘッドシェルは、実にうまいサイズに造られていた。少し大きめのタンノイ・ステレオ・ヴァリツイン・カートリッジも、なんなくマウントできたし、イギリスの誇りともいうべき、あのデッカｆｆｓｓヘッドさえも、ぐいっと押し込めばプラスチック素材のおかげでぴたりとおさまり、専用アーム以外で唯一このヘッドが使用できた（後にデッカ専用アダプターD２も用意された）。

このアームの精密さは、実際の性能面にもはっきり現われている。針先からみたアームの初動感度は、上下左右両方向共に20mgオーダーとなっており、ハイコンプライアンス軽針圧カートリッジに対しても十全なトレースが可能で、その幅広い対応性はまさにユニバーサル・パーパスにふさわしいものであった。

単体アームとして最も多くのユーザーを獲得した３０１２、３００９シリーズII

オリジナルモデルの発表後、ＳＭＥ社は本格的アームメーカーとして体制整備に追われる。厳密なクォリティコントロールをめざして製造・加工工程をすべて社内で行なうための設備が着々と整えら

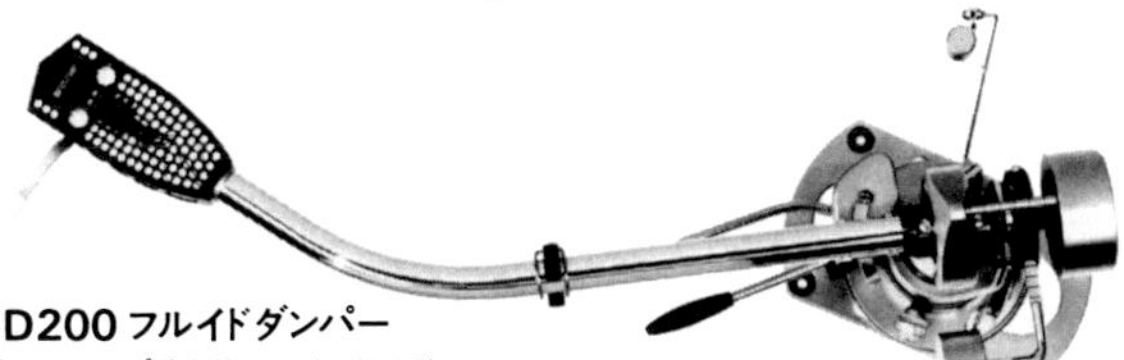

FD200 フルイドダンパー
ピックアップ系全体の低域共振を防止、ほとんどのＳＭＥアームに装着できる

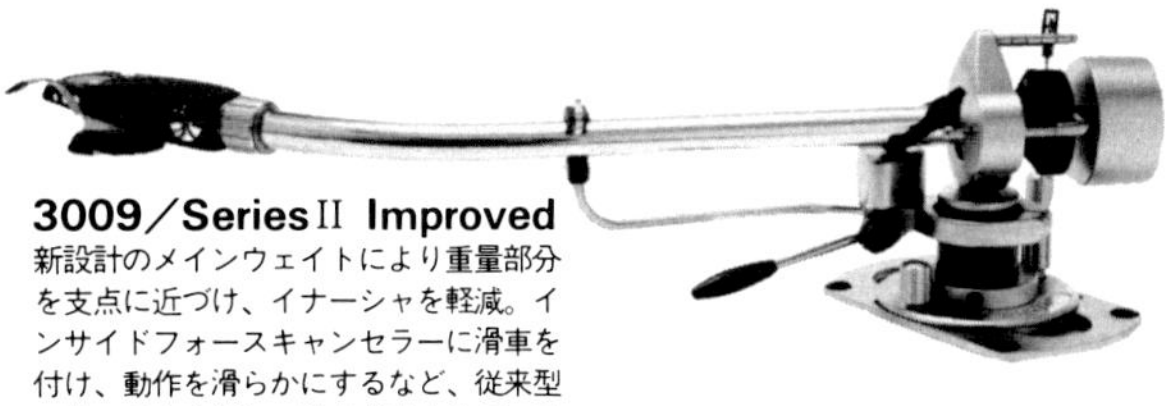

3009／SeriesII Improved
新設計のメインウェイトにより重量部分を支点に近づけ、イナーシャを軽減。インサイドフォースキャンセラーに滑車を付け、動作を滑らかにするなど、従来型に比べてきめ細かい改良が施されている

3009/SeriesII Improved
旧型に比べ一層の軽質量化を図った3009／SeriesII Improvedには、従来通りのユニバーサル型と、ヘッド部を固定したセミインテグレーテッド型の２タイプが用意された

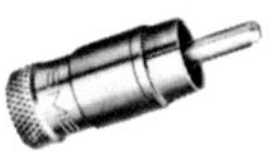

俗にＳＭＥタイプと呼ばれているオールメタル製のフォノプラグ。造りのよさで人気を博した

Ｓ２シェルは硬質アルマイト処理で強度を稼ぎ、全体に孔をあけて自重６gを達成。指かけはカートリッジ共締め方式だ

れ、目標とする〝カメラなみの品質〟が確保されるようになる。

一九六一年に、トレース時に発生するインサイドフォースをキャンセルするためのバイアスアジャスターをオプション・アクセサリーとして発売する。これは、その後の製品に標準装備されたが、この時点で英国工業デザイン連盟から一九六二年度デザインセンター賞を獲得している。

同年の五月、オリジナルモデルのデザインを一新した改良型、３０１２、３００９シリーズIIを発表した。シリーズIIトーンアームは、オリジナルモデルの各部を、生産性と精度の向上を兼ねてリファインしたもので、ロストワックス鋳造技術の導入により、複雑な形状の複合パーツを流麗な曲線で一体化するなど、ＳＭＥの精密加工技術を誇示するにたる見事な出来栄えになった。アームの軽質量化にも様々な配慮がなされ、パイプをステンレスからアルミ合金材に変更し、同時にプラグインコネクターも軽合金化した他、針圧印加用ウェイトが２分割できる構造となり、軽針圧での調整がより精密に行なえるようになった。

このシリーズIIは、その後約十年間にわたって生産が続けられ、高級単体アームとしてはおそらく最大の販売量を誇るヒット作となったのである。

そしてこの十年の間に、さらに軽量、軽針圧化を目指して各種のアクセサリー

▼▶マシーンショップ。工作機械は、ほとんどが特注品だ

ドローイングルーム。このセクションで引く図面はトーンアームに留まらず、金型や工作機械にまで至る

最終アッセンブル工程。検査にパスした各パーツが集められ、組み上げられていく

の開発が続けられる。カートリッジの全般的傾向は、アメリカ・シュアー社がリーダーシップをにぎってますますハイコンプライアンス化、軽針圧トラックの方向に進んでいた。シュアー社がアメリカにおけるSMEのディストリビューターとして関係が深かったことなども、それに拍車をかける要因となったのだが、なにもましてロバートソン＝アイクマン自身の熱狂的なオーディオファイルとしての願望がそれを推進したといってよいだろう。

一九六二年にはじめて自社製のヘッドシェルが標準装備となる。このシェルはアルミ合金プレス製で、硬質アルマイト処理後、裏側を真鍮板で補強した構造で、従来のオルトフォン・シェルとほぼ同重量であった。

この新型シェルに続いて、ウルトラライトシェルS2が発表され注目をあびる。薄肉の同じ形状をしたシェル全面に孔を開けたユニークなデザインで、もちろん硬質アルマイト処理により強度を稼いでいるが、重量わずか6gと、文字どおり最軽量化を達成した。S2シェルにあわせて、軽量なバランスウエイトも用意されたが、これは後にラテラルバランサーのついたエンドキャップを動かせる構造として調整範囲を拡げる方法が考え出され、さらにそれを一歩進めてエンドキャップとメインウエイトが一体化されるようになった。精密感あふれるSMEフォノプラグや、美しいプレーヤーキャビネット、モデル2000プリンツ・システムなどもこの頃の製品だ。

一九七二年、SME社はさらに軽質量化を進めた3009シリーズⅡインプルーブドを発表した。これは、針圧調整範囲を1・5g以下に絞り込み、新設計のウエイトシステムにより重量部分を中心軸に移動させ、イナーシャを軽減したモデルで、S2ヘッドシェルの使用が原則となった。このシリーズⅡインプルーブドには、さらに軽量化するためS2規格のヘッド部分を固定したセミインテグレーテッドタイプも用意されており、ユニバーサルタイプを売物にしていたSMEとしては、コンセプトのかなり異なるモデルになっている。また、軽質量化という立場から、同社のオリジンともいうべきロングアーム3012は、この時点で姿を消してしまった。

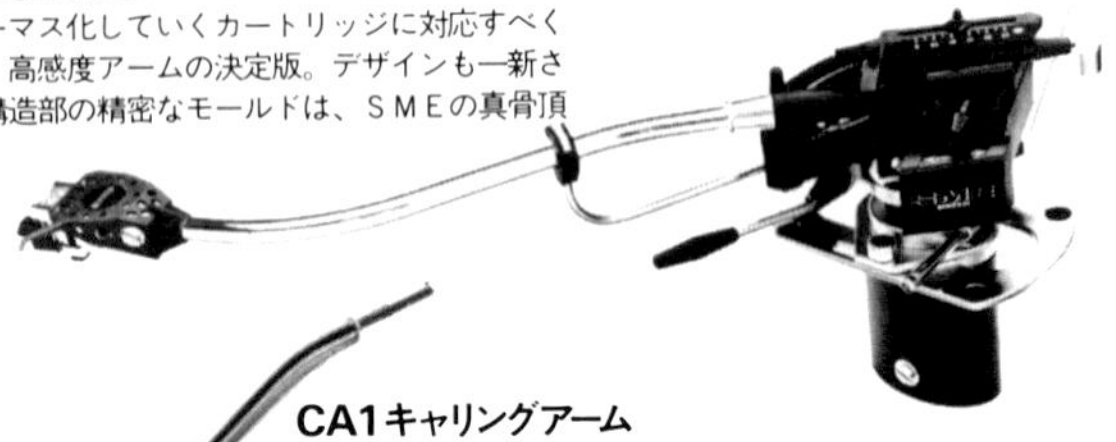

3009／SeriesⅢ
ますますローマス化していくカートリッジに対応すべく開発された、高感度アームの決定版。デザインも一新された。主要構造部の精密なモールドは、SMEの真骨頂

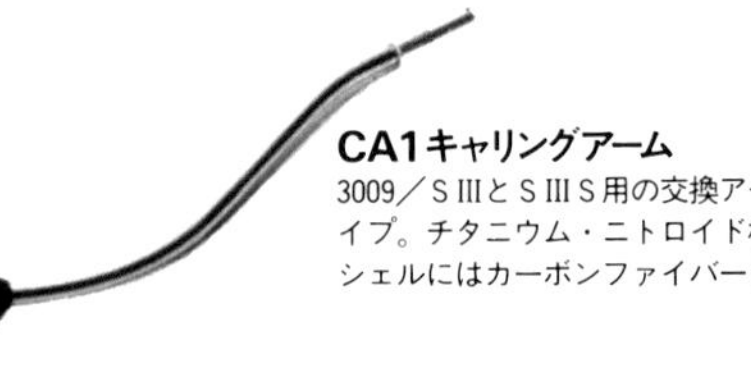

CA1キャリングアーム
3009／SⅢとSⅢS用の交換アームパイプ。チタニウム・ニトロイド材製でシェルにはカーボンファイバーを使用

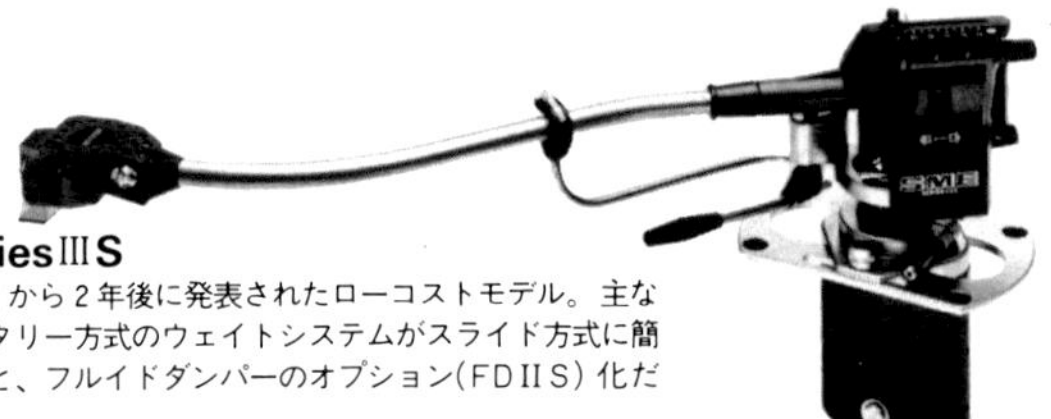

3009／SeriesⅢS
3009／SeriesⅢから2年後に発表されたローコストモデル。主な変更点は、ロータリー方式のウェイトシステムがスライド方式に簡素化されたことと、フルイドダンパーのオプション（FDⅡS）化だ

インプルーブドモデルと同時に、新しいオプショナルアクセサリーとして、フルイドダンパーFD200が発売された。これは、アームリフター部に取り付けるシリコンオイルバスと、アームパイプにセットしたパドルにより、アーム全方向の動きをダンプするもので、カートリッジ実装状態での低域共振を抑えようと考えられたものだ。カートリッジによって最適のQダンプが得られるよう、3種の形状のパドルが選択可能で、在来のモデルにも装着できるように設計されている。

五年後の一九七七年、軽量化への指向をますます強めていた同社は、その決定版ともいうべきモデル3009シリーズⅢを発表する。これまでの3009からすべての点で一新されたこのシリーズⅢは、動的な質量低減のため、これまでの伝統あるデザインを再検討し、軽針圧トレース用としてもっとも有効な形状について研究を重ねた成果といえる。もちろん、SMEアームのベーシックな方式、ナイフエッジ、スタティックバランスといった特徴はそのまま受け継がれているが、ウエイト・バランスシステムはさらにロジカルなパターンとなり、軸中心部にマスが集中する構造をとっている。これを可能にしたのは主要構造部の素材に、高剛性プラスチックの精密モールドパーツを採用したためであり、きわめて複雑な形状を一体成型で見事に実現している。パイプは薄肉のチタニウム・ニトロイド材を使用して、プラスチック成型のヘッド部分と一体化したため、パイプごと根元部分から交換する方式となった。またこのモデルでは、フルイドダンプシステムは標準装備となっている。

このシリーズⅢでは針圧1・5gプラス1g（補助ウェイトの移動で行なう）、計2・5gの範囲で調整可能となり、メインウェイトも内部の鉛板の増減で、かなり幅広くコントロールできるようになった。基本的には軽針圧タイプに重点を絞ったデザインながら、実際はセミインテグレート化してしまったシリーズⅡインプルーブドよりも、ユニバーサルアームとしての対応性がずっと広くなっている点に注目してよいと思う。

シリーズⅢの発表から二年後、ローコスト版としてシリーズⅢSが発表される。ウエイトシステムの簡素化とフルイドダ

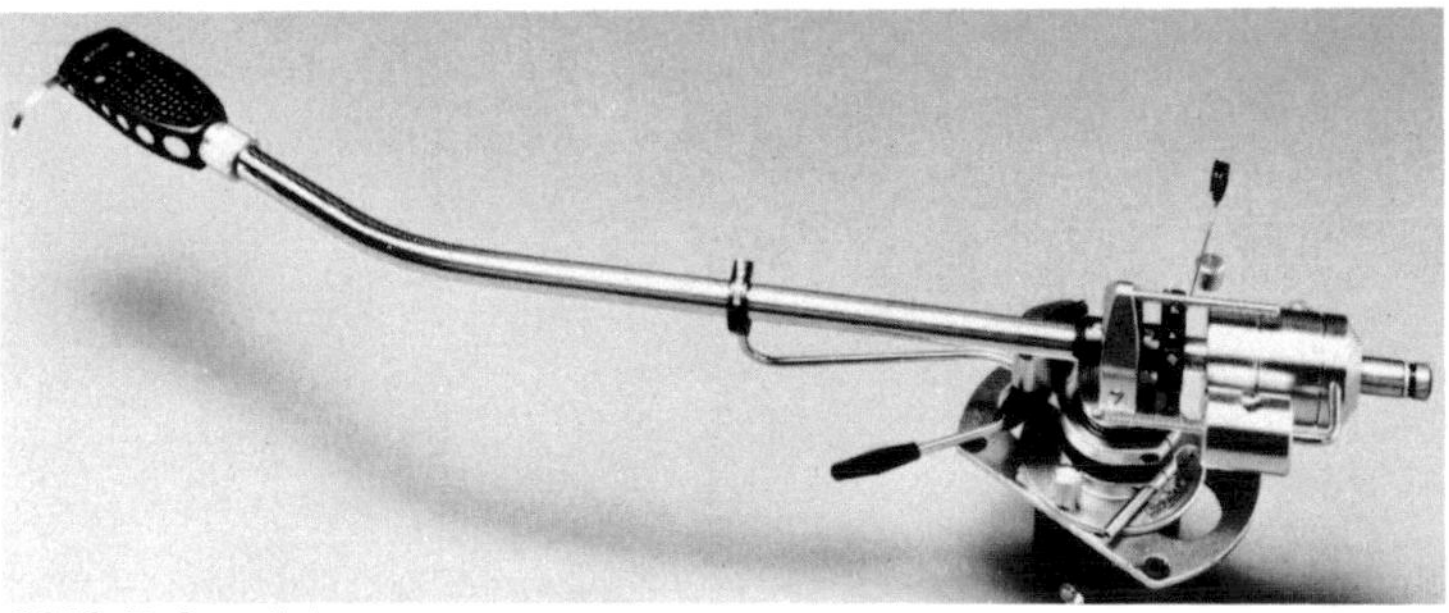

3012-R Special
幻の名器と化していた3012／SeriesⅡのリバイバルモデル。ステンレスパイプの採用などオリジナルの思想を受け継ぐが、単なる復活に留まってはいない。ラテラルバランスやゼロバランス調整に新機軸を盛り込み、一段と完成度を高めたニューモデルというべきだろう。工作精度は実に見事で、スムーズな調整が行なえる

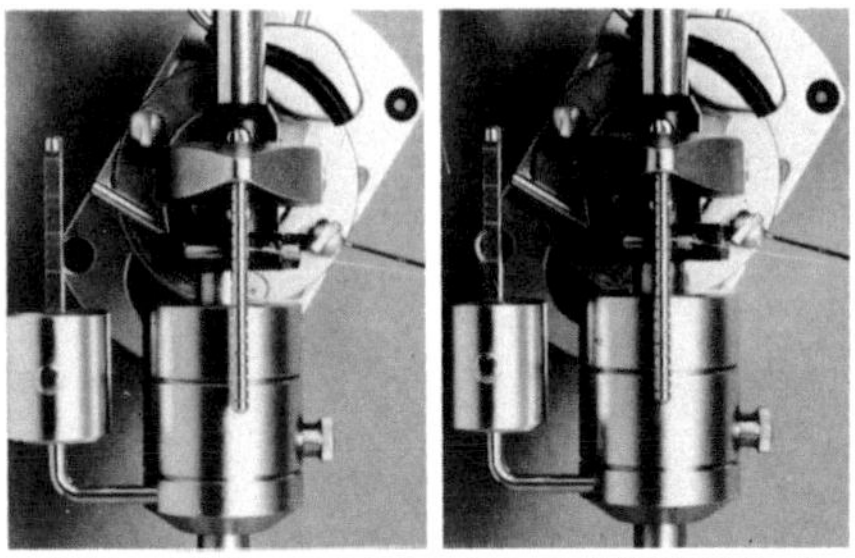

R型最大の特徴が、このラテラルバランス調整機構だろう。ウェイロッドをスライドさせる従来の方式からメインウェイトの軸ごと水平移動させるものへと改められ、これまで以上に確実なアジャストを可能にしている

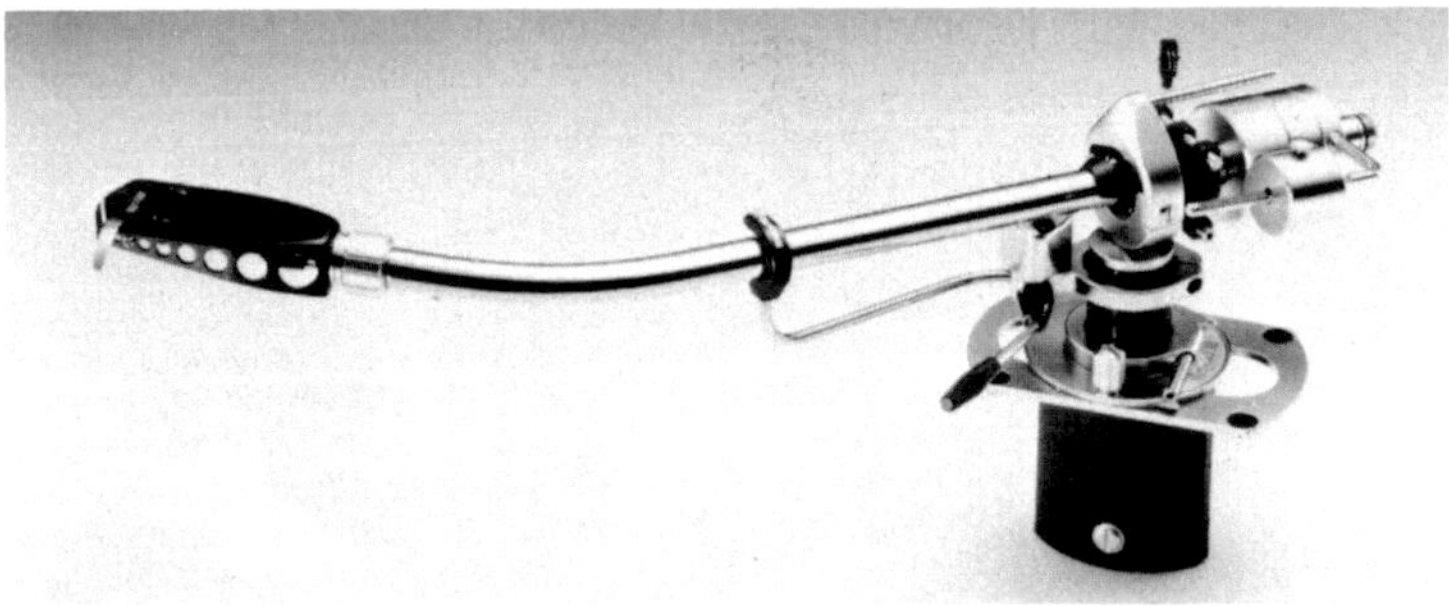

3010-R
発表と同時に世界的な好評を呼んだ3012-R に続き、ショートタイプの3009-R もシリーズに加わる。3009-R は日本に輸入されていないが、代りに企画された製品が3010-R である。このモデルは、国産アームとほぼ同様の実効長を持っているため、視覚的にも多くのプレーヤーにジャストフィットする

ンパーのオプション化が主な相違点であった。

不朽の名作のR型スペシャルモデル、ゴールドモデルの登場で大きな話題となる。

一九七一年代の後半になると、それまでカートリッジの主流を占めてきたMM型、あるいはMI型にかわって、MC型がその音の魅力から再復活し始める。これとともに軽針圧化競争も一段落となり、高品位再生のためにカートリッジとアームのマスバランスが見直され、適切な質量を備える必然性が再度強調されるようになった。

ロバートソン＝アイクマンは、軽量化が極端に進んだシリーズⅢでカバーしきれない範囲を埋める必要性を認め、伝統あるオリジナル・シリーズⅡの復活を計画し、一九八〇年に３０１２Ｒスペシャルを発表した。このモデルは、オリジナル・シリーズⅡの単なるレストアではなく、ウェイトシステムに最新のシリーズⅢ同様の思想を盛り込み、旧モデル以上に広範囲な調整を可能にした。いわば、ＳＭＥのこれまでのキャリアをフルに活かし、ユニバーサルアームとして再登場させたのである。

このＲスペシャルは世界的に好評を呼び、これをきっかけとしてショートタイプの３００９Ｒもラインに加わる。特にわが国向けには、国産アームの標準に長さをそろえた３０１０Ｒがはじめてデビューし、充実したラインアップとなった。

また、一九八一年に、Ｒシリーズの特別版として限定生産に踏み切ったゴールドモデルが内外に大きな反響を呼んだことは、ついこの前の話題であるが、その加工技術の粋ともいうべきゴールドメッキ仕上げの素晴らしさは、まさにＳＭＥならではのものであり、アームの歴史に残る不朽の傑作といえるだろう。

デジタル・コンパクトディスクの登場によって、従来のアナログディスクは今後大きな影響を受けることは間違いないが、ハイエンドのプレーヤーシステムにはまだまだ大きなメリットと可能性が残されていることもまた確かである。ＳＭＥがこの情勢に対応する体制を整えつつあることは、最近の製品開発の姿勢からもはっきりうかがい知ることができるのである。

このたび、ステイニングの同社工場を訪問し、各種工作機械類の保守管理のよさにあらためて感嘆した。この姿勢が維持される限り、同社の製品のクォリティの確かさは保証付のものだといえよう。

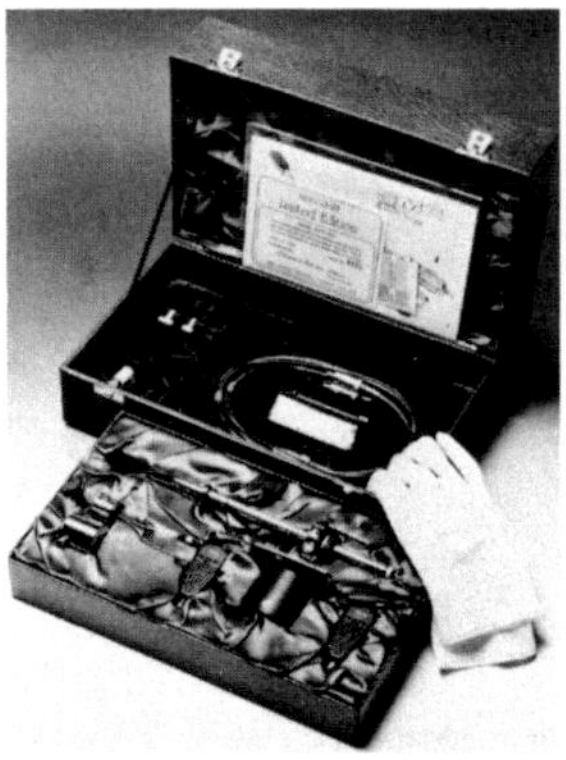

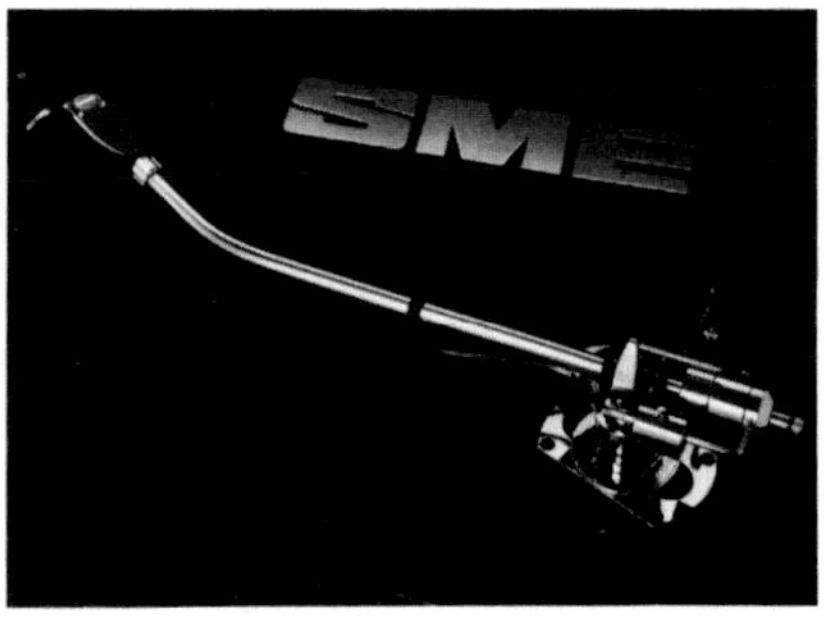

3012-R Gold
3012-R、3010-Rのデビューを契機に、各250本限定生産された。フルイドダンパー、ＳＭＥのロゴ入り手袋まで付属

B&W

熱心な音楽愛好家としてのキャリアを、スピーカー・エンジニアリングに反映させるべく設立。

基本的なクオリティの高さとアキュレートな再生能力が買われ、ヨーロッパ各地のメイジャーレコード会社のモニタースピーカーとして、引く手あまたのB&W。

レーザーやコンピューターを駆使する、システマチックな開発法を得意とする。

B&W・ラウドスピーカーズ・リミテッドは、一九六六年にジョン・バワーズによって創立された、比較的歴史の新しいスピーカーメーカーである。B&Wという社名は、創立者のジョン・バワーズと、当時の援助者であったロイ・ウィルキンスのイニシャルにちなんだもので、当初はバワーズ&ウィルキンス・エレクトロニクス・リミテッドの名前で発足している。

ジョン・バワーズは、もともとスピーカーやオーディオのエンジニアだったわけではなく、熱心な音楽そしてオーディオの愛好家としてキャリアを有する人だったようだ。ただ、技術的な問題について人一倍好奇心が旺盛だったことは事実のようで、会社設立以来有能なエンジニアを招き、早くから社内に優秀な研究・開発チームをつくり上げている。

このように、同社はスピーカーエンジニアリングについて常に積極的に取り組み、それを次々と製品にフィードバックする姿勢を堅持している点に特徴がある。そして、この技術を大切にする経営方針が、B&W社をスピーカーのトップメーカーの一つにまでのし上げた原動力となったのである。

これまでのイギリス・スピーカーメーカーの多くは、どちらかといえば手工業的な、経験に基づいた感覚的な手法を頼りに設計・開発をしてきたように思える。しかし、BBCを中心として、スピーカーを純技術的な面から設計する近代的設計法ともいうべき手法が本格化しはじめて以来、技術的に意欲をもつメーカーは

MODEL P2 1966年発売の2ウェイ・トールボーイのフロアー型システム。フェーン社の高周波コロナ放電型トゥイーターとEMI製楕円ウーファーが搭載されていた。B&W設立第一作にあたり、ピーター・ヘイワードとジョン・バワーズの共同設計による。同社を一躍有名にする切っかけとなった製品だ

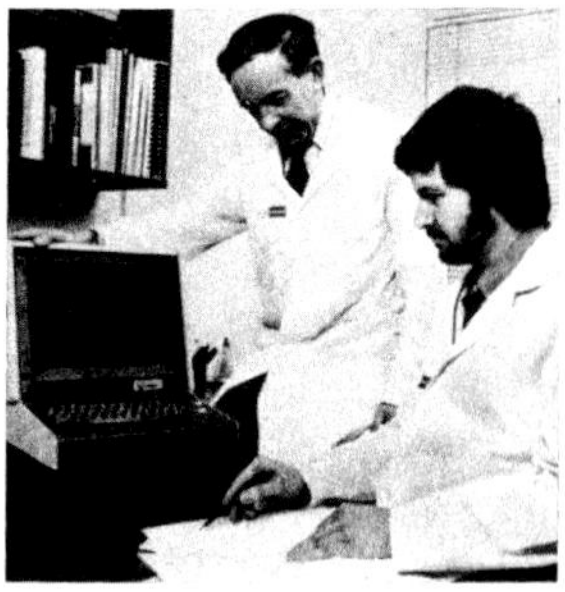

創立者のジョン・バワーズ(左)と研究部門のヘッド、グリン・アダムス

ウェストサセックスの閑静な町ワーシングにその本拠を置くB&W社

◀**DM70コンチネンタル** 1970年に発表、同社にとって記念碑的製品となった。自社製ウーファーを密閉型エンクロージュアに納め、静電型の高域ユニットをバッフル面の湾曲に合わせて配した2ウェイ構成を採る。斬新なデザインは、各地で賞の対象となった

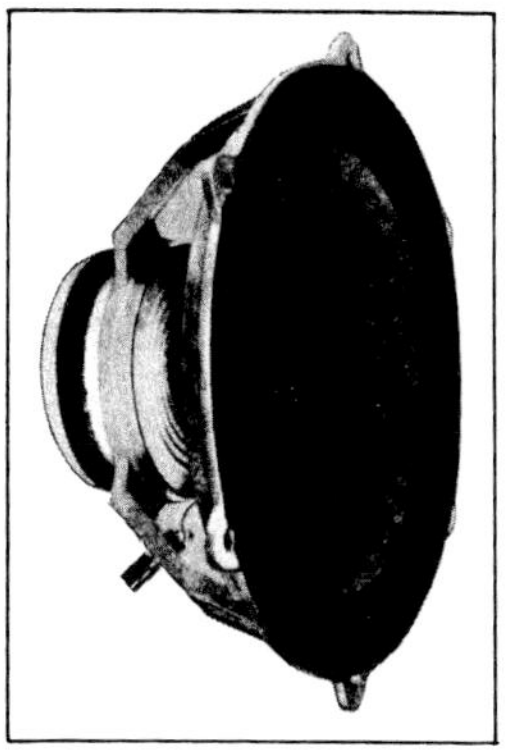

▶B&W初の自社製ユニット、31cmウーファー。DM70に内蔵

▶1969年にロンドンとアムステルダムのショーに展示されたDM70のプロトタイプ。コーン型ウーファーと静電型トゥイーターによる2ウェイ構成で、ユニットは自社製のものが使用されている

この考え方を次第に採り入れるようになっていた。

B&W社は新しい会社だけに、創立当初から科学的分析法の開発を目標とし、基礎研究をベースとした近代的設計法を駆使して、スピーカーの性能向上に情熱を傾けてきた。創立間もないB&Wに集まってきたエンジニア達は、まずスピーカー解析技術の研究に積極的に取り組んだ。こうした研究をもとに、同社のスピーカー設計はこれまでとは違った見地から行なわれるようになっていったのである。

B&W社の本拠は、ウェスト・サセックスのワーシングという町にある。ロンドンから近く南海岸に面したこの町は、高級邸宅地として昔からよく知られている地域であるが、この閑静な町に、同社の工場やヘッドオフィス、近代的な研究設備をもつラボラトリーなどのすべてが集結されている。現在、イギリスでこうした基礎研究のためのラボラトリーを持っているメーカーは、KEFやワーフデール、セレッションなど、それほど多くはない。

B&Wラボラトリーの最大の功績は、レーザー光線を用いるスピーカー解析技術の開発だろう。これは、レーザー・インターフェロメーターを使ってスピーカーユニットの振動モードを分析する技術で、その後セレッションやKEFなどがこの技術を導入しはじめた。この解析法は、現在では世界的に広く知られ、多くのメーカーで採用されている。

もちろんB&W社では、そうしたユニットの振動モードの解析技術だけではなく、エンクロージュアやネットワークも含めた、トータルなシステムとしての解析にこの技術を応用しており、システマチックなスピーカー設計がされている。こうした技術は、G・アダムスを中心とする八名のエンジニアで構成されたデザインチームによって達成されたものだ。このようなさまざまな技術の積み重ねの成果は、同社のスピーカーシステムに着実に現われてきている。

B&W社がスタートした時点では、当然ながら自社でのユニット開発はできず、他社からユニットの供給を受けてアッセンブルしていた。その頃に発表され、同社の名を高めたのがP2モニターと呼ばれる2ウェイシステムであった。一九六六年のことである。P2モニターは、イギリスのフェーン社のイオノフェーンと称するイオン型トゥイーターとEMI製の楕円ウーファーを組み合わせた、トールボーイのフロアー型で、これはイギリスのオーディオファイルに大いに注目され、B&Wの名が一挙に知られるように

スピーカー・ダイアフラムの振動モードを分析することができる、同社のデジタル・リサーチ・コンピューター

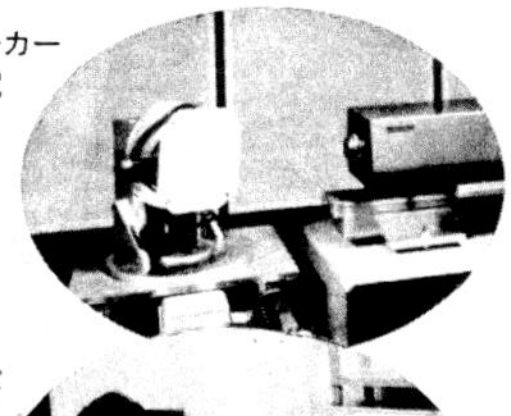

▶レーザー干渉計によるスピーカー・ダイアフラム振動特性の研究

▲スピーカーユニットをコンピューターで品質テスト

▶トゥイーターの品質テスト、全数行なわれるという厳しさだ

品質管理が厳しく行なわれているユニット製造工程。整理整頓が行き届いている印象

なる。

一九六八年に同社は工場を建設し、スピーカーユニットの自社開発に本腰を入れはじめる。そして一九七〇年には、当時、スピーカーからの撤退を図っていた

DM6 スピーカーシステムの位相特性がトランジェント特性に影響することに着目した製品。密閉フロアー型3ウェイ構成、1975年発表

DM4/II 3ウェイ・バスレフ型で、ベクストレンコーンのウーファーを有する

DM5 15cmウーファーと2cmソフトドーム・トゥイーターの2ウェイ・密閉型

EMI社から、テクニカル・マネージャーのデニス・ワードを迎え入れている。これにより同社は、スピーカーに関するEMIの膨大なノウハウを吸収することになったのである。

同じ年、B&Wにとってもう一つ、モニュメンタルなモデルが登場している。DM70コンチネンタルである。このシステムは、湾曲した密閉型エンクロージュアに最初の自社開発31cmウーファーを取り付け、その上にこれも自社の開発になるエレクトロスタティック型の高域エレメントを11個、フロントバッフルのカーブにあわせて配した、斬新な製品である。DM70はデザイン的にも傑出した存在で、各地でデザイン賞を獲得しているが、わが国にも輸入され評判となったので、ご記憶の方も多いと思う。

このDM70以来、B&Wは次々に自社製のユニットへと切り替えを進め、現在では同社のシステムに使われている全ユニットが、自社で開発・生産されたものとなるにいたった。

DM70以後、同社ではDM4、DM5などのコンパクトシステムを発表し、一九七五年には新しいコンセプトに基づいて設計されたDM6を発表した。DM6は、22cm口径のベクストレン・ウーファー、ポリアミド樹脂繊維を用いた13cmスコーカー、1・9cmのプラスチック製ドーム型トゥイーターからなる3ウェイ構成の密閉フロアー型システムであり、またユニット間のフェイズ（位相）を合わせるというアイデアを、最初に実現した製品でもあった。

これ以後、各ユニットの前後位置を調整することにより、低域から高域までフェイズを合わせるということが、世界的に一般化し、通例とさえなっていくのである。当然B&W社も、DM6以降のほとんどのシステムに、いわゆるリニアフェイズ思想を盛り込むようになるのであるが、DM6は、こうした製品の原点とも呼ぶべきモデルになったのだ。

完成した製品は1台ずつ標準機と較正され、14工程ものテストが行なわれる。その最終工程である801の無響室テスト風景

デジタル録音の場合は、より一層高性能なモニター・スピーカーが要求される。デッカ・スタジオで活躍中の801

そのアキュレートなサウンドがかわれて、EMIのアビーロード・スタジオでプレイバック・モニターに用いられるB&W801

EMIのアビーロード・スタジオ（ロンドン）でモニターとして使用中の801。EMI自製の調整卓とのコンビネーションは絶妙

ユニットやエンクロージュアに使用する新素材は、同社の熱心な研究の成果だ。

現在のB&W社における製品のラインナップは、モデル801と呼ばれる3ウエイ・スタジオモニターシステムをプレスティッジモデルとして、その下位モデルの802、小型モニターシステムのDM7MKII、そしてミニサイズのモニターDM17など多彩な機種で構成され、さらにユニークな最新モデルとして、斬新なプラスティック・エンクロージュアを採用したマイクロモニターLM1が加わっている。

モデル801は、一九七九年にスタジオモニター用として開発されたシステムで、もちろんフェイズリニア・コンセプトが採り入れられている。各帯域のユニットに独立したエンクロージュアを与え、それを積み上げたようなスタイルはいかにもユニークな発想といえる。801は、発表されて二年後の一九八一年にマイナーチェンジが施され、801Fとなる。主な改良点は、中域以上のエンクロージュアの材質変更であって、従来の木製に代り、ファイバークリートと呼ばれる新材料が使われており、型番末尾のFは、この新素材を現わ

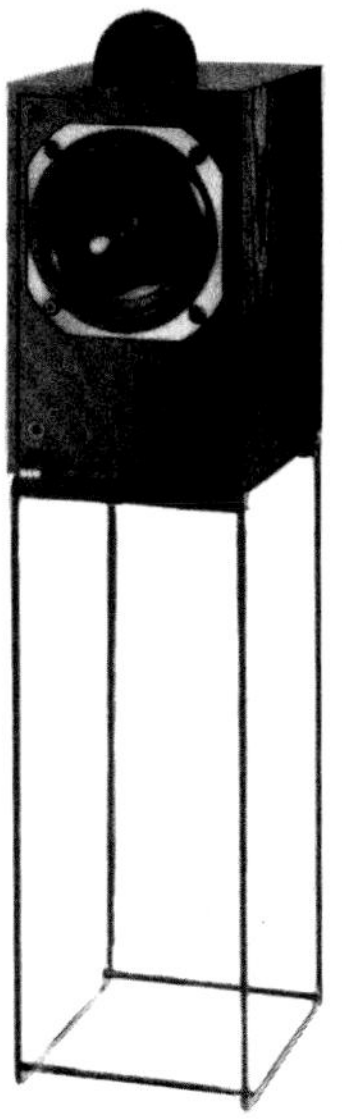
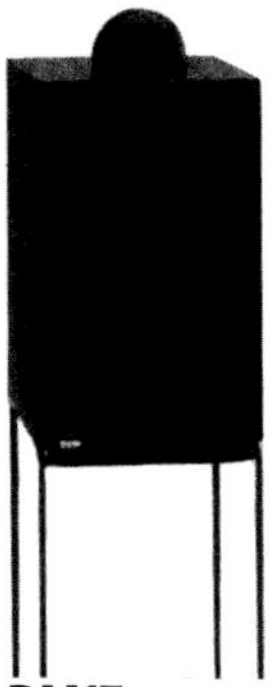

DM17
小型ながら独自の15cmポリマー・ウーファーの搭載により、驚異的な再生音圧レベルが得られる。ミニ・モニターの名にふさわしいパフォーマンスを示す

DM7 MK2
バランスがよく定位感に優れた2ウェイ方式の、音域の限界に挑戦したシステム。16cmウーファーと2.6cm ドームトゥイーターにパッシブ・ラジエーターを付加

Model 801F
B&Wのスピーカー技術を集大成したモデル。27cmウーファー、10cmミッドレンジ、2.6cm ドームトゥイーターによる3ウェイ構成。個々のユニットは専用のエンクロージュアに納められ、相互の変調を防止している。

LM1 同社最新のシステムだが、わが国には未入荷。ポータブル型で、使用条件の変化に対応するモードスイッチが設けられている。10cmケブラーコーンのウーファーと2cmドームトゥイーターの2ウェイ構成。型名はレジャー・モニターにちなむ

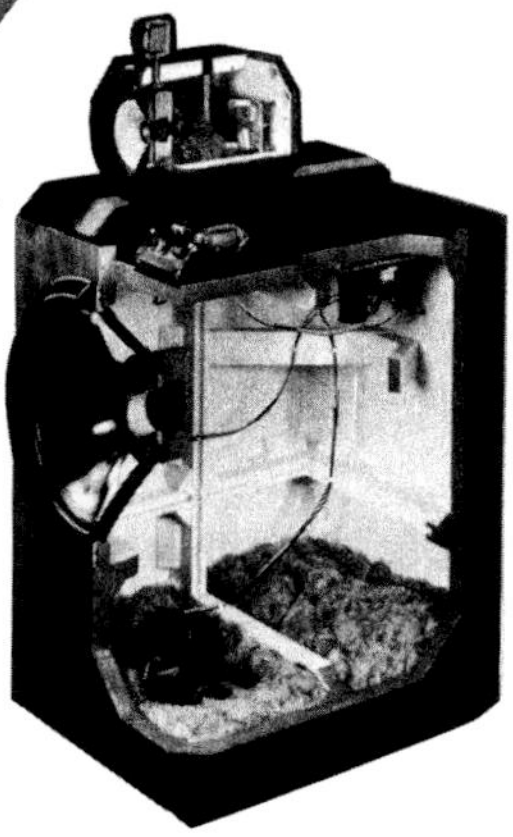

801Fのカットモデル。共振を極力排除するべく厳重な補強が施されたウーファーのエンクロージュア、中高域の音質を高めた高剛性ファイバークリート・エンクロージュア、独自の過負荷保護回路などが搭載される

している。ファイバークリート（ガラス強化コンクリート）とは、コンクリートにグラスファイバーを混入したもので、これをエンクロージュアに成型して使った場合、その効果はきわめて大きいといわれている。

　こうした新素材の開発は、エンクロージュアだけに限ったことではなく、スピーカーユニットの振動板の素材にもしばしば見受けられる。たとえばB&W社では、ユニットを自社開発に切り替えて以来、手がけたユニットの振動板には在来のパルプ系の材料を用いず、すべてプラスチック系のものが使われていることからも、はっきりわかるだろう。

　非常に現代的な、生産性や品質管理をも含めた素材の開発によりユニットを造り出していることは、B&W社の最大の特徴だろう。こうした最新技術に対するステップ・バイ・ステップの前進は、まったく独自のペースで進められており、その研究の成果は同社の製品に着実に反映されている。この点においてB&W社は、同じイギリスのQUADのイメージに一脈通じるものを持ったメーカーだということを感じさせる。

ヨーロッパ各地のレコード会社で、モニタースピーカーとして用いられるB&W。

　同社の技術的水準の高さが実証的な形で現われたのは、ここ数年の間にイギリスをはじめヨーロッパのメイジャーレコード会社が、そのモニタースピーカーとしてB&W801Fを採用しているという事実が物語っている。まず国内のEMIやデッカをはじめとして、ポリグラム系の各社、フィリップス、DGG、アルヒーフなどの録音スタジオで、このシステムが活躍をはじめている。

　その基本クォリティの確かさと、モニターとして要求されるアキュレートな再生能力が買われた結果である。

　B&Wは、同じイギリスの、技術志向を強く打ち出して名声を獲得した、KEFなどとよく似た面をもちながらも、他のメーカーのようにBBCとの関係をほとんど持たず、独力でレコード会社やレコーディングスタジオから引き合いがくるにいたったという点で、大変に興味深い。

　イギリスにあっては珍しく伝統を持たないB&W社は、短期間のうちにこれほどの成功を収めた。その秘密は、純粋に技術的な裏付けによって着実に進歩していかなければならないという近代的な設計思想と、最終的なヒアリングテストとのバランスがうまくとれているからであろう。

　これには最初にも述べた通り、創立者であるジョン・バワーズの、音楽愛好家としてのキャリアとエンジニアリングに対する理解の深さが、大きくものをいっているに違いない。

ROGERS

ブライアン・プークとリチャード・ロスを中心に、新しいブリティッシュ・サウンドを模索するロジャース。

アンプのマスターシリーズやスピーカーのカデットなど、創業当時からユニークな製品を次々と出し、いつも話題の中心にいたロジャースが、また新たなパワーを得てテイクオフした。

ロジャースのブランドイメージ再興を狙って設立されたスイストーン。

ロジャースはわが国でも、もっともなじみ深いイギリスのスピーカーメーカーの一つだが、この会社の正式な社名は、スイストーン・エレクトロニクス・リミテッドと呼ばれ、一九七六年に当時経営不振に陥っていたロジャース・デベロップメンツ（エレクトロニクス）リミテッドからロジャース製品の生産を継続するために、ミッチェル・オブライエンとシャーリー・オブライエンによって設立された会社だ。この二人はイギリスのHi－Fiエージェントとして豊かなキャリアをもち、Hi－Fiの分野で長い歴史のあるロジャースのブランドイメージの再興を目指したのである。

実際の経営は若いエンジニアであったブライアン・プークに委ねられて、ロジャースは再び軌道に乗るようになった。

LS3／6 ロジャースがＢＢＣモニターシステムのライセンスを獲得する端緒となった。20㎝ベクストレン・ウーファーとセレッションHF 1300トゥイーターの２ウェイ

そして、さらに二年後の一九七八年には、これも経営的に困難な状態になっていたチャートウェル・エレクトロアコースティック・リミテッドを買収して規模を拡大したのである。

チャートウェル社はBBCのモニタースピーカー開発グループの一員であったD・ステビングやJ・R・チュウ達によって設立されたばかりの新進メーカーで、同じくBBCのH・D・ハーウッドと共に開発したポリプロピレンコーンのパテントにより、このユニットを使ったシステムや、BBC向けの新モニターシステムLS5／8の開発を進めていたところであった。

チャートウェル社の買収により同社はロジャースとチャートウェルの両ブランドを擁することになり、同時にポリプロピレンコーンの製造権と、BBC向けLS5／8の納入メーカーとしての立場を手に入れる幸運に恵まれたのである。

ロンドン郊外、キャットフォードにその本拠を置くスイストーン社

古くからアンプやチューナーのメーカーとして名をはせていたロジャース。

LS5／8(右、後)
ＢＢＣの'80年代の主力スタジオモニター。QUAD405にＢＢＣ設計のエレクトロニック・クロスオーバー内蔵のバイアンプ方式を採る

Studio One(左、後)
LS3／6の改良型。14kHz以上にKEF製T27スーパートゥイーターが付加されている。特殊ファイバーレジンのエンクロージュアを採用

LS3／5A(手前)
移動用コンパクトモニターとしてこのクラス初のＬＳナンバーを得る

ところで、スイストーン＝ロジャースの生みの親ともいうべき、もともとのロジャース・デベロップメンツ（エレクトロニクス）リミテッドは、一九四七年に創立された大変歴史のあるオーディオメーカーであり、Hi—Fiの黎明期から高級アンプやチューナーなどのコンポーネントを手がけて、オーディオファイルに親しまれてきた会社だ。創業当初はアンプの専門メーカーであり、マスターシリーズのセパレートアンプや、カデットなどのインテグレーテッドアンプなど、かつてわが国にも少数ながら輸入されていた。

ロジャース社の創立者はジム・ロジャースというエンジニアで、同社がスイストーンの手に渡るまで代表者として活躍したが、その後再び、J・R・ラウドスピーカーズ・リミテッドという自身の頭文字を冠した会社を興し、円筒形をしたユニークなスピーカーシステムを発表していることはよく知られている。

それはともかく、当時のロジャース社はニューモデルの開発に熱心で、イギリスでは珍しく、次々と新製品を発売して話題をまくメーカーという感じも強かった。そして間もなくアンプ以外に、スピーカーシステムにも手を広げ、注目を浴

スイストーン・エレクトロニクス本社前で、山中氏とブライアン・プーク氏

ポリプロピレン・コーン製造工程。接着の難しさを克服しなければならない

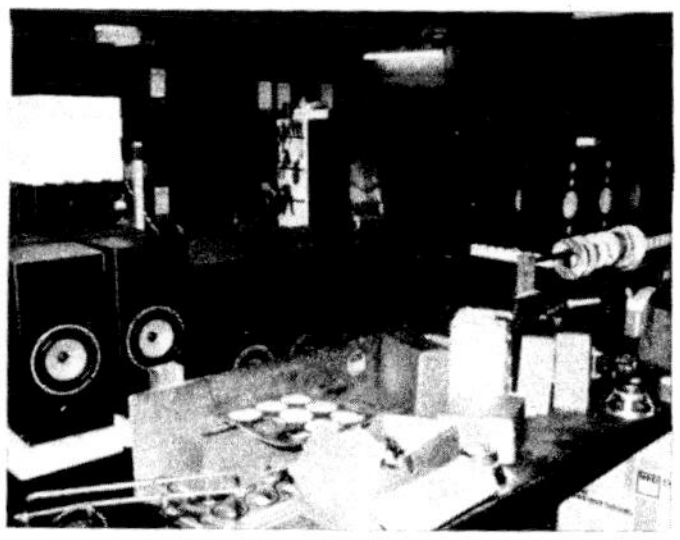

いかにも技術家集団のファクトリーらしいアットホームな雰囲気。ラインはなく、すべて手造りされる

スピーカー担当のリチャード・ロス

実質上の経営者ブライアン・プーク

びる。アンプと同名のカデットシリーズなどが有名であった。

一九六〇年の後半に管球アンプからソリッドステートアンプへの移行が進みはじめた頃、同社はM・シェドをアンプのエンジニアとしてITTから迎え、レーベンスボーン、レーベンスブルックと名付けたソリッドステートのアンプ・チューナーシリーズを発表し、好評を博した。これらのシリーズの一部は、スイストーンに移った現在でも健在で、M・シェドもアンプ部門の責任者として、A75、A100アンプ、T65、T100チューナーなどの開発に活躍している。

一方スピーカー部門では、一九六九年からBBCのモニターシステムのライセンス製造権を獲得して、一躍ロジャースの名を高めるようになる。同社が担当したのは当時開発されたばかりの小型モニターLS3/6で、20cmのベクストレンコーン・ウーファーにセレッション製HF1300トゥイーターを組み合わせた2ウェイ構成となっていた。同社はこのLS3/6システムをベースに、一般市販モデルとして「BBCスタジオモニター・スピーカー」を発売している。当時のカタログによると、このシステムはオリジナルのLS3/6にセレッションHF2000をスーパートゥイーターとして加えた3ウェイ構成で、25kHzまでハイエンドを拡大したものとなっていた。この時の経験とノウハウは、後々スイストーン社になってからのエクスポートモニターや最新のスタジオ・ワンに再び活かされることになるのである。

レーベンスボーン
ch当り25W/8Ωの出力、管球式に勝る音質を得るまで1年を費やした。M・シェドの移籍第一作である

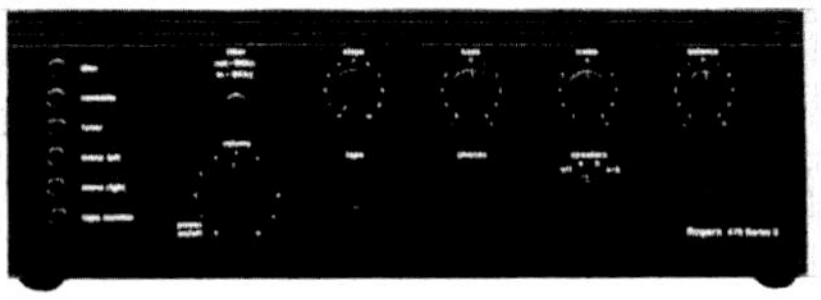

A75 SeriesIII
出力45W+45Wのインテグレーテッド・アンプ。シンプルな構成だが機能は豊富で、小粒ながらピリッとした味が魅力だ

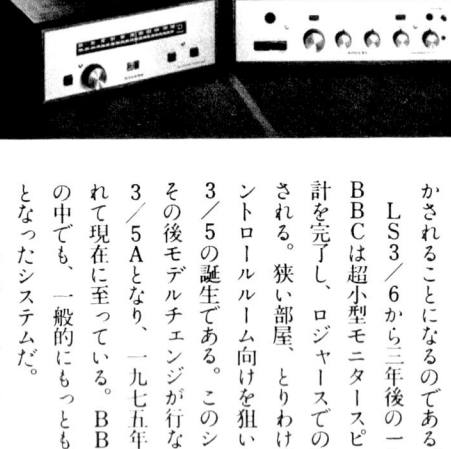

レーベンスブルック
同社の管球アンプ時代の名作としてHG88IIIとパワーの少ないカデットIIIがあるが、カデットIIIの後継機として誕生したのがこのレーベンスブルックである。1966年ITTからロジャースに移ったマルコム・シェド（現在もアンプ関係の責任者として活躍中）のソリッドステートアンプ第二作にあたる

LS3/6から三年後の一九七二年、BBCは超小型モニタースピーカーの設計を完了し、ロジャースでの生産が開始される。狭い部屋、とりわけ移動用のコントロールルーム向けを狙いとしたLS3/5の誕生である。このシステムは、その後モデルチェンジが行なわれてLS3/5Aとなり、一九七五年から生産されて現在に至っている。BBCモニターの中でも、一般的にもっともポピュラーとなったシステムだ。

ちなみに、オリジナルLS3/5と現在の3/5Aとの違いは、オリジナルはエンクロージュア寸法がひとまわり小さく、低域のレスポンスもやや劣っていた。外見上はウーファーとトゥイーターの天地が逆となっており、トゥイーターのプロテクターや周囲のフェルトパッドがないのが、目立った差である。内容的にはKEFの納入したユニットが改良された点がモデルチェンジの主な理由であったようだ。LS3/5AはBBCとしては珍しくロジャースの他、オーディオマスター、チャートウェル、ラムの各社にライセンスが認められ、競作の形となったのだが、チャートウェルはロジャースと同じスイストーン社となり、ラムは倒産、オーディオマスターも製造を中止してしまった。現在はスペンドールが新たにライセンスを獲得して二社で製造されている。

新しくスイストーン社となってから、同社は、もともとのロンドン、キャットフォードの工場と、二年後に買収したチャートウェルのミッチャム工場（ロンドン郊外サリー州）の双方で、機種を分担して製造を行なっていたが、一昨年その本拠をスペースのあるミッチャムに移し、現在はすべての製品が同所で生産されている。

スピーカー部門の責任者、リチャード・ロスを中心に新製品の開発が進む。

現在の同社で重要な役割を担っているのが、スピーカー部門の責任者であるリチャード・ロスである。彼がこの会社に入社したのは一九七六年であるから、スイストーンへの移行が終ってまもなくの頃であり、新しいロジャースの生え抜きのエンジニアといってよい。最初にロスが手がけたのは、エクスポートモニター

LS3/5A
ウーファー10cmベクストレンコーン、トゥイーター2cmドームによる2ウェイ密閉型。樺材のエンクロージュアは共振防止剤塗布

の改良である。ウーファーを新しく再設計して、オリジナルのＬＳ３／６にまったく近い形に仕上げ、パワーハンドリング・キャパシティを向上させた。この改良型の姉妹機として新しく設計されたのが、やや小型のコンパクトモニターである。

一九七八年のチャートウェル社買収によって、同社が開発中であったＢＢＣの新しいスタジオモニターのプロジェクトがスイストーンに引き継がれ、ロスの重要な仕事となった。そして、ＬＳ５／８のアウトラインが完成し、一九七九年、最初の量産ＬＳ５／８の一括納入がＢＢＣに対して行なわれた。

この新しいスタジオモニターは、これまでのＬＳ５／５に代るシステムで、ロックミュージック等のモニタリングに必要とされる高いパワーハンドリング・キャパシティと、クラシック音楽や人の声を色付けなく再生することが可能という新世代にふさわしいモデルとなったのである。同社がライセンスを持つポリプロピレンコーンが、この成功の鍵となったのだが、実際の製造上の難点を克服できたのは、ロスとＢＢＣのパートナーシップの賜物であった。ＢＢＣではスタジオモニターのすべてを新しいＬＳ５／８に切り替える作業を進めており、同社もこの生産に活況を呈している。

バイアンプ内蔵のＬＳ５／８をネットワーク仕様に変え、一般向けとしたのがＰＭ５１０で、エンクロージュア、ユニット共まったく同仕様のものが使われている。

また、ポリプロピレンコーンをフィーチュアしたコンシュマー向けシステムとして、もっともコンパクトなＰＭ１１０をはじめ、ＰＭ２１０、ＰＭ４１０が開発され、現在同社の主力モデルとなっている。

エクスポートモニターも、さらに改良されてスタジオ・ワンとなった。エンクロージュアに新開発のレジンファイバーが採用されているのが大きな特徴だが、基本設計はＬＳ３／６をそのまま受け継いでいることはいうまでもない。

最新の製品としてＬＳ１、ＬＳ５などの小型システムがある。いずれもスタジオ・ワンと同様レジンファイバー製のエンクロージュアが採用され、ＬＳ５／８で実用化された耐熱プラスチック（カプトン）製ボイスコイルボビンを用いて、コンパクトシステムにもかかわらず、耐入力性を高めたことが新しい特徴だ。

今後の同社の発展は、ＢＢＣとの新しいモニタースピーカーの開発もさることながら、ブライアン・プークとリチャード・ロスを中心として、イギリスの音楽再生の伝統を守りつつも、新しいテクノロジーの導入によって、最先端をゆくスピーカーメーカーとしての地位を確立できるかどうかにかかっているといえるだろう。

LS5/8
ロジャースの最高機種。バイアンプ方式で、モニタールームの環境に応じ、35Hzで＋5dB、＋8dBと3段階に切り替えられるブーストスイッチが組みこまれる。厳選された樺材のエンクロージュアに30.5cmポリプロピレン・ウーファーとオーダックス製3.4cmソフトドーム・トゥイーターがマウントされた2ウェイ・バスレフ構成。クロスオーバー周波数は1.8kHzに採られている。低域、高域のバランスは0.5dBごと±2dBまで調整可能

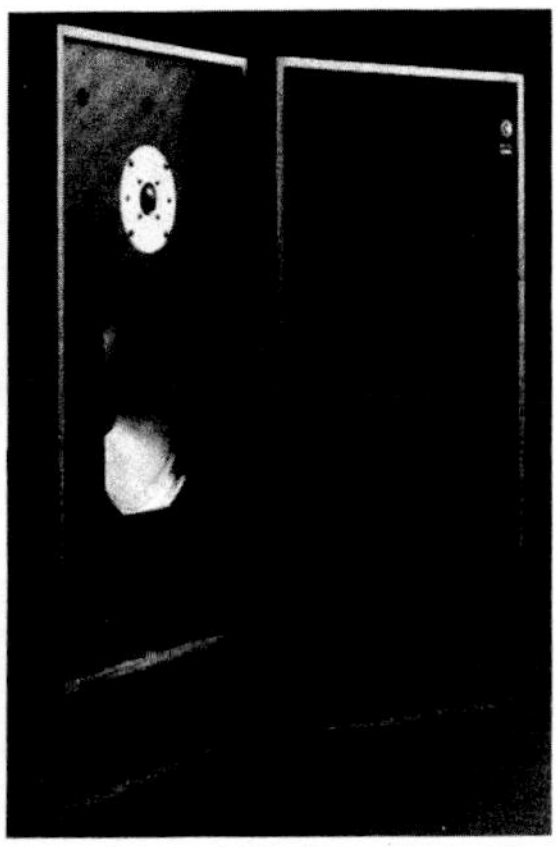

チャートウェルLS5/8 ポリプロピレンコーン・ウーファー採用の嚆矢。D・ステビングらにより設立、吸収合併された

STUDIO ONE
カプトン製ボイスコイルボビンと特殊コイルを用い、350Wの耐入力を持つ。低域特性を向上させたレジンファイバー・エンクロージュアを採用。ダクトチューニング周波数は45Hz、入力ターミナルはキャノン端子使用

EXPORT MONITOR STUDIO ONEの前身。自社製20cmベクストレンコーン・ウーファーとセレッションHF1300トゥイーター、スーパートゥイーターにKEF・T27を採用。最大許容入力が、LS3／6の約3倍の35Wに増加

LS5
同社独自のレジンファイバー・エンクロージュアを採用した2ウェイ・バスレフ・システム。16.5cmポリプロピレン・ウーファーと2.5cmソフトドーム・トゥイーター搭載の新型

SPENDOR

スペンドール発足の切っ掛けとなった、20cm口径のベクストレンコーン・ウーファーの開発。

BCⅡ、BCⅢと続けざまにヒットを放ったスペンドールが、新SAシリーズとプリメインアンプD40とのコンビネーションで、新たな飛躍を開始した。

スペンドール・オーディオ・システムズは、スペンサー・ヒューズが一九六九年に創立したスピーカーメーカーで、BCⅠ、BCⅡの成功により一躍有名ブランドとなったメーカーである。スペンドールという社名は、スペンサーと夫人のドロシーの名を合成したものだ。

スペンサー・ヒューズは、BBC研究所でD・E・L・ショーターやデヴィッド・ハーウッドの下で、モニタースピーカーの開発に従事していた。彼はプラスチック・コーンを使ったウーファーユニットの研究を命じられ、自宅にまで真空成型機や捲線機などを持ち込んで、研究に没頭する。やがて完成した20cm口径のベクストレンコーン・ウーファーは、BBCの認めるところとなったのだが、所員であるヒューズから買い上げるわけにはいかず、夫人のドロシー名儀で会社をつくらせた……というのが、スペンドール社設立の裏話である。

スペンドール社

デレク・ヒューズ

スペンサー・ヒューズ社長

BBCがBC2/8MKⅡと呼ぶこの20cmウーファーは、中型モニターのLS3/4CやLS3/6に使用された他、より大型のLS5/5Bのミッドレンジ用としても採用されている。

スペンドールの第一作スピーカーシステムは、BCⅠで、さきの20cmベクストレン・ウーファーにセレッション製のHF1300トウイーターを組み合わせた2ウェイモデルであった。またウーファーの磁気回路を強化し耐入力性を向上させるとともにスーパートゥイーターを加え、ワイドレンジ化を狙った変則3ウェイモデルがBCⅡである。このスーパートゥイーターには、ITTの傘下にあるSTCの4001が使用された。

BCⅡは発表後間もなくオーディオファイルの間で高く評価されスペンドールの名を一躍高めるヒット作となった。なおこのシステムは、制式採用ではないものの、BCⅠAとしてBBCでも使われていた。

創立時のスペンドール社は、ヒューズ夫妻とその息子による文字通りの家内工業的な企業であり、その規模は、後のハーベス社よりやや大きい程度であったはずだ。

BCⅡの成功によって経営的にも安定したスペンドール社は、BCⅢの開発に着手する。BCⅢは、BCⅡの低域を強化したスケールアップモデルと考えられる。BCⅡと同じユニット構成——20cmベクストレン・ウーファー、セレッション製のHF1300トゥイーターとスーパートゥイーターに、30cm口径のやはりベクストレン・ウーファーが追加され、一回り大型化されたバスレフ・エンクロージュアに納められている。また、STC製のスーパートゥイーターは、より供給の安定が期待されるセレッション製へと変更されている。

BCⅢの完成で、BCシリーズは完結されたことになる。ちなみに、BCというネーミングは使用ユニットを現わしており、ベクストレン・ウーファーのBとセレッション製トゥイーターのCを組み合わせたものである。

スペンドール社は、最近、主力製品をSAシリーズと呼ばれる新シリーズへと移行しつつある。このSAシリーズのネーミングも同じように自社製のウーファーとフランスのオーダックス社製のトゥイーターを使っていることにちなんだものである。

同シリーズのトップを切って登場したのは、SA1ミニモニターで、11・5cmのベクストレン・ウーファーにドームトウイーターを組み合わせた密閉タイプの小型2ウェイシステムである。この他、30cmウーファーを採用したより大型のバスレフ2ウェイシステムSAⅢも完成しており、近々わが国にもお目見得することになろう。

一九七〇年代の後半に、スペンドールは大変コンパクトなプリメインアンプ、D40を発表する。同社が初めて手がけたこのアンプは、シンプルな機能と40W＋40Wの出力をもっており、コンシュマーユースとしての節度をわきまえた、いかにもイギリスの家庭用システムという印象の強い製品である。特にBCⅡやSA1とのコンビネーションにおいて、絶妙なパフォーマンスを示す。決して派手ではないが、シックなデザインと同様に、音楽の内容を薄めることなく素直に反応するアンプだといえるだろう。なおこのアンプの設計者は、スペンサー・ヒューズではなく、息子のデレク・ヒューズである。スペンドール社では、ヨーロッパの放送局などにもモニタースピーカーを積極的に売り込み、これらの受注生産も受けはじめているが、こうした動きは、スペンサー本人よりも、デレク・ヒューズが積極的に行なっているようで、今後の同社製品の開発には、ヒューズの後を受け継ぐ二代目の技量が問われることになろう。

BCⅡの構成ユニットをみる。STC4001 スーパートゥイーターを追加した変則3ウェイ構成

D40 出力40W＋40Wのプリメインアンプで、同社スピーカーと絶妙なマッチングを示した

BCⅡ
BCⅠをベースにウーファー磁気回路の強化とワイドレンジ化を図る。同社の代表作

BCⅢ
低域の充実を図り、BCⅡのスケールアップモデルとして登場した

SA-Ⅲ
同社の最新モデル。30cmウーファーとオーダックス社製のソフトドーム型トゥイーターによるバスレフ・2ウェイシステムだ

SA-1
新しいSAシリーズの先頭を切って発表されたコンパクトシステム

KEF

スピーカーの振動板に新素材を使う、このレイモンド・クックの発想がすべての原点となった。

コンピューターを用いるスピーカーの動特性連続測定法は、全世界に大きな反響をまきおこした。その成果を活かした製品づくりがKEFの特徴だ。

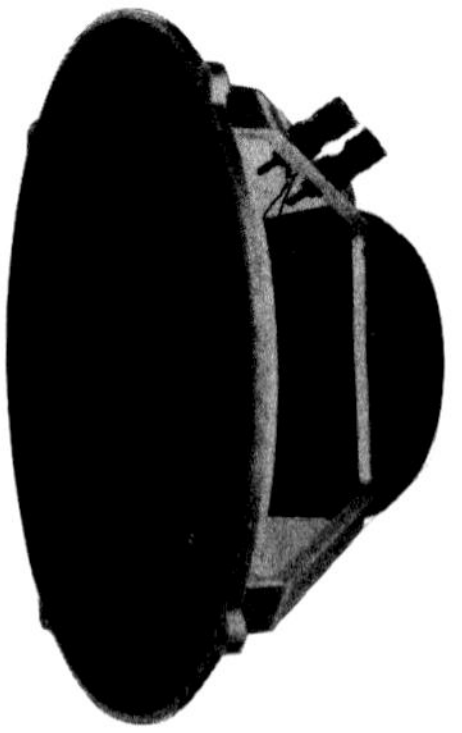

ワーフデール時代から、クックはプラスチックコーンに挑戦しており、このW12RS／PSTを完成させた

二十二年前、わずか六名のスタッフで発足したKEFの、目ざましい躍進ぶり。

KEF・エレクトロニクス社は、イギリスでも有数のスピーカーメーカーとして知られる。ロンドンの東南60km、ドーバー海峡のフォルクストンへ行く途中のケント州メイドストーンに、近代的な工場設備と研究所を擁する同社は、スピーカーユニットからすべて自製しており、自社のみならず他社のスピーカーシステムにもそのユニットを供給している。

代表者のレイモンド・クックは、かつてワーフデール社のチーフエンジニアとして、ブリッグスの下で腕をふるってきたが、一九六一年に現在のKEF社を創立し、社長として現在に至っている。

クックは同社の社長としてのみならず、イギリス・オーディオ界の重鎮として対外的にも積極的な活躍を続けており、わが国でも著名な存在であることはいうまでもない。

二十二年前、わずか六名のスタッフで現在地にあったニッスン・ハット（組立式のかまぼこ兵舎）からスタートしたKEF社は、スピーカーの開発設計に際し

レイモンド・E・クック

ケント州メイドストーンに本拠を置くKEF社全景

現在の社屋

1961年10月２日、KEF社はこのニッスン・ハットで産声を上げた

T15 メリネックスを振動板に使った最初のドーム型トゥイーター

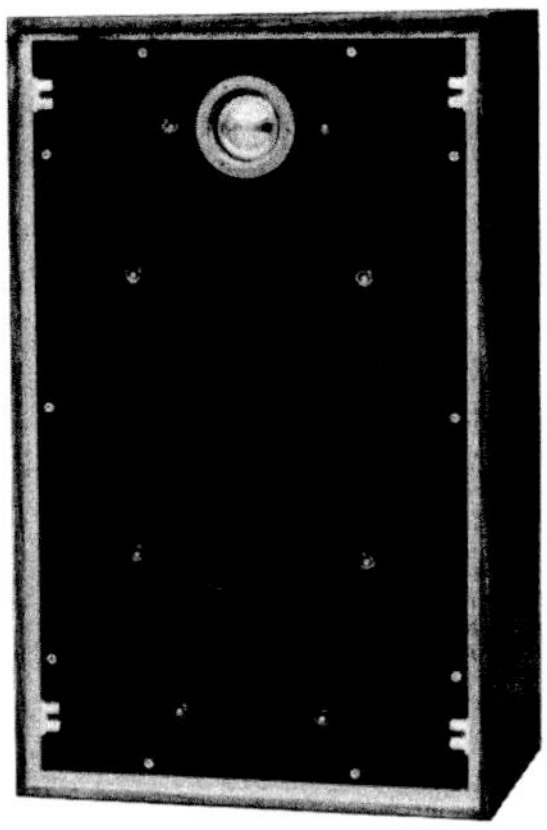

Concord B139とT 15による2ウェイシステム。壁や手持ちのキャビネットに組み込みたい人のために、K2バッフルとしても発売された

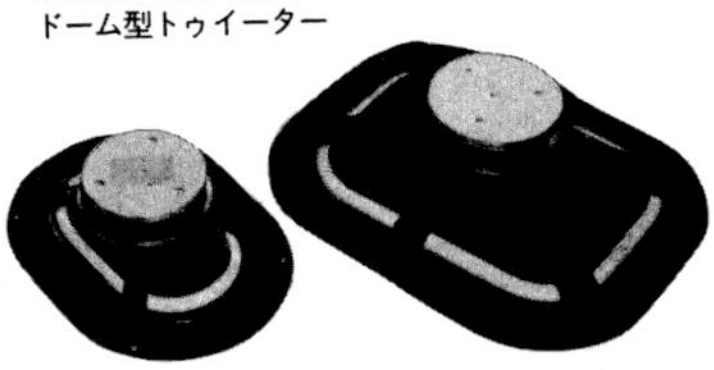

B139(左)と**B1814** 初期のウーファー2種。B139はKEF社の代表的ユニットして知られている

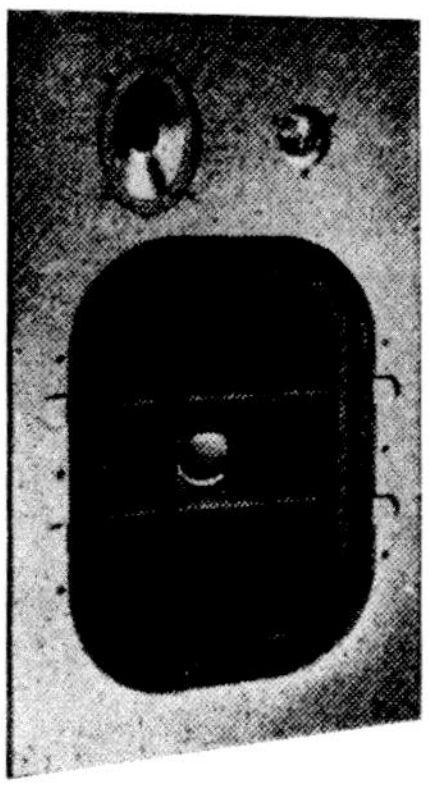

▶K1バッフル KEF最初のシステム。スリムライン（クックが手にしている）やK1モニターという専用箱も用意されていた

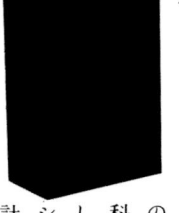

Celeste B139とT15による小型システム。グレー塗装、キャリングハンドル付のポータブルタイプもあった

て新しい技術を積極的に採り入れた科学的な手法の導入を図り、合理的な工場の整備に意欲を燃やした。クックが在籍していたワーフデール社をはじめ、当時のスピーカーメーカーの多くはいわゆる勘と経験を主体とした手工業的なスピーカー設計が主流を占めており、設計時点で期待した特性がなかなか得られないという問題が常にあって、出たとこ勝負的なリスクがつきまとう状態にあった。クックは、ワーフデール社でそうした苦い経験をおそらく何度となく味わったはずだ。

スピーカーの基本性能を科学的に解析し、理論的にシステムの設計を進める方法を本格的にアプローチしたのは、イギリスではＢＢＣが早かった。高性能スタジオモニターシステムの開発にあたって、ＢＢＣ技術研究所のショーターを中心としたスタッフが、粘り強い研究を繰り返した話はあまりにも有名だが、その結果の産物であるＬＳ５／１システムは、当時のイギリスのスピーカー技術者に計り知れないインパクトを与えた。

クックはＫＥＦ社の創立にあたって、こうした新しい合理的な考え方の導入をめざしたのである。最初の段階からもっとも力を注いだのが、スピーカーユニットのダイアフラムの素材に、新しい材料として脚光を浴びつつあった、プラスチックを採用することであった。スピーカーのダイアフラム（コーン）の材料としては古くからパルプが愛用され続けているのだが、確かにスピーカーのダイアフラムとしての物性は、色々な点でメリットが多く、長年のキャリアにもとづいたパルプ材の優位を崩すことは困難な面があった。しかし、パルプは安定性が乏しく工業製品の素材として適当でないことも事実で、スピーカーの特性のバラつきをコントロールすることがきわめて難しかった。その点プラスチックは純然たる化学製品だけに品質管理が容易で、均質な製品を造り出すことができるのである。

ワーフデール時代から、クックはこのプラスチックに目をつけ、発泡スチロールをコーンに使用したユニットをいくつか実用化している。その中で代表的な製品は、Ｗ１２ＲＳ／ＰＳＴウーファーで、パルプコーンのＷ１２ＲＳを凌ぐモデルとして好評を得た。

こうしてプラスチックという新しい材料にある程度の感触を得たクックは、新会社で早速オリジナルなユニットの開発に着手することになった。会社設立と同年の一九六一年には、メリネックスというプラスチックフィルムを使った最初の

ＫＥＦのユニットは特性のバラつきが少ないのが特徴。このため、多くのスピーカーメーカーで採用している

工場の片隅で、古いマグネチック・スピーカーを発見した

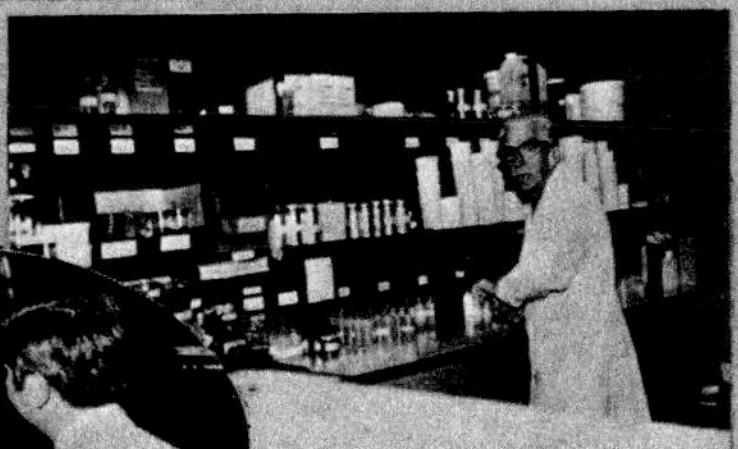

ローリー・フィンチャムが、自ら工場を案内してくれた

ＫＥＦ社では、接着剤などについても徹底した管理を行なっている

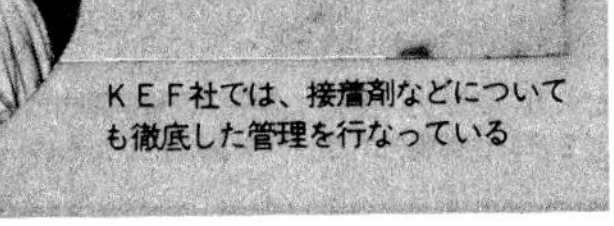

ドーム型トゥイーターT15と、発泡プラスチックに補強リブを組み合わせたレクタンギュラー型コーンの大型ウーファーが完成する。これらに楕円コーン・スコーカーとクロスオーバー・ネットワークを加え、プレーンバッフルに組み込んだスピーカーシステムがK1バッフルとして発表された。KEF最初のシステムで、壁あるいは適当なキャビネットに組み込むこともできたが、容積4キュービック・フィートのK1モニターと、スリムラインと称する奥行きわずか18cmの専用キャビネットも用意された。

　翌年には有名なB139ウーファーが誕生している。フォイル・ストレスド・プラスチックダイアフラムと呼ばれる口径33×22・9cmの楕円型平板コーンは、発泡スチロールをプラスチックフィルムでラミネートしており、基本的にはワーフデールで開発したものの発展型と考えてよい。

　T15とB139の完成によって、同社は常に一定した特性のユニットが得られるようになり、これをベースとして各種のシステムが開発される。

　一九六三年に発表したセレステは、このユニットによる小型2ウェイシステムで、KEF初のブックシェルフタイプである。その後、カールトン、コンコード、クレスタ、カンタータといったシステム

T27(SP1032)
KEFを代表するソフトドームトゥイーター。ダイアフラムは、直径20mmのメリネックス製

B110(SP1003)
ベクストレンコーンによる11cm口径のユニット。ミッドレンジ用、小型システムのウーファーとして広く使われている

LS5／1Aの製造は、KEFが担当していた。BBCへの納入にあたっては、スタンダードサンプルに対して規定の偏差内におさまるように1本ずつ厳密にキャリブレートする必要があったのだが、この経験は後の製品で活かされることになる。また、KEFではLS5／1Aを一般用にも少量生産しており、ごく少数はわが国にも輸入された

音響研究所にはリスニングルームも用意されている。再生装置は、アンプはナカミチのセパレート型。プレーヤーにテクニクスSP－10MK2を使っていた

無響室。これらスピーカーの研究・開発に必要な設備を集約した音響研究所は、KEFの技術優先ポリシーを具現化したもの

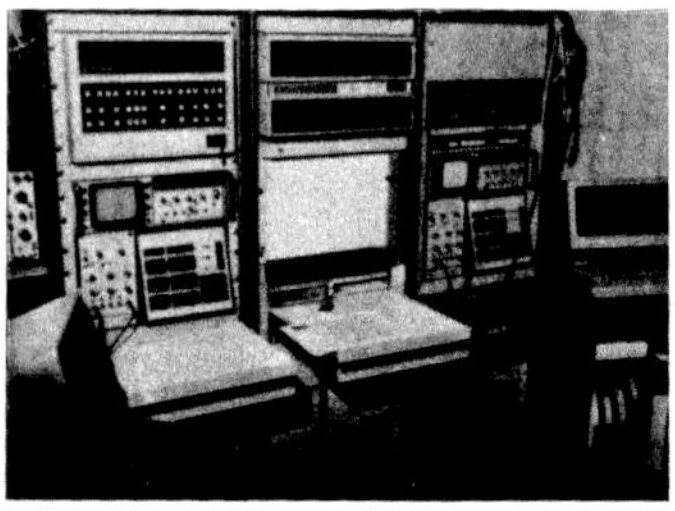

測定データを分析するためのコンピューターシステム

トランジェントテスト用のアコースティック・チェンバー。容積500m³

が相次いで登場し、シリーズを形成する。いずれも好評をもって受け入れられ、コンシュマー用Hi―Fiスピーカーの分野でKEFの名声が確立する。

BBCとの密接な関係を通じ、システム設計のノウハウを吸収した。

他方プロ用の分野でも、同社は積極的な活動を行なった。ワーフデール時代からBBCのエンジニア達と交流のあったクックは、BBCのモニタースピーカー開発に際しても密接な関係を保ち、逆にLS5／1Aの製造権を手に入れ、BBCへの一手納入を実現した。このモニタースピーカーの製造を担当したことは、設立間もないKEF社に有形無形のメリットをもたらしたに違いない。会社のイメージアップに役立ち、経営を軌道に乗せることができるようになった。

BBCとの関係はその後も続く。一九六六年にハーウッドのスタッフによって開発されたベクストレン・コーンの製造を引き受けることになり、しばらくの間、同社はこれを独占的に生産できた。翌六七年にはこのコーンによる11cm口径のB110ユニットを自社開発したが、コンパクトシステムのウーファー用として、またミッドレンジ用として応用範囲の広いユニットとなった。

BBCは、このB110とメリネックス・ダイアフラムの新型ユニットT27によるコンパクトモニターシステムの採用を決める。これがLS3／5Aで、その後数社の手でライセンス生産され、世界的に愛用されるシステムとなった。不思議なことにKEFは、LS3／5Aに関して、システムそのものを自社で生産してはいない。もっぱらユニットの供給者としての立場に止まったのであるが、各社にベクストレン・コーンの採用を決めさせるきっかけをつくることに役立った。

こうしたBBCとの関係を通じて、同社はシステム設計のノウハウを手に入れ、これを自社開発のシステムに採り入れる方向に発展する。同時にスピーカーユニットの生産システムの改善にも力を注ぎ、プラスチックダイアフラムのメリットを活かして、規格の揃ったユニットを大量に造れる工場ラインを考え出した。おそらく、イギリスでは最初の品質管理のゆきとどいたスピーカーファクトリーとしてKEFのイメージは高まり、BBCだけではなく、いくつかのスピーカーメーカーでも同社のユニットを使い始めるようになった。そして採用メーカーの数も次第に増して、高性能ユニットの供給会社としても信頼を受けた。長年にわたるクックの理想が結実したのである。

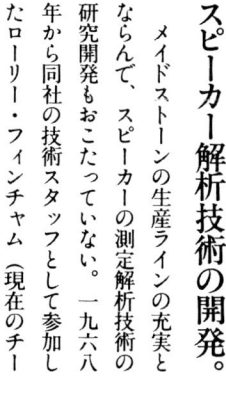

フィンチャムを中心とする、コンピューターによるスピーカー解析技術の開発。

メイドストーンの生産ラインの充実とならんで、スピーカーの測定解析技術の研究開発もおこたっていない。一九六八年から同社の技術スタッフとして参加したローリー・フィンチャム（現在のチーフエンジニア）を中心に、新進のエンジ

Model 104aB 20cm口径のB200ベクストレンコーン・ウーファー、T27ドームトゥイーター、B139ベースのドロンコーンによる２ウェイ構成。Model 104のネットワークを一新したマイナーチェンジモデルで、KEFの傑作として名高い

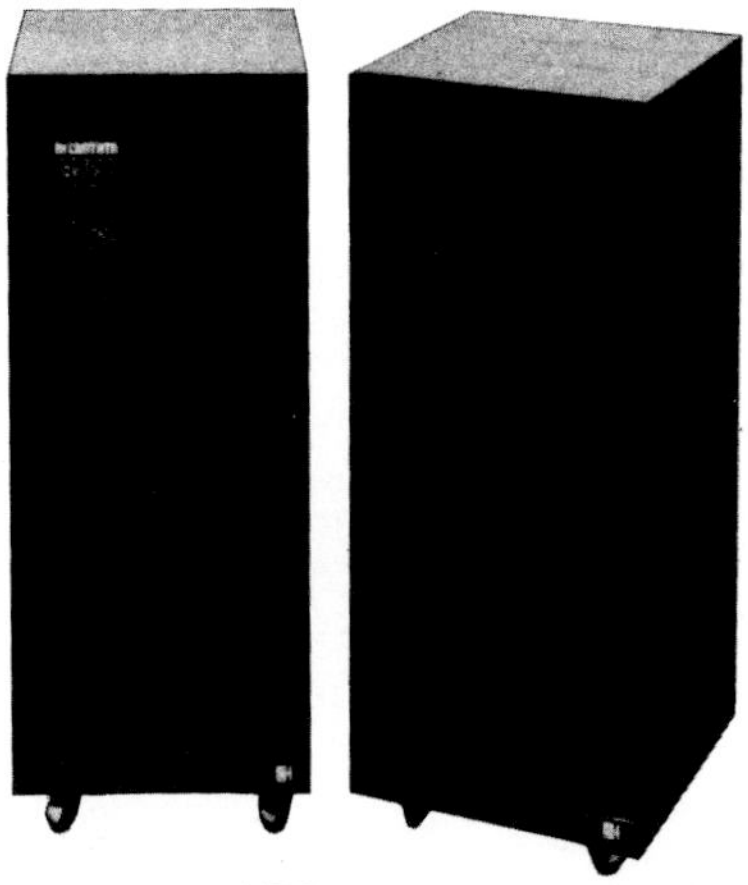

Cantata B139、新開発のB110ミッドレンジとT52ドームトゥイーターによる３ウェイ・バスレフ・フロアー型。累積スペクトル分析法による新しい測定メソッドを駆使して設計されたことが特徴だ

Model 105 これまでにない新しいアイデアを盛り込んだリファレンスシリーズのトップ機種。位相を整合させるユニット配置とヘッドアッセンブリーに設けたリスニングウィンドーがあいまって、アキュレートなステレオ音場の再生を可能にした

Model 105.4

＃105.2 のジュニアモデルで、設計思想はもちろん、＃105 以来のリスニングウィンドーやS-STOP 保護回路などの特徴をそっくり受け継ぐ。定評のあるB200 のダブルウーファー構成により低域エンクロージュアを小型化して、一般の家庭で使いやすいサイズに仕上げた製品といえよう。トゥイーターは、T33に換装されている

Model 105.2

＃105 のリファインモデル。ＫＥＦでは生産ラインをコンピューターで管理しているため、もともと品質のバラつきは少ないが、このモデルはそれをさらに徹底させている。完成した＃105.2 はすべて実測され、音響研究所の標準原器と比較して、全データが1dB以内におさまっている製品のみが出荷されるのだという

ニアを集め、コンピューターによるスピーカーの解析技術の研究に取り組む。そして、ブラッドフォード大学の協力を得て、インパルス・レスポンスをフーリエ解析することにより、スピーカーの全周波数帯域にわたるトランジェント・レスポンスを連続測定するシステムを完成した。この測定システムの中核をなすコンピューターは、ポラリス潜水艦に搭載されているミニ・コンピューターをベースにしたもので、データはＣＲＴあるいはペーパーに三次元表示される仕組みだ。一九七三年ロンドンのＡＥＳの席上で、フィンチャム達により初めて公表され、大きな反響を呼んだことは記憶に新しい。そして、現在では世界中の数多くのメーカーでこの測定技術が利用されるようになったのである。

新しい測定システムによる最初の成果はモデル１０４システムの改良に現われた。モデル１０４は、測定システム公開の同年初めにリファレンスシリーズとして発表したばかりの最新モデルで、同社の自信作であったが、新しい測定技術によって、ネットワークのハイパスフィルターに改良の余地があることが確認された。そこで、直ちにネットワークを再設計し、１０４ａＢにモデルチェンジするとともに、従来の１０４を改造するためのキットも発表したのである。新設計のバターワース・フィルターをベースとした多素子ネットワークは、色づけを減少させるとともに、トランジェント・レスポンスが向上し、耐入力性も改善された。そして一九七五年には、この新しいテクノロジーで最初から設計したスピーカーシステムとして、コレーリィ、カリンダ、カンタータなどが発表された。

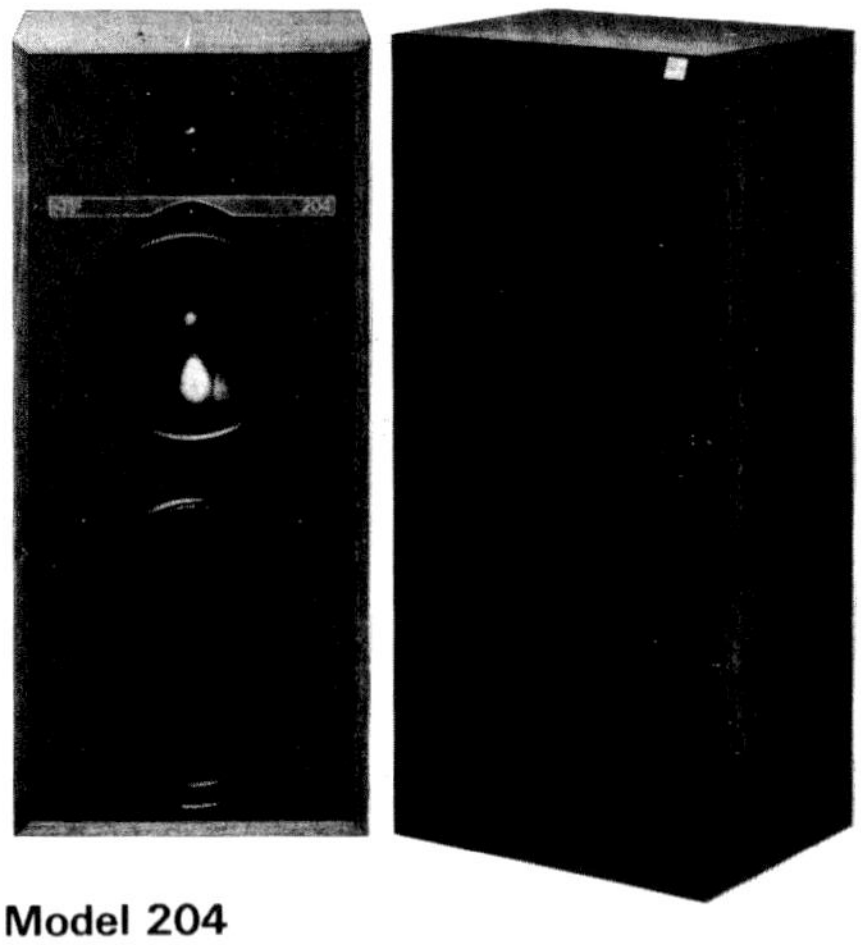

Model 204

パッシブラジエーター方式を採用した、２ウェイ構成のフロアー型。ＫＥＦの名声を高めたModel 104aB の現代版とでもいうべきシステム

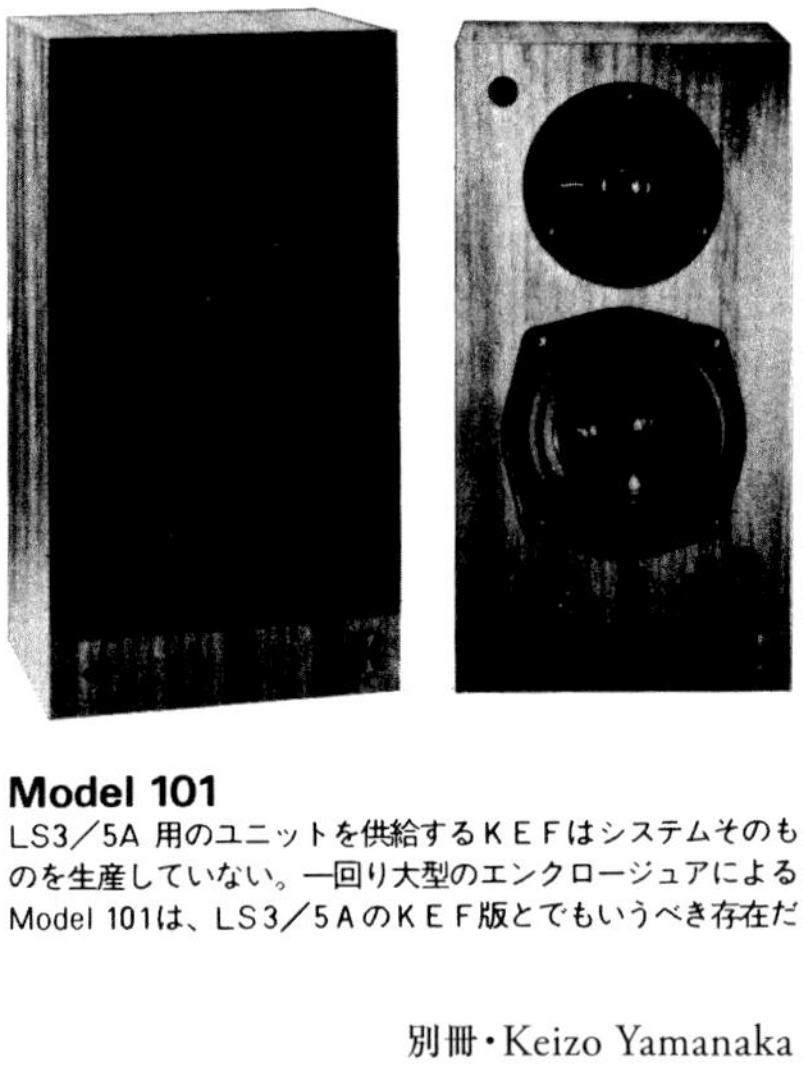

Model 101

LS3／5A 用のユニットを供給するＫＥＦはシステムそのものを生産していない。一回り大型のエンクロージュアによるModel 101は、LS3／5ＡのＫＥＦ版とでもいうべき存在だ

一九七七年に、ＫＥＦはメイドストーンの工場を拡張し、最新設備の導入により合理化された生産ラインを完成させる。それと同時に敷地内に新しい音響研究所の建設を進めた。これは無響室をはじめ、トランジェントテストのための５００㎥のアコースティックチェンバー、これらに連動した測定分析用のコンピューターシステム、大きなリスニングルームなど、スピーカーの研究開発に必要な設備を総合したビルディングで、同社の技術優先のポリシーを具現化したものとして注目された。

リファレンスの名にふさわしい、アキュレートなサウンドのモデル１０５が登場。

同年、新しいテクノロジーの結集版ともいうべきモデル１０５がデビューする。リファレンスシリーズの最高級モデルとして、これまでにない新しいアイデアが盛り込まれたフロアー・システムである。３ウエイ構成をとったこのモデルがインパルス・レスポンス測定法を応用して設計されたことはいうまでもなく、各ユニットの位相を整合させるために、それぞれのユニットのエンクロージュアを独立させ階段状に配置し、さらに位置関係を厳密にチューニングできるよう考えられているのが特徴である。したがって、リスニングポイントを決め、精密なセッティングを行なうことによって、きわめてアキュレートなステレオ音場の再生が可能となり、まさにリファレンスの名にふさわしい高性能システムとなったのである。

この１０５は、世界中に好評をもって迎えられたばかりでなく、内外のスピーカーシステムに多大な影響を及ぼした。いわゆるリニアフェイズ方式のシステム全盛のきっかけをつくったのである。その他１０５に採用された新技術として、同社でＳ－ＳＴＯＰと名付けた過大入力保護回路があり、大入力時にユニットの損傷を防止することができるようになった。

このモデルは、その後１０５・２にモデルチェンジされているが、これはウーファーユニットが改良されたものだ。

現在の製品ラインナップは、モデル１０５・２をトップモデルに、このローコスト版としてモデル１０５・４があり、コンパクトなフロアータイプとしてモデル１０４ａＢの発展型ともいえるモデル２０４、より小型なブックシェルフ型では、モデル１０１、モデル１０３・２、そして最新作としてモデル２０３がある。モデル２０４以下はいずれもベクストレンコーン・ウーファーにメリネックス・ドームトゥイーターを組み合わせた２ウエイシステムだ。

Model HLM
メイダベールのＢＢＣ第４スタジオ（最新設備を誇るロック／ポップス系の録音スタジオ）でテスト中の新型モニタースピーカー。ハイクォリティとハイレベル再生の両立を図るため、Model 105.2と同じユニットを使った３ウェイ・７スピーカー構成の大がかりなシステムである

あくまでも正攻法でとり組む新システムの開発。大型モデルの誕生も近い。

今後発表が予定されている開発中のシステムとして、モデルＨＬＭ（仮称）がある。ＢＢＣのメイダベール・第４スタジオで現在テスト中のモニターシステムで、Ｂ３００ウーファー４個、Ｂ１１０ミッドレンジが２本、それにＴ５２トゥイーターからなる大がかりな３ウエイ構成となっており、各ユニットは垂直・水平方向の指向特性が対称になるようにレイアウトされているのが特徴である。このシステムの構成ユニットそのものは、モデル１０５・２と同じであり、そのクオリティをそのままに、ハイレベルの再生を可能にしたシステムと考えられる。

ＢＢＣの第４スタジオはロック／ポップス録音用の、最新鋭デジタルミキサーを備えたイギリスでも先端をゆくスタジオとして知られており、ＨＬＭはこのモニターシステムとして設計されたものだが、この実用テストの結果により正式に製品化されよう。期待してよい。

HARBETH

BBC技術研究所の元チーフエンジニア、H・D・ハーウッド自らが設計・製造するハーベス。

一九七六年、ハーウッドにより実用化されたポリプロピレンコーンは、世界的な注目を浴びた。ハーベス・モニターHLがポリプロピレン・ウーファーの特性をフルに発揮させているのも当然だろう。

ハーベス・アコースティックスは、BBCエンジニアリング・リサーチ・デパートメント（技術研究所）のチーフエンジニアとして活躍していたH・D・ハーウッドが、一九七七年に設立したスピーカーメーカーである。ハーベスという社名は、ハーウッドと彼の夫人であるエリザベスにちなんで命名されたもので、先輩格のスペンドール社と同じ発想である。

H・D・ハーウッドは、三十年にわたるBBC在職中に、数多くのモニタースピーカーの研究開発にたずさわってきた。D・E・L・ショーターを中心としたLS5／1Aのプロジェクトチームにも参加しており、完成後しばらくしてショーターのあとを引き継ぐ。したがって、LS5／5を始めとしてLS3／5AやLS3／7、LS5／8など、現在BBCで使われているモニタースピーカーの大半を手がけたことになる。

そのハーウッドがBBC、いやイギリスのスピーカー界に残した最大の功績は、ベクストレンコーンならびにポリプロピレンコーンの開発といえよう。ベクストレンユニットを採用したBBCモニターの登場は、スピーカーメーカーに多大な影響を与えた。一九六〇年代半ばのことである。それ以後このユニットは、イギリス製のスピーカーシステムにとってなくてはならない存在となったのである。

ハーウッドは写真嫌いと聞いていたが……。極東からの取材に敬意を表したのか、記念写真の撮影に成功

ポリプロピレンコーンは一九七六年に実用化されたもので、ベクストレンに比べて色づけが少なく、温度や湿度の変化にも影響されにくい上、製造時のバラつきが少ないなど数々のメリットをもつため、世界的に注目を集めることになる。ポリプロピレンコーンを使ったスピーカーシステムは、イギリスだけにとどまらず、アメリカのメーカーからも発表されているのである。

ハーベス・ブランドのスピーカーシステムは、ハーウッドが設計したものだけにBBCモニターの血が色濃く受け継がれており、ポリプロピレンコーンの特性をフルに発揮させていることは論をまたない。同社初の製品は、20cm口径のポリプロピレン・ウーファーとフランス・オーダックス社製のソフトドームトゥイーター（タイプHD1219、D2518）による2ウェイ構成のモニターHLである。一九七八年に市販が開始されたこのシステムは、ユニット構成やエンクロージュアのプロポーション、仕上げなど、ミディアムサイズのBBCモニターLS3／7と大変似ているが、ネットワークは、ハーウッドがBBC時代のノウハウを活かして開発した、多素子タイプの独自なものだ。

現在ハーベスのカタログには、モニターMLという、もう一つのシステムが載っている。これは、やはりポリプロピレンの13cmウーファー、モニターHLと同じトゥイーターをLS3／5Aより一回り大型のエンクロージュアに納めたコンパクトな2ウェイモデルである。モニターMLは、LS3／5Aのもつ素直なキャラクターをそのままに、さらに大きな音響エネルギーが取り出せるように、耐入力特性を向上させている。残念ながら、このシステムはまだわが国に紹介されていない。

ハーベスはユニットを自製せず、ウーファーはスイストーン・エレクトロニクス（ロジャース）、トゥイーターはフランス・オーダックスのものを使っているが、これらのユニットは、BBCモニターに採用されているものとほとんど変りがない。しかも、単に同型というだけでなく、BBCの受け入れ検査と同様な厳しいチェックを義務づけ、その基準に合致したハイグレードなユニットだけを使っている。こうした厳重な品質管理を可能にしているのは、長年にわたってBBCで実力を発揮してきたハーウッドならではといえよう。

◀**モニターHL**

H・D・ハーウッドが設計しただけに、BBCモニターLS3／7と大変よく似た構成の2ウェイシステム。樺合板製、チーク仕上げのエンクロージュアは、8㎜厚のタール系防振材とウレタン系の吸音材により、共振を抑えるとともに自然な響きを得ている

◀▲モニターHLは最適リスニングポジションを設定している。一般的な部屋では壁から1m、床から25cm以上離した位置で好結果が得られる設計となっており、チーク仕上げの専用スタンドも用意される

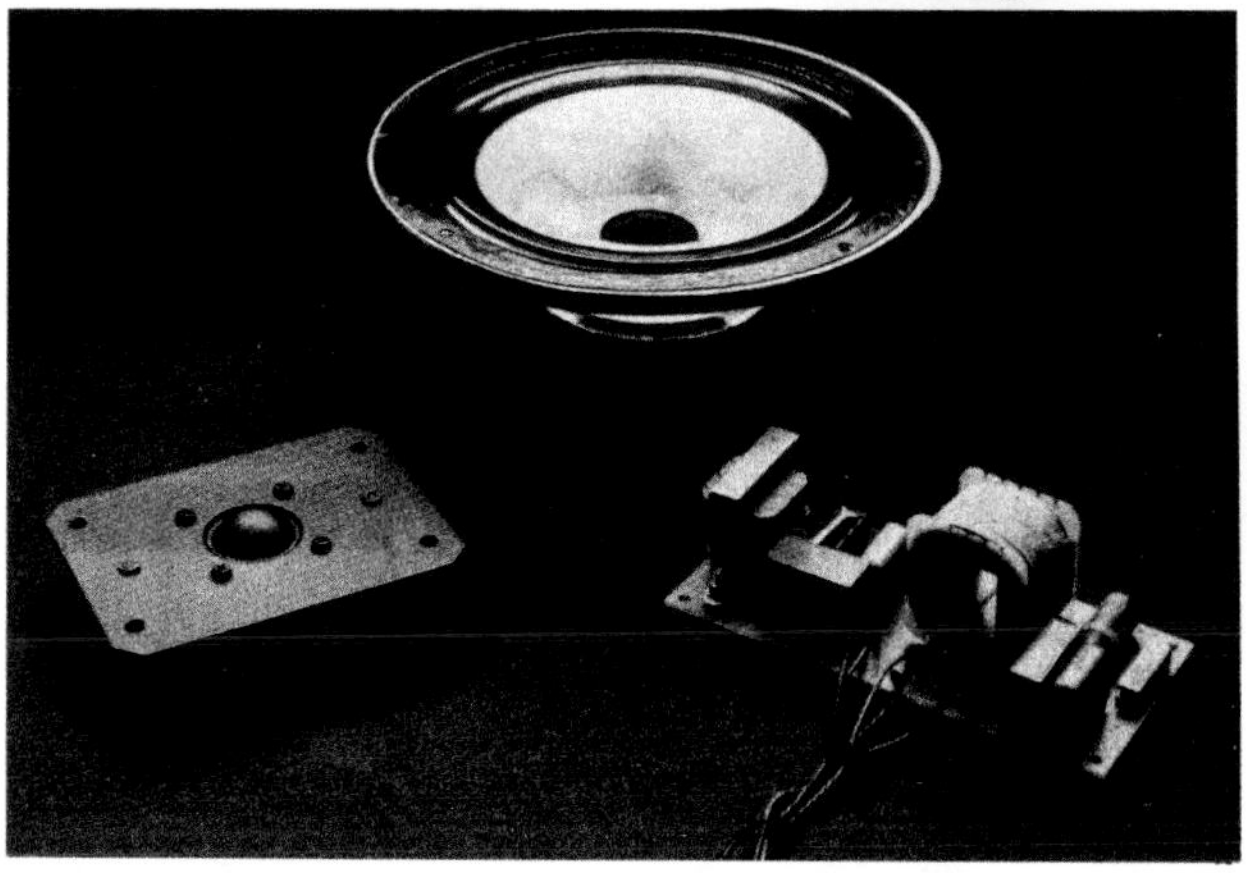

モニターHLを構成しているユニットは、BBCの受け入れ検査と同様な厳しいチェックに合格したものだけ、ということが特徴だ。ネットワークは独自の多素子タイプを用いている

ロンドン郊外のウェスト・クロイドンに在るハーベス社は、それほど規模の大きくないイギリスのスピーカーメーカーの中でも特に小規模で、およそ大量生産とは縁がなさそうだ。ここで中心となって働いているのは、ハーウッドと彼の息子であり、ユニットの取り付けやネットワークの製作などは、主としてハーウッド自ら行なっている。これは、数あるイギリスのオーディオメーカーの中で、他にはみられない稀有な例といえる。

ハーベス・アコースティックスは、スピーカーメーカーとしての歴史が浅く、発売している製品もわずか二機種にすぎない。しかし、この二機種の製品にはBBCモニターシステムの伝統が忠実に受け継がれており、三十年のキャリアをもつ超一流のエンジニアによって、一品ずつ入念に製作されている点が、他にはみられない一大特徴といえるだろう。

MERIDIAN

アレン・ブースロイドとボブ・スチュアートが設立した、システム化構想に基づく高級アンプとスピーカー専門メーカー。

同社の製品は、デザインとコンセプトが斬新さにおいて際立っており、すみずみにまで注意のいき届いた、暖かい音づくりが特徴である。いかにも新進気鋭らしい存在だ。

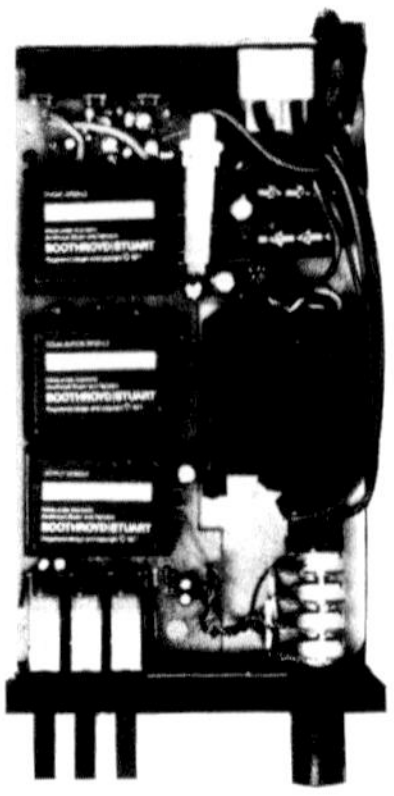

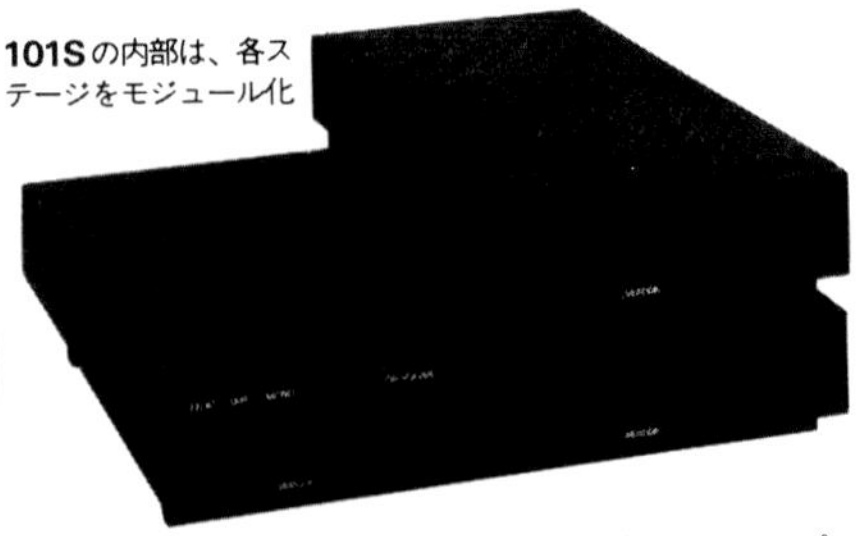

101Sの内部は、各ステージをモジュール化

最もベーシックな**101S**と**103S**の組合せ例。このアンプシステムの特徴は、プリ、パワーと電源部、チューナーをすべてW14×H5.2×D31.5㎝に統一、ユニット化を図ったことにある。このユニットを必要に応じて縦に積み重ねたり横に並べたりしていくわけだが、配列の方法によっては積み木細工のような、ユニークな効果が楽しめる

ブースロイド・スチュアート・リミテッドは、一九七五年、アレン・ブースロイドとボブ・スチュアートという新進気鋭のエンジニア達によって設立された、比較的新しいオーディオメーカーである。同社は、一般家庭で音楽を楽しむための高級アンプシステムとスピーカーシステムを製造しており、メリディアン・ブランドで親しまれている。

アレン・ブースロイドは、インダストリアル・デザイナーとして設計コンセプトまで含んだデザイン関係の一切を担当し、もう一人のボブ・スチュアートがスピーカーシステムやアンプの回路設計を受け持っている。同社が発表するコンポーネントは、数あるイギリス製品の中にあって斬新さにおいて際立った存在であり、デザインとマッチした内容を持っていることが特徴である。

同社のデビュー作は、独創的な発想に基づいたアンプシステムで、発表と同時に大いに注目された。コントロールアンプを中心として、三機種のパワーアンプからなるこのアンプシステムは、別電源部を含む全モデルが長方形の共通サイズ（W14×H5・2×D31・5㎝）に統一されており、これらのユニットを必要に応じて縦に積み重ねたり、横に並べてシステムを構成するように考えられている。それぞれのユニットは、厚いアルミの引き抜き材で造られており、濃いブラウンに仕上げられたきわめて斬新な形状が、エレクトロニクスとデザインとの相乗効果を発揮し、同社ならではのユニークさを感じさせるといえよう。

コントロールアンプの101は付属機能を極度に絞ったシンプルなもので、内部は各ステージがモジュールユニット化されており、各種のMCカートリッジに対応したイコライザーモジュールも用意されている。

パワーアンプは、35W＋35Wの103、45W＋45Wの103D、モノーラル100Wの105が用意されている。それぞれ裸特性を向上させ、NF量を少なくした新世代のアンプで、引き抜き材のシャーシがヒートシンクを兼ねる巧妙な設計だ。また、各アンプは本体と同サイズの別電源部を持っているが、103にもう一つ電源ユニットを追加すれば、103Dにグレードアップできる。その後、6

局のプリセット機能をもつFMチューナー104が追加されて、フルライン化が完了した。そして、これらのアンプ群にマイナーチェンジが施され、外観をブラック仕上げとしたSタイプとなって現在に至っている。

　こうしたアンプシステムと並んで、同社はスピーカーシステムにも意欲的に取組んでいる。その全モデルともパワーアンプとエレクトロニック・クロスオーバーネットワークを内蔵したマルチアンプ駆動方式を採用していることが特徴である。トップモデルのM1は、30㎝口径のウーファー、6㎝と3㎝のドーム型ミッドレンジとトゥイーターからなる3ウェイのフロアー・スタンディングモデルで、エンクロージュア背面にウーファーと同口径のドロンコーンを備えている。次いで発表されたM2は、11㎝口径のウーファーを2本使用したダブルウーファーシステム。トゥイーターには5・2㎝のドーム型を採用した2ウェイ構成のバスレフ型で、専用スタンドが付属しているが、フロアー型としてもブックシェルフ型としても使用できるようにデザインされている。同社がアクティブ・ラウドスピーカーシステムと呼んでいるこのシリーズに、つい最近M10が加わった。このモデルは、2ウェイ・7スピーカー構成、ドロンコーン方式のフロアー型で、壁の反射による間接音を巧みに利用した音場再生型システムとして好評を得ている。

　また、現在発売されているシステムアンプのコンセプトをさらに徹底させたものとして、新しく機能別にアンプのモジュール化を進めている。つまり、イコライザー、ラインアンプ、テープ入出力アンプ、電源部などをすべて同一サイズのモジュールアンプにすることによって、各ユニットを目的に応じて自由に組み合わせようという構想である。この方式が実現すれば、ユーザーは好みのアンプ構成にすることも、のちのち機能を拡張していくことも可能になる。アンプをモジュールユニット化したメリットが、大きく活きるユニークなアイデアといえよう。

　同社の工場は、あのQUADが本社を置いているハンティンドンにある。その目指すところは、QUADのそれとはもちろん違うにせよ、回路設計とデザインとが密接に結びついているところに共通点が感じられるのが興味深いし、狙いとするユーザーの層も同じ線上にあるといってよいだろう。

　アラン・ブースロイドは、最近、自社以外の仕事も手がけるようになり、工業デザイナーとして精力的に活躍している。その中でもよく知られている製品は、発表と同時に注目を集め、久々のヒット作となったセレッションのコンパクトなブックシェルフシステム、SL6である。なお、同社の新しいロゴタイプも、彼の手になるものだ。

104S
101Sとペアになる FM専用チューナー。機能はシンプルだが、6局のプリセット機構を備える

105S
出力100Wのモノーラルアンプ。このモデルに限り、アンプ本体と電源部が一体化されている

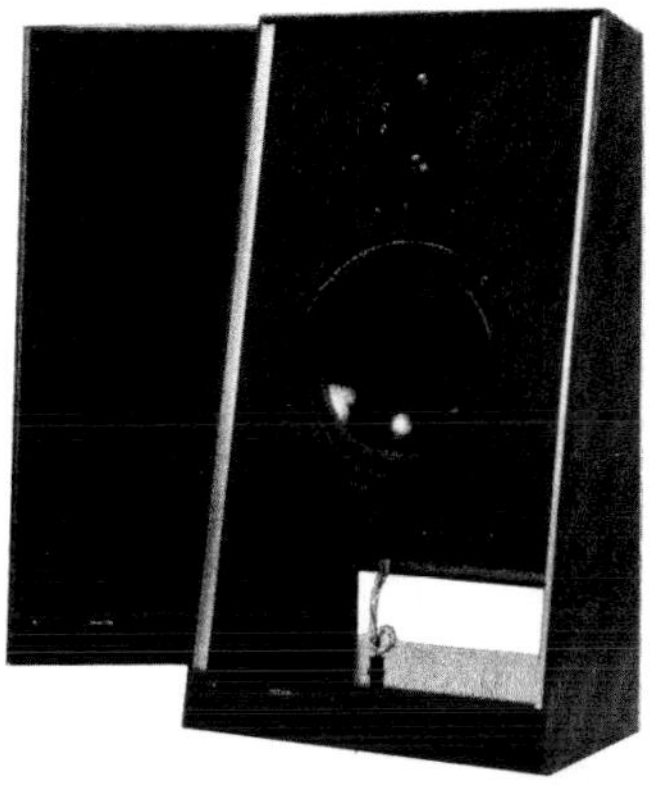

M1
30㎝ウーファー、6㎝ドーム型スコーカー、3㎝ドーム型トゥイーターの各ユニットを、内蔵されたエレクトロニック・クロスオーバー付パワーアンプで駆動するシステム。裏面にはドロンコーン付

M2
上級機M1と同様、エレクトロニッククロスオーバーとパワーアンプを内蔵するシステム。低域は11㎝ウーファー2本によるパラレル駆動、高域はドーム型という2ウェイ構成のバスレフ型

M10
つい最近発表されたばかりの最高級アクティブ・ラウドスピーカーシステム。ベクストレンコーン採用の小口径ウーファーを、エンクロージュアの前面および両側面に2個ずつ配した6ウーファーという独特の音場再現型構成がとられ、背面には楕円型のパッシブラジエーターも設けられている。トゥイーターはドーム型

LINN

アイバー・ティーフェンブルンの透徹した思想に基づき、再生系をトータルでシステム化する。

シンプルな構造、工作精度の高さ、リン・ソンデックＬＰ１２ベルトドライブ・ターンテーブルの登場は、ＤＤ全盛時代に音のよさで一石を投じ、さまざまな波紋をなげかけた。

リン・プロダクツ・リミテッドは、ターンテーブルの製造を目的として、アイバー・ティーフェンブルンが一九七二年に創設した会社である。もともと彼の父君は、スコットランドのグラスゴーで精密機械工作工場を経営し、航空機用のパーツ類などを製作していた。ティーフェンブルンはこの機械工作技術を活かし、同工場の敷地の一部に専用のファクトリーを設立して、ターンテーブルを製造することになったのである。

リンの最初の製品は、ベルトドライブ方式の33⅓回転専用モデル、ソンデックＬＰ１２である。ＬＰ１２二重構造のプラッター、シンクロナスモーターによるベルトドライブ機構と、独自の理論に基づく巧妙なアコースティック・サスペンションシステムとがあいまって、従来の同クラスプレーヤーを凌ぐプレイバックパフォーマンスを備えて、世界的に注目されるにいたった。

シンプルな構造と工作精度の高さを売物としたＬＰ１２成功の一つの要因として、徹底した営業活動があげられる。つまり、ＬＰ１２と他社製ターンテーブルを比較試聴させ、ＬＰ１２のよさを実証するデモンストレーションを、ここ十年間にわたり積極的に展開し続けたのだ。こうした実証主義的なセールス方式が、結局、ＬＰ１２の優秀性をユーザーに認識させる大きな力となり、現在ではトップエンドのオーディオファイルの間で広く使われるようになったのだ。

一九七〇年代の後半から、同社はＬＰ

創始者であり現社長の I・ティーフェンブルン

スコットランドのグラスゴーにあるリン・プロダクツ社

2ウェイスピーカー〝カン〟の組立。ラインは使わず1人1台を入念に仕上げる

将来のレコード製造のために据えられたレース

アイソバリック駆動採用〝サラ〟の特殊バッフル板

１２のシステム化に力を注ぎ始める。ＬＰ１２はきわめてコンパクトにデザインされているために、通常より一回り短い12インチ型のトーンアームしか使えない嫌いがあった。そこで、ダイナミックバランスのイトックＬＶⅡ、次いでアサックＭＣ型カートリッジを発表し、これらを組み込んだ「ディスク・システム」を登場させる。さらに第二弾として、新開発のスタティックバランス型ベイシックＬＶ―Ｘアームを採用した「ベーシック・システム」を昨年発表、バリエーションの拡大を図っている。

この間、ＬＰ１２そのものは、サスペンションシステムに再チューニングを施されたのを始め、モータードライブ電源に、電源周波数の変動および電圧降下、電源ラインからのノイズの混入を吸収する回路が追加され、さらにグレードアップが行なわれた。この回路による音質の改善は顕著なもので、新しいファンをさらに獲得することは必定であろう。なお、この回路は「バルハラ」、新サスペンションは「ニルバナ」という名でキット化されているので、旧タイプのＬＰ１２を最新仕様にフレッシュアップすることも可能だ。

これらのプレーヤーシステムの拡充とともに、同社はスピーカーシステムの開発にも手を染めており、一九七〇年代の半ば頃最初のシステム、アイソバリックＤＭＳを発表している。ＤＭＳは、同社特許のアイソバリックドライブシステムを低域に採用した、３ウェイ６スピーカー構成の密閉・フロアー型で、リンのポリシーを濃厚に打ち出したモデルといえる。アイソバリックドライブ方式は、エンクロージュア内部の仕切り板とフロントバッフルに同一ウーファーを取り付け、両ユニットをタンデムドライブすることにより、低域の質的改善と歪の低減を図ろうというものだ。その後同方式を採用した２ウェイ構成の小型版サラ、通常の方式によるさらにコンパクトなカンを相次いで発表、シリーズを完成した。これらのスピーカーシステムは、ターンテーブルに次いで同社の二本目の柱となっている。

Isobaric DMS
前面の３ウェイユニットに加え、上面にも同一のスコーカーとトゥイーター、キャビネット内には第２のウーファーと、計６個のドライブユニットで構成されるユニークな３ウェイ

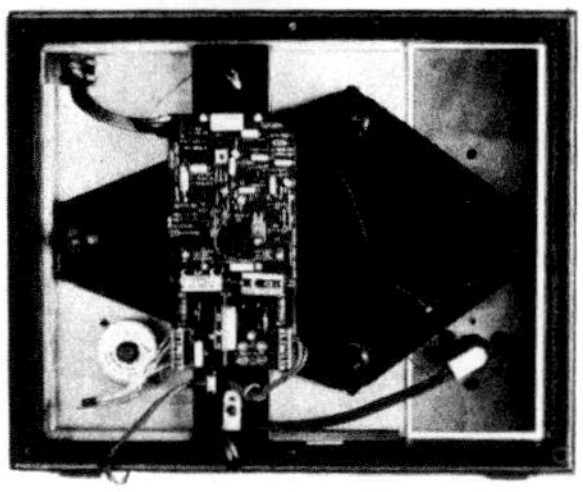

Sondek LP-12
精密な機械工作に基づいて作られた33⅓回転専用のアームレス・プレーヤー。30cm径4.2kgの亜鉛アルミ合金製二重構造プラッター、独自のサスペンション機構などの特徴を持つベルトドライブ機。右は、サスペンション機構やモータードライブ用の電源廻りに改良が施された最新モデルの裏面

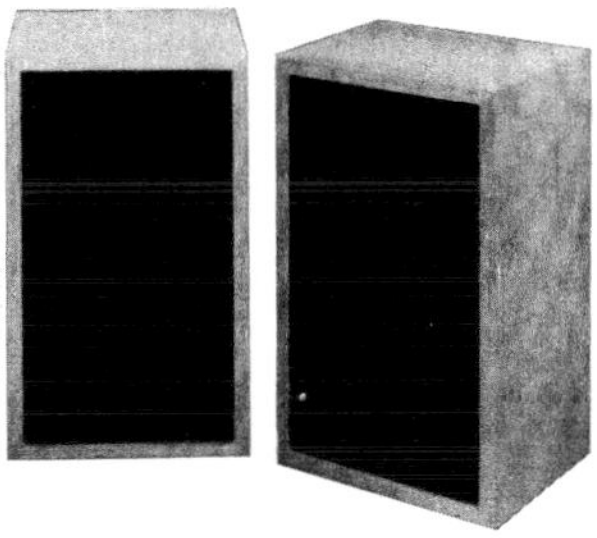

KAN
KEF・B110ウーファーとドーム型トゥイーターで構成された2ウェイモデル。W185×H300×D160mmと小型ながら十分な再生帯域をもつ。クロスオーバー周波数は3kHz

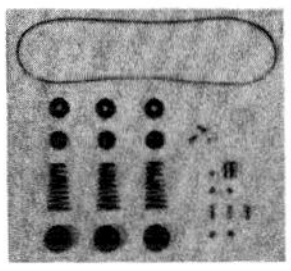

従来のLP12を最新仕様にグレードアップ可能な〝バルハラ〟(右)と〝ニルバナ〟キット

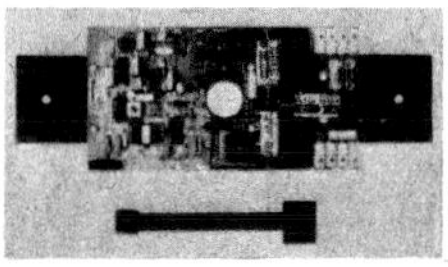

リン・プロダクツ社は、音の入口から出口まで、再生系をトータルなシステムとして考えるというポリシーを堅持しており、同社で手がけていないアンプについても、ナイム・オーディオ社（イギリスの新進アンプメーカー）の製品を標準アンプとして推奨している。また、こうした姿勢の延長として、将来は同社で録音・カッティングを行なったレコードの製造・販売も計画しているという。カッティングマシーンなどの機材はすでに据え付けが完了しており、リン・サウンドの実現に向かって準備は着々と進行しつつある。

近代的な設備を誇る同社のもう一つの特徴は、生産、販売、経理などすべての部門が高度にコンピューター化されていることだ。大学の研究室で使われるような大型のコンピューターを備えるとともに、ソフトウエア開発のため多くのエンジニアに研究室を与えている。これは、従業員二百人程度の規模の企業としては大変珍しいことであるが、最近ではコンピューターグループ独自の成果として、同時通訳システムなどのソフトウエアを外部に販売することさえ始められるようになったという発展ぶりである。

このように高度にコンピュータライズされたファクトリーの確立は、オーディオメーカーに限らず、これからの企業のあり方を示す一つのモデルケースともいえるだろう。

好評発売中

35年ぶりの復刻・改訂版!!

1978年12月の初版発行以来、
35年ぶりの復刻・改訂版!!
●オーディオ評論とはなにか
●ラジカルな志向がオーディオ機器の魅力の真髄となる
●「時間的な淘汰を経た価値」と「質的な価値」を秘めていなくてはならないはずだ
●高級コンポ切望論
●ハイファイアンプの名器　ほか

オーディオ彷徨[復刻版] 岩﨑千明著作集
定価2,057円(税込)　国内郵送料360円
ISBN:978-4-88073-307-4

まさに"もみくちゃ人生"放浪記

伊藤喜多男氏の生い立ちから、生まれ育った上野、日本橋、銀座界隈の往時の生活や移り変り、さらには伊藤少年を虜にした電車や汽車、電気のことなどについて、氏ならではの洒脱な語り口で記されている。戦後の1953年から始まるウェスターン時代や、大阪万博における貴重な体験など、氏の言葉を借りれば「五十五年の間、配線を弄って来た男の立志伝でも武勇伝でもない放浪記」が綴られている。

もみくちゃ人生[復刻版] 伊藤喜多男 著
定価1,851円(税込)　国内郵送料360円
ISBN:978-4-88073-270-1

音楽とオーディオの入口にはいつも彼がいた

ステレオサウンドから発刊されたさまざまな出版物において、故朝沼予史宏氏が記した言葉、発した声を集めた1冊。
ステレオサウンドの各出版物の中から、今、改めて読み返してほしいと感じた記事を厳選し、再録いたしました。

※本書は、実際の雑誌を1ページずつスキャンし、画像処理を施した上で印刷、製本したものです。したがって、写真や文字などに若干のニジミ、ボケ、かすれなどが生じることがあります。あらかじめご了承のうえ、お買い求めください。

朝沼思考　朝沼予史宏の仕事1983-2002
定価15,429円(税込)　国内郵送料サービス
ISBN:978-4-88073-286-2

オーディオの名機たち約7000機種を網羅!

このステレオサウンド別冊ハイファイ・ステレオガイド1990があれば、1990年ごろ発売されていたオーディオ機器の情報がバッチリわかります。スピーカーやパワーアンプなど、そのプロフィールをジャンル別にまとめた年鑑とも言うべき貴重な一冊。

※本書は、実際の雑誌を1ページずつスキャンし、画像処理を施した上で印刷、製本したものです。したがって、写真や文字などに若干のニジミ、ボケ、かすれなどが生じることがあります。あらかじめご了承のうえ、お買い求めください。

HiFi STEREO GUIDE 1990[復刻版]
定価8,023円(税込)　国内郵送料サービス
ISBN:978-4-88073-258-9

伝説的ジャズ喫茶店主の軌跡

伝説的ジャズ喫茶「ベイシー」店主によるジャズとオーディオをめぐるエッセイ集 季刊ステレオサウンド好評連載中の「聴く鏡」の12年間を全網羅。別冊ステレオサウンドに寄せられた文章、各界の第一人者との対談集「セッションズ・ライヴ」、さらに未発表原稿二本を含む、ファン待望の単行本。

●今、面倒なものが愉しい!
●我、JBLとかく闘えり
●アナログ再生の愉悦　ほか

聴く鏡　一九九四-二〇〇六 菅原正二 著
定価2,880円(税込)　国内郵送料360円　ISBN:978-4-88073-143-8

伝説的ジャズ喫茶店主の軌跡 第二弾

伝説的ジャズ喫茶「ベイシー」店主によるジャズとオーディオをめぐるエッセイ集第2弾。季刊ステレオサウンド好評連載中の「聴く鏡」の2006年～2014年までの約8年間を全網羅。

●遂げずば止まじ　～難関を突破せよ～
●四十歳の「創刊号」はかく語りき
●三十六年目の重大事件
●スウィフティーズ・フォト・ギャラリー　ほか

聴く鏡II　2006-2014 菅原正二 著
定価2,916円(税込)　国内郵送料360円　ISBN:978-4-88073-329-6

嶋護(しま・もり)氏連載中のソフト紹介記事10年分

生涯をかけてよい音のするディスクを追い求めている嶋護(しま・もり)氏が「季刊ステレオサウンド」に連載中の記事、「嶋護の一枚～The Best Sounding CD」の10年分(2003年～2012年)をまとめたものです。一枚あたりの紹介ページは8ページにもおよび、ディスクの制作背景、歴史的背景までをも含めて緻密に構成。本書を読めば、優秀録音とは何か?　よい音のするディスクはどのように作られているのかが、きっとおわかりいただけることでしょう。

嶋護の一枚～The BEST Sounding 嶋 護 著
定価2,571円(税込)　国内郵送料360円　ISBN:978-4-88073-316-6

和田博巳氏が綴る痛快軽妙な評論&エッセイ集

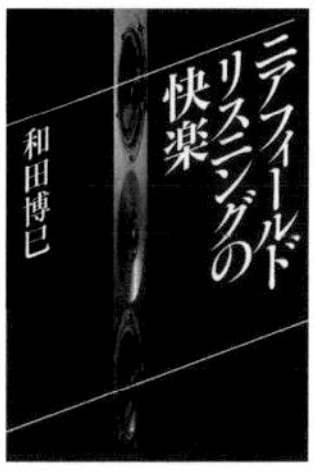

季刊ステレオサウンドに13年間連載された人気企画が書き下ろし一篇を加えたファン必携の一冊。

●ぼくの体験的ニアフィールドリスニング論
●「ニアフィールドリスニングの快楽」的ハイエンド魂
●ハイエンド魂 番外編
●スピーカーは低音だ
●ニアフィールドリスニング的デザイン考　ほか

書籍 ニアフィールドリスニングの快楽 和田博巳 著
定価2,571円(税込)　国内郵送料360円　ISBNコード:978-4-88073-294-7

株式会社ステレオサウンド 販売部
〒106-8661 東京都港区元麻布3-8-4
TEL03-5412-7887/FAX03-5412-7897
http://store.stereosound.co.jp/

お求めは、書店または当社ホームページをご利用ください。なお、本誌綴じ込みの郵便振替用紙でのお申込みも可能です。通信欄に、誌名、冊数をご記入の上、誌代+送料(商品代金5,000円以上お買い上げの場合は送料サービスになります)をお近くの郵便局よりお振込みください。

ステレオサウンドの出版物、
CDソフト情報などをいち早く発信しています。
@ss_sales
facebook
www.facebook.com/stereosound.publishing

山中敬三
真のオーディオ・コニサー
著作集 保存版

2014年9月23日初版発行

●著者　山中敬三
●発行人　原田 勲
●発行所　株式会社ステレオサウンド
〒106-8661　東京都港区元麻布3-8-4
http://www.stereosound.co.jp/
電話　03-5412-7887(販売部)
●印刷・製本　奥村印刷株式会社